Afterworlds

L'auteur

Scott Westerfeld est né au Texas. Compositeur de musique électronique pour la scène, concepteur multimédia et critique littéraire, il vit entre New York et Sydney.

Il est l'auteur de cinq romans de S.F. pour adultes, dont L'*I.A. et son double*, déjà paru en France, et le space opera en deux parties paru aux éditions Pocket : *Les Légions immortelles* et *Le Secret de l'Empire*.

Scott Westerfeld écrit également pour les jeunes adultes : les séries best-sellers *Uglies* et *Midnighters*, ainsi que la trilogie *Léviathan*, toutes parues aux éditions Pocket Jeunesse.

Retrouvez l'auteur sur son site :
www.scottwesterfeld.com

SCOTT WESTERFELD

Afterworlds

Traduit de l'anglais (États-Unis)
par Guillaume Fournier

POCKET JEUNESSE
PKJ·

Titre original :
Afterworlds

Publié pour la première fois en 2014 par Simon Pulse,
département Simon & Schuster Children's
Publishing Division, New York

Loi n° 49 956 du 16 juillet 1949 sur les publications
destinées à la jeunesse : mars 2015

© 2015, éditions Pocket Jeunesse, département d'Univers Poche,
pour la traduction et la présente édition

ISBN : 978-2-266-25628-5

*À vous tous les artisans des mots,
plumitifs et autres Wrimos innombrables
qui avez fait de l'écriture un élément de vos lectures.*

Nous nous racontons des histoires afin de pouvoir vivre.
Joan Didion

L'éducation est le chemin qui mène de l'ignorance
arrogante aux affres de l'incertitude.
Mark Twain

L'E-MAIL LE PLUS IMPORTANT QUE DARCY PATEL AIT JAMAIS RÉDIGÉ tenait en trois paragraphes.

Le premier concernait Darcy elle-même. Sans parler de détails, comme ses cheveux teints en bleu-noir ou la boucle en or dans sa narine gauche, il commençait par un sombre secret que ses parents ne lui avaient jamais transmis. À l'époque où la mère de Darcy n'avait que onze ans, sa meilleure amie avait été assassinée par un inconnu. Cette découverte, faite à l'occasion d'une banale recherche sur le web, avait choqué Darcy, tout en clarifiant certaines choses à propos de sa mère. Elle l'avait aussi inspirée pour écrire.

Le deuxième paragraphe de son e-mail concernait le roman que Darcy venait d'achever. Il ne précisait pas, bien sûr, qu'elle avait écrit les soixante mille mots d'*Afterworlds* en trente jours seulement. L'agence littéraire Underbridge n'avait pas besoin de le savoir. Le message décrivait un attentat terroriste, une jeune femme qui provoque sa propre mort, par un simple effort de volonté, et le jeune homme troublant qu'elle rencontre dans l'au-delà. Il annonçait des fantômes cachés dans les coins, des traumatismes familiaux et des petites sœurs plus malignes qu'il n'y paraît. Recourant au présent et à des phrases courtes,

Darcy plantait le décor, brossait les personnages et leurs motivations, et laissait entrevoir la conclusion. On lui confia par la suite que ce paragraphe était le meilleur des trois.

Le dernier paragraphe n'était que flatterie, parce que Darcy tenait beaucoup à ce que l'agence littéraire Underbridge lui dise oui. Elle louait l'étendue de sa vision et rendait hommage au génie de ses clients, allant jusqu'à se comparer à ces noms illustres. Elle expliquait en quoi son roman était différent des autres romans fantastiques de ces dernières années (dont aucun ne proposait de psychopompe védique d'une beauté à couper le souffle comme petit ami de l'héroïne).

Cet e-mail n'était pas une lettre de candidature parfaite. Mais il remplit son office. Dix-sept jours après avoir cliqué sur «envoyer», Darcy signait chez Underbridge, une agence littéraire florissante et estimée, et peu après elle recevait un contrat de deux titres pour une somme d'argent stupéfiante.

Il ne lui restait plus que quelques menus détails à régler – son diplôme d'enseignement supérieur, une décision audacieuse, et l'approbation de ses parents – et Darcy Patel pourrait faire ses valises pour New York.

J'AI RENCONTRÉ LE GARÇON DE MES RÊVES DANS UN AÉROPORT, juste avant minuit, à quelques jours du Nouvel An. Je changeais d'avion à Dallas, et j'ai bien failli mourir.

Ce qui m'a sauvée, c'est que j'étais en train d'envoyer un texto à ma mère.

Je lui en envoie toujours des tas pendant mes voyages – quand j'arrive à l'aéroport, quand on appelle mon vol à l'embarquement, quand on nous demande d'éteindre nos téléphones. Je sais, c'est plutôt le genre de truc qu'on fait avec son petit ami qu'avec sa mère. Mais voyager seule me rendait nerveuse avant même que je puisse voir les fantômes.

Et croyez-moi, ma mère a besoin d'avoir de mes nouvelles. Sans arrêt. Elle s'est toujours montrée un peu collante, encore plus depuis que mon père s'est installé à New York.

Donc je déambulais seule à travers l'aéroport quasiment désert, à la recherche d'une meilleure réception. Si tard dans la nuit, la plupart des boutiques étaient fermées, enseigne éteinte, et j'ai marché jusqu'à me retrouver devant une autre aile de l'aéroport, barrée par une grille métallique qui descendait du plafond. À travers les maillons d'acier je voyais deux tapis roulants défiler devant moi, sans personne dessus.

Je n'ai pas vu l'attaque arriver. J'étais penchée sur mon téléphone, à regarder le correcteur automatique batailler contre mon orthographe. Maman me demandait des détails sur la nouvelle petite amie de papa, que je venais de rencontrer à l'occasion de ma visite hivernale. Rachel était ravissante, toujours très bien habillée et faisait la même pointure que moi, mais pas question d'écrire ça à maman. *Elle a des super chaussures et elle me laisse les lui piquer* n'aurait pas fait une bonne entrée en matière.

Le nouvel appartement de mon père aussi était incroyable, au quatorzième étage, avec d'immenses baies vitrées qui surplombaient Astor Place. Son dressing était aussi grand que ma chambre chez nous, plein de tiroirs qui s'ouvraient avec un bruit de roulettes de skateboard. Je n'aurais pas voulu habiter là. Tout ce chrome et ces meubles en cuir blanc étaient un peu trop froids pour que je m'y sente à l'aise. Mais maman avait raison – papa avait gagné un paquet de fric depuis qu'il nous avait quittées. Il était riche à présent, avec un portier au bas de son immeuble, un chauffeur personnel et une carte de crédit noire et clinquante devant laquelle les hôtesses de vente se mettaient aussitôt au garde-à-vous (appeler les vendeuses «hôtesses de vente» était un truc que je tenais de Rachel).

Je portais un jean et un sweat à capuche, comme chaque fois que je voyage, mais ma valise était pleine à craquer de vêtements de marque que j'allais devoir cacher à mon retour en Californie. La richesse de papa tapait sur les nerfs de maman, non sans raisons : elle l'avait soutenu financièrement pendant toutes ses études de droit, et ensuite il avait tiré sa révérence. Ça m'agaçait moi aussi parfois, mais dans ces cas-là il m'envoyait un peu d'argent et je passais l'éponge.

Ça paraît superficiel, hein, de me laisser acheter par de l'argent qui aurait dû revenir à ma mère ? Croyez-moi, j'en ai conscience. Rien de tel que de passer à deux doigts de la mort pour réaliser à quel point on peut être superficiel.

Maman venait de m'écrire : *Dis-moi qu'elle est plus vieille que la précédente. Et que ce n'est pas encore une Balance !*

Je ne lui ai pas demandé sa date de nuisance.

Pardon ?

De NAISSANCE. Foutu correcteur automatique.

Maman était habituée à mon orthographe approximative. La veille au soir, elle n'avait même pas relevé quand je lui avais écrit que mon père et moi mangions des *benêts* pour le dessert. Mais dès qu'on abordait la question de Rachel, plus aucune faute de frappe ne lui échappait.

Dommage. J'aurais bien voulu voir sa tête.

J'ai décidé de laisser couler, et j'ai répondu : *Elle t'embrasse, au fait.*

Trop gentil.

Je suis censée deviner si c'est ironique ? Ça passe moyen à l'écrit, tu sais.

Je suis trop vieille pour l'ironie. C'était du sarcasme.

J'ai entendu des éclats de voix dans mon dos, au niveau du portique de sécurité. J'ai fait demi-tour et je suis repartie vers ma porte d'embarquement sans détacher les yeux de mon téléphone.

J'ai l'impression que c'est mon bol qu'on appelle.

OK. On se voit dans trois heures, ma chérie. Tu me manques.

J'ai commencé à taper *Toi aussi*, mais à ce moment-là mon petit monde a volé en éclats.

Jusqu'à présent je n'avais encore jamais entendu de rafales d'arme automatique. Presque trop fort pour mes oreilles, c'était moins un bruit qu'une ondulation de l'air autour de moi, un frisson que je pouvais percevoir dans mes os et mes globes oculaires. J'ai levé la tête de mon téléphone les yeux écarquillés.

Les tireurs avaient quelque chose d'inhumain. Ils portaient des masques de film d'horreur, et des nuages de fumée nous enveloppaient à mesure qu'ils arrosaient la foule. Au début, les gens étaient pétrifiés. Personne n'a tenté de s'enfuir ou de se cacher derrière les rangées de sièges, et les terroristes ont pu prendre tout leur temps.

Je n'ai entendu les cris qu'au moment où ils se sont arrêtés de tirer pour recharger.

Et puis tout le monde s'est mis à courir dans tous les sens. Un garçon de mon âge en maillot de football américain – Travis Brinkman, comme on l'a su plus tard – s'est jeté sur deux des tireurs et les a plaqués au sol. Ils ont glissé sur le carrelage trempé de sang. Si les terroristes n'avaient été que deux, il aurait pu remporter ce combat et vivre le restant de ses jours en héros, à raconter l'histoire à ses petits-enfants jusqu'à épuisement. Mais il y avait quatre tireurs en tout, et les autres ne manquaient pas de munitions.

Pendant que Travis Brinkman s'écroulait, les premiers fuyards sont parvenus à ma hauteur. Ils évoluaient dans une épaisse fumée qui charriait une puanteur de plastique brûlé. J'étais restée plantée là comme une idiote, mais cette odeur âcre a déclenché chez moi un accès de panique ; j'ai tourné les talons et pris la fuite avec les autres.

Mon téléphone s'est allumé dans ma main. Je l'ai contemplé bêtement. Je savais que j'étais censée faire quelque chose de cet objet lumineux et bourdonnant, mais j'avais oublié quoi. Je n'avais toujours pas compris ce qui se passait. Je savais juste que si je m'arrêtais de courir, j'étais fichue.

Et là, je me suis retrouvée nez à nez avec la mort – cette grille en acier qui barrait le hall, du sol au plafond, d'un

LIZZIE

mur à l'autre. La section fermée de l'aéroport s'étendait au-delà, avec ses tapis roulants imperturbables. Les terroristes avaient attendu minuit afin que les derniers passagers se retrouvent coincés.

Un homme en blouson de motard s'est jeté, épaule en avant, contre la grille, qui a ondulé. Il s'est agenouillé devant pour glisser ses doigts par-dessous et a réussi à la soulever de quelques centimètres. D'autres sont venus l'aider.

J'ai avisé mon téléphone. Un texto de ma mère :
Essaie de dormir dans l'avion.

J'ai écrasé mon pouce sur l'écran pour faire apparaître le pavé numérique. Dans un coin de ma tête, je me suis rendu compte que je n'avais encore jamais composé le numéro des urgences. Pendant que sonnait la tonalité, je me suis retournée vers la fusillade.

Des cadavres jonchaient le sol un peu partout. Les terroristes avaient mitraillé les fuyards dans le dos.

L'un d'eux s'approchait, il était encore à une trentaine de mètres. Les yeux baissés, il enjambait les corps avec précaution, comme s'il n'y voyait pas très bien à travers son masque.

Un filet de voix s'est élevé au creux de ma main, jusqu'à atteindre mes oreilles engourdies.

— D'où nous appelez-vous ?

— L'aéroport.

— Nous sommes au courant. La sécurité est en chemin et va bientôt arriver. Êtes-vous en lieu sûr ?

La femme était si calme ! Quand j'y repense, ça me donne toujours envie de pleurer, cette maîtrise qu'elle affichait, ce courage. À sa place, j'aurais eu envie de hurler, sachant ce qui se passait à l'autre bout du fil. Je n'ai pas crié. J'étais trop occupée à regarder le tireur s'avancer pas à pas vers moi.

15

Il achevait les blessés d'un coup de pistolet, l'un après l'autre.

— Non, pas du tout.

— Voyez-vous une cachette à proximité ?

Je me suis retournée vers la grille. Une douzaine de personnes s'efforçaient de la hisser. Le métal tremblait et cliquetait, mais la grille était verrouillée. Impossible de la soulever de plus de quelques centimètres.

J'ai cherché du regard une porte, un couloir, un distributeur de boissons derrière lequel j'aurais pu me cacher. Mais les murs étaient désespérément nus.

— Aucune, et il est en train de tuer tout le monde.

Nous étions parfaitement calmes, en train de discuter tranquillement.

— Dans ce cas, je crois que vous allez devoir faire la morte.

— Hein ?

Le tireur a levé la tête, et j'ai vu briller ses yeux à travers les trous de son masque. Il regardait dans ma direction.

— Si vous ne pouvez vous cacher nulle part, a repris la femme en articulant soigneusement, essayez de vous allonger par terre et de ne plus bouger.

L'homme a rengainé son pistolet et relevé son fusil automatique.

— Merci, ai-je dit.

Et je me suis laissée tomber en avant à l'instant où le fusil recommençait à cracher des étincelles et de la fumée.

Je me suis violemment cogné les genoux contre le sol, mais j'ai relâché tous mes muscles, pour m'étaler à plat ventre comme une poupée de chiffon. Je me suis tapé le front si fort contre le carrelage que des points lumineux se sont mis à danser dans mon champ de vision, et qu'un liquide chaud et poisseux m'a mouillé le front.

J'ai battu des paupières, une fois – j'avais du sang dans les yeux.

Je suis restée couchée là, gisante, pendant que le fusil crépitait et que les balles sifflaient au-dessus de ma tête. Les hurlements me donnaient envie de me rouler en boule mais j'ai réussi à m'en empêcher. Et j'ai commencé à bloquer ma respiration.

Je suis morte. Je suis morte.

Mes poumons ont frémi, luttant contre moi, exigeant plus d'oxygène.

Je n'ai pas besoin de respirer. Je suis morte.

Les tirs ont fini par s'interrompre, bientôt remplacés par d'autres sons encore plus horribles. Les supplications d'une femme, la respiration sifflante d'une personne aux poumons perforés. Plus loin, j'ai entendu les détonations sèches de plusieurs pistolets.

Et le pire de tous : le couinement de semelles de tennis sur les dalles humides, qui se rapprochaient à pas lents et méticuleux. J'ai revu l'homme qui achevait les blessés, il s'assurait que personne ne réchapperait de ce cauchemar.

Ne faites pas attention à moi. Je suis morte.

Mon cœur battait, assez fort pour faire trembler tout l'aéroport. J'ai continué à retenir ma respiration.

Le couinement des semelles s'est estompé, noyé dans un léger grondement au fond de mon crâne. Mes poumons ne luttaient plus, et je me suis sentie glisser lentement hors de mon corps, dans le sol, vers un endroit sombre, silencieux et froid.

Peu m'importait que le monde soit en train de s'écrouler. Incapable de respirer, de bouger ou de réfléchir, je ne pensais plus qu'à une chose…

Je suis morte.

Derrière mes paupières closes, ma vision est passée du rouge au noir, comme une tache d'encre qui s'étalerait sur ma conscience. Une sensation de froid m'a envahie, et mon vertige s'est mué en un balancement lent, paisible.

Un long moment s'est écoulé sans qu'il se passe rien.

Et puis, je me suis réveillée ailleurs.

3

L'ENVELOPPE EN PAPIER KRAFT DE L'AGENCE LITTÉRAIRE UNDER-bridge avait la même épaisseur qu'un dossier d'inscription à l'université. Sauf qu'au lieu de formulaires, livrets et autres brochures, elle contenait quatre exemplaires du même document – un contrat de publication – et une enveloppe de retour libellée et affranchie.

Un e-mail avait précédé cet envoi une semaine plus tôt, et Darcy Patel avait lu le contrat à différents stades de son élaboration. Il n'y avait rien de mystérieux dans le contenu de l'enveloppe. Pourtant, le simple fait de l'ouvrir lui paraissait un effort monumental. Elle avait emprunté le coupe-papier paternel de Princeton pour l'occasion.

— Je l'ai reçu, annonça-t-elle à la porte de sa sœur.

Nisha jeta son livre, bondit de son lit et suivit Darcy dans sa chambre.

Elle avait lu *Afterworlds* en novembre dernier, pendant sa rédaction, parfois à voix haute par-dessus l'épaule de Darcy.

— Ferme la porte.

Darcy s'assit à son bureau. Ses mains tremblaient un peu.

Nisha obéit avant de la rejoindre.

— Ils ont mis le temps. Depuis quand Paradox est officiellement intéressé ? Trois mois ?

— Mon agent dit que certains contrats peuvent prendre un an.

— Ça fait déjà sept aujourd'hui, et il n'est même pas encore midi !

Darcy n'était pas autorisée à employer les mots « mon agent » plus de dix fois par jour devant sa petite sœur ; tout dépassement lui coûtait un dollar. L'accord avait paru raisonnable aux parties concernées.

Darcy saisit l'enveloppe, le coupe-papier bien en main.

— C'est parti.

La lame buta à mi-chemin sur une agrafe et resta bloquée.

— Merde.

Darcy poussa un peu plus fort.

— Doucement, Patel, dit Nisha, debout derrière elle.

Darcy sortit les contrats de l'enveloppe. Elle avait déchiré le haut de la première page.

— Super. Mon agent va me prendre pour une nouille.

— Et de huit ! observa Nisha. Pourquoi tous ces exemplaires, de toute façon ?

— J'imagine que ça fait plus officiel.

Darcy vérifia le reste du contenu de l'enveloppe. Les autres contrats étaient intacts.

— Tu crois que celui-là est encore valable, même abîmé ?

— Avec une déchirure pareille ? Franchement, Patel, je crois que c'est toute ta carrière qui est compromise.

Darcy ressentit une pointe douloureuse entre deux côtes, comme si elle s'était piquée à son coupe-papier.

— Ne répète jamais ça. Et arrête de m'appeler par notre nom de famille. Ça fait bizarre.

— Pff, répliqua Nisha.

Elle développait chaque semaine de nouveaux tics de langage, ce qui était bien pratique. L'héroïne d'*Afterworlds* lui avait emprunté un florilège de jurons excentriques.

— Tu n'as qu'à mettre un bout de Scotch.

Avec un soupir, Darcy scotcha son contrat, qui eut un aspect encore plus misérable. On aurait dit le devoir d'arts plastiques d'une collégienne : Mon ContRat de PubLicaTion.

— Ça ne ressemble plus à rien.

— C'est un désastre !

Nisha bascula en arrière sur le lit de Darcy et mima les affres de l'agonie, rejetant les draps sur le côté. Les gens disaient toujours qu'elle faisait beaucoup plus que ses quatorze ans. Si seulement ils avaient su la vérité.

— Rien de tout ça n'a l'air vrai, murmura Darcy, contemplant son contrat rafistolé.

Nisha se redressa.

— Tu sais pourquoi, Patel ? Parce que tu n'as encore rien dit aux parents.

— Je le ferai. Après la remise des diplômes la semaine prochaine.

Ou peut-être plus tard, une fois que la date limite pour Oberlin serait passée.

— Non, tout de suite. Juste après avoir mis ces contrats au courrier.

— Aujourd'hui ?

À l'idée de la réaction de ses parents, Darcy sentit un frisson glacé courir le long de sa nuque.

— Oui. C'est seulement quand tu leur auras dit que ce sera réel. Jusque-là, tu n'es qu'une gamine qui rêve de devenir un auteur à succès.

Darcy toisa sa cadette.

— Tu te rappelles que je suis plus âgée que toi, au moins ?

— Alors comporte-toi en conséquence.

— Et s'ils disent non ?

— Ils ne peuvent pas. Tu as dix-huit ans. Tu es pratiquement adulte.

Darcy ne put s'empêcher de rire, et Nisha se joignit à elle. L'idée que les parents Patel admettent l'indépendance de leur progéniture à dix-huit ans – ou à n'importe quel âge – était hilarante.

— Ne t'en fais pas pour eux, assura Nisha une fois qu'elles eurent retrouvé leur souffle. J'ai un plan.

— Lequel ?

— Un plan secret.

Un sourire malicieux s'étala sur le visage de Nisha, à peu près aussi rassurant que le contrat déchiré.

Darcy ne s'inquiétait pas uniquement de la réaction de ses parents. Ses projets en eux-mêmes avaient quelque chose de terrifiant, comme si elle avait décidé de devenir astronaute ou rock star.

— Tu crois que je suis cinglée, de vouloir faire ça ?

Nisha haussa les épaules.

— Si tu veux devenir écrivain, c'est maintenant ou jamais. Comme tu le dis toujours, *Afterworlds* peut aussi faire un bide et plus personne ne voudra jamais t'éditer.

— Je n'ai dit ça qu'une seule fois. (Darcy soupira.) Mais merci de me le rappeler.

— Pas de quoi, Patel. Écoute – tu as un contrat en bonne et due forme. Donc jusqu'à ce que l'échec de ton bouquin soit officiel, ça fait de toi un authentique écrivain ! Alors est-ce que tu préfères dépenser tout ce fric dans la peau d'un auteur new-yorkais ou être étudiante en première année, à pondre des rédactions sur des Blancs décédés depuis des lustres ?

Darcy baissa les yeux sur son contrat. Peut-être l'avait-elle déchiré parce qu'elle l'avait souhaité trop fort. N'empêche, même abîmé, le contrat était magnifique. Sur la première page, il la définissait elle, Darcy Patel, comme « L'Auteur ». On ne pouvait pas faire plus réel que ça.

— Je préfère être un auteur qu'une étudiante de première année, reconnut-elle.

— Alors il faut le dire aux parents – une fois que tu auras renvoyé ces contrats.

Darcy contempla l'enveloppe de retour et se demanda si l'agence littéraire Underbridge fournissait les timbres pour tous ses auteurs, ou seulement les adolescents. En tout cas, cela voulait dire qu'elle n'avait qu'à marcher jusqu'au coin de la rue pour la poster, ce qui lui coûterait moins d'efforts que de résister à Nisha. Car, si sa petite sœur avait un plan, elle la harcèlerait sans répit jusqu'à la capitulation.

— D'accord. Au déjeuner.

Darcy sortit son stylo préféré et parapha les quatre contrats.

— J'ai un truc à vous dire, annonça-t-elle à ses parents. Promettez-moi de ne pas vous mettre en colère.

Vu les expressions autour de la table – y compris celle de Nisha – Darcy se demanda si elle n'aurait pas dû choisir une autre entrée en matière. Son père s'était interrompu en pleine bouchée, et Annika Patel la dévisageait avec des yeux ronds.

Le déjeuner se composait des restes de la veille – poivrons rouges frits et pois chiches au tamarin, le tout baignant dans le garam masala et servi dans les emballages en polystyrène. Pas l'idéal pour une annonce importante.

— Je voudrais repousser d'un an mon entrée à l'université.

— Quoi ? s'exclama sa mère. Mais pourquoi ?

— Parce que j'ai des responsabilités.

Cette réponse avait mieux sonné quand elle l'avait répétée dans sa tête.

— Je vais devoir réécrire le manuscrit d'*Afterworlds*, et rédiger une suite.

— Mais…

Sa mère marqua une pause, et les parents Patel échangèrent un regard.

— Travailler sur tes livres ne va pas te prendre tout ton temps, intervint son père. Tu as bien écrit le premier en un mois, non ? Et ça ne t'a pas empêchée d'étudier.

— Ça a failli me tuer ! protesta Darcy.

Certains soirs, en novembre dernier, elle avait appréhendé de rentrer à la maison parce qu'elle savait qu'elle devrait tout mener de front : deux mille mots de son roman à écrire, ses devoirs, ses dossiers de candidature et ses révisions.

— En plus, ajouta-t-elle, c'est pas un roman. C'est juste le premier *jet*.

Ses parents l'observaient en silence.

— Il n'y a pas de bonne écriture, seulement de bonnes réécritures, cita-t-elle, sans se rappeler précisément qui avait dit ça. D'après tout le monde, le plus difficile va être de transformer mon premier jet en un vrai roman. Mon contrat me laisse jusqu'à septembre pour ça. Quatre mois entiers ! Autant dire qu'ils considèrent que j'ai du boulot.

— Oh, j'en suis sûre. Mais ça tombe bien, l'université ne commence qu'en septembre, dit Annika Patel avec un grand sourire. Ça te laisse tout le temps nécessaire, non ?

— Si, convint Darcy avec un soupir. Sauf qu'une fois que j'aurai fini *Afterworlds*, je devrai écrire la suite, et puis la retravailler. Et mon agent dit que je devrais déjà être en train d'assurer ma promo !

Nisha leva neuf doigts…

— Darcy, reprit leur père. Tu sais que nous avons toujours encouragé ta créativité. Mais je croyais que la principale raison pour laquelle tu voulais écrire ce roman, c'était de le faire figurer dans ton dossier de candidature ?

— Pas du tout ! s'écria Darcy. D'où sors-tu cette idée ?

Annika Patel joignit les mains comme pour implorer le calme. Quand elle eut obtenu l'attention générale, son expression douloureuse s'adoucit en un sourire entendu.

— C'est parce que tu as peur de quitter la maison ? Je sais que l'Ohio doit te sembler très loin, mais tu pourras nous appeler chaque fois que tu en auras envie.

— Oh, fit Darcy, réalisant que son annonce était incomplète. Non, non, je ne vais pas rester ici. Je vais m'installer à New York.

Dans le silence qui suivit, on n'entendait plus que Nisha qui mastiquait un samoussa. Darcy aurait apprécié que sa petite sœur efface de son visage cette expression narquoise.

— New York ? finit par répéter leur mère.

— J'ai l'intention de devenir écrivain, et toutes les maisons d'édition sont là-bas.

Annika Patel lâcha un long soupir exaspéré.

— Tu n'as même pas voulu nous laisser lire ton livre, Darcy. Et maintenant tu voudrais renoncer à l'université pour ce… rêve ?

— Je ne renonce pas, maman, je veux juste repousser mes études d'un an. (Elle trouva enfin les mots.) Une année entière à étudier le monde de l'édition. À tout découvrir de l'intérieur ! Vous imaginez l'impact que ça pourrait avoir sur mon dossier de candidature ? plaidat-elle en agitant les mains. Sauf que, bien sûr, je n'aurai pas à poser une nouvelle candidature puisque j'aurai seulement retardé mon entrée à l'université.

Sa voix trembla sur la fin, sous l'effet de la culpabilité. D'après le manuel de l'étudiant d'Oberlin, différer son entrée n'était admis que dans des « circonstances exceptionnelles », dont la définition restait à l'appréciation de l'établissement. Si ce dernier refusait, elle devrait repartir de zéro.

Mais après tout, quoi de plus exceptionnel que d'être sous contrat pour écrire un roman ?

— Je ne sais pas trop, Darcy. (Son père secoua la tête.) D'abord, tu refuses de postuler auprès d'universités en Inde, et maintenant...

— Je n'aurais jamais pu entrer dans une grande université en Inde ! Même Sagan n'a pas réussi, et c'est un génie des maths. (Darcy se tourna vers sa mère, la seule à lire des romans.) Vous avez trouvé ça super, quand j'ai vendu mon livre !

— Bien sûr, c'est formidable, reconnut Annika Patel. Même si tu refuses de nous le faire lire...

— Jusqu'à la fin de la réécriture !

— À toi de voir, dit sa mère. Mais ne t'attends pas à ce que tous tes livres te rapportent autant d'argent. Tu n'as jamais habité seule, ni payé tes factures, ni préparé tes repas...

Darcy préféra s'abstenir de répondre. Elle avait les larmes aux yeux, la gorge nouée. Nisha avait raison – à présent qu'elle avait confié son rêve à ses parents, il était devenu bien concret. Trop pour y renoncer.

En même temps, d'autres choses apparaissaient réelles, les mille et un problèmes de l'autonomie. Darcy n'avait jamais fait sa propre lessive.

Elle adressa un regard implorant à sa sœur. Nisha posa sa fourchette avec un petit bruit, juste assez fort.

— Je pensais à un truc, commença-t-elle quand tous les

regards se furent tournés vers elle. Question argent, ce serait peut-être mieux si Darcy attendait un an.

Personne ne dit rien, et Nisha laissa le silence se prolonger un instant.

— J'ai regardé les formulaires de bourses d'Oberlin. Et bien sûr, la première chose qu'ils veulent savoir, c'est combien gagnent les parents. Mais il y a aussi une ligne où ils demandent quels sont les revenus du candidat. Et là, Darcy explose carrément le plafond.

En l'absence de tout commentaire, Nisha hocha lentement la tête, comme si elle saisissait au fur et à mesure la portée de ce qu'elle disait.

— Darcy va ramasser plus de cent mille dollars cette année, rien qu'en signant ce contrat. Alors si elle commence l'université maintenant, elle peut faire une croix sur sa bourse.

— Oh, fit Darcy.

Son avance sur droits représentait l'équivalent de quatre ans de frais de scolarité. Le temps de terminer ses études, elle aurait tout dépensé jusqu'au dernier cent.

— Eh bien, ça ne paraît pas très juste, s'insurgea leur père. Je veux dire, il doit y avoir moyen de modifier le contrat et de retarder le…

— Trop tard, le coupa Darcy, s'émerveillant devant le machiavélisme de sa sœur. Je l'ai déjà signé et renvoyé.

Ses parents se dévisagèrent, un échange silencieux à leur manière parentale qui signifiait qu'ils en discuteraient en privé plus tard. Autrement dit, que Nisha avait réussi à entrebâiller la porte.

Il était temps d'enfoncer le clou.

— New York est beaucoup plus près qu'Oberlin, fit valoir Darcy. En train, il n'y en a pas pour longtemps, et tante Lalana habite sur place, sans compter qu'on y trouve

une communauté gujarati bien plus importante que dans
l'…

Annika Patel leva la main et Darcy s'interrompit sur le
mot «Ohio». Peut-être valait-il mieux conserver quelques
arguments sous le coude, au cas où la discussion se pro-
longerait jusqu'au deuxième round.

Toutefois, quelque chose de décisif venait de se produire autour de cette table. Darcy pouvait sentir sa trajectoire personnelle, sur des rails immuables depuis sa plus
tendre enfance, s'infléchir et prendre une nouvelle direction. Elle avait modifié le cours de sa vie, rien qu'en tapant
deux mille mots par jour pendant trente jours.

Et la saveur de ce pouvoir, celui de ses propres mots, ne
faisait qu'aiguiser son appétit.

Elle ne tenait pas à ce que cette parenthèse ne dure
qu'un an. Elle voulait voir jusqu'où elle pourrait prolonger
cette sensation. Se griser de mots encore, comme lors
de cette semaine fabuleuse à la fin du mois de novembre
quand elle avait mis la touche finale à son manuscrit.
Darcy ne voulait pas vivre cette aventure pendant un an.

Elle voulait la vivre toujours.

4

L ORSQUE J'AI OUVERT LES YEUX, JE N'AI PAS COMPRIS CE QUI m'arrivait.

J'avais mal au crâne à l'endroit où je m'étais cognée. J'ai porté la main à mon front et l'ai retirée poissée de sang. Je ne me sentais pas en état de me lever, mais j'ai quand même réussi à m'asseoir.

Sous moi il y avait du carrelage gris comme le sol de l'aéroport, mais tout le reste avait disparu. J'étais au milieu d'un nuage informe. Je ne distinguais que des ombres qui ondulaient dans la grisaille.

C'était sans doute dû au choc que ma tête avait encaissé. La lumière qui filtrait à travers le brouillard était froide et dure, et je ne percevais aucune couleur, rien que des nuances de gris. Un grondement résonnait à mes oreilles, semblable au bruit de la pluie sur la tôle. Il flottait dans l'air un goût amer et métallique. Je me sentais tout engourdie, glacée jusqu'aux os.

Où avais-je donc atterri ?

Une forme sombre a remué dans mon champ de vision. Quand j'ai tourné la tête, elle s'est fondue dans la brume.

— Ohé ? ai-je essayé d'appeler.

Le son a eu du mal à sortir. J'ai vite compris pourquoi :

je n'avais pas respiré une seule fois depuis mon réveil. J'avais les poumons remplis d'une encre noire et froide.

J'ai inhalé un grand coup et mon corps a redémarré comme un vieux tacot, par à-coups, en tremblotant. Après plusieurs bouffées d'air, j'ai fermé les yeux et je me suis concentrée sur ma respiration, sur le fait d'être encore en vie.

Quand j'ai rouvert les paupières, une gamine se tenait devant moi.

Elle devait avoir dans les treize ans, de grands yeux curieux qui me regardaient bien en face. Elle était vêtue de gris : une jupe longue, un petit haut sans manches et un châle sur les épaules. Son visage était gris également, comme un dessin au crayon, animé.

J'ai pris ma respiration avant de parler.

— On est où, là ?

Elle a haussé les sourcils.

— Tu peux me voir ?

Je n'ai pas répondu. Au milieu de cette brume tournoyante, elle était la seule chose que je voyais.

— Tu es passée de l'autre côté, dit la fille, en faisant un pas vers moi. (Son regard s'est focalisé sur mon front.) Mais tu saignes encore.

J'ai porté les doigts à mon front.

— Je me suis cogné la tête.

— Pour te faire passer pour morte. Petite maligne.

Elle parlait avec un accent indéfinissable. Et même si je comprenais chacun de ses mots, ce qu'elle disait n'avait aucun sens.

— Tu brilles. Tu es venue ici de ta propre volonté, pas vrai ?

— Ici ? C'est où, ici ?

Elle a froncé les sourcils.

— Pas si maligne, en fin de compte. Tu es dans l'au-delà, ma grande.

Pendant un instant j'ai eu l'impression de basculer de nouveau, que le sol se dérobait sous mes fesses. Le grondement que j'entendais s'est intensifié.

— Tu es en train de dire que... je suis *morte* ?

Elle a désigné mon front.

— Les morts ne saignent pas.

J'ai cligné des paupières, ne sachant pas quoi dire.

— C'est très simple. (Elle s'exprimait avec soin, comme si elle s'adressait à un enfant.) Tu t'es rendue ici par toi-même. Mon frère est comme toi.

J'ai secoué la tête. Je sentais la colère monter, j'avais la conviction qu'elle faisait exprès de m'embrouiller les idées.

Mais avant que j'aie pu lui dire ma façon de penser, un son affreux a déchiré la brume.

Schouic, schouic... des semelles de tennis sur le carrelage.

J'ai pivoté au sol, fixant la grisaille informe.

— C'est lui !

— Du calme.

La fillette s'est avancée pour me prendre la main. Elle avait les doigts froids, et le froid s'est répandu en moi, modérant ma panique.

— Tu n'es pas encore sauvée.

— Mais il va me...

Schouic, schouic.

L'homme qui m'avait tiré dessus a émergé du nuage. Il avait l'air encore plus effrayant maintenant, le visage caché par un masque à gaz. Il venait droit sur nous.

— Non !

La fille m'a pressé l'épaule.

— Ne bouge pas.

31

J'étais tétanisée, je m'attendais à ce que le terroriste lève son arme et ouvre le feu. Mais il a continué à marcher – *à travers* nous, comme si nous étions de brume ou de fumée.

Je me suis retournée pour le voir s'éloigner dans la grisaille. Le nuage s'est fendu en tournoyant dans son sillage, dégageant un couloir. J'ai vu des sièges en plastique, des écrans de télévision et des cadavres qui jonchaient le sol.

— C'est l'aéroport, ai-je murmuré.

La fillette a froncé les sourcils.

— Évidemment.

— Mais pourquoi…

J'ai vu quelque chose scintiller à l'intérieur du nuage, un cylindre métallique qui roulait sur le sol dans notre direction. De la taille d'une cannette, l'objet s'est arrêté à quelques mètres, tournant sur lui-même en recrachant de la fumée. En quelques secondes, le passage ouvert par le tireur s'était complètement refermé.

— Du gaz lacrymogène…

Je n'étais pas au paradis. Mais en pleine zone de combat.

La sécurité est en chemin, m'avait dit l'opératrice au téléphone. J'ai fini par comprendre que le grondement que j'entendais correspondait à des coups de feu, assourdis par la distance ou par mon défaut de perception.

— Ne t'en fais pas, m'a assuré la fille. Il ne peut rien t'arriver ici.

Je me suis tournée vers elle.

— C'est où, *ici*? Je ne comprends rien à ce que tu racontes !

— Parce que tu ne m'écoutes pas, a-t-elle répliqué, avec une pointe d'exaspération. Tu t'es enfoncée dans l'au-delà, et si tu retournes à la réalité maintenant, tu te feras tuer. Alors, tiens-toi tranquille !

Je l'ai dévisagée, incapable de parler, de bouger ou de réfléchir. Dépassée.

Elle a soupiré.
— Reste ici. Je vais chercher mon frère.

Je n'ai pas osé bouger.

Le nuage de gaz lacrymogène se découpait par endroits, et je pouvais de temps en temps distinguer des corps à proximité. Les visages et les habits étaient gris, comme tout le reste. Le monde autour de moi semblait entièrement décoloré, à l'exception de mes mains et du sang rouge sur mes doigts.

Quel que soit cet endroit, je n'y avais pas ma place. J'étais trop vivante.

Après de longues minutes d'attente, j'ai vu une autre silhouette sortir de la brume — celle d'un garçon de mon âge. Il ressemblait beaucoup à sa sœur, hormis que sa peau n'était pas grise, mais aussi foncée que la mienne après un été à dorer sur la plage. Ses cheveux d'un noir de jais lui descendaient presque jusqu'aux épaules, et il portait une chemise en soie qui ondulait comme un liquide sombre sur sa peau.

En dépit du caractère épouvantable de la situation, j'ai remarqué à quel point il était beau. Lumineux. C'était l'un de ces garçons à la mâchoire parfaite, déjà mignons quand ils sont rasés de près mais carrément irrésistibles avec une barbe de trois jours.

— N'aie pas peur.

J'ai essayé de répondre, mais j'avais la bouche sèche.

— Je m'appelle Yamaraj. Je peux t'aider.

Il avait le même accent que sa sœur — indien, ai-je pensé, avec une pointe d'accent britannique. Il détachait chaque syllabe avec netteté, comme quelqu'un qui a appris l'anglais dans une salle de classe.

J'ai bredouillé :
— Moi, c'est Lizzie.

Il a paru décontenancé.

— Le diminutif d'Elizabeth ?

Je l'ai fixé sans rien dire. Sa remarque était trop bizarre.

J'ai noté un mouvement du coin de l'œil : un homme courait en zigzags, plié en deux. Il portait un masque à gaz, un uniforme noir et un gilet pare-balles. C'était sans doute un gentil, mais il avait une allure de monstre.

Yamaraj m'a touché le bras.

— C'est presque terminé. Je vais te mettre en sécurité.

— Je veux bien.

Il m'a conduite loin du grondement assourdi de la fusillade.

Puis j'ai compris qu'il m'emmenait vers la grille métallique qui avait causé notre perte à tous. Une dizaine de corps gisaient, inertes et silencieux. Une femme avait un bras posé en travers de son enfant. Un homme avait les doigts en sang à force d'avoir tiré en vain sur les maillons.

Je me suis arrêtée.

— C'est là qu'ils nous ont massacrés !

— Ferme les yeux, Elizabeth.

Sa voix dégageait une sorte d'autorité tranquille à laquelle je n'ai pu qu'obéir, et je me suis laissée entraîner en avant.

— Ne t'en fais pas, répétait-il, tu n'as rien à craindre de l'au-delà si tu gardes ton calme.

J'étais tout sauf calme. Seule la main de Yamaraj sur mon bras m'empêchait d'éclater. Son contact me brûlait.

À chaque pas effectué à l'aveuglette, je m'attendais à buter sur un corps ou à glisser dans une mare de sang ; pourtant, je sentais à peine un tiraillement sur mes vêtements, comme si nous marchions dans un fourré de ronces.

— On ne risque plus rien maintenant, a finalement déclaré Yamaraj.

J'ai rouvert les yeux. Nous étions dans une autre partie de l'aéroport, où des rangées de sièges en plastique faisaient face aux portes d'embarquement verrouillées. Il y avait des écrans de télévision aux murs, tous éteints. Des tapis roulants fonctionnaient à vide entre des parois de verre.

La lumière était toujours dure et froide, et le décor aussi gris, à l'exception de Yamaraj, brun et brillant. Seuls quelques nuages de brouillard lacrymogène flottaient encore autour de nous.

Je me suis retournée. J'ai vu la grille derrière nous, et les corps de l'autre côté.

— On est passés à travers ? ai-je demandé.

— Ne regarde pas en arrière. Tu dois absolument garder ton…

— Calme. J'ai compris !

Je ne connais rien de plus agaçant que quelqu'un qui vous demande de rester calme. Mais si je pouvais lui aboyer dessus, cela voulait dire que je n'étais plus en état de choc.

Ma colère est retombée quand je me suis tournée vers Yamaraj. Il me regardait d'un air tranquille, avec dans ses yeux bruns une lueur qui adoucissait l'éclairage cru dans lequel nous baignions. Il était la seule chose dans ce monde qui ne soit pas grise et froide.

— Tu saignes encore.

Il a sorti sa chemise de son pantalon, et d'un geste brusque en a déchiré un morceau. Quand il me l'a pressé sur le front, j'ai perçu la chaleur de sa paume à travers la soie.

J'ai commencé à me sentir mieux. *Les morts ne saignent pas.* Je n'étais donc pas morte.

35

— La fille qui m'a trouvée, c'est ta sœur ?
— Oui. Elle s'appelle Yami.
— Elle m'a dit des trucs bizarres.
Un sourire est passé sur ses lèvres.
— Yami parle parfois à tort et à travers. J'imagine que tu dois te poser des questions.
J'en avais une centaine, mais elles se résumaient toutes à une seule :
— Que se passe-t-il ici ?
L'attention de Yamaraj s'est déplacée au-delà de moi.
— Une guerre, peut-être ?
J'ai froncé les sourcils. Ce garçon n'était manifestement pas du coin.
— Euh, non, rien à voir. Ce serait plutôt une sorte d'attaque terroriste. Ce que je voulais dire, c'est… je ne suis pas morte, si ?
Il a plongé ses yeux dans les miens.
— Tu es en vie, Lizzie. Seulement blessée et effrayée.
— Mais les autres, tous ces gens, ils sont morts, hein ?
Il a hoché la tête.
— Tu es la seule survivante. Je suis désolé.
Je me suis écartée de lui, j'ai reculé de quelques pas et je me suis laissée tomber sur un siège.
— Tu voyageais avec quelqu'un ?
J'ai secoué la tête, en pensant à ma meilleure amie Jamie qui avait failli m'accompagner à New York. Elle aurait pu être étendue là, avec les autres…
Yamaraj s'est assis sur l'accoudoir du siège voisin, il me tamponnait le front avec son morceau de chemise. Le fait d'avoir quelqu'un qui s'occupe de moi m'aidait à tenir le coup.
Je lui ai pris la main.
— Te souviens-tu de ce qui s'est passé ? De la manière dont tu es arrivée ici ?

— On a essayé de s'enfuir. (Ma voix s'est brisée, j'ai pris une grande inspiration.) Seulement la grille était abaissée, et l'un des hommes se rapprochait en tirant dans la foule. J'ai appelé le 911 et la femme au téléphone m'a conseillé de jouer la morte.

— Ah, tu t'es trop prise au jeu.

J'ai fermé les yeux, les ai rouverts : c'était le même aéroport, les mêmes sièges en plastique et les mêmes écrans de télévision. Mais je ressentais une sorte de décalage, comme à l'hôtel, lorsque l'ascenseur s'arrête au mauvais étage et que la moquette, le mobilier et les plantes ont un air familier et différent à la fois.

— Ce n'est pas vraiment l'aéroport, hein ?

— Pas tout à fait. C'est l'endroit où vont les morts – sous la surface des choses. Tu t'y es rendue de toi-même.

Je me suis souvenue de cette sensation, quand je faisais la morte, de m'enfoncer à travers le sol.

— Il y a un homme qui nous a traversées, ta sœur et moi. Parce qu'on est… des fantômes.

— Yami, oui. Elle est morte voilà longtemps. (Il a soulevé son bout de tissu pour m'examiner le front.) Mais toi et moi sommes différents.

— Comment ça ?

— Nous sommes…

Il m'a fixée un long moment, avec une expression de regret, et j'ai trouvé sa beauté époustouflante. Puis il a secoué la tête.

— Tu ferais mieux d'oublier tout ça.

Sans répondre, j'ai baissé les yeux sur mes mains, sur les lignes familières de mes paumes et les plis de mes doigts. Ma peau luisait comme celle de Yamaraj, mais c'était toujours moi. Je sentais ma langue glisser sur mes dents, je percevais le goût de ma bouche. Tout était intact dans les moindres détails, jusqu'à la sensation de mes pieds dans mes tennis.

J'ai plongé mon regard dans ses yeux bruns.

— C'est pourtant réel.

— Une part de toi en a conscience, pour l'instant. Mais une fois en sécurité chez toi, tu pourras l'oublier, comme un rêve.

Il a dit ça avec douceur, et une sorte de tristesse entendue. Je l'ai pris comme un défi.

— Tu veux dire que j'aurai trop peur pour persister à croire que c'est vraiment arrivé?

Yamaraj a secoué la tête.

— Ce n'est pas une question de courage, Lizzie. Plutôt une manière de donner un sens au monde qui t'entoure. Tu ne te rappelleras peut-être pas l'attaque; encore moins Yami et moi.

— Tu crois que je pourrais oublier ça?

— Je l'espère.

J'étais presque tentée d'approuver ce qu'il me disait, de refouler toute cette histoire dans un coin obscur de ma mémoire. Puis j'ai repensé au moment où mon père avait quitté la maison. Ma mère avait commencé par me mentir les premiers mois, me racontant qu'il avait un travail à New York et qu'il reviendrait bientôt. Quand elle avait fini par m'avouer la vérité, je m'en étais voulu, plus qu'à mes parents, parce que j'aurais dû comprendre seule.

Se cacher la vérité, c'était pire que de gober un mensonge.

— Je ne suis pas très douée pour me raconter des bobards.

— Croire ne sera pas facile non plus.

Un petit rire m'a échappé.

— Tu imagines que les choses vont être faciles, après ça?

Il a secoué la tête, l'air triste.

— J'espère que tu te trompes, Lizzie. Croire n'est pas seulement difficile, c'est aussi dangereux. Faire ce que tu as fait, passer d'un monde à l'autre, peut entraîner de drôles de transformations, tu sais ?

— Que veux-tu que ça me…

Le regard de Yamaraj s'est porté au-delà de moi, vers la grille métallique.

Je me suis retournée, et cette sensation d'encre froide dans les poumons m'a de nouveau envahie.

Plusieurs dizaines de personnes émergeaient de la brume – quatre-vingt-sept, comme les infos allaient le répéter avec insistance par la suite –, le visage gris, les vêtements déchiquetés par les balles. Ils avançaient d'un pas traînant, massés autour de Yami comme s'ils voulaient tous marcher près d'elle. Ils ne se touchaient pas, à l'exception d'une petite fille que ses parents tenaient par la main. Elle me dévisageait, et son expression signifiait clairement : *Pourquoi elle a le droit de rester, elle ?*

Yami s'est agenouillée, a posé la main sur le carrelage. Une noirceur s'est répandue autour d'elle, on aurait dit qu'un liquide noir s'écoulait de sa main. Les morts ont baissé les yeux vers le sol. Ils ont commencé à s'enfoncer…

J'ai senti un goût amer me remonter dans la gorge.

— Ce n'est pas juste.

— Ferme les yeux, m'a conseillé Yamaraj.

Mon pouls cognait contre mon crâne blessé, et tout a commencé à se transformer autour de moi – les couleurs normales reprenaient le pas sur la grisaille. La foule des fantômes a scintillé un moment, translucide, et à travers elle j'ai aperçu les lueurs d'un échange de tirs. Le grondement affreux me parvenait de manière plus nette.

Yamaraj m'a pris la main.

— Reste avec moi. Encore un peu.

J'ai fermé les yeux, un instant seulement, m'efforçant de ralentir les battements de mon cœur. Quand je les ai rouverts, le monde gris avait retrouvé ses contours et je distinguais parfaitement la foule des spectres, avec Yami au milieu.

— Où est-ce qu'elle les emmène ?

— En lieu sûr. (Il m'a pressé les doigts avec douceur.) Nous sommes là pour guider les morts. Tout va bien.

— Non, tout ne va pas bien !

J'ai dégagé ma main d'un geste brusque, tandis que ma voix se fêlait. Une larme a coulé de mon œil gauche.

— Ces hommes en armes… ils n'avaient pas le droit !

Le verre épais qui faisant écran à ma panique s'est brisé, fracassé par la colère. Je pouvais sentir le sang, la fumée, ainsi qu'une odeur âcre qui me chatouillait le fond de la gorge. Les vraies couleurs de l'aéroport s'infiltraient dans les gris.

— Il se passe quelque chose, ai-je voulu dire, mais ma gorge nouée m'en a empêchée.

L'air commençait à me brûler les yeux, la peau. À mesure que l'au-delà se dérobait à mes sens, le gaz reprenait ses droits sur moi. La joue me cuisait à l'endroit où avait roulé la larme.

Yamaraj s'est levé.

— Je vais devoir te ramener.

Il m'a pris les mains, et soudain son contact n'avait plus rien de chaud ni de vivant. J'ai senti une froideur affluer en moi. J'ai compris qu'il n'avait pas l'intention de me raccompagner dans le monde réel, mais dans ce lieu obscur où je m'étais enfoncée en faisant la morte.

— Attends, ai-je bredouillé.

— Tu n'es pas en sécurité ici, Lizzie.

Je voulais protester, mais mes poumons se sont bloqués

de nouveau. Mes paupières se sont fermées malgré moi, et je me suis sentie m'enfoncer, en spirale, dans le silence.

Je suis morte encore une fois. Je suis morte.

J'ai eu la vague sensation que Yamaraj me soulevait de mon siège et m'emportait par où nous étions venus. Je ne voyais et n'entendais plus rien, mais je savais qu'il veillait sur moi.

Après un long moment, il m'a chuchoté à l'oreille :

— Croire, c'est dangereux, Lizzie. Mais si tu en ressens le besoin, appelle-moi. Je viendrai.

Il a posé ses lèvres sur les miennes, et une onde de chaleur s'est diffusée en moi. Plus précisément, une énergie qui a réveillé tous les muscles de mon corps. Le froid qui m'habitait s'est fait mordant. Un courant électrique a circulé en moi.

L'intensité de la chaleur a augmenté, gagné mon cœur et ma poitrine, avant de m'envelopper étroitement. J'ai ouvert les yeux, mais tout était noir, puis une douleur aiguë m'a transpercé la cage thoracique.

Je respirais de nouveau, crachant et toussant, agitée de spasmes sur le sol froid. Des lumières tournoyaient – reflets métalliques sur des insignes, scintillement plus terne des gilets de protection.

Je me trouvais allongée sur le trottoir à l'extérieur de l'aéroport. Un ruban jaune encadrait un carré de bitume autour de moi sur lequel s'alignaient des corps immobiles sous des draps de plastique blanc. La lumière rouge et bleue des gyrophares faisait danser les ombres, on aurait dit que les corps tressaillaient sous les draps.

Il y avait tellement de couleurs dans ce monde, tout était si vif et si éclatant ! Les appels radio sifflaient et crépitaient dans l'air.

J'ai pris conscience que des gens me fixaient, éberlués – deux ambulanciers, un policier, la main sur son pistolet – avec une lueur de panique dans le regard. J'étais emmaillotée moi aussi dans une feuille de plastique, dont je voyais les coins onduler au vent, et j'aurais voulu leur crier de me libérer. Mais il ne me restait que la force de continuer à respirer, d'entretenir cette flamme que Yamaraj avait rallumée en moi.

J'étais vivante.

5

MOXIE UNDERBRIDGE HABITAIT UNE GRANDE TOUR RONDE
sur le côté sud d'Astor Place. Le quartier regorgeait d'immeubles à colonnes et fenêtres en ogive,
mais celui de Moxie était flambant neuf, tout en verre. Le
damier miroitant de ses fenêtres découpait le ciel en une
multitude de cartes à jouer bleu et blanc.

— Drôlement chic, fit remarquer Nisha.

— Il y a intérêt, grommela leur mère. Si cette femme a
l'intention d'y installer ma fille.

— Moxie ne m'installe pas chez elle. Elle me prête simplement son appartement, corrigea Darcy, assez bas pour
que sa remarque soit noyée par le grondement d'un taxi
qui passait.

D'ici à deux semaines, elle emménagerait dans son
propre appartement, qui ne serait certainement pas aussi
classe – ni aussi sûr. Mieux valait éviter de le rappeler à sa
mère.

Le hall d'accueil était encore plus impressionnant, avec
sa voûte en marbre et son grand lustre dont les ampoules
scintillaient comme de minuscules flammèches. Avant que
Darcy puisse ouvrir la bouche, le portier lui dit :

— Vous devez être Mlle Patel ?

Moxie avait prévenu la direction de l'immeuble de la

venue de Darcy, bien sûr. Et combien de jeunes Indiennes pouvaient défiler dans ce hall tous les jours ? L'efficacité de l'accueil n'en demeurait pas moins intimidante.

— Oui, c'est elle, répondit sa mère en voyant que Darcy ne réagissait pas.

Le portier hocha la tête.

— Je crois savoir que vous avez déjà les clés, mademoiselle Patel… ?

Darcy hocha la tête en tapotant la pochette extérieure de l'étui de son ordinateur. La réception des clés de Moxie une semaine plus tôt avait relancé la bataille avec ses parents à propos de son entrée à l'université, et Darcy les avait cachées sous son matelas, de peur que sa mère ne les lui prenne.

— Allez-y toutes les deux, dit Annika Patel avec un geste vague en direction des ascenseurs. Je vais attendre votre père ici. Dieu sait combien de temps il va mettre pour trouver une place !

Darcy cligna des paupières : les autorisait-on vraiment à monter seules ?

Nisha la prit par la main et l'entraîna.

Voyant Darcy tâtonner maladroitement avec les clés, Nisha les lui arracha des mains et déverrouilla les deux serrures de Moxie. Elle franchit le seuil en se débarrassant de ses chaussures avec un petit sourire victorieux. Darcy la suivit, un peu vexée que sa petite sœur soit entrée la première.

Le vestibule donnait, quelques marches plus bas, sur le séjour où le soleil s'infiltrait à travers les rideaux d'une immense baie vitrée. Nisha s'approcha pour repousser les rideaux sur le côté, et le panorama splendide du dix-huitième étage s'offrit à leur vue.

— Vas-y mollo avec le…

Darcy ravala ses mots. Elle allait occuper cet appartement deux semaines, mais d'ici à quelques heures Nisha serait de nouveau sur la route de Philadelphie en compagnie de leurs parents. Elle avait bien le droit d'en profiter un peu. Cela faisait drôle de penser que ce soir sa petite sœur ne se trouverait pas à quelques pas ni à portée de voix.

À mesure que la baie vitrée se dévoilait, la ville apparaissait : jardins en terrasse, châteaux d'eau semblables à des soucoupes volantes ventrues, flèches des gratte-ciel à l'horizon.

Nisha contempla le paysage avec des yeux ronds.

— Nom d'un chien. Ton agent doit être blindée !

— Mon agent ? C'est la meilleure, répondit Darcy, ôtant ses chaussures avant de poser son portable sur le canapé.

— Et de onze ! s'exclama Nisha sans se retourner. Tu me dois un dollar, Patel.

Darcy sourit.

— On va dire que c'est de l'argent bien dépensé.

— Pourquoi diable part-elle en vacances, d'ailleurs ? Cet appartement est dément !

— La Côte d'Azur n'est probablement pas mal non plus.

Darcy en était quasiment certaine, mais Nisha n'avait pas tort. Comment Moxie pouvait-elle envisager de quitter un endroit pareil ?

— La Côte d'Azur, répéta Nisha d'une voix rêveuse, comme si elle entendait ces mots pour la première fois. Les agents gagnent plus que les auteurs, hein ?

— Oh, je crois que ça dépend.

— Eh bien, elle prend quinze pour cent de l'argent que tu rapportes, non ?

45

— Oui, reconnut Darcy avec un soupir.

Elle avait déjà eu cette discussion avec leur père, qui lui avait proposé de négocier son contrat lui-même pour seulement deux pour cent de son avance. Il ne comprenait rien à ce genre d'affaires.

— Et combien de clients a-t-elle ?

— Une trentaine ? Disons trente-cinq.

Quand elle avait écrit sa lettre de candidature, Darcy s'était fait un devoir de rechercher chacun d'eux sur Google.

— La vache !

Nisha se détourna de la baie vitrée, triomphante.

— Quinze pour cent, c'est un septième de cent pour cent, et un septième de trente-cinq, ça fait cinq. Donc Moxie gagne environ cinq fois plus que chacun de ses auteurs.

— J'imagine.

Darcy avait la nette impression que Nisha ne comprenait pas grand-chose à cet arrangement elle non plus.

— Seulement je crois que la plupart des auteurs rapportent aux alentours de zéro dollar la plupart du temps. Hum, pas la peine de répéter ça aux parents, hein ?

— Compte sur moi. En tout cas, en ce qui me concerne, tu peux oublier l'écriture. Quand je serai grande, je serai agent.

Un cri perçant retentit dans la pièce voisine, et Nisha bondit du canapé.

— Nom de Dieu !

— Du calme, lui dit Darcy, se rappelant l'e-mail de Max, l'assistant personnel de Moxie. C'est Sodapop. Son perroquet.

— Ton agent a un perroquet ?

Le cri leur était parvenu par la porte ouverte de la

chambre occupée par un lit immense, deux commodes en chêne surchargées de vêtements, et une cage couverte de la taille d'une station-service.

C'était généralement Max qui s'occupait de nourrir Sodapop en l'absence de Moxie, mais cette corvée incomberait à Darcy pour les deux prochaines semaines. Elle s'approcha de la cage et entendit un froissement de plumes.

Elle tendit la main et souleva la housse. Un oiseau bleu électrique avec quelques plumes jaunes et rouges dans la queue lui adressa un regard torve.

— Salut, dit Darcy.

— Il veut un biscuit ? demanda Nisha depuis le seuil.

— Essayons d'éviter les clichés. Est-ce que tu parles ?

— Les oiseaux ne parlent pas, répondit le perroquet.

Nisha secoua la tête.

— C'est couillon.

— Surveille ton langage devant l'oiseau de mon agent.

— Deux dollars !

— Si tu veux.

Darcy pivota pour examiner le reste de la pièce. Une porte coulissante entrouverte laissait voir une grande baignoire en marbre noir. Une autre porte était fermée. Elle s'avança pour l'ouvrir.

— Oh, mon Dieu.

— Qu'est-ce que tu as trouvé, Patel ? demanda Nisha en rejoignant sa sœur. Sa collection de films pornos ? La pièce secrète où elle découpe ses auteurs ?

— Non. Plutôt… Je crois que c'est un dressing.

Il était aussi vaste que la chambre de leurs parents. Deux tringles couraient le long du mur, de chaque côté, courbées sous le poids des robes dans leurs housses en plastique et des tailleurs aux manches bourrées de papier de soie. Face à la porte s'alignaient des tiroirs en verre, ainsi qu'une rangée de caissons bas, remplis de paires de chaussures.

— Waouh ! fit Nisha.

— Vise un peu ces tiroirs, s'extasia Darcy, assez près pour que son haleine embue le verre. On n'a même pas besoin de les ouvrir pour voir ce qu'il y a dedans !

Chacun contenait trois chemisiers soigneusement pliés, avec une découpe en carton pour maintenir leur col bien raide.

Elle fit coulisser un tiroir, et les chemisiers sortirent. Quand elle le repoussa, le tiroir opposa une légère résistance au moment de se refermer, comme si une main invisible guidait son passage.

Darcy rouvrit et referma le tiroir encore une fois. Le bruit évoquait un roulement à billes ou une roue de bicyclette tournant à vide, en plus discret.

La partie la plus ennuyeuse de son premier chapitre s'attachait à décrire le super appartement du père de Lizzie à New York. Darcy s'était basée sur des catalogues et des films pour l'imaginer, mais à présent, elle avait sous les yeux un exemple bien réel.

Seulement, comment décrire un dressing pareil en une phrase ?

— Ça va être marrant, la réécriture, murmura-t-elle.

— Dis donc, où vas-tu mettre tes fringues ? s'inquiéta Nisha. Il n'y a plus de place là-dedans.

— M'en fiche. Je n'ai amené que des tee-shirts.

— Tu es sérieuse, Patel ?

— C'est ce que maman a fait à son arrivée ici. Aucun habit indien, rien que des jeans et des tee-shirts, pas un seul sari. Elle a attendu de voir ce que portaient les Américains pour mieux s'intégrer.

Nisha leva les yeux au plafond.

— Flash infos : New York n'est pas un pays étranger. En plus, tu n'as qu'à regarder la télé, si tu tiens vraiment à savoir comment les gens s'habillent dans le coin.

— Non, on voit des acteurs. Je veux m'habiller comme les vrais New-Yorkais, rétorqua Darcy.

En réalité, elle voulait dire *comme les auteurs*. On en trouvait treize à la douzaine à New York. D'après ses informations, la population de Brooklyn comptait facilement dix pour cent d'écrivains. Avec une telle concentration, ils devaient forcément partager un certain look, une manière de s'habiller, de se tenir et de se comporter. Et une fois que son agent (*mon agent,* se répéta-t-elle, parce que les pensées ne comptaient pas dans le total) aurait introduit Darcy dans le milieu, elle en connaîtrait les codes. En attendant, il n'était pas question qu'elle se promène partout habillée comme une pauvre fille de Philadelphie.

Au grand désespoir de sa mère, elle se contenterait donc de jeans et de tee-shirts dans un premier temps.

— Alors non seulement tu vas devoir payer un loyer et t'acheter des meubles, mais aussi te composer une nouvelle garde-robe ? Bien joué, Patel.

— Oui, d'ailleurs, à ce propos, fit Darcy en se tournant vers sa sœur. Tu pourrais peut-être m'aider à organiser mon budget ? Tu as toujours été plus forte que moi pour ce genre de chose.

— Flatteuse, dit Nisha. OK, pour vingt dollars.

On frappa à la porte du living-room.

— Va leur ouvrir, dit Darcy en sortant son téléphone. Je veux prendre quelques notes sur ce dressing.

— Pas question.

Nisha la fit sortir et referma la porte derrière elles.

— Si les parents voient toutes ces fringues, ils sauront où sont passés tes quinze pour cent. Et papa insistera pour négocier lui-même tous tes contrats à partir de maintenant.

— Tu n'as pas tort.

Quand Nisha ouvrit la porte de l'appartement, elle indiqua la baie vitrée du séjour avec une fierté de propriétaire. Darcy savoura l'expression stupéfaite de ses parents.

— Mon agent vit dans les hautes sphères, murmura-t-elle, trop bas pour que cela lui coûte un dollar de plus.

Son père tenait sa valise à la main, et sa mère portait une housse à vêtements.

Darcy s'interposa.

— Une seconde. C'est quoi, ça ?

— J'ai pensé qu'il te faudrait peut-être autre chose que des tee-shirts.

La réponse avait fusé, comme si sa mère l'avait répétée à l'avance.

Darcy gémit, mais sa mère continua :

— Sérieusement, Darcy. Je n'aurais jamais dû te raconter que j'avais débarqué d'Inde sans rien à me mettre. Ce n'était pas un choix. Nous étions complètement fauchés, voilà tout. Et la première chose que j'ai achetée à mon arrivée ici, c'était une petite robe de cocktail. (Annika Patel lissa la housse.) Je me suis dit que tu apprécierais d'en avoir une aussi.

— Tu t'es dit que je voudrais une robe de cocktail de 1979 ?

Nisha pouffa, et même leur père se fendit d'un sourire.

— Oh, ça va.

Leur mère ouvrit la fermeture Éclair pour présenter la robe sur son cintre. C'était une petite robe noire tout à fait classique. Parfaite.

Darcy l'examina sans se départir de sa réserve.

— Alors, qu'en dis-tu ? demanda sa mère, les yeux pétillants.

— Eh bien… c'est vrai que je suis invitée à une réception ce soir.

LES AMBULANCIERS M'ONT ENVELOPPÉE DANS UNE COUVERTURE de survie, comme celles que mon père emportait quand nous faisions du camping. Ils se sont accroupis pour me protéger du vent, et l'un d'eux m'a passé un thermos brûlant.

J'ai continué à grelotter quand même. Le froid s'était insinué trop profondément en moi.

J'avais les lèvres gercées, les muscles tétanisés. Je ne sentais plus mes pieds. Quand j'ai voulu parler, je n'ai réussi à produire qu'un chuintement rauque. J'avais encore les yeux larmoyants à cause du gaz lacrymogène.

Combien de temps étais-je restée morte au milieu de cette morgue improvisée ?

Une ambulancière criait quelque chose dans sa radio accrochée à l'épaule, une autre me passait un tensiomètre autour du bras. Quand elle a gonflé le brassard, j'ai cru que la pression allait me réduire en miettes. J'avais l'impression d'être un morceau de glace.

Une ambulance s'est arrêtée en dérapant à côté de nous. Les portes arrière se sont ouvertes sur une civière, qui a frappé le sol en rebondissant sur ses roulettes en caoutchouc.

— Est-ce que tu peux t'allonger ? m'a demandé quelqu'un.

J'étais en position fœtale, lovée autour du thermos. Mes muscles refusaient de m'obéir.

— Quatre-quatre ? s'est écriée l'ambulancière qui prenait ma tension. (Elle a secoué la tête et entrepris de regonfler le brassard.) Préparez une injection d'adrénaline.

J'ai essayé de dire non. Je commençais à me réchauffer, à sentir mon corps revenir à la vie.

Après avoir compté jusqu'à trois, les ambulanciers m'ont hissée sur la civière. Tout s'est mis à tourner autour de moi, et puis je me suis retrouvée dans l'ambulance. La civière brinquebalait dans l'espace exigu tandis que nous foncions hors de l'aéroport. J'ai vu scintiller une aiguille longue comme un pic à glace sous la lumière crue.

— Dans le cœur, a dit une voix.

On m'a extraite de ma couverture dorée. On m'a pris les poignets pour me faire ouvrir les bras. J'ai essayé de me recroqueviller, de me protéger. J'avais chaud partout à présent, la vie affluait en moi. Mes lèvres étaient encore brûlantes du baiser de Yamaraj, et je n'avais pas besoin qu'on m'enfonce une aiguille dans la chair.

Mais les ambulanciers étaient trop forts, et ils m'ont plaquée au sol. Quelqu'un a ouvert la fermeture Éclair de mon sweat-shirt et j'ai senti la lame froide d'une paire de ciseaux glisser le long de mon ventre, découper mon tee-shirt. J'ai vu un poing se lever au-dessus de ma poitrine nue, serrant la longue aiguille comme un couteau.

— Attendez ! (Une main gantée s'est posée au-dessus de mon cœur.) Elle est remontée à neuf !

— De quatre ?

— Ne me touchez pas, ai-je réussi à bredouiller.

Les trois ambulanciers pressés à l'arrière en sont restés

53

muets. Le brassard du tensiomètre s'est dégonflé avec un soupir, et j'ai senti la circulation se rétablir dans mon bras.

— Neuf-six, a annoncé la femme. Est-ce que tu m'entends ?

J'ai fait oui de la tête, et j'ai essayé de parler de nouveau. Elle s'est penchée pour m'entendre.

— Quelle heure est-il ? ai-je articulé.

Elle s'est redressée, sourcils froncés, avant de jeter un coup d'œil à sa montre.

— Un peu plus de deux heures du matin.

— Merci.

J'ai fermé les yeux. Deux heures depuis le déclenchement de l'attaque. J'avais dû passer, quoi, une vingtaine de minutes dans l'au-delà ? Le reste du temps, j'étais probablement restée couchée parmi les autres cadavres, à me geler jusqu'aux os.

Plus que tout ce que j'avais vu ou entendu, c'est ce retour à la vie qui me faisait croire à l'au-delà. Je pouvais sentir que je revenais d'ailleurs. L'odeur d'une dimension lointaine me collait à la peau. Je me représentais avec exactitude les traits de Yamaraj, et j'avais encore son goût sur mes lèvres.

Sur le chemin de l'hôpital, l'un des ambulanciers répétait sans arrêt qu'il était désolé, encore et encore. Un calme étrange s'était emparé de moi, mais lui se comportait comme un homme en état de choc.

— Désolé pour quoi ? ai-je fini par coasser, tellement j'avais la bouche sèche.

— C'est moi qui t'ai ramassée.

Je l'ai dévisagé sans comprendre.

— Je ne trouvais pas de pouls. Ta blessure à la tête n'avait pas l'air trop grave, mais tu ne respirais plus, tu n'avais aucune réaction des pupilles. Et tu étais si froide ! (Sa voix s'est fêlée.) Tu paraissais trop jeune pour une crise cardiaque, mais j'ai pensé que tu avais pu t'évanouir sur le dos, vomir à cause du gaz lacrymogène, et…

J'ai fini par comprendre que c'était lui qui m'avait déclarée morte.

— Où m'avez-vous trouvée ?

Il a cligné des paupières.

— Dans l'aéroport, avec les autres. Tout le monde te croyait morte.

— Ce n'est rien, lui ai-je dit d'une voix douce. Je crois que vous aviez raison.

Il m'a fixée, une lueur de terreur dans le regard. Peut-être s'imaginait-il que j'allais lui intenter un procès, ou qu'on lui supprimerait sa licence pour ça.

Ou peut-être qu'il me croyait.

À l'hôpital, on avait préparé des lits et toute une escouade de médecins et d'internes attendait le flot de blessés. Seulement, comme tout le monde s'en est bientôt aperçu, il n'y avait qu'une survivante. Moi.

Le temps qu'on installe ma civière dans une salle d'examen, j'étais en état de m'asseoir. Ma pression artérielle et ma température corporelle étaient redevenues normales, mon pouls était régulier, et ma peau avait perdu cette teinte bleutée caractéristique de l'hypothermie.

J'étais parcourue de frissons, mais après m'avoir posé six points de suture sur le front le médecin a déclaré que j'avais simplement besoin de me réhydrater. Il était particulièrement surpris par le peu d'effet que le gaz avait eu sur moi. Je ne souffrais que d'une légère inflammation à la joue, à l'endroit où une larme m'avait brûlé la peau.

L'ambulancier qui m'avait crue morte m'a apporté une tasse d'eau chaude avec du citron. Puis sa radio lui a signalé l'arrivée de plusieurs blessés et quelques minutes plus tard je me suis retrouvée seule. Il s'agissait d'un accident de voiture, je crois, rien à voir avec l'aéroport, mais le personnel était sur les dents. J'ai vu des chirurgiens en tenue stérile se hâter dans le couloir.

J'ai soufflé sur mon eau chaude, j'étais éblouie par la blancheur immaculée qui m'environnait. Il y avait tellement de bruits ici, dans la réalité, tellement d'animation, de sources de confusion. J'entendais le froissement du couvre-lit en papier sous mon dos. Une pince noire en plastique me serrait le doigt, communiquant mes constantes vitales à un petit écran où elles s'affichaient en pulsations colorées.

Malgré la fatigue qui m'accablait, j'étais trop excitée pour m'endormir. Sans compter que sur cette civière étroite au revêtement glissant, je risquais de rouler et de me casser la figure.

Je me suis demandé si quelqu'un avait appelé ma mère pour la prévenir que j'étais toujours en vie. On ne m'avait même pas demandé mon nom de famille.

J'ai porté la main à ma poche. Mon téléphone avait disparu. Naturellement, je l'avais lâché. J'ai soupiré et refermé mon sweat sur mon tee-shirt fendu. Au moins, on ne m'avait pas affublée d'une chemise d'hôpital. Peut-être qu'on allait me laisser sortir sans histoires.

Je n'avais personne pour passer me prendre, bien sûr, très peu d'argent sur moi, et ma valise était sans doute à bord de l'avion… J'occultais malgré moi tout ce qui s'était passé à l'aéroport, pour me focaliser sur la perte de mon téléphone.

— Enfoirés de terroristes, ai-je grommelé.

— Il ne faut pas dire ce mot-là.

J'ai levé la tête. Un petit garçon d'une dizaine d'années se tenait sur le seuil. Il portait un ciré rouge tout mouillé.

— Désolée.

— Pas grave. (Il a pris mes excuses comme une

invitation à entrer dans ma chambre.) Ce n'est pas à moi de dire aux adultes ce qu'ils peuvent dire ou non. Même quand ils emploient des gros mots. Tu es bien une adulte, hein ?

— À peine. Mais comparée à toi, oui.

— Ah. Je m'appelle Tom.

— Et moi Lizzie.

J'avais la tête lourde. Les terroristes, l'au-delà, les médecins, et maintenant ce gosse. Personne ne voulait me laisser dormir.

Son ciré gouttait sur le carrelage.

— Il pleut ?

— Non. Mais il pleuvait.

— Ah, d'accord.

Sauf que je venais de dehors, et qu'il y faisait beaucoup trop froid pour autre chose que de la neige. Et Tom avait les jambes nues sous son ciré.

— Quand est-ce qu'il a plu, exactement ?

— Quand la voiture m'a heurté, a répondu Tom.

J'ai ressenti brièvement le froid que le baiser de Yamaraj avait chassé hors de moi, un frisson glacial au creux de mon dos. Il m'a semblé que l'hôpital se figeait à l'extérieur de ma chambre, comme si tous les bruits avaient été aspirés par une entité avide de vacarme et de vie.

J'ai fermé les yeux, les ai rouverts. Tom était toujours là, à me regarder d'un drôle d'air.

— Ça va, Lizzie ?

— Je ne sais pas. Je suis morte ce soir, je crois.

— Ne t'en fais pas. La douleur passe vite.

Il a froncé les sourcils.

— C'est bizarre, tu brilles, comme la gentille dame qui vient me voir.

— La gentille dame ?

— Celle qui n'est pas morte. C'est mon amie.

— Oh.

Ma voix me paraissait lointaine, comme si j'étais endormie et que j'entendais une conversation extérieure pénétrer mes rêves.

— Elle me rend visite chaque semaine, a dit Tom, avant de plonger la main dans sa poche pour en sortir une tablette de chewing-gum trempée. Tu veux un chewing-gum ?

— Non merci.

Grâce aux machines installées près de mon lit, je pouvais entendre mon pouls s'accélérer.

Ainsi donc, je brillais. Comme Yamaraj. Ainsi que cette femme qui rendait visite aux fantômes.

— Écoute, Tom, ç'a été une drôle de soirée pour moi. Je suis vraiment fatiguée.

— D'accord. Je vais te laisser. Guéris vite !

— Merci. Toi aussi. Enfin…

Tom est ressorti dans le couloir. Il s'est retourné pour me saluer de la main.

— À plus, Lizzie.

— À plus, Tom.

J'ai fermé les yeux encore une fois et respiré profondément dix fois de suite, jusqu'à ce que les bips de la machine aient un peu ralenti.

Quand j'ai relevé la tête, le garçon avait disparu et l'hôpital avait repris son train-train. Des gens en blouse bleue ou verte passaient devant ma chambre sans faire attention à moi.

J'ai retiré la pince en plastique noir que j'avais au doigt, suis descendue de mon lit et ai fait quelques pas vers la porte. Je me suis agenouillée pour poser la main à plat à l'endroit où Tom s'était tenu.

Le sol de l'hôpital était froid et brillant, mais tout à fait sec.

— Holà. Qu'est-ce qui se passe, ici ? a fait une voix dans le couloir.

J'ai levé les yeux. C'était l'un des infirmiers qui m'avaient amenée dans la chambre. Il s'est accroupi et m'a pris le poignet d'un geste doux, à la recherche de mon pouls.

— Tu as eu un vertige ?

— Non. Je vérifiais simplement quelque chose.

— Par terre ? (Ses grosses mains m'ont prise par les épaules.) Et si je t'aidais à te remettre au lit ?

Je me suis levée toute seule, et il m'a adressé un sourire encourageant.

— J'ai cru voir une flaque, j'avais peur que quelqu'un ne glisse.

Il a regardé le sol.

— Je ne vois rien. Allez, recouche-toi ma jolie, tu veux bien ?

— D'accord.

Je me suis rallongée docilement, mais il me tenait toujours par le coude.

— Je vais chercher le docteur Gavaskar. Tu vas rester bien sage, hein ?

— Est-ce que quelqu'un a prévenu ma mère ? ai-je demandé. Elle a dû regarder les infos. Elle doit être morte d'inquiétude !

— Je crois que la compagnie aérienne et l'Agence nationale de sécurité dans les transports s'occupent de contacter les parents. Quel âge as-tu ?

— Dix-sept ans.

Il a paru surpris.

— Je vais te dénicher un téléphone. Attends-moi ici.

— Merci.

Il a disparu dans le couloir, et je me suis retrouvée seule une nouvelle fois, le bip de mon pouls en fond sonore. J'ai décidé qu'il valait mieux ne pas parler de Tom – ni à lui ni à personne, d'ailleurs. Ma résolution de garder le secret à propos des fantômes et de l'au-delà a tenu bon tout au long de la nuit, malgré plusieurs entretiens avec le docteur Gavaskar, une femme très gentille de la compagnie aérienne et deux agents du FBI.

Ma mère est arrivée quatre heures plus tard, et je n'ai pas eu besoin de lui raconter quoi que ce soit. Elle s'est contentée de me serrer dans ses bras pendant que je pleurais comme une fontaine.

MAX, L'ASSISTANT DE MOXIE UNDERBRIDGE, PASSA PRENDRE
Darcy à dix-huit heures précises pour la soirée
Jeunes adultes.

Darcy était prête depuis une heure, ce qui ne lui ressemblait pas. Mais sa petite robe noire appelait un
minimum de maquillage, domaine où son manque de pratique se faisait cruellement sentir. D'habitude, plusieurs
tentatives étaient nécessaires. Ce jour-là, pourtant, l'opération s'était déroulée à la perfection, ce qui lui laissait une
heure à tuer en évitant de se toucher le visage.

Elle aurait pu s'épargner cette peine et opter pour un
jean et son joli tee-shirt en soie noire, sans maquillage,
comme elle en avait eu l'intention au départ. Quand Max
sonna à la porte, il portait un chino et un chandail Cosmo-
cats.

— Je ne vais pas faire trop habillée ? s'inquiéta Darcy
une fois dans l'ascenseur.

— Tu es superbe ! répondit Max en la détaillant de la
tête aux pieds. Mais cette soirée n'est pas une réception à
proprement parler. Juste un petit truc qu'Oscar organise
tous les mois.

— Et je suis vraiment invitée ?

— Comme tous les auteurs jeunes adultes publiés.

— Oh, fit Darcy, en se demandant si on pouvait vraiment la considérer comme un auteur publié.

Afterworlds ne sortirait pas avant septembre de l'année prochaine, près de deux ans après avoir été écrit. Fallait-il que son livre soit en vente pour être un auteur publié ? Ou suffisait-il d'avoir trouvé un éditeur ? Et si on avait signé un contrat, mais sans avoir encore écrit un seul mot ?

Les portes de l'ascenseur s'ouvrirent et ils sortirent de l'immeuble, Max en tête. Le ciel était d'un bleu liquide, le soleil était bas sur l'horizon et les rues plongées dans l'ombre. La chaleur de fin d'après-midi soulevait une puanteur âcre au-dessus des trottoirs, la ville avait travaillé dur toute la journée et avait besoin d'une bonne douche.

Darcy s'efforça de mémoriser les enseignes devant lesquelles ils passaient, de manière à pouvoir rentrer seule. Un café bio, un petit cinéma, un atelier de réparation de bicyclettes.

— Est-ce que tu es connectée ? demanda Max.

— Eh bien, j'ai un compte sur Tumblr. Mais je ne poste pas souvent dessus. Je ne sais pas trop quoi dire, en fait.

Il s'esclaffa.

— Je voulais dire, as-tu réussi à te connecter chez Moxie ?

— Oh, désolée. Non, pas encore.

— Cherche « Tu_Es_Nulle_Comme_Auteur ».

Darcy sentit une main glacée lui tordre les entrailles.

— Pardon ?

— Le réseau Wi-Fi de Moxie, c'est « Tu_Es_Nulle_Comme_Auteur », avec des tirets bas. Et le mot de passe : « PetitGénie », sans espace. Elle ne t'a pas laissé un mot sur son bureau ?

— Ah, si.

Darcy prit une grande inspiration. Elle avait bien vu un mot épinglé sous un objet design blanc nacré sur le bureau de Moxie, mais elle n'avait pas encore ouvert son ordinateur portable. Après des adieux déchirants à sa famille, elle était restée assise dans la chambre, en contemplation devant le dressing de Moxie, à débattre avec Sodapop de la question de savoir si les oiseaux pouvaient parler ou non.

Cette nouvelle vie à New York lui paraissait fragile, susceptible de voler en éclats au moindre mouvement brusque. Darcy préférait attendre d'avoir pris ses marques pour envoyer à ses amis des photos de l'appartement. Enfiler sa petite robe noire et se rendre à cette soirée lui semblait excessivement téméraire, mais elle avait promis à Moxie d'y aller.

Elle éprouva une étrange pointe de jalousie envers ses amis Carla et Sagan, restés chez eux, qui auraient tout l'été pour lire des romans et se détendre au bord de la piscine de Carla avant de partir à l'université. Alors que Darcy allait devoir trouver un logement, découvrir une ville inconnue et réécrire son roman au cours des prochains mois.

Sans lever les yeux de son téléphone, Max enjamba le cadre d'une bicyclette dépouillée de ses roues enchaîné à un panneau de stationnement interdit.

— As-tu reçu ta lettre éditoriale ?

— Nan m'a dit que je l'aurais cette semaine, répondit Darcy, prise d'un nouvel accès de nervosité.

Cette lettre dresserait la liste officielle de tout ce qui clochait dans *Afterworlds*. Il paraissait un peu cruel de la part de son éditrice d'entrer à ce point dans les détails, alors que Darcy elle-même venait de passer six mois le nez dans les moindres défauts de son roman. Mais cela lui fournissait une excuse toute trouvée pour remettre sa réécriture à plus tard.

— Une dernière chose qu'elle voulait que je te demande…, continua Max en lisant quelque chose sur son téléphone, un e-mail de Moxie, apparemment. Où en es-tu avec *Untitled Patel*?

C'était la désignation contractuelle de la suite d'*Afterworlds*. Prononcés à voix haute, les mots sonnaient bizarrement, comme l'un des tics verbaux de Nisha.

— Hum…

Un petit chien attaché à la balustrade d'un café en terrasse s'écarta devant Darcy avec un jappement.

— Toujours en train de bosser sur le canevas, plus ou moins.

— Toujours sur le canevas, répéta Max d'une voix neutre, tapant d'un pouce sans ralentir.

Darcy se demanda pourquoi elle avait menti. *Afterworlds* était sorti de ses doigts tout seul, et elle n'avait aucune intention d'esquisser un canevas pour *Untitled Patel*. Elle ne savait même pas comment on s'y prenait.

Il était tout à fait possible qu'elle ne sache pas s'y prendre non plus pour écrire un roman, et que son travail de novembre dernier n'ait été qu'une sorte d'accident statistique. Si on écrivait mille romans simultanément, il s'en trouverait sûrement un de bon dans le lot, ne serait-ce que par hasard, comme des passages de Shakespeare qu'un chimpanzé taperait à la machine. Sauf que ce primate chanceux ne composerait jamais plus d'autre sonnet, quand bien même on lui ferait signer un contrat de publication.

Pourquoi Moxie l'interrogeait-elle déjà à propos d'*Untitled Patel*? Darcy n'était pas censée rendre le premier jet avant un an. Les agents vous criaient-ils dessus quand vous étiez en retard? Ou bien ressemblaient-ils davantage aux professeurs du lycée de Darcy et Nisha, muets mais profondément déçus quand vous n'exprimiez pas votre plein potentiel ?

Max s'arrêta et leva enfin la tête de son téléphone.

— Nous y voilà.

Le Candy Ruthless ressemblait à un pub irlandais typique, avec son nom peint sur les vitres en lettres celtiques vert pomme. Il y avait un quai de chargement de chaque côté, et une légère odeur de marché aux poissons flottait dans l'air. En dix minutes de marche, ils avaient quitté les vieux immeubles cossus pour passer dans un quartier d'entrepôts. Darcy était complètement perdue.

Max s'arrêta, la main sur la porte du pub.

— Rappelle-moi quel âge tu as ?

— Ce n'est pas la première fois que j'entre dans un bar !

Max accueillit par un haussement d'épaules cette réponse qui n'en était pas une. Darcy était un auteur publié, après tout, et au besoin elle possédait un permis de conduire de Pennsylvanie assez bien imité affirmant qu'elle avait vingt-trois ans. Malgré tout, elle remercia silencieusement sa mère pour sa petite robe noire. Non seulement celle-ci lui allait à la perfection, mais elle lui donnait un air adulte.

— D'accord, dit Max. Je te présente à Oscar, et ensuite je me sauve. Je n'ai pas le droit de rester.

— Tu n'as pas vingt et un ans ?

— J'en ai vingt-six. (Max lui adressa un sourire indulgent.) Mais cette soirée est interdite aux agents, éditeurs et autres. À moins qu'ils ne soient publiés eux-mêmes, bien sûr.

— Ah. Bien sûr.

Darcy inspira un grand coup, puis suivit Max à l'intérieur.

Darcy s'attendait à ce que la soirée Jeunes adultes occupe l'intégralité du Candy Ruthless. Elle avait imaginé une liste d'invités à l'entrée, ou au moins une salle privée, séparée par des rideaux de velours rouge sang. Mais voilà qu'à dix-huit heures dix, la réalité se résumait à une simple table en bois, rayée et marquée de ronds humides, et trois personnes assises autour.

Max la conduisit jusqu'à la table.

— Oscar, je te présente Darcy Patel.

Oscar Lassiter décolla les fesses de son siège et tendit la main, affichant un sourire de classe présidentielle.

— Ravi de te rencontrer enfin !

Tout en lui serrant la main, Darcy s'aperçut que les visages des autres invités ne lui étaient pas inconnus. Elle les avait vus dans des vidéos, comme avatars sur Twitter, sur des jaquettes de livres.

— Oh, dit-elle au moins célèbre des deux, un homme aux lunettes rouges en écailles et veston de tweed. Je suis l'une de vos abonnées.

L'homme sourit à ce commentaire, et Darcy se sentit bête. La dernière fois qu'elle avait vérifié, Coleman Gayle comptait deux mille abonnés. Il se plaignait toujours que la plupart d'entre eux n'avaient pas lu ses livres de la série *Sword Singer* et ne le suivaient que pour ses commentaires politiques acerbes ainsi que sa connaissance encyclopédique des *sock monkeys*, ces singes en peluche fabriqués à partir de chaussettes.

— Enchanté, Darcy. Tu connais Kiralee ?

— Euh, bien sûr.

Darcy se tourna vers leur compagne de table, sans oser croiser son regard, et bredouilla :

— Enfin, on ne s'est jamais rencontrées. Mais j'ai littéralement adoré *Bunyip*.

— Oh mon Dieu, Coleman. Elle a tout faux ! s'écria Kiralee. Remets-la vite sur le droit chemin !

Les autres s'esclaffèrent, à la grande perplexité de Darcy, passablement intimidée.

Oscar la fit asseoir gentiment.

— On discutait justement de la théorie de Coleman sur la meilleure manière d'aborder un auteur célèbre.

— Tu commences par consulter ses chiffres de ventes sur BookScan, expliqua Coleman Gayle. Ensuite, tu choisis celui qui s'est le plus mal vendu et tu lui racontes que c'est ton préféré. Parce que tu peux être sûre qu'il le considère comme odieusement sous-estimé.

— Pour moi, c'est facile, tous mes livres se sont très mal vendus, dit Kiralee, inclinant son verre jusqu'à faire tinter ses glaçons. Sauf ce foutu *Bunyip*, évidemment.

— En fait, j'ai préféré *Dirawong*, mentit Darcy.

— Excellent choix, approuva Coleman. En plein dans les critères.

— Salopard de BookScanneur ! l'accusa Kiralee, levant son verre vide à l'adresse de Darcy.

Darcy trouva enfin le courage de la regarder en face. Avec son sweat à capuche gris et ses oreillettes blanches sur les épaules, Kiralee Taylor ressemblait à une joggeuse. Mais elle avait le port d'une reine des elfes, le regard altier, les traits encadrés par des cheveux bruns et bouclés striés de blanc.

— En revanche, j'ai peur de n'avoir lu aucun de tes livres, avoua-t-elle à Darcy. Alors je suis mal placée pour commenter tes préférences.

— Personne n'a encore lu mes livres. Enfin, *mon* livre.

— Darcy est une débutante, expliqua Oscar. Elle sera publiée chez Paradox à l'automne de l'année prochaine.

— Félicitations, dit Kiralee, et tous les convives levèrent leurs verres.

Darcy sentit son visage s'empourprer. Elle se rendit compte que Max avait disparu sans un au revoir, alors qu'elle était autorisée à rester. Là, en compagnie de ces écrivains.

Elle se demanda combien de temps il leur faudrait pour s'apercevoir qu'elle n'était qu'un imposteur et lui demander de partir. Assise là, elle avait la sensation que sa petite robe noire ne lui allait plus du tout. Qu'elle était trop grande pour elle, comme si Darcy n'était encore qu'une enfant qui s'était déguisée avec les vêtements de sa mère.

— Bienvenue dans la plus longue année et demie de ta vie, lui dit Oscar. Publiée mais pas encore imprimée.

— C'est comme quand tu viens d'embrasser un garçon mais que tu n'as pas encore couché avec lui, dit Kiralee d'un ton rêveur.

— Qu'est-ce que tu en sais ? dit Coleman, avant de se tourner vers Darcy. Alors, dis-nous, comment s'appelle ton livre ?

— *Afterworlds*, répondit Darcy.

Les trois attendirent la suite, mais Darcy se sentit gagnée par une paralysie familière. C'était toujours la même chose quand on l'interrogeait à propos de son roman. Elle savait par expérience que tout ce qu'elle pourrait dire sonnerait faux, comme quand on écoute un enregistrement de sa propre voix. Comment pouvait-on lui demander de condenser soixante mille mots en quelques phrases ?

— J'ai beaucoup aimé, finit par dire Oscar. C'est moi qui ai écrit la citation sur la jaquette.

— Ce n'est pas un de ces romans réalistes interminables, au moins ? s'inquiéta Coleman. Il n'y a plus que ça en ce moment.

Oscar émit un petit « pfff » dédaigneux.

— Mes goûts sont plus éclectiques que les tiens. C'est une romance paranormale.

— On en écrit encore ? s'étonna Kiralee, levant la main pour appeler un serveur. Je croyais que les vampires étaient tous morts depuis longtemps.

Coleman grommela.

— Ces salopards ont la peau dure.

Ils passèrent la commande – des manhattan pour Coleman et Oscar, un gin tonic pour Kiralee, et Darcy choisit une Guinness. Elle n'était pas mécontente de cette interruption qui lui donnait le temps de réunir ses arguments.

Après le départ du serveur, elle prit la parole, d'une voix qui tremblait à peine :

— Je crois que le fantastique aura toujours du succès. On peut raconter un million d'histoires sur l'amour. En particulier quand cet amour concerne quelqu'un de différent.

— Un monstre, tu veux dire ? demanda Coleman.

— Eh bien, c'est ce qu'on croit au début. Mais en fait, c'est un peu comme dans *La Belle et la Bête*. On découvre qu'au fond le monstre est quelqu'un de… gentil.

Darcy se racla la gorge. Elle avait eu cette conversation une centaine de fois avec Carla, sans jamais avoir utilisé le mot « gentil » auparavant.

— Mais l'amour véritable, c'est plutôt l'inverse, non ? dit Kiralee. On commence par trouver l'autre fabuleux, et à la fin de l'histoire on s'aperçoit que c'est un monstre !

— Ou bien qu'on est soi-même le monstre, dit Oscar.

Darcy baissa les yeux sur la table couverte d'entailles. Elle avait encore moins d'opinion sur l'amour véritable que sur le genre fantastique.

— Alors, qui est le bourreau des cœurs dans *After-worlds* ? demanda Coleman. Pas un vampire, j'imagine.

— Peut-être un loup-garou ? (Kiralee souriait.) Ou un ninja, ou alors un ninja-garou ?

Darcy secoua la tête, soulagée que Yamaraj ne soit ni un vampire, ni un loup-garou, ni un ninja.

— Je ne crois pas que ça ait déjà été fait. C'est une sorte de…

— Attends! s'écria Kiralee en lui prenant le bras. Je préfère deviner. Est-ce que c'est un golem?

Darcy gloussa. Elle n'en revenait pas que Kiralee Taylor soit assise assez près pour la toucher.

— Non. Les golems sont trop boueux.

— Et si c'était un selkie? suggéra Coleman. Il n'y a jamais eu de selkie mâle dans un roman pour jeunes adultes.

— Bon Dieu, mais c'est quoi, un selkie? demanda Oscar.

Il écrivait de la fiction réaliste – entrée dans l'âge adulte et mères ivrognes –, sans le moindre monstre. Moxie lui avait demandé une ligne d'éloge à mettre sur la jaquette pour donner à *Afterworlds* ce qu'elle avait appelé un «vernis littéraire».

— Une sorte de phoque magique dont on tombe amoureux, expliqua Darcy.

Oscar haussa les sourcils.

— J'ai du mal à me représenter le truc.

— En tout cas, intervint Darcy pour éviter que la conversation ne s'éloigne trop du sujet, mon personnage n'est pas un selkie.

— Un basilic, alors? hasarda Coleman.

Darcy secoua la tête.

— Mieux vaut éviter les lézards cornus comme bourreaux des cœurs, conseilla Kiralee. Et s'en tenir à quelque chose qu'on a envie de câliner. Un marsupial?

Darcy se demanda brièvement s'il s'agissait d'un test. Si elle montrait une connaissance suffisante des animaux fabuleux, peut-être la conduirait-on à travers un rideau de velours caché jusqu'à la *vraie* soirée Jeunes adultes.

— Un marsupial ? Ce serait plutôt votre domaine, ça, non ? demanda-t-elle à Kiralee.

— Exact.

Kiralee sourit, et Darcy comprit qu'elle venait de décrocher une étoile d'or. Ou peut-être un koala d'or. On leur apporta leurs boissons, que Kiralee régla.

— Un troll ? reprit Kiralee. Ça n'a encore jamais été fait.

— Il y en a trop sur Internet, rétorqua Coleman. Peut-être un garuda ?

Darcy fronça les sourcils. Un garuda était une créature mi-aigle, mi-autre chose, mais quoi ?

— Arrêtez un peu, tous les deux, dit Oscar.

Darcy le dévisagea, se demandant ce qu'il voulait dire exactement. Kiralee et Coleman étaient-ils en train de se moquer d'elle, ou plus généralement des romances para-normales ? Pourtant, la série *Sword Singer* regorgeait d'histoires d'amour. Peut-être Oscar en avait-il assez de leur bestiaire mythologique, tout simplement.

— Le personnage de Darcy est tout à fait original, continua-t-il. C'est une sorte de… psychopompe. C'est bien le mot ?

— Plus ou moins, dit Darcy. Mais dans les Veda, les textes hindous qui m'ont servi de source d'inspiration, Yamaraj est le dieu de la mort.

— Les jeunes lectrices emo adorent les dieux de la mort, approuva Kiralee en sirotant sa boisson. C'est le succès assuré !

— Mais comment peut-on sortir avec un dieu de la mort ? voulut savoir Coleman. Lors d'une expérience de mort imminente ?

Darcy faillit en recracher sa bière. La quasi-mort de

Lizzie était la principale originalité du livre, l'idée dominante qui avait porté Darcy tout au long du mois de novembre, et voilà que Coleman mettait le doigt dessus du premier coup.

— Heu, pas exactement, non. Mais… presque ?

Coleman hocha la tête.

— Ça m'a l'air agréablement sombre.

— Le premier chapitre est méga-sombre, confirma Oscar. Ça commence par une attaque terroriste effroyable, et on croit que l'héroïne va y passer. Mais en fait… (Il agita la main.) Je ne vous en dis pas plus – vous n'aurez qu'à le lire. C'est bien meilleur que la plupart des romances paranormales.

— Merci, fit Darcy avec un sourire, avant de se demander quelle valeur exactement accordait Oscar Lassiter à « la plupart des romances paranormales ».

8

JE N'AVAIS RIEN DE PLUS À RACONTER AU FBI, ET LES MÉDECINS m'avaient dit que j'en serais quitte pour quelques points de suture, alors le surlendemain matin nous avons quitté Dallas à bord d'une voiture de location.

Maman détestait les voyages en voiture ; les routes interminables de l'arrière-pays lui fichaient la frousse. Mais elle avait peur que je ne me mette à hurler si je revoyais l'aéroport de Dallas-Fort Worth, ou n'importe quel autre. Elle ne se rendait pas compte que j'étais trop hébétée pour ce genre de manifestation.

Ce n'était pas uniquement l'effet de la fatigue. Il y avait toujours un froid en moi, un souvenir des ténèbres que j'avais traversées. Un cadeau de l'au-delà. Chaque fois que je me remémorais les visages des autres passagers, ou qu'un claquement quelconque dans les couloirs de l'hôpital me rappelait l'écho d'un coup de feu, je fermais les yeux et me retirais dans cette fraîcheur sécurisante.

Nous sommes sorties de l'hôpital discrètement. L'un des administrateurs nous a conduites à travers les sous-sols jusqu'à une porte de service, métallique et grinçante, qui débouchait sur le parking du personnel. Aucun journaliste ne nous attendait là, contrairement à l'entrée principale.

J'avais déjà ma photo partout dans les journaux. Lizzie Scofield, l'unique survivante, la fille qui était revenue à la vie. Mon histoire avait quelque chose de réconfortant, je suppose, la seule lueur positive au milieu de ce cauchemar. Comme symbole d'espoir, on avait pourtant connu mieux. Les sutures au front me démangeaient, je sursautais au moindre bruit et je n'avais pas changé de chaussettes depuis trois jours.

On n'arrêtait pas de s'extasier sur ma chance. Mais si j'en avais eu tant que ça, n'aurais-je pas pris un autre vol ?

Je n'avais pas voulu lire les journaux, et les infirmières s'empressaient de fermer la porte chaque fois qu'une radio ou une télé beuglait à proximité de ma chambre, mais je n'avais pas réussi à échapper aux infos. Tous ces récits concernant les autres passagers, tous ces gens que je ne connaissais pas, qui ne faisaient que transiter dans un aéroport ; voilà que tous les détails de leur vie – leur destination, les enfants qu'ils laissaient derrière eux, leurs projets interrompus – faisaient les gros titres. Travis Brinkman, le garçon qui avait essayé de résister, était déjà un héros, grâce aux images d'une caméra de surveillance.

Le reste du monde avait soif de tout connaître des morts ; je n'étais pas prête à entendre leurs noms.

Personne ne savait grand-chose des terroristes. Ils étaient liés à une secte quelque part dans les Rocheuses, mais les chefs de la secte avaient nié toute responsabilité ou connaissance de leurs projets. Les tireurs eux-mêmes avaient été abattus dans l'assaut – sans qu'ils aient laissé aucune note, aucun manifeste, aucun indice.

L'objectif premier du terrorisme n'était-il pas de faire passer un message, quel qu'il soit ?

À croire qu'ils avaient agi par simple penchant pour la mort.

Nous avons roulé tout l'après-midi, mangeant dans la voiture, ne nous arrêtant que pour faire le plein ou aller aux toilettes. Nous avons passé Abilene, Midland, Odessa, et puis les villes ont cédé la place à une broussaille marron. Des derricks pompaient le pétrole à l'horizon et des tourbillons de poussière passaient devant nous, charriant des détritus. La route traversait des saillies de roche grise ouvertes à coups de dynamite. Le ciel bleu était immense au-dessus.

Nous ne parlions pas beaucoup, et je n'arrêtais pas de penser à Yamaraj – ses yeux, sa façon de bouger, sa voix m'assurant que j'étais en sécurité. Ces détails restaient ancrés dans ma mémoire alors que le reste des événements de l'aéroport se brassait dans un brouillard confus. La seule partie de cette nuit qui me semblait réelle était celle que personne ne voudrait jamais croire.

Nos rares discussions, à maman et moi, étaient à l'image du paysage que nous traversions – cassantes, flétries. Elle m'interrogeait sur le nouvel appartement de papa, sur ce que je pensais de Rachel, sur les restaurants dans lesquels nous avions mangé. Elle me demandait quels cours je commencerais bientôt, et m'a même fait un petit sermon sur la nécessité de soigner mes notes au cours de mon dernier semestre au lycée.

Je voyais bien qu'elle essayait d'être gentille, de me changer les idées pour me faire oublier les terroristes. Mais au fil des heures, sa façon de contourner la réalité a commencé à me rendre folle. Comme si elle essayait de m'endormir, de me convaincre que j'avais rêvé toute l'attaque. Chaque fois que son regard tombait sur mes points de suture, ou sur la petite brûlure que j'avais sur la joue, elle affichait une expression perplexe.

Pourtant il n'y avait rien d'imaginaire dans ce que j'avais connu cette nuit-là. J'avais basculé dans un autre monde.

Yamaraj était bien réel. Je percevais encore le goût de son baiser, et sa chaleur sur mes lèvres chaque fois que je les touchais.

De plus, il m'avait pratiquement mise au défi de croire en lui, ce qui est toujours un bon moyen de me pousser à faire n'importe quoi.

Maman a continué à parler de tout et de rien, nous conduisant toujours plus loin de Dallas, les mains crispées sur le volant. Elle n'a pas mentionné l'attaque une seule fois, sinon pour m'apprendre que ma valise arriverait à San Diego sous peu.

— Dans quelques jours, ils m'ont dit.

Elle n'a pas précisé qui « ils » étaient. Le FBI ? La compagnie aérienne ? Elle en parlait comme si on avait simplement égaré ma valise, au lieu de la retenir comme indice matériel dans le cadre de la plus grande enquête de la Sécurité intérieure depuis une décennie. Comme si tout ça n'était rien.

— Pas grave. J'ai tout ce qu'il faut à la maison.

— Eh oui. C'est toujours mieux de perdre ses bagages au retour qu'à l'aller !

À croire que c'était le principal avantage d'avoir survécu à un attentat terroriste.

— Il me faut surtout un nouveau téléphone, ai-je dit.

— Eh bien… on pourrait peut-être s'arrêter quelque part pour t'en acheter un.

Elle s'est penchée en avant pour examiner un bouquet de panneaux indicateurs, comme si l'un d'eux risquait de nous conduire à une boutique de téléphone au beau milieu du désert texan.

Ne comprenait-elle pas que j'avais besoin de choses concrètes sur lesquelles m'appuyer ? J'avais besoin de ma mère ici, dans la réalité avec moi, et non en train de faire comme si tout allait bien.

Nous avons continué à rouler. Les longs silences n'avaient rien de pesant dans ce contexte, et il s'est écoulé un moment avant que je reprenne la parole.

— Je me sens bizarre, sans mon téléphone. Il m'a pratiquement sauvé la vie.

Ses phalanges ont blanchi sur le volant, et son pied a dû enfoncer l'accélérateur parce que la voiture a tremblé sous nos fesses.

— Comment ça, Lizzie?

J'ai respiré lentement, puisant le calme dans ce froid qui m'habitait.

— J'étais en train de courir, comme tout le monde, et j'ai appelé les urgences. La femme que j'ai eue au téléphone m'a dit…

Ma voix s'est étranglée, non pas sous le coup de l'émotion, mais plutôt comme un stylo-bille qui commencerait à manquer d'encre. Je me suis rendu compte que j'avais déjà raconté cette histoire – à Yamaraj.

Ma mère attendait la suite, le regard fixé sur la route, les épaules raidies, et j'ai réentendu cette voix au téléphone : *Voyez-vous une cachette à proximité ?*

— Elle m'a conseillé de faire la morte, ai-je repris finalement. C'est pour ça qu'ils ne m'ont pas tuée. Parce qu'ils m'ont crue morte.

— Les médecins m'ont parlé de cet ambulancier, celui qui a cru que…

— Il était vraiment désolé pour ça. Je suppose que j'ai réussi à lui donner le change à lui aussi. Mais ce n'était pas mon idée. C'est la dame au téléphone qui m'a dit quoi faire.

Enfin, pas tout à fait. Elle ne m'avait pas recommandé de me rendre dans l'au-delà, d'y rencontrer un garçon inconnu puis d'en revenir. Et elle n'avait pas mentionné les fantômes non plus.

Tom n'était pas réapparu, alors peut-être l'avais-je sim-plement imaginé. Ou alors il ne hantait que les urgences.

Maman a fait un petit bruit. Elle essayait de dire quelque chose, sans y parvenir. Repenser à quel point j'avais frôlé la mort était trop dur pour elle.

C'est là que j'ai réalisé une chose : ma mère était plus affectée que moi. Et le fait que je prenne les choses avec autant de sang-froid, sans pleurnicher ni frissonner, ne fai-sait qu'aggraver la situation.

Elle ne savait rien de cette froideur que je conservais en moi, où je pouvais me retirer à tout moment. Elle ignorait que je m'étais rendue dans l'au-delà.

J'allais devoir prendre soin d'elle. Mais sur le moment, je n'ai rien trouvé de mieux à dire que :

— Ça me fait drôle d'être sans téléphone.

— On va t'en trouver un, a-t-elle déclaré avec fermeté. Le même que celui que tu avais, pour que tout redevienne comme avant.

— Je me le ferai offrir par papa.

Ses phalanges ont blanchi de nouveau, et j'ai observé un autre long silence, en regardant défiler la ligne poin-tillée par la vitre passager.

Finalement, elle m'a dit :

— Ton père a voulu venir, tu sais ? Il m'a demandé de te le dire.

Ça m'a étonnée, parce qu'il ne m'était pas venu à l'es-prit une seconde que mon père puisse sauter dans le premier avion pour Dallas. J'étais plutôt habituée à le voir s'enfuir quand la situation tournait au vinaigre. Une fois, alors que j'avais douze ans, notre cocotte avait explosé en crachant une fumée noire jusqu'au plafond et il avait matraqué les flammes à grands coups de tor-chon, comme un véritable héros. Il avait probablement sauvé la maison ce jour-là. Mais une fois l'incendie sous contrôle, il était monté dans sa voiture et avait passé deux nuits à l'hôtel, en nous laissant le soin à maman et à moi d'appeler les pompiers, de tout nettoyer et d'aérer la maison.

Il était comme ça.

— Je suis bien contente qu'il ne l'ait pas fait.

Ma mère a réprimé un petit rire.

— Sérieusement ?

— Il devient pénible quand il ne sait plus quoi faire. Et tu l'as suffisamment supporté pour une vie entière.

Elle s'est tournée vers moi et m'a fixée. Je ne lui avais encore jamais rien dit de semblable, même si c'était la stricte vérité.

Voyant que ses yeux se mettaient à briller, j'ai indiqué le pare-brise.

— Euh, maman ? La route ?

Elle s'est concentrée sur sa conduite.

— Il a appelé ce matin. Mais j'étais en rogne et je n'ai pas voulu te le passer, puisqu'il ne venait pas. Désolée.

— Pas grave. (J'ai souri.) Il n'aura qu'à rappeler quand il m'aura acheté un nouveau téléphone.

J'ignore quelle distance nous avons couverte ce soir-là. Je me suis endormie alors que le soleil se couchait, que le ciel virait au rouge violacé au-dessus de nos têtes.

Nous nous sommes arrêtées à un motel, et je me suis réveillée juste ce qu'il fallait pour tituber jusqu'à notre chambre. Je me souviens que le lit avait une drôle d'odeur – pas désagréable, mais drôle, parce que ce n'était pas le mien et que j'avais envie d'être à la maison. Puis je me suis rendormie.

Il faisait encore noir quand mon cerveau s'est rallumé d'un coup.

Un frisson d'énergie me parcourait de la tête aux

pieds. Pas la panique que j'éprouvais au moindre bruit depuis deux jours, mais quelque chose de plus sombre, de plus chaleureux. Je me suis touché les lèvres – elles vibraient.

Je me suis assise dans le noir et j'ai regardé autour de moi, le temps de me rappeler où j'étais. La lumière du distributeur de boissons à l'extérieur qui s'infiltrait dans la chambre éclairait ma mère endormie dans le lit voisin. La pénombre m'enveloppait, j'avais une sensation de pression physique.

Je m'étais couchée dans mes vêtements sales, mais j'ai vu sur la commode les tee-shirts et sous-vêtements que nous avions achetés à la boutique de cadeaux de l'hôpital. J'ai pris une douche, sans réveiller maman, et je me suis habillée en silence. Comme la boutique de l'hôpital ne vendait pas de chaussettes, j'ai mis mes tennis pieds nus, pris mon sweat et quitté la chambre.

Le ciel était griffé de longs nuages effilés qui viraient à l'orange à l'approche du matin. Sur le parking du motel, quelques éclats de verre scintillaient comme du givre dans l'air froid immobile. J'ai enfilé mon sweat et croisé les bras pour me réchauffer.

Une enseigne au néon annonçait le White Sands Motel, et de l'autre côté de la route on apercevait des dunes. Nous avions roulé jusqu'au Nouveau-Mexique.

Mon père m'avait emmenée camper à White Sands une fois, alors que je devais avoir une dizaine d'années. Je me suis demandé si maman s'en souvenait.

Comme il n'y avait aucune voiture en vue, je me suis avancée sur la route pour m'arrêter au beau milieu : j'ai fermé les yeux et tendu l'oreille. L'énergie tiède qui m'avait réveillée me chatouillait encore les lèvres. Dans le silence, je pouvais presque l'entendre crépiter.

Quand j'ai rouvert les yeux, le désert était aussi vierge

qu'une feuille blanche. White Sands est un désert comme en dessinent les enfants, avec un moutonnement de dunes à perte de vue. Les déserts de broussaille de Californie m'avaient toujours paru bizarres depuis cette excursion avec papa.

Les dunes étaient basses aux alentours de la route, mais après une demi-heure de marche elles étaient devenues suffisamment raides pour que je doive les escalader à quatre pattes, en déclenchant de mini avalanches à chaque pas.

Depuis leur sommet, le désert s'étendait sous mes yeux en vastes ondulations blanches. Le ciel s'était éclairci, effaçant presque toutes les étoiles, et l'aube pointait à l'horizon. Au bas des dunes, des tables de pique-nique étaient boulonnées à des blocs de béton. Un poteau de quinze mètres de haut, coiffé d'un petit drapeau en plastique, s'élevait de chacune d'elle.

Je me souvenais de ces poteaux. Ils étaient là pour indiquer aux campeurs l'emplacement des tables. Dans ce désert uniforme, on pouvait facilement s'égarer à cent mètres de son pique-nique et s'enfoncer dans le désert en croyant retrouver ses affaires après la prochaine dune, ou la suivante…

Je me suis demandé s'il y avait des fantômes dans les parages. Peut-être des fantômes de touristes qui se seraient égarés dans le désert.

C'est à ce moment que je l'ai sentie se renforcer – l'énergie qui m'avait réveillée, me picotait les lèvres et me réchauffait le sang. Et je me suis rappelé une chose que m'avait dite Yamaraj… *Croire, c'est dangereux.*

Sauf que je n'avais pas vraiment le choix. Je ne risquais pas d'oublier ce que j'avais vécu à Dallas. J'avais pu constater de mes yeux ce dont les philosophes débattaient depuis toujours : il y avait bien quelque chose après la mort. Bon ou mauvais, je n'en savais rien, mais dans l'immédiat les préoccupations métaphysiques me paraissaient moins importantes qu'une question toute simple : arriverais-je à le refaire ?

Non seulement parce que c'était fabuleux, de se rendre au pays des morts, mais parce que Yamaraj m'avait lancé un défi, en me promettant que si je l'appelais, il viendrait.

Est-ce que je croyais suffisamment en lui pour le revoir ? Au fond, est-ce que je croyais à l'au-delà ?

J'ai grimpé au sommet de la plus haute dune et je suis restée là, à laisser ma respiration ralentir. J'ai fermé les yeux et me suis concentrée sur la froideur que je portais en moi désormais, souvenir de l'au-delà.

Existait-il une sorte de rituel pour basculer de l'autre côté ? Le premier qui m'est venu à l'esprit était évident...

— Je suis morte.

J'ai frissonné en prononçant ces mots, mais quand j'ai rouvert les yeux le désert n'avait pas changé. Bien sûr, je ne baignais pas dans mon sang, avec des balles sifflant au-dessus de ma tête et en proie à la panique. De plus, je portais un tee-shirt avec une image d'ours en peluche tenant une boîte de chocolats (les boutiques de cadeaux dans les hôpitaux...).

J'ai fermé les yeux encore une fois, tâchant de me rappeler tous les détails que j'occultais depuis deux jours – la terreur qui m'habitait quand je m'étais enfuie, le couinement de tennis sur le carrelage. Et puis, sortie de nulle part, une odeur âcre de poudre m'est montée aux narines et un frisson m'a parcourue. J'ai senti mon pouls s'emballer, mais j'ai continué à respirer lentement.

— Je suis morte.

Tout en le disant, je me suis imaginée en train de m'enfoncer dans le sable frais sous mes pieds, dans une noirceur glaciale. Un long moment s'est écoulé avant que je rouvre les yeux.

Mais rien n'avait changé, excepté que le ciel s'était un peu éclairci.

Je me suis assise dans le sable. C'était peut-être absurde, d'essayer de retourner dans l'au-delà de mon propre chef. Peut-être fallait-il se trouver au cœur d'un attentat terroriste pour que ça fonctionne. Ce n'était pas une formule magique qui m'avait changée ce jour-là mais une réservation sur le mauvais vol, le fait de voir mourir des gens autour de moi et un coup de tétéphone.

Avec un frisson, je me suis souvenue de la voix posée de la femme, presque hypnotique au milieu de l'affolement général. D'une certaine manière, c'était à cet instant que j'avais commencé à quitter le monde réel.

Pour la troisième fois, j'ai fermé les yeux et laissé le calme m'envahir. Puis j'ai prononcé les mots qui m'avaient marquée au fer rouge ce fameux soir…

— La sécurité est en chemin.

Le sable a frémi sous mes fesses, mais je n'ai pas bronché. J'ai respiré l'odeur de poudre et laissé les crissements de semelles me passer dessus. La cicatrice en forme de larme que j'avais sur la joue s'est mise à palpiter.

Je connaissais la suite :

— Voyez-vous une cachette à proximité ?

Les changements sont intervenus rapidement – j'ai senti un goût aigre et métallique dans l'air, le vent s'est tu et un froid glacial m'a enserré le cœur.

Quand j'ai rouvert les yeux, le monde autour de moi s'était vidé de ses couleurs. Le ciel immense était gris métallisé. On ne voyait pas de soleil, rien que des étoiles rougeoyantes, pareilles à des yeux qui m'auraient regardée d'en haut. Des rivières noires et huileuses serpentaient entre les dunes d'où montaient des ondulations de chaleur.

Une odeur suave m'a enveloppée, plus écœurante que celle du sirop d'érable en train de bouillir. La substance noire ondulait et frissonnait en contrebas, comme animée d'une vie propre, et mes bras brillaient.

— Yamaraj, ai-je murmuré.

C'était la première fois que je prononçais son nom à voix haute, il m'est venu tout naturellement. Comme un mot d'une langue étrangère que j'aurais apprise autrefois et dont j'aurais eu un vague souvenir.

J'ai frissonné, et relâché un peu mon emprise sur ce monde gris. À l'aéroport, la panique avait failli m'en arracher. Mais cette fois, c'était l'excitation qui me donnait des picotements sur la peau.

J'ai fermé les yeux pour ne plus voir le ciel gris. Je ne savais pas trop ce que j'espérais, j'ai perçu un nouveau changement dans l'air. Les relents de sang et de poudre ont cédé la place à une odeur plus forte, comme si un champ de poivre brûlait à proximité. Puis j'ai ressenti une vague de chaleur…

— Elizabeth.

Le froid en moi a commencé à s'estomper.

Quand j'ai rouvert les yeux Yamaraj se tenait devant moi, à mi-pente, sa silhouette se découpait sur le sable blanc.

Je n'ai pas su quoi lui dire. «Bonjour» me semblait insuffisant, ridicule.

— Ça a marché, hein ? ai-je bafouillé. C'est réel.

Il m'a dévisagée longuement, puis il a esquissé un sourire.

— Tout à fait réel, Lizzie.

L'entendre m'appeler par mon surnom – mon *vrai* nom – a fait pulser des couleurs à la lisière de mon champ de vision, comme si le monde des vivants cherchait à s'y infiltrer.

Yamaraj était aussi beau que dans mon souvenir. Il rayonnait, malgré l'absence du soleil. Il a gravi la dune et s'est accroupi à quelques pas de moi.

— Je suis impressionné.

Sa voix était douce, empreinte de gravité.

— Comment ça ?

Il a écarté les mains pour embrasser le désert environnant, le ciel gris.

— Tu as traversé toute seule. Tu m'as appelé, et drôlement tôt.

J'ai tâché de prendre un air décontracté. Dans mon dos, mes paumes se crispaient sur deux poignées de sable frais.

— Tu avais dit que je pouvais.

— J'ai dit aussi qu'il vaudrait mieux ne pas croire, Lizzie. Que ce serait moins dangereux.

— Si tu crois que j'ai eu le choix ! Il y avait un fantôme à l'hôpital, un petit garçon. Ce qui veut dire que je vois des esprits maintenant. Tu savais que ça m'arriverait ?

— Disons que c'était une possibilité, mais… comment sais-tu qu'il s'agissait d'un garçon ?

J'ai cligné des paupières. Cette question n'avait aucun sens.

— Euh… parce que c'en était un ?

— Tu le voyais si bien que ça ?

— Bien sûr. Je n'ai même pas compris tout de suite qu'il était mort. Il ressemblait juste à… un gamin. Il m'a dit qu'il s'appelait Tom.

Yamaraj s'est redressé, interdit.

— Quel est le problème ? ai-je demandé.

— Ça n'arrive jamais aussi vite. Au début, tu n'aurais dû voir que des filets de lumière, ou entendre des bruits étranges. Tu lui as vraiment parlé ?

J'étais si fière de moi pour m'être rendue dans l'au-delà

et avoir appelé Yamaraj. À présent j'avais l'impression d'avoir commis quelque chose de mal.

J'ai essayé de sourire.

— J'apprends vite. C'est ce que me dit toujours mon prof d'espagnol.

— Ça n'a rien d'une plaisanterie, Lizzie.

— Je sais bien, ai-je répliqué d'un ton sec, gagnée par la colère et l'amertume. Tu crois que je prends à la rigolade le fait d'avoir vu mourir quatre-vingt-sept personnes ?

— Non, a-t-il répondu simplement, reportant son regard sur le désert. Mais j'espérais que tu oublierais. Les changements s'estompent comme des cicatrices, quand on n'y croit pas.

J'ai respiré profondément. Je n'en voulais pas à Yamaraj mais aux quatre hommes qui avaient fait voler ma réalité en éclats.

— Pas question. Si je me roule en boule et que je fais comme si tout ça n'avait jamais existé, j'aurai peur toute ma vie. Parce qu'au fond de moi, je saurai toujours ce qu'il en est.

— Je vois, a dit Yamaraj, m'examinant avec attention. Dans ce cas tu seras des nôtres très bientôt.

Je l'ai fixé, nerveuse et frémissante. L'engourdissement qui m'avait saisie depuis l'attaque se dissipait, j'avais la même sensation que lorsqu'on place ses mains gelées sous un jet d'eau brûlante.

— Et vous êtes quoi, au juste ?

J'ai baissé les yeux sur mes mains pâles qui luisaient, avec une moindre intensité que celles de Yamaraj.

— On nous donne plusieurs noms. Guides des âmes. Faucheurs. Psychopompes.

J'ai levé la tête.

— Euh… « psychopompes » ?

— Certains termes ont plus d'élégance que d'autres.

Personnellement, je n'aime pas beaucoup celui de faucheur.

— Trop paysan?

Quand il a souri, j'ai remarqué que ses sourcils avaient un petit décrochement naturel, comme une cassure dans leur ligne. Ça lui donnait l'air d'être toujours en train de se moquer de moi, quel que soit le sujet de conversation.

— Tu peux t'appeler comme tu voudras. L'important, c'est qu'une fois que la mort nous a frôlés, nous ne sommes plus les mêmes. Certains d'entre nous voient les morts et marchent parmi eux. Certains vivent même dans les enfers. Mais dans la plupart des cas, il faut davantage que quelques jours pour commencer à distinguer les fantômes.

Je ne savais pas quoi dire. J'avais vu Tom quelques heures seulement après l'attaque.

— À moins que... T'est-il déjà arrivé une chose du même genre auparavant?

— Tu rigoles? Aucune chance. Mais tu as parlé de *guides*. Alors, où ta sœur a-t-elle conduit tous ces gens?

— Chez nous. (Yamaraj a contemplé les rivières d'huile noire qui serpentaient entre les dunes.) Aux enfers, où ils seront à l'abri.

— À l'abri de quoi? Ils sont morts.

Il a hésité, avant de répondre à voix basse:

— Il y a des prédateurs.

Le mot m'a fait frissonner. Je me suis sentie dépassée tout à coup, paralysée: la mort était bien réelle, plus effrayante et plus compliquée que je ne m'en serais jamais doutée.

Yamaraj s'est rapproché de moi.

— Ça va aller, Lizzie. Je vais t'aider à comprendre.

— Merci.

Je lui ai pris la main.

Quand nos doigts se sont touchés, j'ai senti quelque chose me traverser le corps, une douleur, un regret. Mon pouls s'est emballé et des couleurs ont zébré le ciel, réduisant la grisaille en lambeaux. Je suis revenue à la réalité, loin des rivières noires et des étoiles rouges, évaporées comme des fantômes chassés par le matin.

J'ai retiré ma main d'un geste vif et le monde gris a repris ses droits.

— C'est peut-être trop tôt. Je ferais mieux de partir.

J'ai avalé ma salive, essayé de parler. J'aurais voulu qu'il reste, qu'il m'explique tout, mais je me sentais sans défense face à tous ces changements – à l'instar de ma cicatrice à la joue, j'étais toute neuve et encore à vif.

En fin de compte, je n'ai réussi qu'à hocher la tête, et l'instant d'après j'étais seule au sommet de la dune, à respirer l'air matinal tandis qu'un soleil rose et étincelant me réchauffait la peau.

— Putain de merde, ai-je murmuré en contemplant ma main.

Un seul contact avait suffi à me renvoyer dans la réalité.

J'ai porté les doigts à mes lèvres et je suis restée assise là un moment. Pour la première fois depuis deux jours, je me sentais vivante. Il ne subsistait plus en moi qu'une trace infime de la froideur de l'au-delà, comme un morceau de glace sur ma langue.

Ma mère commençait à se réveiller lorsque je suis retournée dans la chambre. J'avais du sable plein les chaussures et les cheveux, et le dos trempé de sueur sous mon sweat. Mais la douche pouvait attendre.

— Petit déjeuner ? ai-je proposé en la voyant ouvrir les yeux.

Maman a fait oui de la tête.

— Tu dois mourir de faim. Tu n'as pratiquement rien mangé hier.

Elle s'est levée, s'est brossé les cheveux, et une minute plus tard nous nous dirigions vers le restaurant du motel. Alors que nous traversions le parking, un semi-remorque s'est immobilisé sur l'un des emplacements réservés aux camions. J'ai senti son grondement à travers mes semelles et perçu la chaleur de son moteur sur ma peau, comme une présence monstrueuse.

— Tu as l'air bizarre, a observé ma mère.

— Le manque de sommeil. (J'ai procédé à un rapide calcul.) Disons plutôt un excès de sommeil.

— Ma pauvre chérie.

Nous sommes entrées et avons étudié le menu. Maman a souri en voyant tout ce que je commandais. Mon corps commençait à se réveiller pour de bon, il avait besoin de nourriture, de café et de retrouver ses marques en ce bas monde.

Une fois la serveuse partie, j'ai surpris ma mère qui fixait mes points de suture. Puis son regard est descendu à l'endroit où la larme que j'avais versée dans l'au-delà avait laissé une marque de brûlure.

Elle faisait ça sans s'en rendre compte. C'était plus fort qu'elle.

Elle a fini par tourner son regard vers la fenêtre.

— C'est une belle région. On devrait en profiter pour visiter un peu.

— Quoi donc, le sable et les dunes ?

— Par exemple. Mais il y a aussi une ville fantôme au nord d'ici. Une ancienne ville de mineurs baptisée Chloride. J'ai lu une brochure dans la chambre. Ça avait l'air intéressant.

Un bref instant, j'ai revu le visage de Tom et un frisson m'a parcourue.

— On oublie les villes fantômes, d'accord ?

Elle s'est retournée vers moi, a vu mon expression et m'a pris la main.

— Bien sûr, pardon. Je n'aurais pas dû t'en parler.

— Non, ça va, maman. C'est juste que...

Ces terroristes avaient essayé de me tuer mais je m'étais réfugiée aux enfers, et à présent je pouvais voir les fantômes, et apparemment j'avais acquis certains pouvoirs dangereux, sans oublier ce garçon dont j'avais effleuré la main – j'en avais encore des picotements.

En plus, j'avais vraiment besoin de me changer.

— Laisse tomber, a dit maman. On rentre à la maison.

UNE HEURE PLUS TARD, UNE BONNE VINGTAINE D'AUTEURS
étaient venus renforcer le groupe. La soirée Jeunes
adultes monopolisait plusieurs tables, dont la plupart
étaient occupées uniquement par des sacs à main et des
verres vides, car tout le monde était debout désormais.

Oscar avait présenté Darcy comme un auteur dont le
premier roman contenait un jeune dieu de la mort védique
très sexy. Cela fit sourire, et plusieurs personnes dirent en
plaisantant qu'elles mouraient d'envie de le lire. Entendre
résumer ainsi son livre en une seule phrase avait libéré la
parole de Darcy. Cela lui donnait un sentiment de maîtrise, comme de savoir prononcer le nom de Rumpels-
tiltskin.

Les autres auteurs parlaient tous de leurs travaux en
cours, des super-pouvoirs de leurs agents, de l'entêtement
de leurs correcteurs et de la perfidie du service marketing.
Darcy nageait dans un océan de publications, et ne demandait qu'à s'y noyer.

Ma première journée à New York, songea-t-elle, un peu
éméchée après sa deuxième Guinness.

— Tu es Darcy Patel ? lui demanda une jeune femme
en robe de cocktail rouge très années 1950. C'est toi qui as
signé chez Paradox il y a deux mois, c'est ça ?

Darcy sourit.

— C'est moi. *Afterworlds.*

— Sœur deb'! s'écria la jeune femme, en prenant Darcy dans ses bras, la serrant à l'étouffer.

Quand elle l'eut relâchée, Darcy recula d'un pas hésitant.

— Pardon?

— Je suis de la promotion 2014, moi aussi! On est sœurs deb'!

Darcy ne savait pas trop si «deb'» était l'abréviation de débutante ou d'auteur débutant, mais au fond cela revenait au même.

— D'accord. Ravie de te connaître.

— Je m'appelle Annie Barber. Ça fait tarte, hein? J'aurais dû prendre un pseudo.

Elle fit la grimace, comme si elle s'attendait à voir Darcy lui déchirer son contrat de publication.

— J'ai toujours aimé le prénom Annie, dit Darcy.

— Ouais, mais Barber, ça évoque… un barbier. Enfin, au moins c'est bien placé dans l'ordre alphabétique, je serai rangée à hauteur d'œil. Il paraît qu'être à la fin de l'alphabet, ce n'est pas mal non plus parce que certaines personnes préfèrent s'asseoir et commencer par les derniers auteurs. Il n'y a que les lettres du milieu que tout le monde ignore.

— Oh, fit Darcy, se demandant si son nom en P la condamnait d'avance aux rayonnages oubliés. Comment va s'appeler ton livre?

— *La Chapelle aux secrets.* Ça te plaît?

— Oui, j'adore! Comme dans «esprit de chapelle», c'est ça?

— Exactement! (Un sourire illumina le visage d'Annie, qui sortit son téléphone.) Je vais tweeter ça tout de suite.

— Félicitations, dit Darcy. Pour ton livre, je veux dire. Pas pour le tweet.

— Je suis tellement contente de t'avoir trouvée ! On cherchait d'autres sœurs deb'.

— *On* ?

En guise de réponse, Annie propulsa Darcy à travers la salle pour lui présenter trois autres débutantes. Tout aussi pétillantes qu'Annie, la plupart se rencontraient en personne pour la première fois. Mais elles communiquaient par le biais d'une mailing-list depuis des mois, échangeant des conseils, des potins, et des règles de publication supposément gravées dans le marbre dont Darcy n'avait jusqu'ici jamais entendu parler.

« Si tu n'intègres pas la liste des best-sellers à l'issue de ta première semaine, c'est cuit ! » dictait l'une d'elles.

« Les boniments promotionnels en couverture ne marchent plus ! » déclarait une autre.

« Il faut toujours veiller à ce que les meilleures citations potentielles de ton roman ne dépassent pas cent quarante caractères ! » paraissait, au mieux, discutable.

« Ton site web doit avoir reçu au moins mille visiteurs avant la sortie de ton premier bouquin ! » affirmait la plus effrayante.

Chose étrange, les quatre jeunes femmes semblaient toutes en admiration devant Darcy. Elles avaient lu un article sur son contrat dans le *Publisher's Brunch*, et appris combien Paradox lui avait offert.

— Est-ce qu'ils t'ont déroulé le tapis rouge quand tu t'es rendue dans leurs locaux ? lui demanda l'une de ses nouvelles sœurs.

Elle s'appelait Ashley, et son roman était une dystopie se déroulant sur Mars.

— Pas vraiment, répondit Darcy en riant.

À sa venue à New York en mars pour rencontrer Nan et

Moxie, toutes les moquettes chez Paradox étaient d'un gris industriel.

— Tu pourrais peut-être signer mon boniment promo ! plaisanta l'une des trois autres.

Darcy ne sut pas quoi répondre à cela. Elle se félicitait que le *Publisher's Brunch* n'ait pas mentionné son âge. Ses sœurs deb' avaient toutes bien plus de vingt ans.

Une fois de plus, sa petite robe noire lui parut trop grande, comme si Darcy avait rétréci à l'intérieur.

— C'est pas super ? s'exclama Annie en tendant à Darcy sa troisième bière.

— Si, reconnut Darcy en considérant sa boisson avec méfiance. Mais vous connaissez tellement de trucs, toutes les quatre. Alors que moi, je ne sais encore pratiquement rien. Par exemple, que faudrait-il que je fasse pour assurer ma promotion ?

— Tout.

Pendant que ce mot s'insinuait dans son cerveau, Darcy sirotait sa bière, cherchant du regard Kiralee Taylor. Les moqueries amicales de Kiralee et Coleman, aussi intimidantes soient-elles, avaient rempli Darcy d'une joie électrisante. Alors que l'enthousiasme de ses sœurs deb' ne lui inspirait qu'une terreur informe.

— Tout ? Par exemple… ?

— Par exemple, est-ce que tu as un blog, au moins ?

— Juste un compte Tumblr. Mais je ne sais jamais quoi poster. Je veux dire, vous croyez que je devrais parler de moi ?

— On pourrait s'interviewer les unes les autres ! s'exclama Annie.

— D'accord. (Darcy s'efforça de sourire.) Première question : La place de mon nom dans l'ordre alphabétique est-elle vraiment importante ?

— Tout est important ! répondit Annie.

Encore ce mot. Darcy prit une longue gorgée pour y réfléchir, et repéra Kiralee dans un coin, en compagnie d'une jeune femme de grande taille. Elles riaient toutes les deux comme si rien n'avait d'importance. Peut-être accepteraient-elles que Darcy les rejoigne.

— Quel âge as-tu, au fait ? voulut savoir Annie.

Darcy hésita, et le silence se prolongea jusqu'à devenir une plaisanterie.

— Mon agent et moi préférons garder le secret là-dessus, murmura-t-elle.

Annie écarquilla les yeux.

— Bonne idée ! Ça te fera un truc à dévoiler le moment venu. Une révélation de quatrième de couv' !

Darcy ne put qu'acquiescer. Avec sa troisième bière bien entamée, elle avait les pieds qui ne touchaient plus le sol, et la gravité lui jouait des tours. Elle avait toujours voulu essayer la Guinness, qui contenait une sorte de gélatine appelée «ichtyocolle», un nom aux sonorités magiques, même si cette substance était fabriquée à partir de vessie natatoire de poisson.

Elle se rendit compte que son déjeuner remontait à plusieurs heures tandis que le dîner se perdait dans un avenir lointain aux contours indécis.

— Excusez-moi une seconde, dit Darcy, avant de se frayer un chemin dans la salle.

Kiralee se tenait au coin du bar, près d'un juke-box à l'ancienne presque aussi imposant que la cage de Sodapop et encadré de néons rouge et jaune. Une sorte de liquide circulait à l'intérieur, l'appareil avait l'air d'une créature vivante. L'amie de Kiralee, qui devait avoir quelques années de plus que Darcy, portait un chemisier blanc largement déboutonné sous une veste noire.

— Le mien ne me coûte que deux cent cinquante par mois, disait Kiralee. Et il est parfaitement sûr.

— Je pourrais presque me le permettre, dit la jeune femme.

Darcy se rapprocha, tâchant de prendre le pouls de la conversation. Les deux femmes ne parurent pas la remarquer tout de suite, et elle prit son mal en patience. Comme Nisha n'arrêtait pas de le lui répéter, elle était une adulte maintenant.

Kiralee haussa les épaules.

— Tout est moins cher à Brooklyn.

— Je sais, confirma son amie avec un soupir. À Chinatown, on ne trouve rien en dessous de quatre cents par mois.

Elle jeta un coup d'œil à Darcy et lui sourit, ce qui ressemblait à une invitation.

— Vous parlez d'appartements à loyer abordable? demanda Darcy. J'ai cherché en ligne, mais je n'ai rien trouvé à moins de deux mille dollars.

Elles la dévisagèrent toutes les deux, puis Kiralee sourit.

— On parlait de places de parking, ma chérie. Pas d'apparts.

— Oh. D'accord. Des places de parking.

Darcy plongea le nez dans sa bière, avec l'espoir qu'il faisait trop sombre pour qu'on la voie rougir.

La jeune femme rit de bon cœur.

— Voilà un bon moyen d'économiser de l'argent. Se loger dans un parking!

Darcy rit avec elle et se demanda si elle ne ferait pas mieux de retourner auprès d'Annie et des autres, où elle avait sa place.

Mais Kiralee lui posa une main amicale sur l'épaule.

— Je ne crois pas que vous ayez été présentées, si? Voilà Imogen Gray, une autre débutante.

Imogen sourit, main tendue.

— Darcy, c'est ça ? Le fantastique hindou ?

— C'est moi. J'ai l'impression que tout le monde sait déjà qui je suis.

— Oh, fit Imogen. Je me suis dit que ça ne pouvait être que toi, vu que tu avais l'air…

L'esprit engourdi par la bière, Darcy mit un moment à comprendre.

— Hindoue ?

— Eh bien… oui ? reconnut Imogen, dont les yeux s'étaient un peu agrandis.

Darcy sourit, adopta un air rassurant. Tous les auteurs qu'elle avait rencontrés ce soir étaient blancs, à l'exception de Johari Valentine, un écrivain de science-fiction venue de Saint-Christophe, aux Antilles.

— Pas de problème. Je voulais juste dire que ça fait bizarre que tout le monde ait entendu parler d'*Afterworlds*.

— Les dieux de la mort sont les nouveaux selkies, déclara Kiralee.

Imogen leva les yeux au plafond.

— Ce qu'elle veut dire par là, c'est que c'est chouette de voir explorer d'autres mythologies. Donc, ton livre se passe en Inde ?

— Non, surtout à San Diego, où vit mon héroïne. Et dans l'au-delà, évidemment.

— Évidemment. (Kiralee trinqua avec elles, levant son verre à l'au-delà.) Maintenant, voilà une question délicate pour toi. Est-ce que ton dieu de la mort védique parle anglais ? Ou est-ce que ton héroïne parle hindi ? Ou sanscrit ?

— Non. Elle est blanche.

Les deux femmes la dévisagèrent en silence, comme si elles attendaient une explication.

— Ça paraît bizarre ?

Kiralee écarta les mains.

— Pas du tout.

— Ce qu'il y a, c'est que je voulais que mon héroïne tombe amoureuse d'un Indien, un garçon qui ressemblerait à Muzammil Ibrahim.

Elles lui retournèrent un nouveau regard interrogateur, et Darcy se sentit gênée, puérile.

— C'est un acteur de Bollywood, un mannequin en fait. Le genre de garçon trop craquant que j'aurais voulu trouver dans les romans fantastiques que je lisais quand j'étais petite, vous voyez ? Sauf que je ne voulais pas que cette attirance soit cousue de fil blanc.

— Tu voulais que toutes les filles aient envie de lui, reprit Kiralee avec un sourire. Alors tu as pris comme héroïne une jeune Blanche de Californie.

Darcy regretta soudain d'avoir tant bu, ce qui ne l'empêcha pas de prendre une autre bière.

— Euh… plus ou moins.

— Ça se tient, approuva Kiralee en faisant tournoyer les glaçons au fond de son verre. D'une certaine manière problématique. Mais la vie est problématique, alors pourquoi les romans y échapperaient-ils ?

— C'est profond, ça, Kiralee, dit Imogen.

— Donc oui, Yamaraj parle anglais, reprit Darcy, qui tenait à montrer qu'elle avait réfléchi à la question. Mon roman s'appelle *Afterworlds* au pluriel parce qu'il existe des tas d'au-delà. Et chacun possède son propre raja ou sa propre rani, une personne vivante capable de se rendre dans le monde des esprits.

— Tu as pris ça dans… ? commença Imogen, avant de se renfrogner devant son verre.

— Les Veda ? Pas vraiment. C'est juste un truc que j'ai inventé.

— Tous les romanciers font ça, dit Kiralee. Inventer des trucs.

— Ça, c'est sûr, confirma Darcy.

Dans le chaos de novembre dernier, elle avait perdu le compte de ce qu'elle avait inventé et de ce qu'elle avait emprunté aux Saintes Écritures.

— Bref, l'au-delà de Yamaraj accueille beaucoup de morts venus d'Inde, qui parlent toutes les langues du sous-continent – gujarati, bengali, hindi… Et l'anglais y sert de langue commune, exactement comme en Inde.

— Ah, la langue du colonisateur, fit Kiralee, dont l'expression s'illumina. Il y a des tas de choses intéressantes à faire avec ça.

— Exact, approuva Darcy, même si elle doutait d'en avoir exploité une seule.

Elle avait décidé que Yamaraj parlerait anglais pour une raison purement pratique, afin que Lizzie et lui puissent se communiquer leur amour éternel autrement que par signes.

— Le plus difficile, c'est de le faire paraître vieux jeu ; ça le rend moins sexy.

— Vieux jeu ? s'étonna Imogen.

— Il est quand même né il y a trois mille ans.

— Et il sort avec une adolescente ? dit Kiralee, avant d'émettre plusieurs claquements de langue désapprobateurs. On n'a jamais lu un truc pareil !

Imogen s'esclaffa.

— Sauf dans toutes les histoires de vampires.

— Eh bien, il a dix-sept ans, en réalité. (Darcy s'offrit une gorgée de bière le temps de rassembler ses idées.) Parce que le temps s'écoule différemment dans… zut. Ça fait pervers ?

Kiralee la rassura d'un geste.

— Tant qu'il a l'air d'avoir dix-sept ans, personne ne

dira rien. Quant à l'anglais, tout le monde parle anglais à la télé, même ces fichus Klingons. Alors pourquoi pas les dieux de la mort hindous ?

— Tu t'emmêles les pinceaux, Kiralee, protesta Imogen. Les Klingons parlent le klingon, tiens ! Une langue qui a son propre institut. On y trouve même des traductions de Shakespeare !

— Exact, j'avais oublié. On a le droit d'effacer les cultures qui ont raconté les premières histoires, mais l'elfique et le klingon doivent être préservés à n'importe quel prix.

Imogen se tourna vers Darcy.

— Ne fais pas attention à elle. Kiralee prend la tête de tout le monde avec ça. Peut-être parce qu'elle a sans cesse des ennuis.

Kiralee haussa les épaules.

— En tant que Blanche qui détourne sans scrupule les mythes indigènes, j'ai eu ma part de polémiques, toutes largement méritées. Mais au moins je fais profiter la jeunesse de mon expérience en vous embêtant à mon tour.

— Vos livres vous attirent des ennuis ? Pourtant, ils sont tellement… enrichissants !

Après avoir lu *Dirawong*, Darcy avait pris le peuple bundjalung comme thème de son projet de fin de lycée.

— Je veux dire, on a l'impression que vous croyez vraiment à tout ce que vous écrivez. Vous êtes beaucoup plus respectueuse que moi envers les Veda.

Kiralee s'esclaffa.

— J'avoue, je n'ai jamais utilisé un dieu comme bourreau des cœurs pour jeunes adultes.

Darcy la dévisagea. Kiralee leva les mains en signe de capitulation.

— Je ne dis plus rien, je n'ai pas lu ton livre.

Imogen leva les yeux au plafond.

— Ce n'est pas la même chose quand ce sont tes propres dieux, Kiralee.

— Je suppose que non, admit Darcy.

La situation n'était pourtant pas si claire. La seule statue de Ganesh présente dans la maison de ses parents avait un socle magnétique et trônait sur l'ordinateur de son père. Et Darcy avait rejeté le régime végétarien familial à l'âge de treize ans.

— De toute façon, Yamaraj n'est pas un dieu à proprement parler. C'est le premier mortel à découvrir l'au-delà, ce qui lui confère des pouvoirs spéciaux. Ce serait plutôt une espèce de super-héros !

Là encore, Darcy trichait un peu. Dans les écritures les plus anciennes, Yamaraj était un simple mortel, mais par la suite il devenait un dieu. Les Veda étaient ainsi. Ce n'étaient pas un livre, mais des centaines d'histoires, d'hymnes et de méditations. On y trouvait absolument tout – dieux multiples ou dieu unique, paradis et enfer ou réincarnation.

Dans *Afterworlds*, Yamaraj était un homme ordinaire qui avait découvert, de manière plus ou moins accidentelle, qu'il pouvait évoluer parmi les fantômes. N'était-ce pas le principal ? Ou bien les mots «dieu de la mort védique hyper sexy» parlaient-ils à la place du roman ?

Imogen souriait.

— Pour être un super-héros, il lui faut un événement fondateur.

— Il en a un ! Avec le tonnerre, la foudre et tout le tremblement !

— Et une araignée radioactive ?

— Euh non, un âne, répondit Darcy. Mais ça ne vient pas des Veda, ça. J'ai laissé un tas de trucs de côté, comme ce psaume où la sœur de Yamaraj essaie de coucher avec lui.

— Oh, c'est pourtant tellement littérature Jeunes adultes ! se désola Imogen.

— Je ne crois pas, non.

Darcy scruta le fond de son verre, où ne restait plus que de la mousse.

— Vous pensez que je risque d'avoir des ennuis ?

Kiralee posa son verre sur le juke-box et prit Darcy par les épaules.

— Ce n'est pas comme si tu étais une Blanche qui détournait le fonds culturel indigène.

— Non, ce serait plutôt ta spécialité, observa Imogen.

— Regardez-la qui jette la première pierre ! s'écria Kiralee. Ton travail non plus n'est pas exempt de polémique.

Imogen laissa échapper un sourire.

— Pour l'instant, mon travail est exempt de tout, y compris d'un synopsis. Je ne sais même pas encore quelle mancie je vais utiliser.

— Une mancie ? demanda Darcy, pas fâchée de voir la conversation s'éloigner du détournement des religions – cela soulevait des questions que son cerveau embrumé par l'alcool n'était pas apte à creuser.

— Le premier roman d'Imogen parle d'une adolescente qui enflamme des trucs, expliqua Kiralee. La pyromancie ! Et c'est moi qui passe pour la méchante.

— Hé, je me contente de rendre attrayante la manie d'allumer des feux. C'est moins grave que l'appropriation culturelle. (Imogen se tourna vers Darcy.) Mon héroïne est d'abord une pyromane, une gamine qui aime jouer avec les allumettes. Mais ensuite elle développe des pouvoirs de contrôle du feu, et on découvre qu'elle est issue d'une longue lignée de pyromanciens.

— Il y avait un type comme ça dans mon lycée, dit

Darcy. Sans super-pouvoirs, mais qui n'arrêtait pas de mettre le feu au papier toilette.

Imogen sourit.

— Ma première petite amie était pyro elle aussi. Dans ma trilogie, chaque système de magie est basé sur un trouble des habitudes et des impulsions.

— Ah, d'accord.

Darcy avait cru qu'Imogen avait son âge, ou peut-être un peu plus. Mais elle raisonnait déjà en termes de trilogie, alors que Darcy n'avait qu'une vague idée d'*Untitled Patel*.

L'idée la glaça une fois de plus : et si aucun autre roman ne jaillissait jamais de ses doigts fous tapant au hasard sur le clavier ?

— Le tome un s'appelle *Pyromancer*, évidemment, continua Imogen. Mais ma maison d'édition déteste le titre du tome deux.

— Ça se comprend, s'exclama Kiralee. *Ailuromancer* !

— Qu'est-ce que ça veut dire ? demanda Darcy.

— Les chats ! s'esclaffa Kiralee. Le pouvoir de la dame aux chats !

— Va nous chercher à boire, ordonna Imogen.

Elle tira un vieux portefeuille en cuir de sa poche arrière et en sortit deux billets de vingt. Kiralee les lui arracha puis partit vers le bar, tandis qu'Imogen se tournait vers Darcy.

— C'est la divination par les chats. Un peu comme lire dans les entrailles de poulet.

Darcy ouvrit de grands yeux.

— Ton personnage éventre des chats ?

— Beurk, non. L'ailuromancie décrypte leurs mouvements, leurs battements de queue. (Imogen fendit l'air avec la main d'un geste gracieux, comme si elle caressait le dos d'un chat endormi.) Mon personnage écoute le ronronnement des chats et entend des choses, comme certains croient reconnaître des mots dans le bruit des vagues.

Le regard de Darcy s'attarda sur la main d'Imogen. Elle avait les doigts couverts de bagues, dont une ornée d'un crâne et de tibias croisés.

— Ça m'a l'air génial.

— La magie fonctionne nickel, mais chez Paradox tout le monde déteste ce titre d'*Ailuromancer*. Ils préféreraient *Cat-o-mancer*.

— C'est encore pire qu'*Ailuromancer*, jugea Darcy, que ses trois Guinness faisaient bredouiller un peu. Mais dis donc, on est publiées dans la même maison toutes les deux.

— Qui est ton éditeur ?

— Nan Eliot.

— Moi aussi !

Darcy fronça les sourcils.

— Par contre, je ne vois pas le rapport entre les chats et la pyromanie. Avoir des animaux domestiques ne constitue pas un trouble.

— Tu rigoles ? La mère de mon héros est une dame aux chats dans toute sa splendeur. Il grandit dans une maison littéralement infestée de félins. Ses fringues empestent la pisse de chat, et au lycée personne ne lui adresse la parole. Les services sociaux s'en mêlent...

Darcy hochait la tête.

— ... et il commence à développer d'étranges pouvoirs ?

— La prescience, plus toutes sortes d'autres talents relatifs aux chats – l'équilibre, l'escalade, l'ouïe fine. Il passe du vol à l'étalage au cambriolage à grande échelle.

— Tu savais que les chats n'ont pas de papilles gustatives pour le sucré ?

— C'est vrai ? Cool. (Imogen sortit son téléphone et se mit à pianoter.) Ils ne souffrent pas non plus du décalage horaire, parce qu'ils dorment tout le temps.

— Logique. Dans mon roman, ils peuvent voir les fantômes.

Imogen sourit.

— Je ne crois pas qu'il y ait de fantômes dans mon monde. Mais qui sait ? Je vais entamer la réécriture cette semaine.

— Moi aussi.

Darcy sentit un sourire s'épanouir sur son visage. Venait-elle d'avoir une légère influence sur le roman d'Imogen, car elle était là et avait de vagues connaissances sur les chats ?

Peut-être cela compensait-il le fait qu'elle avait exploité la religion de ses parents pour y dénicher son personnage de bourreau des cœurs. Darcy prit une profonde inspiration et refoula cette idée.

— Il me manque toujours une mancie pour mon tome trois. (Imogen fit passer son doigt plusieurs fois sur l'écran de son téléphone, puis consulta ce qui s'affichait.) Il y en a des centaines : l'austromancie, la sphéromancie, la néphélomancie… Le problème, c'est qu'elles donnent des pouvoirs pourris. Mais j'imagine que ça n'aurait rien d'amusant si ce n'était pas aussi difficile.

Darcy réfléchit à la question. D'après son expérience, la difficulté n'avait rien d'amusant. Si elle avait su à quel point il lui serait difficile d'écrire sur un personnage traumatisé par une attaque terroriste, de faire sentir toute l'horreur du massacre au cours de quatre chapitres au rythme lent et déprimant, elle aurait choisi une manière moins brutale pour transporter Lizzie dans l'au-delà.

Tout le monde adorait ce premier chapitre, mais il avait rendu les suivants beaucoup plus difficiles.

Kiralee revint avec trois verres dans les mains.

— J'ai pensé à un truc, au bar, et je crois que ça pourrait résoudre ton problème de mancie.

— Oh, super. Allons-y. (Imogen soulagea Kiralee de deux des verres et tendit sa Guinness à Darcy.) Je t'écoute.

— Pourquoi ne pas centrer ton tome trois sur une flatulomancienne ?

Personne ne dit rien pendant un moment.

— Est-ce que ça veut dire ce que je crois ? demanda Darcy.

— Du latin *flatus*. (Les yeux de Kiralee pétillaient.) C'est le succès garanti !

— Donc tu suggères, résuma Imogen, que la conclusion de ma trilogie de dark fantasy basée sur les troubles des habitudes et des impulsions s'intéresse à un personnage qui lâcherait des pets magiques ?

— Eh bien, ses pets ne seraient pas magiques en soi. Mais ils pourraient lui permettre de contrôler des forces magiques, non ? Après tout, ils constituent un acte volontaire. Qui requiert une certaine pureté d'esprit.

— Je te déteste, dit Imogen.

Kiralee se tourna vers Darcy.

— Qu'est-ce qui sonne le mieux : Fiona la Flatulomancienne, ou Freddie le Flatulomancien ?

Darcy, qui se retenait de pouffer, fut incapable de répondre.

— À mon avis, les deux sont aussi bons l'un que l'autre, dit Imogen. C'est-à-dire très mauvais.

— Une minute, parvint à bafouiller Darcy. Qu'est-ce que ferait la flatulomancie, exactement ? En dehors des effets évidents, je veux dire ?

— Oh, je n'ai pas encore élaboré le système de magie dans tous les détails, reconnut Kiralee en agitant son verre d'un geste vague. Mais les sorts auraient tous des noms

DARCY

évocateurs : la Fusion de Coussin, le Soupir Suave, le Zéphyr Marron, et bien sûr le redoutable Secrétaire de l'Intérieur !

Même Imogen riait à présent.

— J'ai l'impression que ces sorts reviennent tous à peu près au même.

— Seulement parce que je n'ai pas encore mentionné la Perlouse Pyrophorique !

— Espèce de sale copieuse ! s'écria Imogen. La Perlouse Pyrophorique relève clairement de la pyromancie !

— De la pyroflatulomancie, oui, admit Kiralee sur un ton de dignité absolue. Mais ne tombons pas dans la pédanterie.

— Non, évitons d'y tomber, renchérit Darcy.

Les trois firent tinter leurs verres et burent à cela.

La soirée se poursuivit ainsi, mélange de discussions sérieuses, de francs délires, d'autopromotion et autres frivolités de soirée pyjama. Elle parut durer toute la nuit, et pourtant, il n'était pas dix heures quand Darcy regarda autour d'elle et s'aperçut que l'événement tirait à sa fin. Le bar s'était rempli d'une foule d'habitués sans rapport avec le monde de l'édition. Elle ne reconnaissait plus que quelques visages.

Ses nouveaux amis se rassemblèrent en petit groupe.

— Quelqu'un veut partager un taxi avec moi jusqu'à Brooklyn ? lança Kiralee.

Quelqu'un accepta, un auteur de romans d'amour gothiques gays qui habitait le Mississippi et séjournait chez des amis. Le quartet de sœurs deb' de Darcy se proposait d'aller dîner dans une pizzeria du coin, mais après ses quatre (ou cinq ?) bières, Darcy ne se sentait pas en état de prolonger la soirée.

— Tu vas savoir rentrer ? lui demanda Imogen.

Darcy, à court de fanfaronnades, préféra dire la vérité.

— Je ne suis pas sûre. Mais l'appartement de Moxie se trouve sur Astor Place. Un chauffeur de taxi saura bien m'y emmener, non ?

— C'est à peine à dix minutes d'ici. Je vais te raccompagner à pied.

— Désolée d'être un poids mort.

Darcy avait atteint ce stade de l'ivresse où les excuses et les promesses se multiplient. Mais Imogen se contenta de sourire.

Elles firent de longs adieux à tout le monde puis sortirent dans la nuit.

Les entrepôts semblaient avoir grandi depuis le coucher du soleil, et les rues désertes prenaient une dimension théâtrale, comme un décor de cinéma dans lequel on leur aurait permis de se promener après la fermeture. L'air frais fit du bien à Darcy, qui se sentait brûlante après ces heures passées à discuter boutique.

Imogen pointa le doigt.

— Un immeuble fantôme.

Darcy leva les yeux et vit la décoloration sur un immense mur de brique devant elle, la silhouette d'un immeuble démoli depuis plusieurs décennies. On distinguait encore l'angle du toit et la forme d'une cheminée. Le tout était dominé par un panneau fantôme – une publicité fanée pour un atelier de réparation de voitures, assez vieux pour que le numéro de téléphone commence par des lettres.

— Mon personnage voit des fantômes, dit Darcy.

— Normal. C'est un dieu de la mort.

— Pas lui. L'autre – Lizzie.

— Sérieux ? demanda Imogen.

— Oui, pourquoi ?

— Ton personnage s'appelle Lizzie… et toi Darcy ?
(Imogen se mit à rire.) Et si je te dis Jane Austen ?

Darcy s'arrêta net.

— Oh, merde.

— Tu ne t'en étais pas rendu compte ?

— Je n'y avais jamais pensé. Je te jure ! C'est ma mère
qui est fan de Jane Austen !

Riant toujours, Imogen se remit à marcher.

— Personne ne va s'en apercevoir. Enfin, sauf les lecteurs de Jane Austen, c'est-à-dire à peu près tous ceux qui
savent lire.

Elles continuèrent en direction d'Astor Place, Darcy
traînait les pieds.

Était-il tard pour changer le nom de Lizzie ? Un
rechercher-remplacer ne prendrait que quelques secondes,
une altération silencieuse de zéros et de uns. Seuls quelques
amis et éditeurs le sauraient. Mais pour Darcy ce serait un
livre tout à fait différent, comme si un métamorphe prenait la place de son personnage. Un imposteur, qui aurait
les traits et le comportement de Lizzie mais dont la ressemblance ne ferait qu'accentuer le malaise.

— Trop tard pour le modifier. Ça me ferait trop
bizarre.

— Tu n'as qu'à prendre un pseudonyme, suggéra
Imogen. Changer ton nom plutôt que le sien.

Darcy repensa à Annie Barber et au positionnement
alphabétique malheureux de « Patel ».

— Il y a beaucoup de gens qui font ça ?

— Plus qu'on ne se l'imagine, répondit Imogen, qui lui
prit la main. Mais tu auras tout le temps d'y penser demain.

Darcy hocha la tête. Elle allait devoir penser à beaucoup de choses à partir de demain. Dénicher un appartement, ouvrir un compte bancaire et s'habituer à vivre seule
à New York.

En chemin, elle tâcha de mémoriser les noms de rue – il fallait qu'elle apprenne à connaître la ville. Même si c'était agréable d'avoir Imogen à ses côtés.

— Tu connais Kiralee depuis longtemps? demanda Darcy.

— Elle a rédigé le boniment promo de *Pyromancer* juste après que Paradox l'a acheté. Et quand je lui ai écrit pour la remercier, elle m'a invitée à déjeuner. On est amies depuis un an à peu près, depuis que j'ai quitté l'université.

Darcy se renfrogna. Imogen était peut-être une débutante mais elle avait au moins cinq ans de plus qu'elle, ses études derrière elle et un an d'expérience new-yorkaise à son actif. Et elle avait déjà écrit deux livres, pas un seul et unique roman tapé à la hâte au mois de novembre.

— Quand doit sortir *Pyromancer*?

— En septembre. (Imogen lâcha un soupir entre ses dents.) Enfin !

— Tu as de la chance. Le mien ne sortira pas avant l'automne suivant.

— Ça craint d'être un auteur, hein? C'est comme raconter une blague qui ne fait rigoler personne avant deux ans.

Darcy acquiesça. Nisha lui avait envoyé un texto plus tôt dans la journée, sur la route :

Plus que 462 jours avant la publication !

Darcy se lasserait probablement de cette blague longtemps avant sa sœur.

Elles continuèrent en silence un moment, Imogen pointant du doigt les ombres d'immeubles disparus. Darcy se demanda s'il existait d'autres fantômes que ceux des gens – et pas seulement ceux des chiens et des chats, mais aussi des motos, des machines à écrire ou des cours d'école.

Voire des carrières de romancières qui avaient décollé trop tôt, ou même jamais décollé…

Darcy n'avait pas lâché la main d'Imogen. Elle la serra un peu plus fort. Quand elle leva les yeux, le ciel était trop délavé par les lumières de la ville pour que l'on puisse y distinguer les étoiles.

10

EN FIN DE COMPTE NOUS AVONS EMPRUNTÉ LA ROUTE panoramique et le voyage de retour à San Diego nous a pris la journée entière plus une grande partie du lendemain.

Maman me confiait le volant de temps à autre, mais seulement après un long sermon sur les effets du stress posttraumatique sur la conduite. Apparemment, c'est ce qu'il y a de plus indiqué à la suite d'une épreuve – une longue discussion sur les conséquences du traumatisme.

Pour ne rien arranger, ma mère a profité de l'occasion pour s'abandonner à ses propres phobies routières. Elle soulignait la bizarrerie gothique des petits restos devant lesquels nous passions, soutenant qu'ils devaient sûrement conserver des cadavres dans leurs congélateurs au soussol. Et chaque fois qu'une voiture restait dans notre rétroviseur pendant plus de cinq kilomètres, elle affirmait que nous étions suivies. Voyager avec maman, c'était vraiment le pied.

Au fond, elle avait toujours été une mère anxieuse. Quand j'étais petite, elle me laissait jouer dans le jardin mais jamais dans celui des autres. Elle m'avait acheté un téléphone pour mes dix ans, ce que j'avais trouvé cool au début, jusqu'à ce que je m'aperçoive qu'elle avait l'intention de s'en servir pour me localiser à tout moment. Et voilà que quatre terroristes venaient de confirmer toutes ses craintes. Je me demandais si elle cesserait un jour de s'inquiéter pour moi après un coup pareil.

Mais quand nous avons franchi la frontière californienne après Yuma, son humeur s'est éclaircie et elle m'a fait jouer à un jeu stupide consistant à compter les palmiers (cinq points), les voitures hybrides (dix points) et les planches de surf sur la galerie (vingt points !). J'en ai vite eu assez et j'ai fermé les yeux en signe de forfait. J'ai dormi jusqu'à ce que le crissement des pneus sur le gravier m'indique que nous étions enfin chez nous.

Je suis descendue en me frottant les paupières et j'ai fait le tour de la voiture pour décharger les bagages – que nous n'avions pas, bien sûr. Maman avait juste fourré quelques affaires de rechange dans une mallette, quant à moi je n'avais que mes sacs de la boutique de cadeaux de l'hôpital, remplis de linge sale.

— Je suis crevée. On n'aura qu'à rendre la voiture demain, a décidé maman. (Elle a pris sa mallette sur la banquette arrière et claqué la portière.) Ça t'ennuie de me suivre jusqu'au loueur demain matin de bonne heure ?

— Non, pas de problème.

J'avais l'habitude de me lever tous les jours à six heures. Peut-être étais-je encore à l'heure new-yorkaise, ou peut-être que le sommeil n'était pas de taille à se mesurer à une attaque terroriste plus trois jours de voyage en voiture.

Dans le vestibule, il y a eu comme un malaise au moment de nous séparer. Ma mère m'a serrée longuement dans ses bras.

— Merci d'être venue me chercher, ai-je dit.

— Tu pourras toujours compter sur moi. Je suis bien contente que tu sois là.

— Ouais, moi aussi.

Nous sommes restées plantées là un instant, avant de nous retirer chacune dans notre chambre.

J'ai jeté mes sacs en plastique sur mon lit et ouvert mon ordinateur, mais quand j'ai vu la barre de progression qui m'indiquait plusieurs centaines d'e-mails en train de se charger, je l'ai refermé aussitôt.

Mon visage était passé en boucle au journal télévisé, après tout. Triste constat : j'étais une célébrité désormais.

Assise sur mon lit, je me suis imaginée en train de raconter l'attaque à mes amis. Ce récit deviendrait-il automatique et désincarné, comme la fois où je m'étais cassé le bras en seconde ?

Je trouvais cette idée déprimante. Ce qui m'était arrivé à Dallas était mille fois plus horrible qu'une chute de balançoire, et aussi plus intime. J'étais passée dans un autre monde, j'en avais rapporté quelque chose. Je ne l'oublierais jamais, même si Yamaraj prétendait que ce serait plus prudent. En même temps, je ne pourrais pas le partager si souvent.

Je me suis levée et dirigée vers mon placard. Qu'allais-je porter maintenant que j'étais une guide des âmes, un psychopompe, une faucheuse ? Du noir, c'était sans doute ce qu'il y avait de mieux. Je n'avais pas beaucoup de vêtements noirs, quelques fringues achetées à New York. Mais ma valise n'était pas encore arrivée.

Le plus urgent était d'éviter les tee-shirts fantaisie avec des ours et des petits cœurs dessus. J'ai retiré celui que je portais et l'ai jeté dans ma corbeille à papier. Puis j'ai pris une longue douche. L'eau était plus chaude que dans tous les motels où nous avions dormi en chemin, et le froid que je portais en moi s'est atténué. Mais il ne disparaissait jamais en entier, pas même la veille à Tucson, quand je m'étais tenue en plein soleil sur l'asphalte pour me réchauffer. La seule fois où j'avais pu m'en affranchir, c'était dans le désert avec Yamaraj.

Savait-il que son contact me faisait frissonner si fort que ça pouvait me renvoyer illico dans la réalité ? Ou bien était-ce encore une chose qui le mettrait mal à l'aise à notre prochaine rencontre ?

J'avais tant de questions à lui poser, à propos de l'huile noire, des enfers, et si cela faisait une différence pour lui que les gens aient été bons ou méchants dans leur vie. Mais surtout, je voulais savoir comment il était devenu l'un des nôtres. Quel événement terrible l'avait précipité dans l'au-delà la première fois ?

Son visage était si serein, si parfait, qu'on avait du mal à l'imaginer subissant un traumatisme dévastateur. Bien sûr, face à mon reflet dans le miroir de ma salle de bains je m'attendais à avoir changé, à ce que mes traits révèlent ce que j'avais traversé. Pourtant, les seules altérations notables étaient mes cicatrices au front et à la joue ; on pouvait croire que j'étais simplement tombée de vélo.

J'étais de retour dans ma chambre en train de me sécher quand j'ai entendu un bruit derrière la porte.

— Oui, m'man ?

Je me suis enveloppée dans ma serviette.

La porte ne s'est pas ouverte. Pas l'ombre d'un mouvement. Puis elle s'est entrebâillée, sans que je sache comment, dévoilant le couloir de l'autre côté. Une petite fille s'est faufilée dans l'ouverture. Elle portait un pantalon rouge en velours côtelé, une chemise à carreaux glissée dedans, et deux grosses nattes blondes qui lui tombaient sur les épaules.

J'ai reculé d'un pas.

— Euh… salut ?

Elle a paru d'abord timide, hésitante, puis elle a posé les mains sur ses hanches et relevé le menton.

— Je sais que ça va te paraître un peu bizarre au début, Lizzie. Mais j'habite dans cette maison depuis aussi longtemps que toi.

Elle s'appelait Mindy Petrovic, et c'était une ancienne amie d'enfance de ma mère.

— On a grandi dans deux maisons l'une en face de l'autre, m'a expliqué Mindy.

Nous étions assises sur le lit toutes les deux, moi toujours enveloppée dans ma serviette humide.

— Ta mère avait un chien, Marty, qui se baladait partout dans le quartier et me pourchassait sur mon vélo. Je suis d'abord devenue amie avec Marty, puis avec Anna.

Le regard de Mindy s'est perdu dans le lointain pendant un instant.

— J'ai accompagné ta mère chez le vétérinaire quand il est mort, à peine une semaine avant moi.

Je ne savais pas quoi dire. C'était la première fois que j'entendais parler de Marty ou de Mindy, même si je me rappelais vaguement avoir vu des photos de collie dans un vieil album de ma mère.

— Maman avait quel âge, à cette époque ?

— Onze ans, comme moi. (Elle a souri.) Je n'ai que deux mois de plus qu'Anna, mais j'étais dans la classe au-dessus. Elle est née au mauvais moment.

— Mais elle a grandi à Palo Alto.

— Et alors ? a demandé Mindy. Moi aussi.

J'ai froncé les sourcils.

— C'est à des centaines de kilomètres. Et pourtant, tu es… là.

— Les fantômes peuvent marcher, tu sais ? Et on a d'autres manières de se déplacer.

Elle a baissé les yeux sur ses doigts qui tripotaient le

couvre-lit, une vieille couverture tricotée par ma grand-mère.

— Je sais, ça paraît un peu bébête. Comme ce film Disney où deux chiens et une chatte se retrouvent séparés de leurs maîtres pendant les vacances et doivent rentrer chez eux par leurs propres moyens. Les fantômes sont très fidèles, comme les chiens. Si ce n'est que les chiens ne nous voient pas, contrairement aux chats.

J'ai secoué la tête. Mindy n'arrêtait pas de tourner autour du pot, comme si c'était la première fois qu'elle racontait son histoire à voix haute.

— Après ma mort, mes parents se sont mis à se détester. Ils criaient tout le temps, et toujours à cause de moi, alors j'ai traversé la rue pour emménager chez Anna. Mon endroit préféré, c'était sa chambre. Surtout le placard. Je me cachais dedans pour rigoler.

— Et tu l'as suivie partout pendant… trente-cinq ans ?

— Je ne sais pas exactement, a reconnu Mindy en levant les yeux du couvre-lit. Mais je me sens plus réelle quand je suis près d'elle. J'ai moins l'impression de m'estomper. Ça aide, de rester à proximité de gens qui se souviennent de vous et qui pensent encore à vous.

— D'accord, ai-je dit, me demandant pourquoi maman ne m'avait jamais parlé d'elle.

Je me demandais aussi comment Mindy était morte, mais je n'osais pas lui poser la question de but en blanc.

— Et ensuite, tu es née ! a poursuivi Mindy d'un ton joyeux. Quand tu as eu mon âge, je jouais à faire comme si on était les meilleures amies du monde.

Ma réaction a dû se lire sur mon visage et elle a baissé la tête.

— Désolée si je te parais un peu tordue. Je n'ai jamais habité dans ton placard, seulement dans le sien.

— Ah. Et ça, ça n'a rien de tordu.

J'étais beaucoup trop claustrophobe pour avoir jamais envisagé de me cacher dans un placard quand j'étais petite.

Mindy a haussé les épaules.

— C'est juste que je n'ai pas d'amis comme moi.

— Des morts, tu veux dire ?

— Oui. Les fantômes me font peur. Ils sont presque toujours bizarres.

Elle a marqué une courte pause, comme quelqu'un qui prétend détester sa nouvelle coupe de cheveux et attend qu'on le contredise. Et c'était vrai que je n'avais pas du tout peur de Mindy. Je ne trouvais pas effrayant d'être assise là, à discuter avec elle. Elle m'avait accompagnée toute ma vie, alors j'avais dû m'habituer à sa présence sans m'en rendre compte.

Mais tout ce que j'ai trouvé à dire, c'est :

— Ça n'a pas l'air marrant, d'être morte.

— Pas tellement. Mais maintenant que tu me vois, on va pouvoir devenir de vraies copines, non ?

Elle m'a adressé un sourire timide.

Je n'ai pas su quoi répondre. Maman avait peut-être été proche de Mindy, mais je n'étais pas précisément à la recherche d'une amie invisible de onze ans.

Et puis j'ai compris une chose.

— Quand tu es entrée tout à l'heure, tu savais que je pourrais te voir.

— Bien sûr. (Le regard de Mindy s'est adouci, comme si elle regardait à travers moi.) Depuis que tu es rentrée tu as cette aura brillante, comme les 'pompes. C'est pour ça que je me suis cachée, parce que je t'ai prise pour l'un d'entre eux. Mais ensuite je me suis dit que ce n'était que toi, Lizzie, et que tu ne m'avais jamais fait le moindre mal.

— D'accord. Et pourquoi as-tu peur des… 'pompes ?

— Ils viennent chercher des fantômes, parfois. Pour les emmener. Mais je me cache toujours.

— Les emmener dans un endroit mauvais ?

— C'est ce que je crois, a dit Mindy en baissant les yeux. J'ai rencontré un garçon, un jour, qui revenait des enfers. Il s'était enfui parce qu'il ne se plaisait pas là-bas. Il disait qu'il préférait encore rester ici et s'estomper.

Les questions se sont mises à se bousculer dans ma tête. J'avais considéré que Yamaraj disait la vérité, que Yami et lui emmenaient tous ces gens en sécurité. Mais au fond, qu'est-ce que j'en savais ? Je me basais uniquement sur sa petite gueule d'ange.

— Qu'est-ce qui t'est arrivé, Lizzie ? a demandé Mindy, en passant sa main le long de mon bras nu.

Je l'ai à peine sentie, mais sa caresse m'a donné la chair de poule.

— Pourquoi tu brilles comme ça ?

J'ai resserré la serviette autour de moi. Elle était encore humide. Je n'avais pas envie de raconter à Mindy l'épisode de l'aéroport – je ne me sentais pas encore prête à m'en ouvrir à qui que ce soit – et je ne tenais pas à lui parler de Yamaraj non plus. Elle me conseillerait sans doute de me méfier de lui, or il était le seul élément auquel je pouvais me raccrocher.

— Je ferais mieux de m'habiller.

Je me suis levée et j'ai marché jusqu'à ma commode. Mindy ne m'a pas quittée des yeux.

— Euh, tu veux bien te tourner de l'autre côté ?

Elle a éclaté de rire.

— Lizzie ! Je t'ai vue toute nue je ne sais combien de fois depuis ta naissance !

— D'accord, super. Néanmoins c'est un peu différent maintenant que je peux te voir moi aussi.

— Pff, a fait Mindy, qui s'est quand même retournée.

J'ai enfilé un tee-shirt et un pantalon de treillis, gris foncé tous les deux, ce que j'avais de plus proche du noir.

À quoi ressemblerait ma vie à partir de maintenant ?
Y aurait-il des fantômes partout à surveiller mes moindres
faits et gestes ? Je n'en avais pas vu sur le chemin du retour,
du moins pas à ma connaissance. Mais Mindy avait l'air
tout à fait normale, en dehors de ses vêtements démodés
et de sa capacité à traverser les portes. J'étais peut-être
passée devant des centaines d'esprits en vadrouille sans
m'en apercevoir.

— Il y a beaucoup d'autres fantômes comme toi ?
Est-ce que le monde entier est hanté ?

Mindy a haussé les épaules.

— Pas vraiment, non. Je suis pratiquement la seule
dans ce quartier, parce que personne ne se souvient de ses
voisins. Mais dans les petites villes… (Elle a baissé d'un
ton.) On entend des chuchotements partout.

On a frappé à la porte. J'ai sursauté.

— C'est Anna, a dit Mindy.

Je me suis efforcée de parler d'une voix égale.

— Oui, m'man ?

Elle a ouvert la porte et balayé la chambre du regard.

— Tu parlais à quelqu'un ?

— J'aurais bien voulu. Mais sans téléphone…, ai-je
répondu sans regarder Mindy. Je chantais en écoutant une
mélodie.

Maman a regardé mon ordinateur portable, toujours
fermé. En dehors de mon téléphone, c'était le seul appareil sur lequel je passais de la musique.

— Une mélodie dans ma tête, ai-je précisé, coinçant
mes cheveux humides derrière les oreilles.

— D'accord. (Elle m'a adressé un regard nerveux.) Je
pensais te proposer de faire des pâtes, ce soir. Des pâtes
fraîches à l'encre de seiche. J'ai débarrassé le plan de travail pour qu'on puisse tout salir.

— C'est le moment idéal pour tout salir. Je viens de prendre ma douche.

Voyant ma mère hésiter, j'ai souri pour lui montrer que je plaisantais, toujours sans un regard pour Mindy. Après ce que j'avais traversé, il ne lui en faudrait sans doute pas beaucoup pour s'imaginer que je devenais folle.

— Super ! Je vais commencer la sauce, a-t-elle dit, avant de refermer la porte.

— Mmm… des spaghettis, a fait Mindy.

Je l'ai regardée avec curiosité.

— Les fantômes peuvent manger ?

— On peut toujours sentir.

— Ah, d'accord.

Je murmurais à présent, convaincue que ma mère était dans le couloir, l'oreille collée à la porte.

— Il vaut mieux que tu restes ici pendant qu'on prépare le repas. Je ne suis pas encore habituée à avoir une amie invisible, et je n'ai pas envie que maman me prenne pour une folle.

Mindy a pris un air boudeur et passé la main sur le couvre-lit comme pour en lisser les plis… sans rien lisser du tout. Ce devait être frustrant, d'être coupée ainsi des objets et des gens, incapable d'établir le contact.

— Ce n'est pas très gentil de ta part, a-t-elle maugréé. Maintenant que tu es une 'pompe, on devrait être amies.

— Maman va vouloir avoir une conversation. Elle choisit toujours les moments où on cuisine pour aborder les sujets difficiles. Et je n'arriverai pas à me concentrer si tu es là. Alors, tu veux bien… ?

— Je resterai dans mon coin sans dire un mot. Promis !

J'ai hésité. Je me demandais quelle valeur on pouvait accorder aux promesses de Mindy. Elle avait peut-être deux mois de plus que ma mère, mais elle s'exprimait toujours comme une gamine de onze ans. Je me suis demandé si les fantômes d'enfants devenaient adultes un jour.

— Si tu me laisses venir, je te dirai un secret, a-t-elle proposé.

— Des détails gênants de l'enfance de ma mère ? Non merci.

Mindy a secoué la tête.

— Un truc vraiment important. Un truc que tu as besoin de savoir.

— D'accord, ça marche.

Mindy en savait plus que moi sur la vie après la mort. Et vu ce que m'avait dit Yamaraj à propos des dangers et des prédateurs, ça ne pouvait pas me faire de mal d'en apprendre un peu plus.

— C'est quoi, ton grand secret ?

— Il y a un homme en planque devant chez vous, a-t-elle dit. Ça fait trois jours qu'il surveille la maison.

J'ai fait le tour de la maison par-derrière en tirant la poubelle des déchets recyclés. Ma mère avait paru surprise que je propose de la sortir, mais elle n'avait pas fait de commentaire.

Mindy avait beau marcher devant pour m'assurer que la voie était libre, je me sentais nerveuse. Je n'avais aucune raison de lui faire confiance. Ma mère ne m'avait jamais parlé d'elle. Et s'il n'y avait personne embusqué devant chez moi ? S'il s'agissait d'une sorte de… piège fantôme ?

En même temps, avais-je vraiment le choix ? Je ne pouvais pas faire comme si Mindy ne m'avait rien dit.

— Il n'est pas dans la ruelle, m'a annoncé Mindy depuis l'autre côté du portail. Le plus souvent, il se gare devant chez les Anderson.

— Qui sont les Anderson ?

— Tu ne connais pas bien tes voisins, hein ?

Je n'ai pas répondu. J'ai ouvert le portail et sorti la poubelle brinquebalante à son emplacement habituel dans la ruelle. Les fantômes avaient du temps à perdre, supposais-je, et espionner les voisins devait être plus amusant que contempler l'intérieur du placard de ma mère.

Après un dernier coup d'œil en direction de la maison pour m'assurer que maman ne regardait pas, je me suis engagée dans la ruelle, à bonne distance de mon escorte fantôme. En plein jour, Mindy avait l'air encore plus décalée que dans ma chambre. Pas uniquement à cause de sa chemise à carreaux et de sa grosse ceinture des années 1970. Le soleil de cette fin d'après-midi l'éclairait de manière étrange.

Tout à coup, j'ai compris ce qui clochait – elle n'avait pas d'ombre. Elle n'en projetait pas sur le sol, et elle n'en avait pas non plus dans les plis de ses vêtements. La lumière ne soulignait pas les creux et bosses de sa silhouette comme elle l'aurait fait sur une personne ordinaire.

J'avais découvert un moyen de repérer les fantômes, au moins en plein jour.

Au bout de la ruelle, nous avons pu apercevoir la voiture, une berline noire avec des plaques californiennes.

Un jeune homme aux cheveux bruns était assis à la place du conducteur, une tablette numérique posée sur le volant. Il lisait et tapait sur l'écran. Puis il a levé les yeux vers chez moi. Au bout d'un certain temps, il a reporté son regard sur sa tablette.

— Flûte de zut, ai-je murmuré. Ce n'était pas une blague.

— Je ne blague jamais à propos des hommes qui me font peur, a répliqué Mindy.

Je suis restée là, à attendre que mon pouls ralentisse.

— Tu veux bien aller voir ce qu'il y a sur son écran ?

Mindy a baissé la tête et tâché en vain de shooter dans une feuille morte emportée par le vent.

— Oui, mais j'ai peur. Tu viens avec moi ?

— Euh, je te rappelle que je ne suis pas invisible, moi.

— Mais tu es une 'pompe. (Elle a froncé les sourcils.) Tu n'as qu'à basculer, non ?

— Dans l'au-delà, tu veux dire ?

Elle a gloussé.

— Il faut dire « l'envers du décor ». C'est le terme quand on se déplace ici et pas en bas, dans les enfers.

— D'accord, dans l'envers du décor.

Y arriverais-je ici, dans ma ruelle ? En avais-je envie ? Cela supposait de me remémorer ce qui s'était passé à l'aéroport, de me repasser la scène encore une fois.

— Peut-être.

Mindy m'a regardée et a incliné la tête, sceptique. Voyant que je ne plaisantais pas, elle m'a tendu la main.

Je l'ai prise avec hésitation, et j'ai ressenti un picotement léger au creux de ma paume. Le froid en moi a réagi à son contact, s'est étiré en des doigts glacés qui se sont refermés sur mon cœur. Il m'a semblé que le sol se dérobait sous mes pieds, à la façon d'un ascenseur qui entame sa descente.

Voilà que ça me reprenait, en pleine ruelle.

J'ai failli lâcher la main de Mindy, mais elle a resserré sa prise – tout à coup, ses petits doigts me paraissaient bien réels et tout à fait solides. Le froid s'est mis à vibrer en moi, s'est diffusé dans tout mon corps. Il a envahi ma tête et engourdi mes sens, jusqu'à ce que tout soit gris et silencieux alentour.

J'ai retrouvé le goût familier de l'au-delà, j'avais l'impression d'avoir un clou rouillé sous la langue. Les feuilles mortes volaient à mes pieds sans faire de bruit.

— Hum ! ai-je fait d'une voix qui me semblait provenir de très loin. D'habitude, ce n'est pas si facile.

— Peut-être parce que tu es nouvelle. (Mindy était grise elle aussi, elle se fondait dans le décor.) En tout cas, l'homme ne peut plus te voir, maintenant. Aussi invisible qu'un fantôme.

J'ai regardé autour de moi, un peu anxieuse. C'était déconcertant de découvrir mon vieux quartier incolore et terne. J'ai réalisé que Mindy était le contraire de Yamaraj. Son contact m'avait précipitée dans ce monde gris et mort, alors que celui de Yamaraj m'avait renvoyée dans le monde des vivants.

J'ai fait quelques pas prudents. J'avais les jambes anky-losées, endormies. Quand je frappais l'asphalte de mes talons nus, je n'éprouvais qu'une vague résonance dans les pieds.

Je n'avais rien remarqué de ce genre lors de mes visites précédentes. Peut-être parce que j'étais en état de choc. Ou peut-être que tout était différent quand Yamaraj était près de moi.

— C'est bizarre, ai-je dit.

— La mort, ça craint, est convenue Mindy.

Puis elle a vu mon expression et s'est empressée d'ajouter :

— Non pas que tu sois morte. Toi, tu es juste une psycho-pompe.

— Je crois que je préférerais utiliser un autre mot. Un qui fasse moins… psycho.

Elle a haussé les épaules.

— C'est comme ça que tout le monde vous appelle.

J'ai reporté mon attention sur la berline noire. Mes premiers pas m'avaient entraînée à découvert, mais l'homme ne semblait pas m'avoir vue. Remarquez, les terroristes non plus ne m'avaient pas vue à l'aéroport. L'un d'eux était même passé droit à travers moi.

Le contact de Mindy m'avait rendu les choses trop faciles.

— Tu es sûre que je suis invisible ?

Mindy a fait oui de la tête.

— Tu trouves qu'il brille ? Je te dis qu'il ne peut pas voir l'envers du décor.

J'ai examiné mes doigts. Ils ne rayonnaient pas autant que les mains brunes de Yamaraj, mais on distinguait une nette lueur. Mon ombre avait disparu.

— D'accord, invisible, ai-je murmuré. Génial.

Je me suis éloignée de la ruelle pour m'élancer vers la berline. L'homme continuait à fixer sa tablette, bien que je me tienne en face de sa voiture.

Finalement, il a levé la tête mais son regard m'a traversée sans me voir, pour se poser sur ma maison derrière.

Mindy s'est approchée d'un pas timide.

— Il fait peur, hein ?

— Il planque devant chez moi. Bien sûr qu'il fait peur !

Je suis passée du côté du conducteur et me suis baissée pour examiner le type. C'était presque intimidant de me retrouver aussi près sans qu'il me voie, j'avais l'impression de l'espionner à travers un miroir sans tain. Sa vitre était baissée et je pouvais l'entendre respirer, sentir l'odeur du café dans son gobelet coincé sous le pare-brise. Il paraissait plus jeune que je ne l'avais cru tout d'abord – dans les vingt-cinq ans environ. Il portait un costume sombre, une cravate et des lunettes à monture épaisse.

— Qu'est-ce qu'il fabrique avec cette espèce d'ordinateur ? a demandé Mindy.

Je l'ai dévisagée.

— Sa tablette, tu veux dire ?

Elle a haussé les épaules, et je me suis demandé dans

quelle mesure sa connaissance du monde en était restée aux années 1970.

Je me suis rapprochée, les lèvres à quelques centimètres à peine de son oreille.

— Hé, ducon !

Il a battu des cils, une fois, mais n'a pas eu d'autre réaction. J'ai laissé échapper un rire nerveux puis me suis penchée plus loin dans la voiture, pour tenter de lire sur sa tablette.

Une liste d'e-mails s'affichait à l'écran. J'ai parcouru la liste des objets. Rien de marquant : un rappel concernant une soirée, quelqu'un qui réclamait un fichier manquant, plus la multitude habituelle de spam. Il a tapé sur l'un des e-mails, qui s'est ouvert en plein écran. À présent j'avais presque ma joue contre la sienne.

Peut-être l'ai-je effleuré, peut-être s'agissait-il d'une coïncidence, mais c'est à cet instant précis qu'il a décidé de se gratter l'oreille. Le dos de sa main m'a frôlé la joue, soulevant des étincelles dans son sillage. J'ai sursauté, ai voulu me retirer et me suis cogné la tête contre le haut de la portière.

— Merde !

La colère m'a envahie.

Mindy s'est écartée de la voiture en trébuchant.

— Tirons-nous !

— Quoi ? Pourquoi est-ce que tu veux… ? ai-je commencé.

Mais le changement se produisait déjà – le monde était en train de s'éclaircir autour de moi, le voile gris s'effilochait sous mes yeux.

J'ai senti la chaleur se répandre en moi et j'ai posé un genou à terre, étourdie par l'afflux soudain de lumière et de couleur, aspirant à grands traits un air redevenu frais et bien réel.

AFTERWORLDS

— Viens, Lizzie ! m'a crié Mindy qui s'enfuyait à toutes jambes.

Un instant plus tard, je me retrouvais assise à côté de la voiture, clignant sous le soleil trop vif, tandis que mon voyeur me fixait avec de grands yeux éberlués.

11

L E LENDEMAIN MATIN DE LA SOIRÉE JEUNES ADULTES, DARCY
s'assit dans son lit pour découvrir qu'elle tenait une
sévère gueule de bois. Elle portait toujours sa petite
robe noire, laquelle dégageait d'incontestables effluves de
bière. Son premier réflexe fut de se recoucher, mais le lit
s'était mis à tourner sous elle.

Elle eut du mal à se tenir debout pendant les premières
minutes, mais une fois en peignoir et une tasse de café à la
main, elle passa progressivement d'un état de désorienta-
tion à un calme philosophique. Le brouhaha du monde
extérieur au-delà des baies vitrées de Moxie avait quelque
chose d'apaisant. Des avions traçaient de longues traînées
à travers le ciel, et un flot régulier de voitures et de taxis se
dirigeait au nord vers les tours de l'Empire State et du
Chrysler. Darcy, avec un détachement très littéraire,
regarda les passants traverser Astor Place et s'amusa à leur
imaginer une histoire à chacun.

Le réfrigérateur ne contenait que des batteries, de la
moutarde et du maquillage, et les placards de la cuisine
renfermaient d'autres choses encore plus étranges, comme
des truffes en boîte ou des œufs de caille en saumure. Mais
pendant qu'elle activait le Wi-Fi de l'appartement pour
chercher la liste des commerces de proximité, Darcy

découvrit une liste de menus sur le bureau de Moxie, qui proposaient des petits déjeuners, lunchs et dîners en livraison à domicile. C'était exactement ce dont Darcy avait besoin.

Après avoir commandé un petit déjeuner, elle entama une conversation intense avec Sodapop pour le convaincre que les oiseaux ne parlaient pas, puis se connecta à Tu_ Es_Nulle_Comme_Auteur. Elle avait reçu des e-mails de Carla, Sagan et Nisha, et leur répondit à tous en leur racontant qu'elle avait rencontré Kiralee Taylor, Coleman Gayle et Oscar Lassiter en chair et en os. En fait, elle avait non seulement fait leur connaissance mais discuté avec eux de super-pouvoirs, de titres de livres et de détourne- ment culturel. Darcy s'efforça d'exprimer à quel point elle avait trouvé cela excitant ; elle réussit surtout à suggérer la terreur qu'elle avait pu ressentir.

Sa mère aussi lui avait écrit, pour s'assurer qu'elle ne s'était pas fait agresser ou assassiner pendant la nuit. Darcy la remercia pour la petite robe noire et mentionna au pas- sage qu'elle était rentrée se coucher avant onze heures du soir. Puis elle répondit au message de bienvenue de sa tante Lalana, et adressa une copie de l'e-mail à sa mère afin que la famille entière sache que tout allait bien.

Grâce au ciel, sa messagerie ne contenait aucun e-mail de Paradox. Darcy se sentait beaucoup trop fragile pour affronter sa lettre éditoriale. Elle avait déjà assez de mal à accepter la réalité de la soirée de la veille, le fait que per- sonne n'avait remis en cause son droit à se trouver là, dans cette ville.

Elle se sentait bien, à l'abri dans la tour de Moxie pour sa première journée à Manhattan. Les gens qu'elle avait rencontrés à la soirée Jeunes adultes avaient semblé si sûrs d'eux, si convaincus d'être de vrais écrivains. Ne pas se liquéfier face à une telle assurance avait laissé Darcy complètement vidée. Elle avait besoin de recharger ses accus.

Le jour suivant, elle fit plusieurs sorties pour repérer les cafés et les distributeurs automatiques, s'acheter deux ramettes de papier, et déposer l'indispensable petite robe noire au pressing. Sa confiance en soi grandissait à chaque transaction, et Darcy se demanda si elle ne devrait pas restreindre sa recherche d'appartement au quartier de Moxie, maintenant qu'elle y avait pris ses marques.

Ou était-ce de la lâcheté, comme chez ces filles un peu collantes qui deviennent la meilleure amie de la première personne rencontrée le premier jour d'école ?

New York comptait des dizaines de quartiers, après tout, dont chaque habitant ne jurait que par le sien – une sorte de loyauté tribale. Mais Darcy n'en connaissait pas grand-chose en dehors de ce qu'elle avait glané dans les films et les séries télé, et il ne lui restait que douze jours avant le retour de Moxie. Son ignorance aspirait son énergie de la même façon que lorsqu'elle avait des devoirs en retard. Peut-être aurait-elle dû consacrer le mois dernier à se renseigner sur la ville au lieu de courir les soirées de fin d'année.

Si bien que le troisième jour après la soirée Jeunes adultes, elle se résolut à appeler au secours.

— Euh, ça te dirait de visiter des appartements avec moi ?

— Bien sûr, pourquoi pas ? répondit Imogen sur un ton amusé. Tu pensais chercher où ?

— Oh, dans East Village ou West Village. Ou bien Tribeca, Chelsea, ou Chinatown ?

C'étaient les seuls quartiers qui lui étaient venus d'emblée à l'esprit.

— Manhattan, donc. Tu as une liste d'adresses ?

131

Darcy en avait une, imprimée sur les premières feuilles de ces ramettes de papier sur lesquelles s'étaleraient un jour la réécriture de son roman et la suite. Imogen et elle se donnèrent rendez-vous dans le quartier dans la matinée.

— Ne t'attends pas à ce que les premiers appartements te plaisent, prévint Imogen, penchée sur son téléphone grâce auquel elle les guidait dans le quadrillage de rues de West Village. Ils sont là uniquement pour t'appâter.

— Compris. Les agents immobiliers te montrent d'abord ce qu'ils ont de plus minable, pour te convaincre de payer plus.

— Non, je ne te parle pas de ça. C'est la ville elle-même qui s'amuse avec toi.

Imogen leva les yeux de son téléphone, très sérieuse. Elle portait une robe bain de soleil couleur rouille sur un jean maculé de peinture. Les taches de peinture avaient la même teinte que la robe, ce que Darcy trouvait plutôt chic.

— Tu dois prouver à New York que tu tiens vraiment à vivre ici.

— Mais j'y tiens vraiment ! protesta Darcy, déjà convaincue que c'était le seul et unique endroit où vivre, qu'elle était prête à suer sang et eau pour venir habiter là. New York doit bien le sentir, non ?

— C'est un rituel. Il faut l'accepter.

Darcy hocha la tête et prit une grande inspiration pour se détendre.

Le premier appartement était situé dans un sous-sol froid où flottait une odeur de béton humide. Le seul jour provenait d'un soupirail étroit qui donnait l'impression d'avoir été coincé là pour combler un vide entre le plafond et le mur du fond.

— Hum. C'est un peu angoissant, commenta Darcy, qui cherchait en vain à apercevoir un morceau de ciel dans l'espoir de dissiper la claustrophobie que cet appartement lui inspirait ; elle avait la sensation de regarder par l'entre-bâillement d'un cercueil géant. Comment s'appelle ce genre de fenêtre ?

— Dans un blockhaus, répondit Imogen d'un ton tranquille, on appellerait ça une meurtrière.

— C'est une loge, expliqua l'agent immobilier – mais il avait perdu tout crédit auprès de Darcy après avoir essayé quatorze clés pour trouver celle de l'appartement. Très pittoresque.

— Très, confirma Imogen qui fixait la baignoire noir mat à pattes de lion dans le coin cuisine. Il n'y a que cette pièce ?

— Oui, dit l'agent. Les lofts en sous-sol sont très recherchés en ce moment.

— Les lofts en sous-sol, répéta Darcy.

Imogen et elle échangèrent un sourire, amusées par cette contradiction dans les termes. Puis sa claustrophobie prit le dessus, et Darcy fut obligée de partir.

L'appartement suivant était tout aussi « pittoresque », même si l'agent qui le leur fit visiter se révéla plus habile avec ses clés. Il occupait le dernier étage d'une ancienne aile de domestiques, donnant sur la cour d'une belle demeure de West Village. Cet appartement, qui sentait bien meilleur que le loft en sous-sol, était ouvert dans toutes les directions. Mais chacune de ses fenêtres donnait directement sur les habitations voisines, à une distance de quelques mètres.

— Un panoptique, dit Imogen, engagée dans un combat de regards avec un chat roux tigré installé à la fenêtre d'un voisin.

Darcy ne connaissait pas ce mot mais trouva qu'il

sonnait bien, et sa signification était limpide. Elle se demanda si elle trouverait un moyen de le glisser dans *Afterworlds*, si Imogen se souviendrait de ce jour et se douterait qu'elle l'avait alors inspirée.

En redescendant l'escalier, Darcy demanda :

— Alors, tu crois que la ville est satisfaite ? Est-ce qu'on pourrait voir les bons appartements maintenant ?

Imogen secoua la tête.

— Après deux visites seulement ? Tu n'es pas très vaillante.

— Je suis la championne de la vaillance. Je suis le vaillant soldat de plomb. Mais Moxie revient dans onze jours ! (Darcy sortit sa liste.) On devrait peut-être passer directement aux plus chers.

Elles étaient redescendues dans la rue à présent, et le ciel s'était couvert. Toutes les applications météo de Darcy l'avaient prévenue qu'il pleuvrait aujourd'hui, mais elle ne possédait pas de parapluie, et celui de Moxie était énorme et recouvert de vieilles photos d'hommes nus.

Imogen tendit la main pour vérifier s'il tombait des gouttes.

— Les deux qu'on vient de voir m'ont déjà semblé plutôt chers, même s'ils étaient pittoresques. Quel est ton budget ?

— Trois mille par mois.

Imogen écarquilla les yeux.

— Sérieux ?

— C'est ce que dit ma petite sœur.

— Ta petite sœur va venir habiter avec toi ?

— Jamais de la vie ! Elle a quatorze ans à peine.

C'était l'occasion idéale pour Darcy d'avouer son âge à Imogen, mais elle s'en abstint.

— Nisha est le cerveau de la famille. Elle m'a établi un budget pour les trois ans à venir, sachant qu'*Afterworlds* doit sortir l'année prochaine et la suite un an plus tard. Donc je me suis dit que dans trois ans, je saurais si je suis un vrai écrivain ou pas.

— Autrement dit, tu connaîtras tes chiffres de vente ?

Darcy acquiesça, consciente que ses paroles pouvaient prêter à confusion.

— C'est une habitude que j'ai prise avec Nisha. Elle n'arrête pas de me dire que je suis un vrai écrivain pour l'instant, mais que ça ne sera peut-être pas toujours le cas.

— Tu as écrit un livre, rétorqua Imogen. C'est réel, qu'il fasse un best-seller ou non.

Darcy baissa les yeux sur les fossiles noirs de chewing-gums sur le trottoir.

— Il n'y a pas que les ventes. C'est aussi le fait de dire « mon agent » et d'être invitée dans les soirées. Je sais que ça paraît pathétique, mais ce genre de truc m'aide à me sentir bien réelle.

— Pas la peine de t'excuser. L'argent et le statut social sont des réalités.

— Ce n'est pas que je tienne absolument à devenir riche et célèbre, continua Darcy. C'est juste que… j'ai toujours l'impression qu'on va me réclamer ma carte. Ma carte d'écrivain, tu comprends ?

Un grondement secoua le ciel, et elles s'arrêtèrent toutes les deux au milieu du trottoir. Alors que les premières gouttes commençaient à tomber, un homme les dépassa d'un pas vif, promenant un magnifique lévrier noir. La chaîne en métal du chien effleura le jean de Darcy.

Imogen entraîna Darcy à l'abri d'un auvent et elles restèrent là, serrées contre la vitrine d'un marchand de pipes et de cigares. Des relents de tabac, lourds et suaves, vinrent se mêler à l'odeur fraîche de la pluie.

— Je vois tout à fait ce que tu veux dire, répondit Imogen. Tu te rappelles au lycée, quand tu allais à une soirée et que tu devais à tout prix parler à *telle* personne pour qui tu craquais, sans quoi ça n'aurait rimé à rien d'être venue ? Comme si tous les autres n'existaient pas. Ce qui n'est pas très gentil pour les autres en question, mais c'était comme ça, tu vois ?

Darcy connaissait par cœur ce sentiment, mais elle se contenta d'un vague hochement de tête, comme si ces souvenirs appartenaient à un passé lointain.

— Ou parfois, c'est la bouffe, continua Imogen tandis que la pluie redoublait de vigueur au-dessus de leurs têtes. Quand plus rien n'existe en dehors d'une énorme portion de frites, et que tu dois sortir à minuit pour t'en offrir une sans quoi tu vas mourir. (Imogen serra les poings.) Pour moi, l'écriture est la seule chose qui soit toujours réelle. Je n'ai jamais regretté un jour où j'avais écrit une bonne scène, quoi qu'il ait pu m'arriver ce jour-là. Voilà ce que j'appelle la réalité !

Darcy retenait son souffle. Elle était entièrement d'accord. Elle aurait voulu pouvoir remonter le temps et souffler la tirade d'Imogen, rien que pour l'entendre sortir de sa bouche.

— Je sais, bafouilla-t-elle. Mais ça ne m'est arrivé qu'une seule fois…

En novembre dernier, quand le sort l'avait choisie et que l'inspiration lui était venue pour taper *Afterworlds*.

— Ah oui. Le coup de barre de la première fois. (Imogen eut un geste vague de la main.) J'étais pareille après *Pyromancer*. Comme ma première petite amie était pyromane, je pensais que ce serait peut-être le seul livre que je pourrais écrire. Comme si tout ça n'avait été qu'un accident. Sauf qu'un livre n'arrive jamais par accident.

Darcy hocha la tête. La conviction d'Imogen était contagieuse, et Darcy se sentit plus réelle rien qu'à se tenir là, avec elle, alors que la pluie grondait et lavait l'atmosphère autour.

— Donc, je n'ai plus qu'à écrire un deuxième livre et je serai guérie?

— C'est ça. Seulement, il y a un hic : j'ai éprouvé la même chose après *Ailuromancer*. Et d'après Kiralee, chacun de ses livres lui a fait le même effet. Je crois qu'on peut tous se préparer à une longue succession de «coups de barre de la première fois».

— Oh, ça ne me dérange pas, affirma Darcy.

Les coups de barre en vaudraient la peine, tant qu'il y aurait d'autres novembres.

Imogen souriait à présent.

— Donc tu serais prête à endurer une vie entière d'angoisse, mais pas l'idée d'affronter d'autres appartements pittoresques comme ceux qu'on vient de voir?

— Je vais faire appel à toute ma vaillance. (Darcy se pencha sur sa liste, mais les adresses avaient commencé à se diluer sous ses yeux.) Où tu habites, toi?

— Chinatown.

— C'est un bon quartier pour les écrivains?

Imogen éclata de rire.

— Je l'ai choisi pour la nourriture.

— Oh, c'est vrai, fit Darcy. J'adore les nouilles.

Ce qui fit pouffer Imogen encore plus fort, et Darcy ne voyait pas ce qu'il y avait de drôle dans sa remarque.

— Si tu détestes tout ce qu'il y a par ici, on n'a qu'à essayer près de chez moi. Tu as des adresses sur ta liste?

— Quelques-unes, je crois.

Incapable de dire où exactement commençait et finissait Chinatown, Darcy lui tendit ses sorties d'imprimante.

— Je ne t'empêche pas d'écrire une bonne scène, au moins?

— Je n'écris jamais quand il fait jour. Ça manque de romanesque.

— Eh bien, si on a toute la journée...

Darcy attendit d'être détrompée, qu'Imogen lui réponde qu'elle n'avait qu'une heure ou deux à lui consacrer, mais comme Imogen ne disait rien, elle suggéra :

— Je t'offre le déjeuner, et ensuite on se remet à chercher ?

— Super. (Imogen lui rendit sa liste et l'entraîna par le bras, sous la pluie.) Je connais un endroit où ils servent des nouilles.

Le budget de Darcy, qui était en réalité celui de Nisha, se présentait comme suit :

Paradox Publishing avait acheté *Afterworlds* et *Untitled Patel* pour la coquette somme de cent cinquante mille dollars chacun. Sur ces trois cent mille dollars, quinze pour cent (quarante-cinq mille) revenaient à l'agence littéraire Underbridge, et cent mille autres au gouvernement, selon la latitude que Darcy accorderait à Nisha pour maquiller sa déclaration d'impôts.

Après l'acquisition d'un ordinateur neuf et d'un peu de matériel, cela lui laissait environ cinquante mille dollars par an pendant trois ans.

À ce stade, Darcy pouvait calculer la suite toute seule. Cinquante mille divisés par douze faisaient un peu plus de quatre mille par mois, soit un maximum de trois mille pour le loyer. Et mille divisés par trente faisaient trente-trois dollars par jour.

Nisha et elle ignoraient si ce serait suffisant pour se nourrir, s'habiller et sortir à New York, mais cela paraissait raisonnable. Et puis, Darcy pourrait toujours se rabattre sur les nouilles.

Quoique en cet instant précis les nouilles qu'Imogen et

elle étaient en train de déguster – des rāmen au chou palmier et à l'épaule de porc dans un bouillon de miso blanc – soient déjà en train de dépasser ce montant.

— Waouh, s'exclama Imogen une fois que Darcy eut terminé de lui détailler son budget. Tu es riche !

— Je sais. Sacrée chance, hein ?

À ces mots, Darcy se rendit compte que chaque fois qu'elle entendait sa mère employer ce terme-là – pour parler de la chance qu'avait Darcy d'avoir publié un livre –, cela la mettait dans une rage folle. Alors qu'entre Imogen et elle, la « chance » ne lui posait pas de problème.

— Je sais bien que tout ce que j'écrirai ne se vendra pas aussi bien.

— Oui, c'est vrai qu'on ne peut jamais savoir, reconnut Imogen. Les livres de Kiralee ne se vendent pas très bien depuis *Bunyip*.

Darcy leva le nez de ses nouilles.

— Ah bon ? Je croyais que Coleman disait ça pour rigoler, l'autre soir.

— Non. D'après lui, les livres de Kiralee ne dépassent pas les dix mille exemplaires chacun, dit Imogen.

— Ça craint.

Darcy ne savait pas exactement à quoi correspondait ce chiffre, mais cela paraissait peu comparé à l'avance qu'elle avait reçue.

— Et ça fait peur. Si un écrivain comme Kiralee se vend si mal que ça, comment veux-tu que je m'en sorte ? Tous les gens que je connais ont lu ses livres.

— Parce que tu ne connais que des gens qui lisent. Mais *Bunyip* avait touché un public beaucoup plus large – celui des gens qui ne lisent pas. Ou disons, pas plus d'un livre par an. Coleman prétend que c'est là qu'il y a de l'argent à se faire dans l'édition – auprès du public qui ne lit pas.

— D'accord. Je comprends mieux la liste des best-sellers.

Darcy avait passé tout son temps libre ces quatre dernières années dans la bibliothèque de son lycée, entourée des Rats de Bibliothèque, qui affichaient tous sur leurs blogs des widgets de compte à rebours jusqu'à la publication du prochain tome de la série *Sword Singer* ou *Secret Coterie*, et qui s'envoyaient pour la Saint-Valentin des couvertures photoshopées de romans jeunes adultes avec des citations en incrustation.

Mais à bien y réfléchir, ils ne représentaient qu'une vingtaine d'élèves sur le millier de son lycée – deux pour cent. Et si le reste du monde ne comptait pas une plus grande proportion de lecteurs ?

— Je me sens coupable, maintenant, avoua Darcy.

— Tu peux. Cent cinquante mille deux fois ? Merde.

Darcy se demanda combien avait touché Imogen pour *Pyromancer*, mais Imogen ne le lui dit pas spontanément, et elle n'osa pas lui poser la question.

— Enfin, il faut retirer les impôts… et le pourcentage de Moxie. Plus les vingt dollars que m'a facturés Nisha pour établir mon budget !

Imogen parut amusée et ses yeux clignèrent lentement, comme ceux d'un chat. Darcy se demanda si cela se produisait chaque fois qu'elle souriait.

— En parlant de Kiralee, dit Imogen. Elle veut lire *Afterworlds*.

Darcy se figea.

— Mais… il n'est même pas encore corrigé.

— Oui, elle déteste lire des romans corrigés. On n'y trouve plus assez de fautes à relever. Si tu m'envoies ton premier jet, je pourrai le lui faire suivre. Peut-être qu'elle te rédigea une ligne de boniment promo.

— Euh, d'accord.

Darcy se souvint du mélange d'excitation et d'anxiété qu'elle avait ressenti à discuter de son livre avec Kiralee. Dans quelles angoisses ce genre de discussion la plongerait-il une fois que Kiralee l'aurait lu pour de bon ?

— Elle était sérieuse, l'autre soir ? Tu sais, quand elle m'a accusée de récupérer un dieu comme bourreau des cœurs pour jeunes adultes ?

— Tout à fait, confirma Imogen. Mais elle pensait surtout à *Bunyip*, je crois. C'est son livre qui a le plus de succès, mais c'est aussi celui qui lui donne le plus de regrets.

Darcy fronça les sourcils.

— Comment ça ?

— Eh bien, il pioche dans la mythologie d'une culture ancestrale qu'il prend comme cadre pour les angoisses d'une fille de colons à propos de son premier baiser. Ce qui est déjà un peu limite. Mais le pire c'est que tous les personnages aborigènes, qui relèvent vraiment de cette culture, n'apparaissent pas avant la moitié du bouquin.

Darcy réfléchit une seconde.

— Waouh. Je n'avais même pas remarqué.

— Eh oui. Parce que tout tourne autour de ce premier baiser.

— C'est ce qui le rend tellement génial, dit Darcy. Et le plus drôle, c'est que si Kiralee n'avait pas emprunté au mythe, je n'aurais jamais su ce qu'était un bunyip.

— Tel est le pouvoir de l'histoire. Et un grand pouvoir entraîne… Kiralee ne tient pas à ce que tu aies le même genre de regrets à propos d'*Afterworlds* dans une quinzaine d'années.

— Ou plus tôt.

Darcy redoutait déjà la réaction de sa mère quand elle lirait son livre, et voilà qu'elle avait huit cent millions de personnes en plus à prendre en considération.

— Mais toi, tu es hindoue, fit valoir Imogen. Tu pioches dans ta propre culture.

— J'ai fabriqué Yamaraj sur le modèle d'une star de Bollywood, ce qui en dit long sur ma connaissance de l'hindouisme. J'ai peur qu'il ne soit plus sexy que crédible. Pour un dieu de la mort, je veux dire.

Imogen haussa les épaules.

— Bah, tu n'as pas commencé la réécriture.

— Il n'y a que des bonnes réécritures, murmura Darcy. Elle ne parvenait toujours pas à se rappeler qui avait dit ça.

La serveuse leur apporta l'addition, et Darcy repoussa d'un geste le vieux portefeuille au cuir éraflé d'Imogen pour payer en liquide. Pourboire compris, le prix du déjeuner dépassait le double du montant quotidien fixé par Nisha, mais les nouilles avaient été délicieuses.

— Tu voudrais le lire, toi aussi ? demanda Darcy alors qu'elles se dirigeaient vers la sortie.

— Bien sûr. Je t'enverrai *Pyromancer*.

Imogen rafla quelques pochettes d'allumettes au logo du restaurant et les fourra dans sa poche.

— Prête à affronter d'autres appartements pittoresques ?

— Tout à fait, répondit Darcy. Merci de m'avoir fait connaître ce resto.

— Pour bien connaître une ville, il faut croquer dedans.

Je suis vaillante. Comme le petit soldat de plomb, se répétait Darcy. Mais le mot avait perdu toute signification. Peut-être le glisserait-elle quelque part à la réécriture, rien que pour se rappeler ce jour interminable.

Elles allaient visiter leur sixième appartement depuis le déjeuner. Les deux premiers se trouvaient dans le quartier des boucheries, l'un au-dessus d'un garage de FedEx, dont les camions faisaient trembler les murs sous la paume de Darcy, l'autre dans une rue qui empestait la viande. Les trois suivants n'étaient que des boîtes blanches sans âme dans les tours de verre bordant Union Square. C'était typiquement le quartier qu'Annika Patel aurait approuvé, mais Imogen avait prévenu Darcy que rien de ce qu'elle écrirait dans ce genre d'environnement stérile ne pourrait sonner vrai.

Elles s'étaient donc enfoncées dans Chinatown sous une pluie de plus en plus fine. Elles furent accueillies au pied de l'immeuble en coin par un Israélien prénommé Lev, qui avait un accent russe et portait un costume trois pièces. Il les entraîna dans un grand escalier qui, au lieu de tourner sur lui-même, continuait à monter tout droit, comme les degrés d'un temple maya. Sans avoir besoin de chercher ses clés, Lev leur ouvrit la porte de l'appartement 4E.

Il occupait la moitié de l'étage, c'était le plus vaste que Darcy ait visité jusque-là. Le plafond culminait à près de quatre mètres, et deux murs comportaient une enfilade de fenêtres qui donnaient sur la rue en contrebas. Un rayon de soleil timide avait fait une percée entre les nuages. Il traversa les vitres pour embraser une galaxie de poussière en suspension dans l'air.

— On peut faire du roller là-dedans, murmura Imogen, impressionnée.

— C'était un ancien studio de danse, expliqua Lev en indiquant les miroirs alignés le long d'un mur. Mais vous pouvez décrocher tout ça si vous voulez.

Darcy s'examina dans les miroirs ; elle avait l'air minuscule au milieu de tout cet espace. Elle s'approcha de la fenêtre la plus proche – le verre moucheté par l'âge formait des renflements au bas des vitres, comme un liquide épais. Les immeubles d'en face étaient ornés d'échelles de secours ruisselantes de pluie, qui gouttaient et scintillaient au soleil.

Le plancher grinçait sous ses pieds tandis qu'elle passait d'une fenêtre à l'autre, contemplant Chinatown.

— Et ce couloir, il mène où ? demanda Imogen.

Le couloir en question s'ouvrait près de la porte d'entrée, dans le coin opposé aux deux murs ouverts.

— Aux dortoirs des danseuses, répondit Lev, leur faisant signe de le suivre. Il y a aussi une cuisine, pas immense.

Les deux dortoirs ne l'étaient pas non plus. Chacun comportait une rangée de casiers contre un mur. Ils étaient séparés par une salle de douche.

Imogen se planta dans le couloir.

— Tu pourrais en prendre un comme chambre, et l'autre comme dressing. Tu serais la seule habitante de Manhattan avec une douche reliée à ton dressing.

— Non, objecta Lev. J'ai déjà vu ça ailleurs.

— Je n'ai pas emporté tant de fringues, observa Darcy.

Quoique, en y réfléchissant, elle pouvait toujours demander à ses parents de lui en rapporter. Et elle avait prévu d'en acheter d'autres à New York, de toute façon, une fois qu'elle saurait comment les écrivains étaient censés s'habiller. Elle avait omis de prendre des notes à la soirée Jeunes adultes, trop émue par l'événement.

Lev leur montra la cuisine en dernier. C'était la pièce la plus petite de l'appartement, mais Darcy ne pensait pas cuisiner beaucoup. Elle avait plutôt envie de sortir et de manger partout dans la ville jusqu'à ce qu'elle la connaisse dans les moindres détails.

— C'est loin de chez toi ? demanda-t-elle à Imogen une fois de retour dans la grande salle.

— Cinq minutes à pied. On sera pour ainsi dire voisines si tu décides de le prendre.

Darcy lui sourit, puis consulta sa liste d'appartements. Elle eut un pincement au cœur quand elle constata que celui-ci ne comportait aucune mention du loyer.

— Le bail est légal, au moins? s'inquiéta Imogen auprès de Lev. Je veux dire, un studio de danse, c'est plutôt un local commercial qu'un logement, non?

— Il était illégal comme studio de danse, répondit Lev en haussant les épaules. Comme ça, tout rentre dans l'ordre.

Darcy s'en moquait. Le seul fait de pouvoir habiter à New York, dans cet appartement, lui semblait presque irréel. La légalité n'était qu'une considération secondaire.

Elle prit une lente inspiration.

— Combien?

Lev ouvrit une pochette en cuir vert à l'arête craquelée.

— Trois mille cinq. Charges comprises.

— Aïe, fit Darcy.

Deux sentiments luttaient en elle : une sensation effroyable de s'enfoncer à travers le plancher, et la conviction qu'elle réussirait à écrire ici. Qu'elle *devait* écrire ici.

— Vous voulez bien nous laisser une minute, Lev? demanda Imogen d'une voix douce.

Il s'inclina avec un sourire entendu et se retira dans la minuscule cuisine.

— Il faut que je demande à ma sœur, dit Darcy, qui tapait déjà un texto.

Et avec $3 500/mois, ça donne quoi comme budget?

— Donc, tu le veux?

— J'en ai *besoin*. Je ne saurais même pas te dire pourquoi.

Darcy regarda la rue en contrebas. On y voyait la même animation que depuis l'appartement de Moxie, sinon qu'il y avait plus de monde à Chinatown. Et que vu du quatrième, le flot des corps devenait plus intime, plus personnel que depuis le dix-huitième étage. Un étal de poissons baignait dans le rayon de soleil, renvoyant des reflets de glace et d'écailles argentées.

— Cette pièce est si grande que je devrai me raconter des histoires rien que pour la remplir.

Imogen sourit.

— Où est-ce que tu écrirais ?

— J'installerais mon bureau ici.

Darcy indiqua le coin où les deux murs percés de fenêtres se rejoignaient. Elle orienterait son bureau vers la rue, en diagonale, de manière à pouvoir profiter de la vue des deux côtés. Le reste de la pièce resterait vide.

— Tu aurais encore de quoi manger, avec un loyer pareil ?

— Peut-être. Ou peut-être que je me contenterais d'écrire et que je me passerais de manger.

Darcy se rendit compte que le bureau qu'elle se représentait était celui de son école, carré, en bois nu, avec un siège en plastique. Était-ce tout ce que son imagination était capable de produire ? Tu parles d'un écrivain !

La réponse de Nisha fit tinter son smartphone :

$3 500/mois = 2 ans et 8 mois #jesuisunedéessedesmaths

Elle gémit puis montra le message à Imogen.

— Ça veut dire que je perdrais quatre mois !

— Euh, tu pourrais toujours te trouver un job, tu sais ?

Darcy faillit lui expliquer que ses parents insisteraient sûrement pour l'envoyer à l'université s'il fallait en arriver là. Mais Imogen s'imaginait sans doute que Darcy avait déjà fini ses études. Elle se promit de lui avouer bientôt son âge, même si ça la faisait se sentir très jeune, et franchement moins réelle.

Mais pas maintenant, quand son avenir était encore en suspens.

Le smartphone tinta, c'était encore Nisha.

Autre possibilité : 3 ans pleins, à condition de manger pour $17/jour seulement

HA HA RĀMEN GIRL ! #tugrossirasmoins

Darcy soupira. Nisha ne se doutait pas du prix que pouvaient atteindre les rāmen à New York. Bien sûr, il y avait les nouilles japonaises au chou palmier et à l'épaule de porc avec du bouillon de miso blanc, et il y avait les nouilles en brique, trois pour un dollar. Darcy les aimait bien aussi, tant qu'elle pouvait y ajouter du tabasco, du curcuma et un œuf mollet. Elle se sentait capable d'écrire avec seulement dix-sept dollars par jour, surtout dans cette salle superbe.

— Je vais le prendre, murmura-t-elle, et Imogen lui adressa un sourire et un clin d'œil complice, comme si elle n'avait pas douté un seul instant de la vaillance de Darcy.

— NOM D'UN CHIEN, MAIS QU'EST-CE QUE TU FAIS LÀ ? s'est exclamé l'homme dans la berline noire.

Je me suis précipitée à reculons de l'autre côté du trottoir, jusqu'à la pelouse des Anderson. Mon cœur battait à cent à l'heure et tout paraissait net et réel autour de moi.

— Ce que je fais, moi ? ai-je crié. C'est vous qui planquez devant chez moi !

— Chez toi ? (Il a remarqué les points de suture sur mon front.) Vous êtes Elizabeth Scofield, c'est ça ?

— Je suis celle qui va appeler la police si vous ne fichez pas le camp d'ici illico !

J'ai porté la main à ma poche, où ne se trouvait aucun téléphone.

— Pas la peine, mademoiselle Scofield.

Il a plongé la main dans son veston pour en sortir un gros portefeuille, qu'il a ouvert, dévoilant un insigne et une carte d'identité.

— Agent Elian Reyes, FBI.

J'ai fixé sa carte, puis l'ai dévisagé de nouveau. C'était bien sa photo, avec ses lunettes et tout, et l'insigne avait l'air authentique. Avec un aigle en métal aux ailes déployées, qui flamboyait sous le soleil du monde des vivants.

L'agent Reyes a refermé son portefeuille et ouvert sa portière. Mais il a marqué une pause, comme s'il attendait ma permission pour descendre sur le trottoir.

J'ai opiné de la tête – tout en reculant encore d'un pas.

— Désolé si je vous ai fait peur, mademoiselle Scofield. (Il a rempoché son portefeuille puis s'est adossé à sa voiture, les bras croisés.) Ce n'était pas mon intention.

— Est-ce que je peux savoir pourquoi vous surveillez ma maison ?

Il a hésité un bref instant, tambourinant sur ses bras avec ses doigts.

— Je suis autorisé à vous révéler les raisons de ma présence afin d'éviter tout malentendu. C'est à cause de l'intérêt que vous suscitez depuis l'attentat.

— D'accord. Mais je ne vois aucun journaliste dans le coin.

— Oh, il y en avait ; ils ont jeté l'éponge hier. Malin de votre part, d'avoir pris votre temps pour revenir de Dallas.

— Merci.

Maman avait-elle pensé à ça ?

— Mais je ne suis pas là pour vous protéger des journalistes, a-t-il poursuivi en baissant la voix. Mon supérieur se préoccupe surtout du groupe terroriste qui a commis l'attentat.

J'ai gardé mon sang-froid.

— Je croyais qu'ils étaient tous morts ?

— Les tireurs, oui, mais ils faisaient partie d'une secte plus importante.

Il a marqué une nouvelle pause, comme s'il hésitait à poursuivre.

— Dites-moi ce qui se passe, s'il vous plaît, agent Reyes.

— Vous n'avez que dix-sept ans.

— Mais assez âgée pour surprendre un agent du FBI, apparemment.

Tout ce que cette remarque m'a valu, c'est un haussement de sourcils.

— Je ferais peut-être mieux de parler à votre mère.

— S'il vous plaît, surtout pas. Elle s'effraie facilement. Elle a peur des voitures sur la route, pour vous donner une idée.

— Ça doit rendre la conduite intéressante.

— Vous n'imaginez pas. (J'ai fait un pas dans sa direction.) Expliquez-moi simplement ce qui se passe, agent Reyes. J'ai survécu à des tirs d'armes automatiques cette semaine. Je crois que je pourrai arriver à survivre à ce que vous me direz.

Il a jeté un coup d'œil vers chez moi, puis soupiré.

— D'accord. Les tireurs appartenaient à une organisation appelée Mouvement de la Résurrection, qui attend l'Armageddon, développe un dogme isolationniste et possède un chef charismatique. En d'autres termes, toutes les caractéristiques d'une secte destructrice – ce qu'on appelle parfois un *death cult*. Des adorateurs de la mort.

— Flûte, ai-je dit. Tout le monde raconte que ces quatre types ont agi seuls.

— C'est ce que soutiennent les dirigeants de la secte. Mais nous n'avons pas encore identifié l'ensemble des membres du groupe. (Il a levé les mains.) Non pas que vous ayez des raisons de vous inquiéter. C'est juste que vous avez fait les gros titres ces derniers temps.

— En tant que symbole d'espoir, ai-je dit d'une voix douce.

— Oui, mademoiselle Scofield. Un symbole de vie, même.

— Et eux sont des adorateurs de la mort. Mince. Je déteste les sectes.

J'ai laissé échapper un long soupir.

— Je ne les aime pas non plus. Mais je vous le répète, c'est purement à titre de précaution.

Il a tourné la tête pour jeter un coup d'œil vers chez moi, comme il l'avait fait toutes les trente secondes à peu près depuis le début de cette conversation, alors que je me tenais pourtant juste en face de lui. Ma mère était toujours à l'intérieur, naturellement.

L'idée qu'il continuait à faire son travail pendant que nous étions là à discuter m'a un peu rassurée.

— Merci, ai-je dit.

— Vous aviez le droit de savoir.

Il a hoché la tête, un petit coup de menton énergique.

— Non, je voulais dire : merci de faire ça, de protéger les gens.

J'ai baissé les yeux sur ses chaussures impeccablement cirées, et tout à coup j'ai regretté d'être pieds nus. J'ai repensé à l'aéroport. Les agents de la Sécurité dans les transports qui se trouvaient sur place, les types contre lesquels mon père grommelait chaque fois qu'ils fouillaient ses bagages, avaient riposté contre les tireurs, armés de pistolets contre des fusils-mitrailleurs...

— Vous êtes trop aimable, mademoiselle Scofield, a dit l'agent Reyes. En tout cas, soyez assurée que le mouvement restera sous surveillance aussi longtemps que nécessaire. Vous n'avez aucune raison d'avoir peur.

— Je n'ai pas peur.

Je possédais des pouvoirs, après tout, et je pouvais me promener dans l'envers du décor. Certains de mes amis étaient des fantômes.

Mindy avait disparu, cela dit. S'était-elle évaporée sous l'effet de la frayeur ? Ou tout simplement enfuie ?

— Je ferais mieux d'y aller. Ma mère va m'attendre. Merci de ne rien lui dire.

— C'est à vous de voir.

L'agent Reyes a sorti une carte de visite de la poche intérieure de son veston.

— Si vous changez d'avis, je me ferai un plaisir de tout lui expliquer. De la manière la moins effrayante possible, a-t-il ajouté avec un petit sourire.

— D'accord. On verra.

J'ai consulté sa carte.

— Agent *spécial* Elian Reyes? Vous ne m'aviez pas dit que vous étiez un agent spécial.

Il est remonté dans sa voiture.

— Vous savez, au FBI, nous sommes tous des agents spéciaux.

Il avait l'air sérieux, mais je n'ai pas pu m'empêcher de pouffer. Puis je me suis sentie un peu bête et je suis partie en lui adressant un petit salut de la main. Mince, il était plutôt mignon avec ses lunettes.

Mindy n'était ni dans la ruelle ni dans la cour. Elle ne me serait pas d'un grand secours si jamais j'avais des ennuis dans l'au-delà. Non pas que je puisse lui reprocher d'avoir eu peur. Quelle que soit l'année de sa naissance, elle n'avait que onze ans après tout.

Ma mère m'attendait sur le pas de la porte, s'essuyant les mains dans un torchon.

— Lizzie? Où étais-tu passée?

— Oh, désolée. Je jetais juste un coup d'œil à l'extérieur.

— Pourquoi?

J'ai haussé les épaules et suis rentrée en me faufilant devant elle. Mindy n'était pas dans la cuisine non plus.

Une boule de pâte, noircie à l'encre de seiche, trônait sur le plan de travail. On y voyait encore l'empreinte des doigts de ma mère, et l'aspect de la pâte indiquait qu'elle avait encore besoin d'être pétrie. Je suis allée me laver les mains à l'évier.

— Tu es sûr que ça va ? s'est inquiétée ma mère.

— Je vais bien. J'avais juste besoin d'air.

Si maman exigeait une meilleure explication, je pourrais toujours lui passer la carte de l'agent spécial Reyes.

Mais tout ce qu'elle a dit fut :

— D'accord.

Nous avons partagé la pâte en deux et passé un moment à la pétrir jusqu'à lui donner la bonne consistance. C'était agréable d'écraser quelque chose entre mes doigts, de sentir cette odeur âcre de marée, solidement ancrée dans le réel.

Je me suis demandé où s'était cachée Mindy. Dans la maison ou dans je ne sais quelle autre dimension ? Un autre niveau de réalité, plus profond que l'envers du décor, où je ne pouvais plus la voir ?

Yamaraj et elle avaient tous les deux mentionné les enfers, sans préciser exactement où ils se trouvaient.

Ma mère m'étudiait du coin de l'œil, et j'ai compris qu'elle brûlait de m'interroger à propos de ma petite promenade à l'extérieur.

J'ai préféré aborder un autre sujet.

— Tu as déjà eu un chien ?

Les mains de ma mère se sont figées.

— Quand j'étais petite, oui. Tu en voudrais un ?

— Neuf mois avant de partir pour l'université ? Ce ne serait pas très malin.

— D'accord, mais tu te sentirais peut-être plus en sécurité avec un chien dans la maison.

Elle a regardé la porte de la cuisine restée ouverte, comme si elle s'imaginait que j'avais fouillé la cour à la recherche de terroristes.

— Je me sens parfaitement en sécurité, maman. Je me

posais la question, c'est tout. Tu ne me racontes jamais rien de ton enfance.

— J'imagine que non. Pourquoi veux-tu savoir ça maintenant?

— Je ne sais pas.

C'était un mensonge, mais je ne pouvais pas lui répondre que cela faisait suite à une discussion avec le fantôme de son ancienne meilleure amie dont elle ne m'avait jamais parlé.

— Je suppose que... je me demandais si tu avais déjà vécu un truc pareil?

— Un attentat terroriste? (Elle a écarquillé les yeux.) Nom de Dieu, ma chérie. Tu sais qu'ils sont très rares, quand même? On a beaucoup plus de risques d'être frappé par la foudre que d'être pris pour cible par des terroristes.

Elle avait l'air fragile en disant cela, alors j'ai souri et je lui ai pris la main.

— La foudre? Bon, ça veut dire que j'ai atteint mon quota pour cette vie-là.

Nous avons rassemblé nos deux boules de pâte et commencé à les pétrir ensemble, épaule contre épaule. Nos paumes prenaient une teinte grise.

L'encre de seiche met plusieurs jours à s'estomper sur la peau, ça m'a toujours fascinée.

Cette fois-ci je trouvais particulièrement étrange de voir mes mains virer au gris, comme si l'envers du décor débordait sur la réalité. Bien sûr, Yamaraj et moi avions l'air normaux dans l'au-delà, alors que tout le reste, vivant ou mort, était gris.

Nous autres psychopompes étions spéciaux.

Pendant que je malaxais la pâte avec maman, j'ai réalisé que je lui avais dit la vérité – je n'avais pas du tout peur de ces adeptes de la Résurrection, ou quel que soit leur nom.

Qu'avait dit l'agent spécial Reyes à propos de leur «dogme isolationniste»? Cela signifiait probablement qu'ils vivaient au fin fond des montagnes avec de simples trous en guise de toilettes. C'étaient des minables, avec des opinions minables, alors que j'apprenais à pénétrer dans une toute nouvelle réalité. Qu'ils aillent au diable.

Pour l'instant, je me faisais plus de souci pour Mindy. Je me suis demandé encore une fois pourquoi ma mère ne m'avait jamais parlé d'elle.

— Quelle est la pire chose qui te soit jamais arrivée, m'man?

— La pire chose?

Elle prit une longue inspiration, s'épousseta les mains puis ouvrit un tiroir et se mit à fouiller dedans.

— Je suppose que c'est quand ton père m'a dit que toutes les années passées auprès de moi n'avaient été qu'une perte de temps.

— Bien sûr, pardon. Mais je voulais dire, quand tu étais plus jeune. L'événement le plus traumatisant que tu aies vécu dans ton enfance.

Elle a sorti un rouleau à pâtisserie et l'a fait tourner d'un geste lent au creux de sa paume.

— Le moment n'est peut-être pas très bien choisi.

— Je crois au contraire que c'est le moment idéal, m'man. Aide-moi à surmonter ça.

— Je n'ai pas envie de t'effrayer.

J'ai eu toutes les peines du monde à ne pas me moquer d'elle. Non pas par méchanceté, mais parce que c'était drôle.

— M'man, le pire de ce qui pourrait m'effrayer cette semaine s'est déjà produit. Et j'ai survécu, alors s'il te plaît, dis-moi.

Elle m'a dévisagée un moment, comme si elle ne me reconnaissait plus tout à fait. Et elle a fini par céder.

155

— Ça remonte à quand j'avais onze ans.

J'ai hoché la tête, pour l'encourager.

— Ma meilleure amie, qui vivait en face de chez nous, s'est fait enlever.

— Oh.

— Ses parents et elle étaient en voyage, ils se sont arrêtés sur une aire de repos... et elle a disparu.

Je l'ai regardée fixement, tâchant de faire le compte de toutes les petites choses qui s'éclaircissaient brusquement. La peur qu'avait ma mère des trajets en voiture. Sa nervosité chaque fois qu'elle m'avait laissée jouer dehors.

— Est-ce qu'on a retrouvé la personne qui a fait le coup?

— Non, mais on a retrouvée Mindy quelques semaines plus tard. C'était cela le plus effrayant.

— Comment ça?

— On l'avait enterrée... dans son propre jardin. Ce qui veut dire que son assassin savait où elle habitait, peut-être même qu'il connaissait sa famille. Alors qu'elle avait disparu à des centaines de kilomètres. C'est pour ça que mes parents sont venus s'installer ici. Ils ne supportaient plus d'habiter dans cette rue.

J'ai frissonné de la tête aux pieds, et senti le froid qui m'habitait se refermer autour de mon cœur, comme quand j'avais pris la main de Mindy. Un goût métallique a explosé sur ma langue, et pendant un instant j'ai cru que j'avais basculé dans l'envers du décor, en plein devant ma mère.

— Dur, ai-je commenté, et j'ai croisé mes bras enfarinés pour me réchauffer.

— Oh, Lizzie, pardon, s'est exclamée ma mère avec de grands yeux. Je ne suis qu'une idiote.

— Non, pas du tout. (J'ai inspiré à pleins poumons l'air du monde des vivants.) On a toutes les deux traversé une épreuve. J'avais besoin que tu me le dises.

— Ma chérie, tu n'avais pas besoin d'entendre ce genre d'horreur. Pas en ce moment.

Elle a tendu la main, frôlé du doigt la cicatrice sur ma joue.

— Ça va. Je vais bien, ai-je dit, avant d'aller me laver les mains. Donne-moi une minute. C'est tout.

Je l'ai serrée contre moi, assez fort pour qu'un nuage de farine s'envole autour de nous, puis j'ai regagné ma chambre.

— Rien qu'une minute, ai-je rappelé.

J'ai fermé la porte derrière moi.

Mon cœur battait à tout rompre ; la vie repoussait le froid au fond de moi. J'ai effleuré mes lèvres à l'endroit où Yamaraj m'avait embrassée à l'aéroport, et j'ai senti sa chaleur. Je n'allais pas basculer. Ce n'était qu'un coup de froid dû à l'histoire que m'avait racontée ma mère. L'histoire de Mindy.

J'ai examiné ma chambre.

— Tu es là ?

Il n'y a pas eu de réponse, et tout à coup j'ai compris où elle se cachait.

Je suis ressortie dans la cuisine et j'ai adressé un grand sourire à ma mère.

— En fait, j'avais juste une envie pressante.

Je suis passée devant elle et j'ai emprunté le couloir qui traversait la maison. Je me suis arrêtée dans la salle de bains le temps de m'asperger le visage d'eau froide. Puis j'ai continué un peu plus loin, jusqu'à la chambre de ma mère.

Son sac de voyage gisait béant sur le lit, encore à moitié plein. C'était bizarre. Ma mère déballait toujours ses affaires à la minute où elle rentrait à la maison. Il y avait aussi plus de désordre que d'habitude, avec des vêtements éparpillés sur le sol ou jetés sur le dossier de la chaise en face de sa coiffeuse.

À côté du lit, j'ai remarqué la photo de ma mère et ses parents, posant sur la pelouse d'un bungalow californien. Elle avait à peu près l'âge de Mindy et les mêmes couettes. Je connaissais bien cette photo, elle était là depuis toujours, mais je n'y avais jamais vraiment prêté attention.

J'ai progressé sur la moquette et ouvert la porte du placard.

Il faisait noir à l'intérieur. Les souliers vernis et les housses en plastique du pressing luisaient dans la pénombre.

Quand j'étais petite, j'avais la hantise des placards. Mais maintenant, je comprenais qu'on puisse avoir envie de se réfugier dans un recoin discret où personne ne viendrait vous déranger.

Je me suis agenouillée et j'ai dit, sans élever la voix :

— N'aie pas peur. Ce n'est que moi.

Pas de réponse.

— J'ai parlé à cet homme, il n'a rien d'effrayant. C'est un agent du FBI. Un agent spécial. Il est là pour veiller sur nous.

Toujours rien.

— Donc, tout va bien, ai-je murmuré. Mais je comprends que tu aies eu peur. Maman m'a raconté ce qui t'est arrivé.

J'ai entendu une brève respiration.

— Je t'avais dit qu'elle se souvenait de moi.

— Absolument. Comme si c'était hier.

— Est-ce que ça la rend triste ?

— Bien sûr que ça la rend triste !

Voyant qu'elle ne répondait rien, j'ai ajouté :

— Mais ce n'est pas ta faute, Mindy.

— Non. C'est la faute du méchant homme. Il a tout bousillé. Ma maman et mon papa. Mes copines. Moi. Max

LIZZIE

est le seul à lui avoir échappé, parce qu'on l'avait déjà
endormi. Il avait le cancer des chiens.

— C'est triste, ça aussi. Mais le méchant homme ne
peut plus te faire de mal. Tu le sais, non ?

— Oui, j'imagine, a reconnu Mindy.

Elle a émergé de la pénombre. Elle est passée à travers
les robes, qui n'ont pas remué d'un fil.

— Tu veux venir nous regarder préparer le dîner ? ai-je
proposé.

Elle m'a regardée, les yeux brillants de larmes.

— Tu es sûre ? Je ne veux pas vous déranger.

— Pas de problème. Souviens-toi juste qu'on ne pourra
pas discuter.

— Je ne dirai pas un mot, a promis Mindy, qui m'a
tendu la main.

Je l'ai prise sans réfléchir, mais quand j'ai senti la fraîcheur et les picotements gagner ma paume j'ai réalisé ce
qu'elle avait en tête.

— Je ne peux pas basculer maintenant. Maman m'attend.

— Juste une minute ? a-t-elle imploré, et j'ai senti le
goût de métal sur ma langue et le sol qui se dérobait sous
mes pieds, tandis que la lumière qui rentrait dans la
chambre devenait crue et agressive. S'il te plaît...

J'ai acquiescé de la tête, serré plus fort la main de Mindy,
et le monde est devenu incolore.

— Merci, m'a-t-elle dit en me serrant dans ses bras.

Elle paraissait toute petite, transie de froid, grelottant
comme une gamine qui vient de sortir de la piscine. J'étais
toujours à genoux, si bien qu'elle avait la tête posée sur
mon épaule.

— Tout va bien, Mindy, lui ai-je assuré d'une voix
douce tandis qu'elle resserrait son étreinte. Le méchant
homme ne peut plus rien te faire maintenant.

Elle s'est détachée de moi, ses mains toujours dans les miennes, ses grands yeux écarquillés.

— Oui, mais quand il sera mort, hein?

— Quand il sera mort… ?

— Il deviendra un fantôme, lui aussi. Et peut-être qu'il se souvient encore de moi. Et s'il me retrouve, même dans ce placard?

J'ai secoué la tête. Je sentais mon cœur battre à tout rompre, et sans le contact immédiat de Mindy, je commençais à basculer dans l'autre sens.

— Je ne le laisserai pas te toucher.

Le gris se retirait de la chambre.

— Promis?

— Juré.

Elle a souri, et une larme unique a roulé sur sa joue. J'ai approché la main; j'étais encore suffisamment dans l'envers du décor pour la sentir couler, humide, au bout de mon doigt.

J'ai essuyé sa larme, et puis nous nous sommes retrouvées dans deux mondes différents.

13

— **E**T TU VERRAIS CES FENÊTRES! DIT DARCY. ELLES OFFRENT une vue plongeante sur les toits de Chinatown. C'est parfait.

Tante Lalana sourit.

— Tu m'as l'air drôlement enthousiaste.

— Je suis impatiente d'emménager.

Darcy mordit dans son hamburger et sentit un filet de jus coupable couler le long de son poignet gauche. Elle avait commandé sans réfléchir.

— Hum, ça ne te dérange pas si je mange de la vache, j'espère?

Lalana s'esclaffa.

— Darcy, j'étais là le jour où tu as fait part de ton intention de devenir carnivore. Tu avais quoi, treize ans?

— C'est vrai, mais j'ai quand même l'impression d'être impolie. Surtout vu l'énorme service que je suis venue te demander.

Elles se trouvaient dans un café de West Village, non loin de l'appartement de Lalana; un établissement petit, propret et élégant, comme Lalana elle-même. Elle portait des vêtements et accessoires coordonnés, comme toujours: un chemisier bleu sous une veste jaune vif et une boucle d'oreille de chaque couleur.

— Ce n'est pas ton régime qui m'inquiète, Darcy. C'est ton loyer.

Lalana baissa les yeux sur le bail, posé sur la table. Le montant problématique figurait en première page.

— Ce n'est pas un peu excessif ?

— Ça dépasse ce que je voulais mettre, mais c'est l'endroit idéal pour écrire.

— Alors c'est pour ça qu'il est aussi cher. Les bonnes vibrations créatives. Je comprends.

— Mon amie écrivain Imogen l'a visité avec moi, et elle est du même avis.

Darcy imagina Nisha lever les yeux au plafond et imposer une nouvelle règle concernant son droit de dire «mon amie écrivain».

— Si cet appart est propice au travail, fit-elle valoir, il se remboursera tout seul.

— C'est vrai que ta maison d'édition te paie une somme astronomique. Ne te vexe pas, Darcy, mais j'ai encore du mal à y croire.

— Moi aussi. Mon agent dit que c'est grâce au premier chapitre. Elle dit que les acheteurs des grandes chaînes de distribution ne prennent pas le temps de lire plus qu'un chapitre. Donc il suffit qu'un livre ait une intro du tonnerre et une couverture accrocheuse pour se retrouver dans toutes les librairies.

Lalana parut dubitative.

— Oui mais tes lecteurs vont lire les autres chapitres. Alors le reste de ton livre a intérêt à être bon aussi, non ?

Darcy sentit son estomac se nouer, comme chaque fois qu'elle se figurait un inconnu (ou des milliers d'inconnus) en train de lire son roman.

Elle réussit néanmoins à sourire.

— Tu es en train de suggérer que mon livre est mauvais ?

— Comment le saurais-je ? s'exclama Lalana avec un sourire. Tu refuses de nous le faire lire.

Darcy ne répondit rien. Parmi les membres de sa famille, seule Nisha avait eu le droit de lire *Afterworlds*, et sous le sceau du secret.

Après tout, Annika Patel n'avait jamais parlé à ses filles de son amie d'enfance assassinée. En retour, Darcy n'avait jamais avoué à sa mère qu'elle avait découvert l'histoire. Elle avait préféré glisser toutes ses questions dans son écriture.

Cela la mettait quand même mal à l'aise d'avoir emprunté la tragédie personnelle de sa mère pour son intrigue.

— J'ai toujours dit que vous pourriez le lire une fois qu'il sera publié. Je veux juste que vous le considériez comme un vrai roman, et pas simplement comme une histoire que j'aurais écrite.

— Je suis impatiente qu'il sorte, Darcy, et je suis sûre que tu en écriras beaucoup d'autres. (Lalana ramena son attention sur le bail.) Mais tu ne crois pas que tu devrais mettre de côté une partie de ton avance ?

— Le plus important pour l'instant, ce n'est pas d'économiser. C'est de faire en sorte que mes livres soient les meilleurs possibles.

Lalana finit par capituler en riant.

— On croirait entendre ta mère. Jamais dans la demi-mesure, toujours sûre d'elle.

Darcy ne sut pas trop comment prendre cette remarque, était-ce un compliment ? Lalana était la sœur qui avait réussi, qui vivait à New York, travaillait dans la mode et collectionnait les petits amis séduisants. Pour Nisha et Darcy, c'était la plus volontaire, celle qui avait toujours fait exactement ce qu'elle voulait.

Raison pour laquelle Darcy avait décidé de s'adresser à elle.

— Il y a plusieurs choses dont je suis sûre, affirma Darcy. L'écriture, New York, et cet appartement.

— Je sais que tu l'es. Mais la confiance en soi peut aussi être dangereuse. Tu es sûre que je n'aurai pas d'ennuis si je cosigne ce bail ?

— Sûre et certaine. Paradox me doit dix briques qui vont tomber d'un jour à l'autre. C'est juste que l'agence immobilière refuse de croire qu'une jeune fille de dix-huit ans puisse gagner autant.

Sa tante laissa échapper un petit rire.

— Écoute-toi un peu : « dix briques ». On dirait un gangster.

— Désolée. C'est Nisha qui dit ça.

— Je ne m'en fais pas pour l'argent, Darcy. Ce que je veux savoir, c'est si je vais avoir des ennuis avec tes parents. Pourquoi ce ne sont pas eux qui cosignent ?

— Parce que je n'ai pas le temps de leur envoyer le bail. Il y a d'autres personnes sur l'appart, et ça urge. (Darcy prit une bouchée de hamburger, ce qui étouffa la suite de sa réponse.) Mais c'est vrai que le prix risque de les faire flipper. Un peu.

— Plus qu'un peu. (Lalana transperça un pois chiche d'un coup de fourchette adroit.) Et si je cosigne ton bail, c'est moi qui me ferai enguirlander par Annika si tu dois mourir de faim.

— Nisha dit que ça devrait être bon.

— Ah oui ?

Lalana haussa les sourcils. En matière de mathématiques appliquées, la parole de Nisha valait de l'or. Même leur père ingénieur lui faisait vérifier sa déclaration d'impôts.

— D'après son budget, il devrait me rester dix-sept

dollars par jour après le loyer. (Darcy baissa les yeux sur son hamburger, qui lui coûterait au moins cela avec le pourboire et les taxes.) Ça veut dire que je mangerai moins de viande. Ce n'est pas plus mal, si ?

Lalana secoua la tête.

— Il faut plus que de la nourriture pour se faire à manger, Darcy. Est-ce que tu as des assiettes ? Des casseroles, une poêle ?

— Euh...

— Ou simplement de quoi faire le ménage ? Une serpillière, un balai, des gants en caoutchouc ?

Darcy rit en s'imaginant avec des gants en caoutchouc. Mais il était vrai qu'elle ne possédait rien de tout cela. Pas l'ombre d'une éponge ni d'une poêle à frire.

— Il te faudra aussi des chaises. Un bureau sur lequel écrire. Des stylos et du papier.

— Nisha a prévu mes frais d'installation dans son budget. Pour m'acheter du mobilier... et une serpillière.

Elle lâcha ce dernier mot d'une voix terne. Une serpillière ! Quoi de moins excitant ? Jusqu'à présent Darcy n'avait dépensé son argent que pour des choses qui lui faisaient vraiment plaisir : fringues, restos, musique, bière ou livres. Mais elle commençait à prendre conscience du nombre de choses *barbantes* dont la plupart des gens s'équipaient : rideaux, corbeille à linge, lessive, ampoules de rechange, rallonges, calepins, oreillers. Quand elle était repassée prendre le bail et jeter un dernier coup d'œil, l'appartement 4E ne contenait rien d'autre que de la poussière et un vieux câble de téléphone qui dépassait du mur.

Il était si vide, si prêt à se remplir d'histoires.

— Je n'aurai besoin que d'un bureau, d'un fauteuil et d'un ordinateur portable, assura-t-elle.

— Et de quoi faire la cuisine. Une gourmande comme toi… !

Darcy ne put qu'acquiescer. Lalana et elle avaient passé la matinée dans Little Italy, où les vitrines croulaient sous les gadgets de cuisine – appareils à pâtes fraîches, machines à café, tranchoirs à pizzas – si appétissants qu'ils en paraissaient presque comestibles. Dans une boutique, les meules de fromage s'empilaient du sol au plafond, chacune aussi grosse qu'un pneu de voiture. Celles du bas semblaient plus brillantes, et en s'accroupissant pour mieux voir Darcy avait constaté que le poids combiné des autres meules posées dessus les pressaient comme des olives, faisant perler une fine pellicule huileuse. Une odeur paradisiaque se dégageait de la boutique, comme si le parfum du fromage se diffusait dans les airs.

Mais les meules en question coûtaient cinq cents dollars pièce. Soit, comme Darcy en venait à calculer désormais, l'équivalent d'un mois de dépenses.

— Enfin, on doit tous apprendre un jour ou l'autre à s'en tenir à un budget, dit Lalana, comme pour se convaincre elle-même. Autant que tu le fasses maintenant, avant d'aller à l'université.

Darcy hocha la tête, mais quelque chose dut passer sur son visage.

Lalana se pencha vers elle.

— Darcy. Tu as toujours l'intention d'aller à l'université une fois que tu auras écrit ton deuxième livre, n'est-ce pas ?

— Euh… bien sûr, prétendit Darcy. (Si ses parents avaient été là, cette hésitation lui aurait été fatale.) Mais c'est dans plus d'un an. Tout dépend du chemin que va prendre ma carrière.

Elle buta un peu sur le mot « carrière » qui lui paraissait usurpé, ridicule, trop grand pour elle. Elle avait mis son tee-shirt noir en soie pour tante Lalana, mais son jean s'ef-filochait aux genoux.

— Eh bien, fit Lalana avec un soupir. Je suppose que c'est mon devoir de tante de signer. Autant que tu prennes cet appartement plutôt qu'un autre.

— Merci ! s'écria Darcy, avant de se renfrogner. Attends… pourquoi, exactement ?

Lalana sortit un minuscule stylo argenté de son sac à main.

— Avec un loyer pareil, tu n'auras pas les moyens de rester ici indéfiniment.

— Oh.

C'était vrai, chaque dollar dépensé par Darcy la rappro-chait du jour où elle devrait quitter New York et entrer à l'université. D'un autre côté, si elle avait simplement voulu pouvoir écrire le plus longtemps possible, elle aurait aussi bien pu rester chez elle ou dormir sous un pont.

L'important, c'était de devenir un écrivain une bonne fois pour toutes. Et pour cela, l'appartement 4E jouait un rôle aussi essentiel que New York elle-même.

Le stylo de tante Lalana resta suspendu au-dessus de la feuille.

— Seulement, si je signe ça, tu dois me promettre deux choses, Darcy.

— D'accord. Tout ce que tu voudras.

— Ne te laisse pas distraire par la ville. Travaille avec sérieux.

— Bien sûr. Je suis là pour ça !

— Et ne me cache rien, même si tu ne racontes pas tout à tes parents. Je veux être tenue régulièrement au courant, c'est compris ?

— Je te dirai tout, promit Darcy, alors que tante Lalana apposait déjà sa signature ampoulée en bas du document.

— Et voilà. (Le stylo claqua sur la table et Lalana leva son verre de chaï glacé.) Te voilà locataire. Et par ma faute.

Darcy sentit un sourire s'épanouir sur son visage, tandis que le sol du café lui semblait se dérober sous ses pieds. L'appartement 4E était devenu réalité.

Désormais plus rien ne pouvait mal tourner.

— Maintenant qu'on a fait un deal, reprit Lalana. Quelle est la première chose que tu aies cachée à tes parents ? Un garçon sur lequel tu aurais craqué ?

— Tu as dit : pas de distraction ! Et je veux me consacrer corps et âme à l'écriture. Il y a quand même un truc, plus ou moins. Mais tu dois promettre de ne rien leur dire.

Lalana se contenta d'attendre, sans faire aucune promesse.

— J'ai raté la date limite pour différer mon entrée à Oberlin. C'était le premier juin.

— Darcy ! Tu rigoles ?

— Je ne m'en suis pas rendu compte, et puis c'était vraiment difficile à trouver sur leur site.

Darcy n'ajouta pas qu'elle n'avait regardé que la semaine précédente, ce qui était déjà trop tard de toute façon.

— Mais ça va, je n'aurai qu'à poser de nouveau ma candidature l'année prochaine.

— Non, ça ne va pas.

Darcy leva les mains.

— J'aurai toujours les mêmes résultats d'examens, avec en plus un essai sur l'écriture de romans à New York. Tu crois vraiment qu'ils ne voudront plus de moi ?

Tante Lalana se tourna vers la baie vitrée, puis jeta un regard en coin à Darcy.

— J'imagine que n'importe quelle université serait fière d'accueillir une jeune romancière. Mais tes parents ne sont plus là pour te tenir la main. Tu vas devoir te comporter de façon plus responsable.

— Je le ferai. À partir de maintenant. (Darcy leva son verre.) Merci de ta confiance. Je te promets que je ne te décevrai pas.

— Oh, je suis sûre que tu nous étonneras tous, dit Lalana. D'une manière ou d'une autre.

Darcy trinqua avec sa tante et s'interrogea sur ce qu'elle entendait par là exactement.

— C'EST SUR LES TERRAINS VAGUES QU'ON VOIT LE MIEUX les bâtiments fantômes, m'a expliqué Mindy. Et la nuit.

— Parce qu'il fait noir ?

— Non. Parce qu'il y a moins de viveurs dans les environs.

J'ai rentré la tête dans les épaules pour me protéger du froid.

— Ça se fait vraiment, ça ? Nous appeler les « viveurs » ? Ça donne l'impression qu'on passe notre temps à faire la fête.

— Tu as un meilleur mot ?

— Pourquoi pas les « gens » ?

— Les fantômes aussi sont des gens.

— D'accord. Sauf que les morts ont leur propre mot : « fantômes ». Les vivants devraient s'appeler les gens, tout simplement.

— Tu chipotes.

— Excuse-moi d'être en vie.

Ce n'était pas la première fois que je faisais cette blague, et sa seule réaction fut un grommellement maussade. Un joggeur venait vers nous à moins d'un pâté de maisons et Mindy savait que je n'aimais pas qu'elle me parle quand nous n'étions pas seules.

Le joggeur nous a dépassées en soufflant, avec un petit hochement de tête à mon intention. Il était plus de minuit et nous étions à près de deux kilomètres de chez moi. D'habitude ça m'aurait rendue nerveuse de croiser un inconnu dans ces circonstances, mais là, il n'y avait plus rien de normal.

C'était plutôt moi qui devais rendre les autres nerveux, habillée tout en noir, la capuche relevée, les mains enfoncées dans mes poches. C'était la nuit la plus froide de l'hiver et mon haleine formait un panache devant ma bouche chaque fois que je m'adressais à mon amie invisible.

— C'était quoi, cet endroit, quand c'était encore… en vie ?

— Une école. On l'a démolie juste après notre arrivée ici. Aujourd'hui, ce n'est plus qu'un terrain vague jonché de carcasses de camions et de bus scolaires. Comme ce carton dans le placard d'Anna où elle entasse plein de vieux trucs qu'elle a oubliés. (Mindy s'est arrêtée.) Mais je suppose qu'il reste un tas de viveurs qui se rappellent cette école.

Elle contemplait la palissade grillagée qui s'étendait au-delà du trottoir d'en face. Ses mailles accrochaient la lumière des lampadaires, et une barricade de planches reposait contre le métal de l'autre côté. Des spirales hérissées de pointes surmontaient le tout.

— Tu le vois ? m'a demandé Mindy.

— Quoi donc ? Ce fourré de barbelés que je vais devoir escalader ?

— Non, derrière. Derrière *tout*.

J'ai plissé les yeux dans l'obscurité, mais je ne distinguais rien d'autre que les toits jaunes et rouillés des anciens bus.

— Non, désolée.

171

— Attends.

Elle m'a pris la main, et un frisson de mort m'a remonté dans le bras. Au cours de la semaine qui venait de s'écouler, j'avais appris à basculer de plus en plus facilement, avec ou sans l'aide de Mindy. Mais j'éprouvais toujours une pointe de répugnance au dernier moment, comme avant de me jeter dans l'eau froide. Une partie de moi refusait de basculer. Mon corps reconnaissait l'odeur de la mort.

Toutefois, j'avais besoin de m'entraîner avec mes pouvoirs, ce qui voulait dire surmonter ce dégoût de la mort.

Je n'avais plus rappelé Yamaraj. Je ne voulais pas passer pour une nullarde qui avait besoin de lui pour connaître toutes les ficelles. Je voulais lui prouver qu'il n'avait pas à s'inquiéter pour moi, que j'avais tout à fait ma place dans son monde, même si je ne savais pas encore quel nom me donner. « Guide des âmes » faisait trop précieux. « Psychopompe » trop psycho. « Faucheuse » trop sinistre. Je cherchais quelque chose de mieux.

Quand je suis passée de l'autre côté, le clair de lune s'est brouillé autour de nous, et l'air s'est imprégné de ce goût métallique. Le bâtiment était beaucoup plus petit que mon lycée, sur la même route un kilomètre plus loin. Certaines parties du toit se dessinaient avec netteté, mais d'autres étaient devenues translucides, comme une vieille peinture délavée.

Un bâtiment fantôme.

Mindy m'avait expliqué qu'il existait des fantômes de tas de trucs, pas uniquement de gens. Les animaux, les machines et même des choses aussi vastes qu'une forêt bétonnée ou aussi discrètes que l'odeur d'un bon plat pouvaient laisser des traces derrière eux. Le monde était hanté par son passé.

— Amène-toi.

J'ai traversé la rue. À mesure que nous approchions, la palissade s'est estompée, au point de devenir quasiment transparente. Elle ne devait pas être d'origine, ai-je supposé, et n'avait donc qu'une présence symbolique dans l'envers du décor. Je me suis avancée jusqu'au grillage, ai tendu la main… Mes doigts sont passés à travers, avant de s'enfoncer dans le bois posé derrière.

— Extra.

C'était la première fois que je me servais de l'envers du décor pour traverser un obstacle solide, du moins depuis que Yamaraj m'avait conduite de l'autre côté de la grille à l'aéroport. Mindy m'a dépassée comme une flèche pour courir sur le terrain vague. Les bus scolaires et les camions de la ville, garés en rangs si serrés qu'ils se touchaient presque, ne lui opposaient aucune résistance.

Quand j'ai voulu la suivre, la palissade m'a retenue un bref instant, comme des ronces s'accrochent aux vêtements. Puis je me suis retrouvée de l'autre côté, les alentours de l'école se sont précisés sous mes yeux et les bus et les camions se sont estompés.

J'avais l'impression de remonter le temps. Le parking était minuscule – j'imagine que les élèves ne venaient pas à l'école en voiture, à l'époque – et ne comportait pratiquement aucun marquage au sol, à l'exception de quelques emplacements peints à la main destinés aux professeurs. Le terrain de jeu fantôme avait l'air dangereux, avec son portique d'escalade de trois mètres de haut sur l'asphalte. Mindy a grimpé au sommet, s'est pendue par les genoux à la barre supérieure et s'est balancée la tête en bas.

Le bâtiment lui-même ressemblait plus à un manoir qu'à une école, avec son toit en tuiles, ses murs en stuc et son long porche. Les fenêtres étaient curieuses. Ce n'étaient que des rectangles vides, entièrement noirs, qui ne reflétaient pas la lumière des lampadaires.

173

— Tu crois qu'il y a des fantômes à l'intérieur ?

Mindy a balancé les bras, secouant ses couettes.

— Possible.

— Ce n'est pas le principe des bâtiments fantômes ? Héberger les fantômes ?

— Ne sois pas idiote. (Elle s'est redressée pour agripper la barre, a décroché ses genoux et s'est laissée retomber au bas du portique.) Les fantômes vivent dans des endroits normaux.

— Comme le placard de ma mère ?

— C'est confortable, un placard.

Mindy a fixé l'école en silence pendant un moment, avant d'ajouter :

— Contrairement à la plupart des bâtiments fantômes. Je n'y mets jamais les pieds.

— Tu n'es pas obligée de m'accompagner.

Je me sentais imprégnée de cet air aux relents de rouille. Le bâtiment fantôme a vacillé devant moi.

— Mais j'ai besoin de savoir comment fonctionne l'envers du décor.

Mindy m'a pris la main.

— D'accord, avec toi, je n'ai pas peur. Promets-moi juste de ne pas m'abandonner là-dedans.

— Je te le promets.

Quand nous nous sommes approchées, l'école est devenue moins floue. Les marches du perron avaient l'air solides et je me suis agenouillée pour poser la main à plat sur le béton peint. C'était gelé.

— Ça semble tellement réel, ai-je dit.

Mindy s'était arrêtée. Visiblement, elle ne tenait pas à s'y aventurer seule.

— Ça veut dire que tout le monde se rappelle cet endroit. Peut-être qu'il s'est passé quelque chose de terrible ici.

— Ou peut-être que tout le monde l'adorait.

Je me suis levée et j'ai gravi la première marche.

— Waouh ! Comment c'est possible, ça ? Je veux dire, les marches ne sont même plus là. Est-ce que je suis en pleine lévitation ?

— Les marches sont toujours là, a rétorqué Mindy. C'est juste que l'envers du décor est invisible pour les viveurs, sauf pour les 'pompes comme toi.

J'ai soupiré.

— Il n'y a pratiquement aucun mot de cette réponse qui ne soit pas agaçant.

— C'est peut-être parce que tu poses des questions agaçantes !

J'ai ravalé la réplique qui me venait aux lèvres. Mindy était en train de devenir mon amie, même si elle était un peu bizarre. Elle m'aidait à me familiariser avec l'au-delà, de manière que je ne sois pas larguée la prochaine fois que je verrais Yamaraj.

Je n'avais toujours pas parlé de lui à Mindy. Je ne tenais pas à l'affoler.

— Excuse-moi. Je suis un peu nerveuse. C'est la première fois que je visite un bâtiment fantôme.

— Pourtant, tu es une 'pompe ! Ce sont les fantômes qui devraient avoir peur de toi.

Je lui ai souri et me suis redressée, avec l'intention de montrer une assurance de vraie psychopompe.

Les portes de l'école étaient ouvertes, comme pour nous accueillir. Des couloirs bordés de casiers s'enfonçaient devant nous, déserts et sombres, et une pancarte artisanale indiquait le bureau du principal. On ne voyait aucune affiche aux murs, aucun papier gras sur le sol, pas même un grain de poussière dans l'air, comme si le temps avait gommé ces détails transitoires. En revanche, un murmure de voix d'enfants flottait à la limite de ma perception.

— Tu entends ça ?

Mindy a fait oui de la tête, elle avait les yeux fermés.

— Ce ne sont pas des fantômes. Pas de gens, en tout cas.

— Des fantômes de quoi, alors ?

— De cet endroit. De ses bruits.

Je l'ai dévisagée et me suis demandé tout à coup si le terme de fantôme était vraiment celui qui convenait.

— Des souvenirs. Ce sont des souvenirs, c'est ça ?

— Je n'arrête pas de te le dire ! Tant que les gens se souviennent d'une chose, elle ne disparaît jamais en entier.

J'ai tendu le bras vers le casier le plus proche et passé mon doigt sur les fentes d'aération. Le tic-tic-tic de mon ongle sur le métal paraissait bien réel.

— Donc, on se trouve au milieu d'un ensemble de souvenirs ?

— Si tu veux, a dit Mindy.

— Peut-être que ça n'a aucun rapport avec les fantômes. Et si nous autres psychopompes étions des sortes de télépathes ? On verrait les souvenirs des autres comme s'il s'agissait d'endroits, de choses et...

Mindy me fixait d'un sale œil.

— Et de gens ? Tu crois que je suis simplement le produit du souvenir de ta mère ?

— Je ne sais pas.

Au moment de le formuler à voix haute, je m'étais rendu compte à quel point cette idée pouvait paraître sans cœur. Mindy n'était pas un souvenir – mais une personne dont l'existence dépendait du fait qu'on se souvienne d'elle. Ce n'était pas tout à fait la même chose.

— Je ne faisais que réfléchir tout haut. Je ne comprends pas grand-chose à tout ça, au fond.

Alors que nous nous tenions là, dans un silence maussade, un son a résonné dans le couloir, une voix enfantine qui chantait…

— *Descendez, descendez, qui que vous soyez.*

— Hum. Et ça, c'est le fantôme d'une chanson ?

— Non. (Mindy m'a pris la main et l'a serrée fort.) Il y a quelqu'un là-dessous, Lizzie.

— D'accord.

La chanson s'est répétée, lointaine et mélancolique, m'injectant un frisson de peur dans les veines.

— Tu crois qu'il va monter ?

— J'espère que non, a répondu Mindy.

Nous sommes restées là, tétanisées. Je m'efforçais de contrôler ma respiration. La dernière fois que j'avais paniqué dans l'envers du décor, je m'étais retrouvée catapultée dans le monde normal sous les yeux de l'agent spécial Elian Reyes. Je n'avais pas envie de revivre ça au milieu d'un terrain vague entouré de barbelés, en particulier avec une chanson fantôme inquiétante qui s'élevait du sol.

Le chant s'est interrompu net. Mindy et moi nous sommes regardées en silence.

— Bon, ai-je dit en reculant d'un pas. Essayons juste de…

— Regarde ! a chuchoté Mindy, les yeux rivés au sol.

Une ombre noire se répandait dans le couloir, comme une flaque d'encre qui s'étendait vers nous. Elle avalait les dalles une à une, d'un noir de jais qui tranchait sur la grisaille de l'envers du décor. À l'instar des rivières huileuses que j'avais aperçues dans le désert, elle semblait animée d'une vie propre et charriait les mêmes effluves lourds et suaves.

La voix chantante a résonné de nouveau.

— *Je vous enteeeeends là-haut. Pourquoi vous ne descendez pas jouer avec moi ?*

— Je crois qu'on ferait mieux de se tirer d'ici, ai-je murmuré.

— Oh oui.

Mindy a fait volte-face et s'est sauvée à toutes jambes.

— Attends-moi !

J'ai traversé le terrain de jeux au pas de course, le cœur battant.

La vie affluait en moi, et l'environnement a commencé à se transformer. Le terrain de jeux s'est estompé ; les étoiles se sont mises à briller par endroits dans le ciel gris, comme si des pans entiers se déchiraient au-dessus de moi. J'ai hésité entre m'arrêter et continuer à courir pour atteindre la palissade avant qu'il ne soit trop tard.

— *Ne partez pas comme ça !* a chanté la voix derrière moi, ce qui a balayé mes dernières hésitations.

J'ai couru de toutes mes forces. J'ai rejoint et dépassé Mindy, martelant l'asphalte sous mes pieds.

La palissade prenait de plus en plus de consistance à chaque seconde. Les bus scolaires dressaient leur masse menaçante autour de moi et j'ai obliqué pour passer entre deux. Je ne tenais pas à me matérialiser au milieu d'un bloc compact de métal et de caoutchouc.

La palissade s'est dressée devant moi et je me suis jetée à travers en me protégeant le visage avec les deux bras. Le grillage m'a retenue un instant, comme une toile d'araignée épaisse, poisseuse. Puis la tension s'est rompue avec un bruit sec et je me suis retrouvée de l'autre côté, à trébucher dans le monde des vivants… au beau milieu de la rue.

Des phares m'ont aveuglée. Un crissement de freins m'a explosé dans les oreilles. Je suis tombée et me suis roulée en boule au passage d'une voiture, si proche que j'ai senti la chaleur de son moteur. Puis le conducteur a redressé sa trajectoire et s'est éloigné avec un coup de klaxon furieux.

Je me suis assise sur l'asphalte et j'ai regardé des deux côtés de la rue – pas d'autre voiture en vue, seuls les feux arrière de celle qui venait de m'éviter.

— Waouh, a fait Mindy qui m'avait rejointe. C'était chaud.

Je me suis relevée sur des jambes flageolantes, ébranlée à la vue des traces de pneus. Je m'étais cogné le genou droit et j'avais les mains à vif. La douleur était mordante et bien réelle après la grisaille insipide de l'envers du décor. Mes paumes écorchées me lançaient, mais c'était merveilleux d'être de retour dans la vraie vie.

J'ai traversé la rue en boitillant.

— Ça va ? s'est inquiétée Mindy.

— Ouais, super. Mais la prochaine fois on visitera un bâtiment fantôme sans clôture, d'accord ?

— D'accord. (Mindy s'est retournée en direction du terrain vague, les yeux écarquillés.) Et peut-être…

J'ai acquiescé.

— Sans voix flippante dans le sous-sol.

— Je ne sais pas ce que c'était. Désolée !

— C'est moi qui ai voulu entrer.

Je me suis tâté le genou. J'avais déchiré mon jean, mais je ne saignais pas.

— En tout cas, merci de m'avoir montré comment ça fonctionne, Mindy.

Elle a levé les yeux vers moi.

— Tu es sincère ?

J'ai hoché la tête, encore frémissante d'excitation. Je commençais à prendre goût à ces allers-retours entre la vie et la mort.

Nous sommes reparties vers chez moi – « chez nous », comme Mindy n'arrêtait pas de me le rappeler.

En contournant la maison pour rentrer par l'arrière, nous avons inspecté les alentours pour voir si l'agent spécial Reyes avait réapparu, mais non. Ça faisait plusieurs jours que je n'avais plus aperçu sa voiture. J'imagine que ses employeurs ne se faisaient plus de souci pour moi.

J'avais effectué quelques recherches sur Internet à propos de ce Mouvement de la Résurrection, et apparemment, ils devaient avoir d'autres sujets de préoccupation que moi. Le carnage de Dallas avait déclenché l'ouverture de toute une série d'enquêtes, dans des domaines allant de la possession d'armes illégales à l'évasion fiscale. Le piège fédéral se refermait sur eux.

C'était bon de savoir que je n'étais plus la cible d'un groupe terroriste, même si je regrettais un peu le petit salut de la main que j'avais pris l'habitude d'adresser au FBI en rentrant à la maison.

De retour dans ma chambre, j'ai ôté mon jean et je me suis assise sur le lit pour me vaporiser du désinfectant sur les paumes et le genou. Le produit m'a donné un coup de fouet, mais le lendemain, j'allais avoir mal partout et je n'aurais plus l'adrénaline des monstres souterrains ou des voitures qui me rataient d'un cheveu pour compenser.

Quand j'ai relevé la tête, Mindy m'observait avec extase.

— C'est la première fois que tu vois du sang ?

— Je ne sens plus la douleur. On est un peu comme dans un cocon, ici. En fait, je m'ennuie.

— C'est comme à l'école, quoi.

— C'est nul. Je ne ressens jamais rien de réel.

— Sauf quand tu as peur. (J'ai souri.) Tu t'es enfuie encore plus vite que moi. Et tu aurais dû voir ta tête quand on a entendu cette chanson !

— Bien sûr que j'ai eu peur !

Elle m'a jeté un regard furibond.

— Pardon.

J'avais presque oublié dans quelles circonstances Mindy était devenue un fantôme. Même si elle avait cessé de souffrir, ses dernières heures dépassaient probablement tout ce que je pouvais imaginer.

— Tu sais que je ne laisserai jamais d'autres hommes méchants te faire du mal, hein ?

— Je sais.

Mais elle ne paraissait pas convaincue.

— Écoute, Mindy. Si ça se trouve, il est mort depuis longtemps. Peut-être qu'il s'est déjà dissous dans le néant.

Elle s'est détournée de moi pour regarder vers la chambre de ma mère et son placard, où elle se réfugiait chaque fois qu'elle était effrayée.

Je pouvais tout lui promettre, elle restait persuadée que le méchant homme était encore dans les parages, toujours en vie. Qu'il mourrait un beau jour et se mettrait à sa recherche.

Peut-être valait-il mieux changer de sujet.

— À ton avis c'était quoi, cette voix dans le sous-sol de l'école ?

Pas rassurée pour un sou, elle a commencé à suivre du doigt les motifs du couvre-lit.

— Je ne sais pas.

— C'était pourtant bien le fantôme de quelque chose, non ?

Mindy s'est contentée de hausser les épaules.

— Tu dois bien avoir une idée, ai-je insisté. Y a-t-il autre chose là-bas, en dehors des fantômes ? Par exemple des vampires, des loups-garous ?

Elle a pouffé.

— Ne sois pas ridicule. Ce genre de trucs, ça n'existe pas !

— Tu en es sûre ? Je veux dire, si les fantômes sont

bien réels, pourquoi pas les autres créatures de légendes ?
Les golems, les garudas, les selkies ?

Le sourire de Mindy s'est effacé.

— Je ne sais même pas de quoi tu parles, mais je crois
qu'il existe des monstres qui n'ont aucune légende. Certains endroits sont mauvais, c'est tout.

— D'accord, ai-je dit. Je suppose que tu ne peux pas
tout savoir.

— Tant mieux, parce que c'est comme ça.

Mindy n'était après tout qu'une gamine de onze ans.
Pour elle, un monstre n'était pas un objet d'étude. C'était
une chose qu'il fallait craindre.

Non pas que j'aie encore l'énergie nécessaire pour
l'étude des monstres. Les ultimes effets de l'adrénaline se
dissipaient, et la reprise des cours m'attendait le surlendemain. Le début de mon dernier semestre, et mon premier
jour en public en tant que symbole national d'espoir.

J'avais évité mes amis depuis mon retour à la maison,
sauf pour envoyer un e-mail à Jamie disant que je n'étais
pas en état de voir qui que ce soit. Mon père ne m'avait
toujours pas acheté de nouveau téléphone, malgré sa promesse de le faire, il ne m'avait donc pas été difficile de
rester aux abonnés absents. Mais j'allais bientôt devoir
affronter le monde réel.

J'ai posé mon spray désinfectant et me suis glissée sous
les draps.

— Bonne nuit, ai-je dit, et j'ai éteint ma lampe de
chevet.

Mindy, comme toujours, s'est installée au bout de mon
lit. Les fantômes ne dormaient pas, ce qui devait sans
doute participer à leur ennui. Il était clair que Mindy
explorait le quartier à la nuit tombée. Elle connaissait les
noms de tous les voisins, et tous leurs secrets également.

— Dors bien, Lizzie.

— Merci pour cette virée à l'école fantôme.

Elle a gloussé, et nous sommes restées silencieuses un moment pendant que je glissais vers le sommeil. Mais mes plaies se sont mises à me démanger, comme des fourmis.

La brûlure du désinfectant s'atténuait peu à peu, néanmoins, et j'étais à deux doigts de m'endormir quand un grattement s'est fait entendre.

On aurait dit un bruit d'ongle traînant sous le plancher, presque trop faible pour être perçu, trop discret pour être réel. Pourtant le bruit a persisté, malgré les efforts de mon cerveau pour l'ignorer.

J'ai ouvert les yeux, Mindy se tenait debout au pied de mon lit, elle fixait le sol de ses yeux écarquillés.

Je me suis redressée lentement, prudemment, déjà ma peau se couvrait de sueur froide.

— Nom de Dieu, Mindy, qu'est-ce que c'est que ça?

— Je crois qu'elle nous a suivies à la maison.

— Qui ça, elle?

Le bruit a recommencé, un grattement sous le plancher qui se rapprochait de moi. Je me suis liquéfiée quand il est passé sous mon lit.

Le silence est revenu, et Mindy a chuchoté:

— Tout est relié.

— De quoi est-ce que tu parles?

— Elle est là-dessous, Lizzie. Cette chose qu'on a entendue chanter.

— Qu'est-ce que tu...!

Je me suis aperçue que je criais presque, et j'ai refermé la bouche. Maman avait le sommeil lourd, mais je ne tenais pas à la réveiller avec un monstre dans la maison.

— Je suis désolée, Lizzie! (La voix de Mindy tremblait.) Je ne savais pas qu'elle nous suivrait jusqu'ici!

— Mais où est-elle ? ai-je sifflé. Il n'y a pas de cave dans cette maison !

Elle m'a regardée avec exaspération.

— Elle n'est pas dans la cave. Elle est dans le fleuve.

J'ai fermé les yeux et tâché de décrypter ce que me disait Mindy. Mon corps était bien réveillé mais mon cerveau tardait à émerger de son demi-sommeil.

— *Descendez, descendez, qui que vous soyez !* a chantonné une voix sous mon plancher.

15

L'INVITATION À LA PENDAISON DE CRÉMAILLÈRE DE DARCY stipulait sept heures, mais à sept heures et demie personne n'était encore arrivé.

— Merde.

Darcy shoota dans le seau de bières et de glace posé dans un coin. Une flaque de condensation s'était formée dessous.

Il régnait une chaleur épouvantable dans la grande salle, et ça ne ferait qu'empirer si les invités se présentaient. Darcy ouvrit encore une fenêtre, laissant entrer le grondement du trafic de Chinatown, et une brise agita mollement l'ourlet de sa robe bain de soleil. Elle avait acheté cette robe dans une friperie le matin même, pour s'apercevoir en sortant de la boutique qu'elle ressemblait beaucoup à celle qu'Imogen avait portée le jour où elles avaient déniché cet appartement.

Au moins n'était-elle pas couleur rouille, mais bleu-gris comme un ciel couvert.

Darcy contempla son téléphone. Imogen avait promis d'être là à six heures pour lui apporter son soutien moral, puis elle avait envoyé un texto une heure plus tôt pour prévenir qu'elle serait en retard. En plus de ça, Sagan et Carla avaient raté leur train à Philly et n'arriveraient pas avant neuf heures. Quand à tante Lalana, elle était en voyage d'affaires.

La question inévitable finit par s'imposer à Darcy : et si personne ne venait ? Elle avait commis un grave péché d'orgueil en organisant une pendaison de crémaillère dans une ville où elle connaissait si peu de monde. Bien sûr, quelques personnes se montreraient, juste ce qu'il faut pour témoigner de son humiliation.

Le téléphone tinta dans la main de Darcy, qui le consulta aussitôt.

Toujours personne ? #baldeslosers
Plus que 438 jours avant la publication !

— Merci beaucoup, Nisha, grommela Darcy, qui se promit de ne plus jamais partager ses doutes avec sa sœur.

Alors qu'elle composait une réponse bien sentie, l'interphone sonna.

Darcy courut appuyer sur le bouton d'ouverture de la porte sans prendre la peine de demander qui c'était – des convives imprévus vaudraient toujours mieux que pas de convives du tout. Elle rectifia sa coiffure devant la rangée de miroirs, ouvrit la porte et passa la tête au-dehors. Dans l'escalier montaient Moxie Underbridge, son assistant Max, ainsi qu'une jeune femme que Darcy avait vue à la soirée Jeunes adultes – Johari Valentine, l'écrivain de Saint-Christophe.

Darcy les invita à entrer, et les trois s'avancèrent vers les fenêtres de la grande salle. Darcy éprouva une pointe de fierté quand ils s'extasièrent sur la vue. C'était la meilleure heure pour en profiter, juste avant le crépuscule, quand le ciel était rose et les ombres longues et bien nettes.

Pour la première fois de la journée, Darcy n'eut pas le sentiment d'avoir commis une terrible erreur en prenant cet appartement et en organisant cette soirée.

— Ce sera magnifique en hiver, s'exclama Johari,

186

penchée au-dessus de la rue. Nous autres en bas dans la pénombre, et toi ici, en pleine lumière !

— Arrête, Johari, lui reprocha Moxie. On est en juillet. Ne me dis pas que tu es encore traumatisée ?

Johari se tourna vers Darcy avec un frisson très théâtral.

— Mon prochain livre se déroule sur une planète de glace. Sombre et froide, comme les hivers ici.

— Il s'intitule *Heart of Ice*, intervint Max. « Qui détient le secret du feu, règne sur le monde ! »

Johari secoua la tête.

— Écoute-toi un peu, Max. Déjà en train d'imaginer une accroche pour un livre qui n'est pas à moitié rédigé. Ce sera peut-être une histoire de pingouins d'ici à ce que j'aie terminé.

— « Qui détient le secret des pingouins, règne sur le monde » ? suggéra Max. Tu vois, ça marche avec n'importe quoi.

— Ça a l'air super, dit Darcy.

Mais cette allusion au feu lui fit penser à Imogen, et elle se demanda ce qu'elle fichait. Elle consulta son téléphone – rien.

— Désolée d'arriver aussi tôt, ma chérie, s'excusa Moxie. Mais nous avons un dîner à neuf heures.

— Je suis déjà bien contente que quelqu'un soit là !

Darcy rangea son téléphone et fit une prière muette pour que d'autres invités débarquent avant leur départ. Ce serait inhumain de la part de l'univers de la laisser dans l'expectative deux fois dans la même soirée.

— Vous voulez boire quelque chose ?

Darcy prépara des boissons pendant que Johari et Max visitaient le reste de l'appartement.

— Super idée, lança Johari, de pendre la crémaillère avant d'avoir aménagé l'appartement. Tu ne risques pas de casser grand-chose si la soirée dégénère !

Darcy s'abstint de répondre que tous ses meubles étaient là. Son bureau occupait l'un des coins de la grande salle, chargé de boissons gazeuses, de gobelets en plastique et de deux saladiers de guacamole. Ce n'était pas un bureau à proprement parler, rien qu'une porte en bois brut posée sur deux tréteaux. Le travail de relecture nécessitait une grande surface de travail, et les portes coûtaient moins cher que les bureaux.

Darcy dormait sur son vieux futon, que son père lui avait apporté de Philly en voiture avec un fauteuil, un peu de linge et quelques dizaines de livres indispensables désormais rangés dans la deuxième chambre sur des étagères de fortune – planches et parpaings. Darcy avait demandé à Sagan et Carla d'emporter des sacs de couchage, mais elle avait oublié d'acheter des oreillers.

— Pas de télé ? s'exclama Max en riant. La marque d'un véritable écrivain !

— Je ne vis que pour la littérature, répliqua Darcy, bien qu'elle n'ait pas rédigé une seule phrase depuis son installation dans l'appartement.

C'était à peine si elle s'était aperçue qu'elle n'avait pas de télévision, tant la liste de ce qui lui manquait était longue. Tante Lalana ne s'était pas trompée. Elle ne possédait ni rallonge électrique, ni aspirateur, ni parapluie, ni même un vase si on lui apportait des fleurs ce soir. Elle n'avait pas non plus de rideau de douche ni vraiment de vaisselle, à l'exception des deux saladiers, d'un mug et d'une casserole pour préparer le masala chaï et les nouilles instantanées, la seule cuisine qu'elle ait faite jusque-là. Elle avait bien un râtelier à épices, garni de cardamome, de tamarin et de safran, mais il s'agissait d'un cadeau de sa tante.

Pendant qu'elle distribuait ses gobelets en plastique rouge, elle se demanda ce qui lui manquait encore. Elle ne s'était souvenue d'acheter un tire-bouchon que l'après-midi même, et les minuscules haut-parleurs de son ordinateur seraient bien en peine de faire danser ses invités ce soir.

— Merci, ma chérie, dit Moxie en acceptant son verre avant de le faire tourner d'un air rêveur. Tu savais que Stanley David Anderson est en ville ?

— Vraiment ? Pour une apparition ?

— Pour affaires. C'est avec lui qu'on va dîner tout à l'heure. Tu le connais, j'imagine ?

— Qui ne connaît pas Standerson ? répondit Darcy.

C'était l'un de ses surnoms sur Internet. L'autre était le Sultan des Réseaux sociaux. Standerson atteignait le million d'abonnés, et il existait une dizaine de chaînes You-Tube consacrées à sa propre chaîne YouTube.

— Mais vous n'êtes pas son agent, si ?

— Pas pour l'instant. (Moxie se passa l'index sur les lèvres.) Mais je sais qu'il est un peu déçu de Sadler, alors peut-être qu'il cherche à se placer ailleurs.

— Waouh, c'est génial, s'exclama Darcy.

Elle n'en éprouvait pas moins une pointe de jalousie mesquine. Elle n'était pas invitée à dîner avec Moxie, Max, Johari et Standerson, et sa pendaison de crémaillère ne serait pas l'événement majeur de la scène Jeunes adultes à New York ce soir.

Cette réaction irrationnelle lui passa vite quand l'interphone retentit de nouveau, et Darcy courut à la porte.

Les premiers invités avaient brisé la glace, et les nouveaux venus se succédèrent vite à partir de cet instant. La grande salle fut bientôt agréablement remplie. Darcy reconnut une dizaine d'écrivains de la soirée Jeunes adultes (merci au répertoire e-mail d'Oscar Lassiter), ainsi que Nan Eliot de chez Paradox, venue en compagnie d'une jeune assistante prénommée Rhea. Carla lui avait indiqué par texto que Sagan et elle approchaient de Penn Station, mais Imogen restait introuvable.

Darcy était partagée entre l'inquiétude et un sentiment de trahison devant sa défection.

— J'admire cette sobriété monacale, commentait Johari. Une pièce pour dormir, une autre pour les livres et les fringues, une petite pour la cuisine et la plus grande pour écrire.

— Tu vas tout garder comme ça ? demanda Oscar. Au naturel ?

— Vide, vous voulez dire ? Oui mais ce n'est pas exactement un choix décoratif. Plus une question d'argent.

— Ah, bien sûr, admit Oscar. Moi aussi je payais un loyer délirant avant de déménager à Hoboken. J'avais la plus belle vue sur le Chrysler building, mais pour le reste je me serrais la ceinture.

— Ta vie personnelle n'intéresse personne, Oscar, le coupa Johari en lui tapotant l'épaule, avant de s'adresser à Darcy. Comment se passe ton adaptation d'écrivain à ton nouvel environnement ?

— Je n'ai encore rien écrit pour l'instant.

Elle n'avait toujours pas reçu la lettre éditoriale de Nan, ce qui retardait le début de sa réécriture, et l'idée de se lancer dans *Untitled Patel* sans indication était angoissante.

— Vous croyez que je devrais m'en inquiéter ?

— Les bonnes fées de l'écriture sont parfois de mauvais poil dans une nouvelle maison, dit Johari. Comme les chattes. La mienne a pissé sur mon oreiller tous les soirs pendant une semaine quand je me suis installée à New York.

Oscar haussa les sourcils.

— Ta bonne fée de l'écriture a pissé sur ton oreiller ?

Johari l'ignora.

— Ce sont plutôt ces miroirs qui me poseraient un problème. Je ne pourrais pas écrire un seul mot si je me retrouvais sans arrêt face à mon reflet.

Darcy se tourna vers le mur et se regarda dans les trois miroirs. Oscar et Johari étaient tous les deux plus grands qu'elle, ce qui la faisait paraître très jeune dans sa robe bain de soleil.

— Oh, c'est parce que c'était un studio de danse à l'origine. Mais si je les décroche, je n'aurais plus que des murs blancs.

— Comme n'importe quel autre appartement de New York, reconnut Johari à regret.

— Oui ! dit Darcy. C'est quoi, cette fascination pour le blanc ?

À Philadelphie, les pièces de la maison de ses parents possédaient chacune sa couleur – jaune pâle pour la cuisine, vert sapin pour le salon, violet pour la chambre de Nisha, souvenir de sa période gothique, quand elle avait douze ans.

— C'est l'effet galerie, expliqua Oscar. Un décor neutre pour tous ces artistes au travail.

— Pff, souffla Johari. Quelle barbe !

— J'étais dans un magasin de bricolage hier, raconta Darcy. Et il y avait un rayon entier de pots de peinture blanche. Sauf qu'au lieu de s'appeler «blanc», ils avaient toutes sortes de noms comme Lin, Craie ou Riz frais.

Oscar souffla de rire.

— Je crois que chez moi, les murs sont Colombe.

— Palissade, avoua Johari.

— Je vais peut-être conserver les miroirs, conclut Darcy.

— Oh, nom de Dieu ! Vous êtes tous en train de vous admirer ?

C'était Kiralee Taylor, que Darcy n'avait pas vue entrer. D'autres personnes se chargeaient de répondre à l'interphone désormais, et faisaient même visiter l'appartement aux nouveaux arrivants. Moxie préparait des boissons, tandis que Rhea organisait une collecte pour aller racheter des bières et de la glace. La soirée avait trouvé sa vitesse de croisière.

— Merci d'être venue, Kiralee, dit Darcy.

Elles s'embrassèrent sur la joue, comme deux vieilles amies.

— Splendide appartement. Et ces miroirs, c'est super !

— Cadeau des danseurs qui étaient là avant, expliqua Darcy. Johari a peur que mon reflet ne m'empêche d'écrire.

— On est rarement aussi longuement distrait par son propre visage que par Internet, rétorqua Kiralee. Et tu m'as plutôt l'air d'une bosseuse.

Darcy sourit au compliment, mais ne put retenir un accès de nervosité. Il y avait maintenant deux semaines qu'Imogen avait fait passer le premier jet d'*Afterworlds* à Kiralee. Largement assez de temps pour qu'elle l'ait lu.

Darcy scruta le visage de son aînée pour chercher à savoir si elle l'avait aimé ou détesté, ou si elle l'avait même commencé. « Bosseuse » ne serait-il pas une forme de critique déguisée ?

— Cela dit, j'ai passé la journée à me préoccuper de ma tête. J'avais une foutue séance photo cet après-midi.

Kiralee se tourna face aux miroirs pour ajuster sa cravate, un magnifique nœud Windsor.

— Ah, je déteste les photos d'auteurs, dit Johari. Je ne vois pas ce que mon apparence peut apporter à l'histoire !

— Exactement. (Kiralee inspecta son profil dans le miroir.) J'aimais bien mon ancienne photo, mais elle commence à se faire vieille. Enfin, c'est plutôt moi.

— Sans compter que tu te touches le visage, dessus, lui rappela Oscar.

Kiralee lui envoya un coup de poing dans l'épaule, et Darcy leur adressa un regard interrogateur.

— Attention ma chérie, la prévint Johari. Quand tu te feras tirer le portrait par ton éditeur, surtout, ne te touche pas le visage !

— Pourquoi je ferais ça ?

— Mystère, mais ça arrive souvent. Tu as sûrement déjà vu ça. (Oscar prit une pause concernée, le poing en appui sous le menton.) Chez les auteurs dont la tête est trop grosse pour tenir toute seule.

Johari se gratta la joue d'un air pensif.

— J'ai un ami qui s'est retrouvé avec une photo de ce genre pour une trilogie entière. Comme s'il venait d'avoir une idée géniale juste devant l'objectif.

— Ouille, fit Darcy, qui se tourna vers Kiralee. C'est ce qui vous est arrivé ?

— Non, j'ai eu droit au redoutable massage temporal. Ça remonte à loin, et je n'avais pas de vieux sages dans le coin pour me sauver.

Darcy s'efforça de se remémorer la photo de Kiralee sur la jaquette de *Bunyip*.

— J'adore cette photo. Vous avez l'air tellement intelligente dessus.

— Je ressemble à une voyante de série télé.

Darcy jeta un coup d'œil à l'autre bout de la pièce, en direction de Nan et Rhea.

— Paradox ne va pas m'obliger à faire une photo d'auteur, j'espère ? Je veux dire, il y a des tas de livres qui n'en ont pas.

— Une jolie petite chose comme toi ? (Johari secoua la tête.) À mon avis, tu n'y couperas pas.

Darcy se regarda de nouveau dans le miroir, gagnée par

un sentiment familier de vulnérabilité. Non seulement ses mots seraient imprimés à des milliers d'exemplaires pour que tout le monde les soupèse et les juge, mais son visage aussi.

Elle comprenait qu'on puisse être tenté de glisser une main dans le cadre, juste pour se protéger un peu.

Son téléphone grésilla, et Darcy baissa les yeux dessus – Imogen.

— Excusez-moi une seconde. (Elle pivota et se retira dans un coin pour porter le téléphone à son oreille.) Bon sang, Gen, où es-tu ?

— Sur ton toit.

— Hein ? Pourquoi ?

— Quelqu'un m'a fait entrer, et j'ai besoin de te parler seule à seule. Monte me rejoindre.

— Euh… et ma soirée ?

Darcy promena son regard sur la pièce : Johari entraînait Kiralee à la fenêtre pour lui montrer quelque chose en contrebas, Rhea aidait Moxie à préparer des cocktails, et Oscar s'amusait à faire des grimaces dans le miroir avec Max.

Ils pouvaient se passer d'elle un moment, et Darcy avait une confession à faire à Imogen avant de lui présenter ses amis de lycée.

— D'accord, répondit-elle. J'arrive.

Darcy n'était encore jamais montée sur le toit. Mais sur le palier du cinquième étage elle trouva un escalier de service qui menait à une porte en métal maintenue entrouverte par un morceau de parpaing.

Quand elle sortit sur le toit, les dalles goudronnées s'enfoncèrent légèrement sous ses pieds, comme la surface souple d'un terrain de jeux. La journée avait été chaude et une odeur de goudron flottait dans l'air.

— Gen ?

— Par ici.

Imogen se tenait assise au bord du toit, les jambes dans le vide. Darcy s'assit à côté d'elle et se pencha au-dessus de la rue. Un vertige la parcourut des orteils jusqu'au bout des doigts.

— Ne tombe pas, dit Imogen. J'aime bien cette robe.

— D'accord, je me changerai si je décide de sauter.

Sa réplique avait fusé sur un ton un peu hargneux.

— Écoute… je suis désolée pour mon retard.

— Moi aussi, Gen. (Darcy se tourna vers elle.) J'ai passé la journée à paniquer à l'idée que personne ne viendrait. Mes amis de Philly sont en retard, et toi, tu me plantes ?

— C'était nul de ma part, admit Imogen en balançant les jambes, le regard perdu sur la ligne d'horizon. Mais je tenais à finir ton livre.

Darcy cligna des paupières.

— Quoi ?

— J'avais repoussé le moment de l'entamer, parce que je t'aime beaucoup. Et puis j'ai réalisé qu'Oscar serait là ce soir, et qu'il allait me demander ce que j'en pensais, et que tu serais peut-être dans le coin à ce moment-là. Alors merde, j'ai commencé à le lire il y a trois heures. Mauvais timing, je sais. Je m'y serais mise plus tôt si je n'avais pas eu aussi peur.

— Peur de quoi ?

Imogen écarta les mains.

— Et si je n'avais pas aimé ? Ça m'aurait fait trop bizarre de t'apprécier autant et de découvrir que tu étais un mauvais écrivain. Sincèrement, est-ce que tu aurais apprécié que je te le dise si j'avais trouvé ça nul ? Ou que j'évite poliment d'aborder le sujet ? Parce que ç'aurait été l'un ou l'autre. Je n'aurais pas pu te mentir.

Darcy prit une grande inspiration. La distance qui les séparait parut grandir d'un coup, comme si le toit s'inclinait et menaçait de la faire basculer dans le vide.

— Tu n'étais pas sûre que j'écrive bien ?

— Je n'en avais aucune idée. Je te trouve géniale, mais je connais des tas de gens géniaux qui seraient infichus d'écrire une ligne correcte.

— Et... ?

— Et c'est horriblement gênant ! Tout le monde parle sans arrêt d'écriture dans les soirées d'Oscar, alors je suis courtoise et tout, mais au fond de moi il y a cette petite voix. Imagine un mariage dont tu sens qu'il est voué à l'échec ; au moment où le prêtre va demander si quelqu'un a la moindre raison de s'opposer à cette union, tu as peur de te me mettre à crier : «C'est foutu d'avance !»

— Je vais reformuler ça, énonça Darcy avec soin. Tu as lu mon livre, *et...* ?

— Oh. (Imogen sourit et prit la main de Darcy.) Eh bien, je suis en retard !

— Pourquoi ?

— Parce que je n'ai pas pu m'arrêter. Parce que c'est un sacrément bon bouquin !

Darcy avait encore un peu le tournis.

— Tu ne me dirais pas ça si tu l'avais détesté ?

— Non, lui assura Imogen d'une voix ferme. Si je n'avais pas aimé, je l'aurais reposé et je me serais pointée ici à l'heure, et je ne t'en aurais jamais parlé.

— Et je ne l'aurais jamais su.

Un frisson parcourut Darcy, comme si l'ombre d'un rapace monstrueux venait de passer sur elle.

— Tu sais, Gen, tu aurais pu commencer tout de suite par me dire que tu avais aimé.

— Pas aimé. Adoré. (Imogen pressa la main de Darcy.) J'adore *Afterworlds*.

Darcy sentit un sourire détendre son expression maussade.

— Et pourquoi me dire tout ça sur le toit ?

— Parce que ça ne pouvait pas attendre.

— D'accord, mais tu aurais pu me le dire en bas. Ça ne m'ennuie pas du tout que tout le monde soit au courant !

— Y compris à quel point je t'aime bien ?

— Quoi ?

Imogen saisit les mains de Darcy.

— Je sais que ce n'est pas malin de déclarer ça comme ça, s'excusa-t-elle. Mais tout s'est embrouillé dans ma tête, ce que je pense de toi, ce que je pense de ton livre… Alors, en chemin, j'ai décidé de tout te balancer.

Le toit se dérobait de nouveau sous Darcy.

— Tu veux dire que tu m'aimes bien, *bien* ?

— Oui, beaucoup. Bien sûr, il est possible que tu m'aimes simplement bien, et dans ce cas je ne vais pas claquer la porte et arrêter d'être ton amie. Mais je veux que tu saches que je craque complètement pour toi, et aussi pour ton livre.

Imogen riait presque, emportée par ses propres mots.

— Je craque complètement pour *Afterworlds*.

— C'est trop bizarre.

Darcy sentit le rouge lui monter aux joues.

— Non, pas du tout. Ton livre est intelligent, magnifique. J'ai hâte de lire la suite.

Darcy rit.

— Tu es sérieuse ?

— Tu abordes les choses comme il faut. L'histoire de Mindy, par exemple, c'est à la fois triste et brutal, et tu n'essaies pas de l'éluder. Et la manière dont la terreur de ce premier chapitre ne s'estompe jamais tout à fait ! Lizzie apprend simplement à s'en servir.

— C'est son événement fondateur, fit Darcy à voix basse.

— Exactement.

Imogen prit une mèche de cheveux de Darcy entre ses doigts. Leurs regards étaient accrochés.

— Et ça ne lui donne pas simplement des super-pouvoirs, ça pousse aussi les autres à la considérer autrement. Du genre, quand quelqu'un lui fait remarquer qu'elle n'est qu'une gamine, elle rétorque : « Ça remonte à quand, la dernière fois que tu as réchappé d'un tir d'arme automatique, mec ? » Et l'autre n'a plus qu'à se taire.

Darcy ne répondit pas. Personne ne lui avait encore parlé d'*Afterworlds* de cette manière. Les premières lettres de l'agence Underbridge et de Paradox regorgeaient de compliments, mais rien d'aussi précis. Elle s'apercevait qu'il était encore plus agréable de faire l'objet d'une analyse que d'être flattée. Ces commentaires la grisaient.

— J'aime les livres dans lesquels la magie a un coût, continua Imogen. Plus Lizzie devient puissante, plus elle en paie le prix. (Elle se rapprocha de Darcy.) Tu as un putain de talent.

— Vraiment ?

— Non seulement tu écris bien, mais tu as quelque chose à dire, expliqua Imogen, d'une voix réduite à un murmure. Les jolies phrases, c'est facile, mais c'est le talent de conteur qui fait tourner les pages.

Darcy ferma les yeux. Leurs lèvres se touchèrent ; l'odeur du goudron se mêlait au goût salé de la peau d'Imogen. Elle sentit les vibrations du trafic en contrebas jusque dans sa colonne vertébrale, ses doigts et sa langue. Son souffle ralentit pour se caler sur celui d'Imogen, profond et régulier.

Imogen passa une main sur la nuque de Darcy et entremêla ses doigts à ses cheveux, la retenant après leur baiser.

Darcy murmura :

— Waouh ! C'est vrai que tu craques pour mon bouquin.

— Totalement.

Cela voulait tout dire, mais Darcy en voulait plus.

— Aucune critique à faire ?

— Bah, c'est un premier jet. Et ton premier roman. Et ne me demande pas si tu as profané les divinités hindoues, parce que je n'en ai aucune idée.

Darcy ouvrit les yeux.

— D'accord. Mais ça veut dire quoi, mon « premier roman » ?

— Eh bien, il est peut-être un peu candide, pour un livre sur la mort.

— Candide ? (Darcy s'écarta.) C'est ce que tu penses de moi ?

— Bonne question.

Imogen se rapprocha pour l'étudier de plus près.

— Il y a encore dix secondes, je ne savais pas du tout si tu en pinçais pour moi. C'est toi qui es incroyablement cool, ou bien… Tu avais déjà embrassé une fille, avant ?

— Je n'avais jamais embrassé personne avant, répondit Darcy – très vite, pour ne pas se dégonfler. Pas vraiment.

Imogen demeura silencieuse un moment, un peu long.

— Tu es sérieuse ? finit-elle par demander.

Darcy fit oui de la tête. Elle avait bien embrassé Carla pour s'entraîner, un soir, alors qu'elle dormait chez elle, et vaguement embrassé une fois le co-capitaine des Rats de Bibliothèque. Mais ces baisers ne comptaient pas, contrairement à celui-là.

— C'était bon ? s'inquiéta Darcy.

— Mieux que ça.

— Si tu n'avais pas aimé, tu me le dirais ?

— C'est la deuxième fois que tu me demandes ça,

observa Imogen avec un sourire. Tu n'as pas confiance en moi ?

Darcy n'avait jamais vu quelqu'un parler comme Imogen de questions qui lui tenaient à cœur. Personne ne pouvait mentir aussi effrontément, tout de même ?

— Si, je te fais confiance.

— Tant mieux.

Les yeux d'Imogen brillaient aux dernières lueurs du crépuscule. Elle se pencha en avant, et les deux jeunes filles s'embrassèrent encore. Au début, Darcy s'appuya sur le goudron chaud du toit pour garder l'équilibre. Puis elle prit Imogen par les épaules, pour sentir les muscles sous sa peau. Elle l'attira contre elle, la serra fort, et elles restèrent comme ça jusqu'à ce que le téléphone de Darcy se mette à vibrer dans sa poche.

— Excuse-moi… (Elle se détacha d'Imogen et sortit son téléphone.) Ce sont peut-être mes amis de Philly qui se sont perdus.

— Comme je le disais, mauvais timing.

Darcy lut le message.

— Mince, ils sont déjà là ! Quelqu'un les a fait monter et ils sont chez moi, ils me cherchent !

Imogen se mit debout et lui tendit la main pour l'aider à se lever.

— Amène-toi. Le devoir t'appelle.

Darcy l'imita, regrettant – avec une pointe de culpabilité – que Carla et Sagan n'aient pas raté leur second train. Mais ce serait cruel de les faire attendre plus longtemps dans une salle remplie d'auteurs qu'ils vénéraient.

Au sommet de l'escalier, Imogen shoota dans le morceau de parpaing et la porte en métal se referma en claquant derrière elles. Elles se dépêchèrent de descendre. Les échos d'une soirée bien arrosée leur parvenaient dans le couloir.

Imogen prit Darcy par les épaules.

— Ça va ? Tu as l'air un peu sonnée.

Darcy se sentait on ne peut mieux, et on ne peut plus sonnée – beaucoup trop pour en discuter dans le couloir. Elle se dressa sur ses orteils pour un dernier baiser.

Puis elle bomba le torse, et sans lâcher la main d'Imogen, ouvrit la porte.

16

J'AI PASSÉ UN JEAN ET UN TEE-SHIRT, APRÈS QUOI JE ME SUIS faufilée jusqu'à la cuisine pour y prendre un couteau. J'ignorais si les lames avaient le moindre effet sur les fantômes, ou même si ce qui se trouvait dans la cave était bien un fantôme, mais n'importe quelle arme valait mieux que mes mains nues. J'ai choisi un couteau court à lame étroite.

Mindy m'attendait debout sur le lit, n'osant pas toucher le sol. Elle a ouvert des yeux ronds à la vue de ce que je tenais.

— On ferait mieux de se sauver, Lizzie.

— Et se cacher dans le placard de maman ? (J'ai glissé le couteau dans la poche arrière de mon jean.) Je vis ici, Mindy. Je n'ai nulle part où m'enfuir. Ce n'est pas toi qui disais que les fantômes devraient avoir peur de moi ?

— Ce qu'il y a là-dessous n'a pas l'air d'avoir tellement peur, si ?

Comme en réponse, la voix s'est fait entendre de nouveau, assez proche du plancher pour murmurer :

— *Descendez jouer…*

J'ai frissonné et chaussé la paire de tennis qui se trouvait au pied de mon lit.

— S'il te plaît, tirons-nous d'ici, m'a supplié Mindy.

— Non. Je vais appeler quelqu'un.

Elle m'a regardée fixement.

— Qui ça ?

— Un garçon que j'ai rencontré quand j'ai commencé à voir des fantômes. Je ne t'ai pas encore parlé de lui.

— Un mort, tu veux dire ?

J'ai secoué la tête.

— Quelqu'un comme moi.

— Un 'pompe ?

Mindy a pivoté et sauté sur mon bureau, comme une gamine jouant à chat perché. J'ai deviné qu'elle voulait atteindre la porte de la chambre, puis la chambre de ma mère, et regagner la sécurité de son placard.

— Ne t'en fais pas, Mindy ! Il est gentil.

Elle s'est retournée vers moi, en équilibre sur la commode.

— Ils disent tous ça. Mais ensuite, ils t'emmènent.

J'ai fait non de la tête.

— Il m'a sauvé la vie.

Mindy m'a dévisagée comme si j'étais stupide, et pendant un instant je me suis demandé pourquoi je faisais confiance à Yamaraj. Et s'il emmenait Mindy loin de moi ?

Mais j'avais vu suffisamment de films d'horreur pour savoir qu'on ne descend pas seule à la cave pour enquêter sur un bruit suspect. Surtout dans une maison qui ne possède pas de cave.

— Fais-moi confiance, ai-je dit en m'approchant pour lui toucher la main. J'ai besoin de basculer pour l'appeler.

— Pas question !

Mindy s'est écartée.

— Très bien. Je vais me débrouiller sans toi. (J'ai inspiré un grand coup.) La sécurité est en chemin…

La chose en dessous de nous s'est tue, comme si elle écoutait, et j'ai continué d'une voix plus ferme :

— Voyez-vous une cachette à proximité ?

Ces mots m'ont fait grelotter, il faisait plus froid dans la chambre. C'était un peu curieux d'énoncer comme ça les questions et les réponses, mais je sentais que ça fonctionnait.

— Aucune, et il est en train de tuer tout le monde.

Le froid est devenu une chose palpable, qui m'enserrait de tous les côtés.

— Dans ce cas, ai-je continué à voix basse, je crois que vous allez devoir faire la morte.

À l'instant où ce dernier mot est sorti de ma bouche, je me suis sentie basculer. C'est arrivé d'un coup ; les ombres ont viré au gris, les chiffres digitaux de mon réveil sont devenus flous et ternes.

Mais cette fois l'air n'avait pas un goût métallique. Une odeur suave, que j'avais déjà sentie dans le désert, flottait autour de moi. J'ai baissé les yeux et vu une tache d'un noir d'encre s'étaler au centre de ma chambre.

Cela ressemblait à la coulure noire dans l'école fantôme, ou aux rivières que j'avais vues dans le désert – une flaque de néant. Au début elle n'était pas plus grande que le contenu d'une tasse de café renversée, mais elle grandissait à vue d'œil.

— Ne la laisse pas te toucher, m'a prévenue Mindy.

J'ai fait un pas en arrière.

— Yamaraj, j'ai besoin de toi.

Son nom sonnait comme « mirage », et ça paraissait dingue d'imaginer qu'il m'entendrait. Il pouvait aussi bien se trouver à des milliers de kilomètres de distance, ou de profondeur…

N'empêche qu'il était venu la première fois que je l'avais appelé.

— Yamaraj, s'il te plaît, viens vite.

En répétant son nom, j'ai senti mes lèvres se réchauffer.

La flaque de néant se rapprochait de moi. J'ai encore reculé d'un pas et heurté le mur.

— C'est quoi ce truc, Mindy?

— C'est le fleuve, a-t-elle couiné. La séparation entre ici et là-dessous.

Le lit était assez près pour que je saute dessus, mais la noirceur avait atteint le bout de mes tennis et subitement j'ai eu les pieds gelés. Mes mollets ne m'obéissaient plus.

Mes tennis s'enfoncèrent dans le sol.

— Comment je fais pour sortir de ce truc?

Mindy était trop terrifiée pour me répondre, elle s'est contentée de regarder, les yeux exorbités. Je sentais la noirceur gagner mes genoux, aussi froide que de la neige fondue. J'ai tendu le bras pour tenter d'agripper le bord du lit, mais il était trop loin.

Le froid me gagnait à mesure que je m'abîmais, chaque centimètre gagné sur mon corps déclenchait de nouvelles vagues de frissons. L'odeur suave m'emplissait les poumons, épaisse, suffocante.

J'en avais jusqu'à la taille quand la porte de ma chambre s'est ouverte. C'était ma mère, en chemise de nuit. Elle avait dû m'entendre discuter avec Mindy avant mon passage de l'autre côté.

— Lizzie? a-t-elle chuchoté, plissant les yeux vers mon lit vide.

— Maman!

Elle ne pouvait pas m'entendre. J'étais dans l'envers du décor à présent, où elle ne me voyait plus. Être invisible ne me semblait plus si génial tout à coup.

La boue noire a atteint mes épaules.

— Yamaraj, j'ai besoin de toi! me suis-je écriée une dernière fois, et j'ai senti de nouveau cette chaleur sur mes lèvres.

J'ai essayé de hurler, dans l'espoir que la panique me

renverrait dans le monde des vivants. Mais l'encre glaciale ralentissait les battements de mon cœur et chassait l'air de mes poumons. Elle a recouvert ma bouche, mes yeux, m'avalant comme une nuit liquide.

J'avais sombré dans le fleuve.

Il faisait froid et noir.

Je ne percevais qu'un gémissement sourd, un vent régulier balayant un immense espace vide. L'air épais s'engouffrait dans mes cheveux, sous mes vêtements, et me déstabilisait. Mais je n'étais pas en train de me noyer ; mes pieds s'étaient posés sur une surface dure dans les ténèbres.

Une forme blafarde est apparue non loin de moi – le visage d'un homme.

Il avait l'air plus vieux que sa voix ne l'avait laissé supposer, de l'âge de mon grand-père, les cheveux blancs. À mesure que mes yeux s'habituaient à l'obscurité, j'ai distingué le reste de sa silhouette. Il portait un long manteau tout rapiécé, et gardait les mains dans ses poches. L'ourlet de son manteau flottait au vent.

Il me dévisageait.

— Tu es vivante.

— Sans blague ?

Il a sorti une main pour se caresser le menton. Ses doigts livides luisaient dans le noir. Il avait la peau pâle, pas tout à fait grise, l'éclat d'une statue de marbre.

— Qu'est-ce que vous fabriquez sous ma chambre ?

Ma voix paraissait bien frêle dans le vent omniprésent.

— J'ai flairé une petite fille, a-t-il répondu avec une pointe d'accent. Elle est à toi ?

— À moi ?

Il a haussé les sourcils. Il avait des yeux incolores, presque transparents, des yeux de poisson abyssal.

— Tu ne fais pas collection ?

— Collection… de fantômes?

— Tu dois être nouvelle.

Le sourire de l'homme s'est agrandi. On aurait dit qu'il était contrôlé par une molette. Il m'a glacée.

Puis j'ai réalisé que sa peau brillait dans le noir tout comme la mienne.

— Vous êtes comme moi, ai-je compris.

Il ne s'agissait pas de je ne sais quel monstre de légende. Ce n'était qu'un autre psychopompe.

— Bien vu. Mais sais-tu au moins ce qu'on est?

— Oui. Et je ne collectionne pas les fantômes.

— Je pourrais t'apprendre, m'a-t-il proposé en s'avançant d'un pas.

— Restez où vous êtes!

— Je te fais peur?

— Les terroristes avec des armes automatiques me font peur. Vous, vous me fatiguez. J'essayais de dormir.

— Toutes mes excuses. (Il a fait une petite courbette.) Mais tu n'as plus besoin de sommeil maintenant.

— Comment ça?

— Le sommeil est une petite tranche de mort. Et tu t'en es déjà mis plein la panse, pas vrai? Tu as englouti tout le foutu gâteau.

— Vous n'êtes pas très doué pour les métaphores.

Ses yeux ont lancé des éclairs dans le noir.

— L'anglais n'est peut-être pas ma première langue, mais je suis bon dans un tas d'autres domaines, et j'ai toujours voulu avoir un apprenti. Je pourrais te montrer ce que je sais faire. Tout ce que je demande en échange, c'est la gamine.

J'aurais voulu le couvrir d'insultes, mais je n'éprouvais pas suffisamment de colère pour ça. Le froid me pétrifiait, et il me semblait que le vent me privait de toute émotion.

J'avais quand même des picotements dans les lèvres, soupçon de chaleur au cœur de cette noirceur.

— Non merci.

Le vieil homme tiraillait le coin de ses poches, lesquelles s'ouvraient de plus en plus. Elles paraissaient plus sombres que le sous-sol, voraces et sans fond.

— Tu n'as pas envie de voir ce que j'ai dans mes poches ?

J'ai enfin ressenti une pointe de peur, et mes muscles se sont décontractés. J'ai passé la main dans mon dos pour sortir le couteau.

— Surtout pas.

Il a paru déçu.

— Un couteau ? C'est absurde. La violence est inutile, ma chère. Tu es bien trop vivante pour que je m'intéresse à toi.

— Alors laissez-nous tranquilles, mon amie et moi.

— Ce petit fantôme n'est pas ton amie. Ce ne sont pas de vraies personnes, tu sais ?

Même si je n'avais pas envie d'entendre ça, je n'ai pas pu m'empêcher de lui demander :

— Alors que sont-ils ?

— Des filaments de souvenirs, des histoires qui se racontent toutes seules. Et quand on sait s'y prendre, on peut tisser des choses magnifiques avec. (Il a tapoté ses poches.) Tu es sûre que tu ne veux pas voir ?

Le plus horrible, c'est qu'une partie de moi mourait d'envie de regarder et d'apprendre tous les secrets de l'au-delà, aussi terribles soient-ils. Mais le seul fait de l'écouter me donnait l'impression de trahir Mindy. J'ai secoué la tête.

— Il y a un tas de tours que je pourrais t'apprendre. Des trucs parfaitement innocents.

— Comme quoi ? ai-je demandé.

Son sourire est réapparu. Il avait éveillé ma curiosité.

— Comme utiliser le souffle d'un fantôme pour te tenir chaud ici, dans le fleuve. Ou disperser ceux qui t'ennuient. Ou prélever leurs plus beaux souvenirs. Tu pourrais retrouver le goût du meilleur gâteau d'anniversaire que ta petite copine a jamais savouré ; ou avoir la sensation d'écouter son histoire favorite pour s'endormir bien emmitouflée dans ses couvertures.

— Vous êtes sérieux ? Ça, ce sont les trucs innocents ?

— Je suis sérieux comme la mort. (Il a fait un autre pas vers moi.) Tu ne sais pas ce que tu rates, petite.

Ma main s'est crispée sur le manche du couteau. La lame a scintillé dans l'obscurité.

— Ne vous approchez pas.

— Je t'offre des merveilles, a-t-il insisté sans s'arrêter. Ta réaction est une insulte.

— Restez loin de moi !

J'ai reculé, et senti une masse froide et humide tel un paquet de feuilles mortes me frôler le dos.

— Tiens ? C'est quoi, ce que tu as dans le dos ? a demandé tout bas le vieil homme.

J'ai voulu me retourner mais j'étais figée sur place, les doigts serrés sur le manche du couteau. J'ai reçu un souffle léger sur ma nuque, on aurait dit que le vent m'avait parlé.

Et puis l'air s'est mis à changer, l'obscurité s'est réchauffée autour de nous. Les lèvres me brûlaient, et ce qui se tenait dans mon dos a brusquement disparu.

J'ai souri et rangé le couteau dans ma poche.

— Vous feriez mieux de partir. J'ai appelé quelqu'un.

— Ta petite copine ?

Le vieil homme a levé la tête avec avidité, lissant ses poches de ses mains pâles.

— Quelqu'un de trop vieux pour vous.

Le sourire de l'homme s'est effacé.

— Quoi ? Je croyais que vous aimiez que l'on parle par énigmes.

— Tu commences à devenir pénible, ma petite.

— Pénible ? Comme quelqu'un qui vous réveille au beau milieu de la nuit ? (La colère, qui n'était plus contenue par le froid, bouillonnait en moi.) Comme des bruits sous votre lit ? Comme des vieillards qui terrorisent les petites filles ?

Sa fausse bonhomie l'avait quitté. Ses traits avaient maintenant la froideur du marbre.

— Tu devrais me montrer plus de respect.

Je me suis contentée de sourire en regardant derrière lui. Une onde de chaleur balayait l'obscurité, accompagnée d'une forte odeur de fumée. Yamaraj est sorti de l'ombre pour s'avancer vers nous. Il soulevait des escarbilles sous ses pieds, comme s'il marchait sur des braises. Ces petits points lumineux s'éparpillaient dans le vent.

C'était une vision magnifique, mais le vieil homme n'a pas semblé impressionné.

— Tu as des amis intéressants, a-t-il dit, l'air intrigué.

Puis il a remis les mains dans ses poches et craché par terre devant lui. Il a disparu dans le sol, aussi soudainement que la flamme d'une bougie soufflée.

J'étais sidérée.

Yamaraj a levé la main, elle lançait une flamme chaude. La lumière a dissipé les ténèbres environnantes, confirmant le départ du vieil homme. Nous étions sur une immense plaine grise et désertique, luisante comme de la terre humide, et qui se prolongeait à perte de vue. Au-dessus de nous, à l'endroit où aurait dû se trouver le plancher de ma chambre, s'étendait un ciel vide. Une colonne de fumée s'élevait de la main de Yamaraj, décrivant une spirale de plus en plus large, courbée par le vent incessant.

Yamaraj a scruté les environs avec soin avant de baisser

la main. Nous avons été plongés dans le noir de nouveau. Des traces lumineuses dansaient encore devant mes yeux.

— Tu n'as rien, Lizzie ? a fait sa voix.

Alors que je secouais la tête, mes mains se sont mises à trembler. L'autre psychopompe avait peut-être l'air d'un vieil homme dans un manteau rapiécé, mais on devinait quelque chose de monstrueux sous sa peau blafarde. Je pouvais encore le flairer dans l'air suave et lourd qui nous enveloppait.

— Que voulait-il ? a demandé Yamaraj.

Je ne parvenais pas à chasser les images résiduelles imprimées sur ma rétine, mais je l'ai senti se rapprocher.

— Ce n'est pas après moi qu'il en avait, ai-je répondu.

Ces mots m'ont quelque peu calmée.

Yamaraj était tout près maintenant. Il réchauffait l'air autour de nous, ce qui m'a rappelé à quel point j'avais eu froid une minute plus tôt.

— Sauf qu'il voulait me montrer quelque chose, ai-je ajouté. Fabriqué à partir de fantômes, je crois.

— Mais tu n'as pas regardé ?

Yamaraj m'a fixée. Ses yeux bruns brillaient dans le noir, réconfortants.

— Non. Je n'ai pas voulu.

Son regard s'est adouci.

— Tant mieux. Certains d'entre nous collectionnent des choses, des fragments de vie. Des choses qu'on ne peut pas oublier une fois qu'on les a vues.

J'étais encore en proie à la peur et à la colère. Je n'arrivais pas à me débarrasser complètement du froid qui m'enveloppait. J'aurais voulu me jeter au cou de Yamaraj et me laver dans sa chaleur, mais je ne voulais pas lui offrir un spectacle pathétique. En plus, la dernière fois, son contact m'avait renvoyée tout droit dans la réalité.

Ce n'était pas du tout comme ça que j'avais imaginé nos

retrouvailles. J'avais espéré impressionner Yamaraj avec tout ce que j'aurais appris par moi-même, et au lieu de ça je me retrouvais devant lui transie de froid, effrayée et fagotée comme l'as de pique.

— Merci d'être venu.

— C'est normal. (Il a regardé autour de lui.) Mais comment es-tu arrivée là ?

— Tu veux dire… dans le fleuve ? Le vieil homme m'a suivie, depuis ce bâtiment fantôme qu'on avait exploré, je crois. Et il rôdait sous mon sol, c'était insupportable. J'ai décidé de l'affronter.

— Tu es partie en exploration.

Yamaraj a esquissé un sourire, aussi beau qu'involontaire. Il s'inquiétait pour moi, il était impressionné également.

Je n'arrivais pas à détacher mes yeux de lui. Je me l'étais représenté cent fois au cours de la semaine écoulée, et mes souvenirs se précisaient pour coller à la réalité dans les moindres détails. Ce petit décrochement dans ses sourcils, comme la courbure d'un boomerang. La ligne dure de sa mâchoire, la manière dont ses cheveux bruns bouclaient derrière une oreille.

— Tu as dit « on »…

— Oui, mon amie et moi. Le petit fantôme qui vit chez moi.

Son sourire s'est effacé.

— Ton amie ? Il est difficile de se débarrasser d'un fantôme, Lizzie, une fois qu'on l'a laissé entrer dans sa vie.

— Elle faisait déjà partie de ma vie. C'était la meilleure amie de ma mère il y a longtemps, et elle me connaît depuis ma naissance. Elle m'apprend des choses.

— Quelles choses, Lizzie ?

— Comment voir les bâtiments fantômes. Comment se déplacer à l'intérieur. (Au souvenir de la voix du vieillard dans le couloir de l'école j'ai frissonné.) C'était qui, ce vieux ? Un psychopompe comme toi et moi ?

— Pas comme toi et moi, non, a répondu Yamaraj en scrutant l'obscurité. Il est insensible et sans pitié.

— Il a dit que les fantômes n'étaient pas des personnes.

— Certains d'entre nous voient les morts comme ça – comme des objets, de simples jouets. (Yamaraj a soupiré.) Mais certains voient aussi les vivants de la même façon.

— Un psychopompe psychopathe. Super.

Il n'a pas réagi.

La chaleur diffusée par Yamaraj s'est estompée, et j'ai croisé les bras sur ma poitrine pour me protéger du froid. La réalité de tout ce que j'avais vu cette nuit m'a rattrapée d'un coup.

Au moins, je savais maintenant pourquoi Mindy avait si peur des psychopompes. L'au-delà avait aussi sa chaîne alimentaire, et nous y occupions un rang supérieur à celui des fantômes.

— Il a dit qu'il voulait m'enseigner des choses, ai-je repris.

— Il y a certaines choses qu'il vaut mieux ignorer.

J'ai soutenu le regard de Yamaraj un long moment. Le problème c'était que j'avais envie de tout savoir, le bon comme le mauvais. Je ne tenais peut-être pas à devenir l'apprentie du vieillard, mais je découvrais un monde inconnu, et j'avais besoin de l'explorer.

— Alors apprends-moi, toi, ai-je riposté.

— Tu es déjà en train de changer à toute vitesse, Lizzie. Je ne voudrais pas accélérer le processus.

J'ai indiqué d'un geste vague les ténèbres informes.

— Parce que ce serait pire que de trébucher là-dedans à l'aveuglette sans rien savoir ?

Il a eu cette expression de regret que j'avais déjà vue sur

son visage à l'aéroport. Quelle que soit l'inquiétude que je lui inspirais, Yamaraj tenait à préserver le lien entre nous.

Après une hésitation, il a demandé :

— Qu'as-tu envie de savoir ?

Je n'ai pas répondu tout de suite. Je voulais tout connaître des fantômes, du vieil homme dans son manteau rapiécé, de tout ce que j'avais vu. Je voulais savoir comment Yamaraj produisait de la lumière et du feu dans l'obscurité, et pourquoi son contact m'arrachait à ce monde gris pour me renvoyer dans la réalité.

Mais au milieu de cette plaine immense, j'ai choisi une question plus simple.

— C'est quoi, cet endroit ?

— Le fleuve Vaitarna. La frontière entre le monde d'en haut et celui d'en bas.

— Un peu comme le Styx ?

— Tout ce qui est ancien possède de nombreux noms. (Il a levé la tête vers le ciel.) Là-haut, ce sont les vivants et les fantômes errants. Dessous, les enfers, où résident les morts. Le fleuve est l'huile entre les deux.

J'ai regardé autour de moi.

— Ça ne ressemble pas à un fleuve. Je veux dire, où est l'eau ?

— Nous sommes dedans.

Comme pour appuyer le discours de Yamaraj, le vent a brassé l'air autour de nous, comme un courant. Sa chemise noire et légère s'est plaquée contre son ventre, et pendant un instant j'ai pu deviner ses muscles parfaits.

J'ai écarté les cheveux qui me tombaient devant les yeux.

— D'accord, question suivante. D'où viens-tu ?

— D'un petit village au bord de la mer.

J'ai levé les yeux au ciel.

— C'est un peu vague, comme renseignement. Tu es né en Inde, c'est ça ?

— Je suppose. Mais cela ne portait pas encore ce nom-là à cette époque.

J'ai hoché la tête au ralenti. J'étais à peu près sûre que l'Inde s'appelait comme ça depuis très, très longtemps.

— Tu as quel âge exactement ?

— J'avais quatorze ans quand je suis passé de l'autre côté.

Son sourire indiquait qu'il jouait sur les mots.

— Tu fais plus vieux. Je dirais… dix-sept ans ?

— Peut-être, oui.

Au début il n'a rien rajouté, et nous nous sommes fixés dans l'obscurité. J'aurais pu le regarder pendant des heures. J'ai gagné.

— Nous sommes dans l'au-delà, Lizzie. Nous sommes pareils à des fantômes, et les fantômes sont insensibles à la fatigue ou à la faim. Ils ne vieillissent pas non plus.

J'ai ouvert des yeux ronds.

— Tu veux dire que je ne vieillirai plus jamais ?

— Là-haut, si. Chaque fois que les vivants peuvent te voir et te parler, tu deviens plus âgée à chaque seconde, comme une personne ordinaire.

— Alors tu ne dois presque jamais sortir.

Il a secoué la tête.

— J'ai passé quelques années dans le monde réel depuis mon premier passage dans l'au-delà. Quelques jours par-ci, par-là, mais c'est tout.

— Oh.

J'ai baissé les yeux.

— Donc tu vis dans les enfers ? C'est là que Yami conduisait tous ces gens.

Il a hoché la tête.

— À quoi ça ressemble, là-dessous ? ai-je demandé en repensant aux craintes de Mindy. C'est un bon endroit, ou un mauvais ?

— C'est calme, surtout. Seule la mémoire des vivants anime encore les morts, et la plupart des morts sont oubliés depuis longtemps. Nous faisons notre possible.

— Nous ?

— Nous sommes nombreux à avoir trouvé le chemin des enfers de notre vivant. Chacun d'entre nous a ses protégés. Nous apprenons leurs noms, afin qu'ils ne s'estompent pas.

J'ai acquiescé de la tête, me remémorant ce que Mindy m'avait dit : les souvenirs de ma mère l'empêchaient de disparaître.

— Mais il y a des millions de personnes qui meurent chaque année. Comment faites-vous pour vous rappeler tout le monde ?

— Nous n'y arrivons pas. La plupart errent jusqu'à tomber dans l'oubli. Certains sont attrapés et exploités par des gens comme le vieil homme que tu as rencontré. Les plus chanceux nous trouvent. (Yamaraj s'est redressé un peu.) Les miens ne sont que quelques milliers, mais je les connais tous.

— Quelques milliers, parmi des millions ? C'est plutôt déprimant.

— La mort fait souvent cet effet-là.

Pendant un instant, il a paru plus vieux.

— Ça, j'avais remarqué. Y a-t-il quoi que ce soit de moins déprimant que tu pourrais m'apprendre ?

Il a réfléchi un moment.

— Que dis-tu de ça : le fleuve n'est pas uniquement une frontière. C'est aussi un moyen de se déplacer.

Il m'a tendu la main, je l'ai regardée sans la prendre.

— On va quelque part ?

— Dis-moi où tu aurais envie d'aller.

— Tu es sérieux ? Je peux choisir la tour Eiffel ? La Grande Pyramide ?

— Ça dépend. Il te faut un lien avec l'endroit où tu veux aller. Des souvenirs d'avoir été sur place, ce genre de choses. Mais oui, le fleuve Vaitarna est relié au monde entier.

Je l'ai dévisagé, concentrée sur les endroits avec lesquels j'avais un lien. J'avais toujours vécu au même endroit. Il y avait bien mon école et mon lycée, bien sûr, mais l'idée de me rendre dans un autre bâtiment scolaire désert me faisait froid dans le dos. Et je ne pouvais pas débarquer comme ça chez mon ami Jamie, ni dans l'appartement de mon père à New York.

Il y avait le reste de New York, cela dit. J'avais toujours eu un faible pour le Chrysler building, depuis ce livre que j'avais lu toute petite racontant comment l'Empire State avait triché pour devenir le plus grand du monde. Mon père m'y avait emmenée lors de ma visite. Cela comptait-il comme un lien ?

J'avais envie d'apprendre à faire ça. Si je pouvais me rendre n'importe où, être un psychopompe vaudrait bien de m'encombrer de quelques fantômes.

Pensant à Mindy, j'ai su tout à coup où je voulais aller.

— Et un lien familial, par exemple la maison où ma mère a grandi ? Je n'y suis jamais allée, mais j'ai vu des photos.

Yamaraj a froncé les sourcils.

— Parmi tous les endroits du monde, c'est celui que tu choisis ?

J'ai hésité. Je ne voulais pas mentir à Yamaraj, mais je doutais qu'il approuve mon envie de retrouver le méchant homme de Mindy.

— Ça fait partie de l'histoire de ma famille. Il est arrivé

quelque chose à ma mère là-bas quand elle était gamine. On peut y aller ?

— Si c'est endroit est important pour toi, alors oui.

— Montre-moi comment.

— Bien sûr. Mais avant, je dois t'avertir de quelque chose.

J'ai soupiré.

— Quoi encore ?

— Si tu sens quelque chose derrière toi, ne te retourne pas.

— Euh, d'accord. (Je me suis souvenue de cette masse froide et humide qui m'avait frôlée juste avant l'arrivée de Yamaraj.) Il y aura quoi, derrière moi ?

— Je croyais que tu ne voulais plus rien apprendre de déprimant ?

— Tu as raison. Bon, que faut-il que je fasse ?

Yamaraj m'a tendu les mains mais je me suis reculée, de peur que son contact ne me renvoie dans le monde réel.

— Ne t'inquiète pas, a-t-il dit d'une voix douce. Nous sommes dans le fleuve.

— Et alors ?

— À cette profondeur, la panique n'a plus d'importance.

Je l'ai regardé bien en face.

— Ce n'est pas de la panique. Je croyais qu'on s'était mis d'accord là-dessus à Dallas.

Yamaraj a réprimé un sourire.

— Comment appellerais-tu ça, dans ce cas ?

Je ne lui ai pas dit que son contact était électrique. Qu'il engendrait des étincelles, de la chaleur et des flammes. Que son baiser dans l'aéroport m'avait brûlé les lèvres ces dix derniers jours.

J'ai simplement répondu :

— La frousse.

— Désolé.

Il a pressé les mains l'une contre l'autre, avec une petite courbette. Puis il m'a tendu les mains de nouveau.

Je les ai prises, et quand nos doigts se sont touchés j'ai senti un frisson me parcourir la peau. Mon pouls s'est emballé, mais il n'y a pas eu d'explosion de couleurs dans le ciel, aucune irruption du monde réel.

Nous n'étions pas dans ma chambre. Nous étions dans le fleuve Vaitarna, à la frontière entre la vie et la mort. Et les mains de Yamaraj étaient chaudes et bien réelles.

— Je suis prête.

Un sourire a illuminé son visage.

— Accroche-toi bien.

17

L A SOIRÉE BATTAIT SON PLEIN. LA GRANDE SALLE, DÉSORMAIS bondée, était plus animée que jamais – à moins que le souvenir des baisers échangés ne déforme la perception que Darcy avait des choses.

Depuis des semaines qu'elles se connaissaient, Darcy n'avait jamais imaginé embrasser Imogen. L'attirance physique n'était pas une chose qui la consumait fréquemment, contrairement aux coups de foudre éphémères que connaissait Carla tous les deux ou trois mois. Darcy pouvait compter sur les doigts d'une main les garçons qu'elle avait trouvés mignons au lycée, sans qu'aucun d'eux ait jamais fait battre son cœur plus vite. Et en dernière année, quand Sagan lui avait demandé à moitié sérieusement si elle ne préférait pas les filles, Darcy n'avait pas su quoi lui répondre.

À présent elle savait – concernant Imogen, au moins, sinon pour les filles et les garçons en général – et c'était à la fois un soulagement et une révélation. Elle avait l'impression d'avoir sauté d'un bond mille coups de cœur futiles pour atterrir en pleine réalité.

Elle sentait aussi, maintenant qu'Imogen avait mis le doigt dessus, que son talent ne demandait qu'à exploser. Elle aurait voulu balayer d'un revers de bras les saladiers de chips et de guacamole qui encombraient son bureau pour s'attaquer à *Untitled Patel* sans plus attendre, avec Imogen à ses côtés.

Mais à peine avaient-elles fait quelques pas dans la pièce que Kiralee fondit sur elles pour accaparer Imogen. Darcy sentit son cœur se fêler au moment de lâcher la main d'Imogen, mais elle ne suivit pas les deux femmes dans le coin où Oscar tenait sa cour. Elle devait retrouver ses amis.

Darcy scruta la foule et repéra d'autres visages aperçus à la soirée Jeunes adultes, deux membres du service publicitaire qu'elle avait rencontrés chez Paradox, et enfin...

— Sœur deb'!

C'était Annie Barber, accompagnée des trois autres sœurs deb'.

— Oh. Salut, les filles.

— Deux mille quatorze! cria Annie, et toutes les filles levèrent la main.

— Ouais! fit Darcy en enchaînant les tope là. Écoutez, je cherche...

— Tu as un appartement de rock star! s'exclama Annie. Et au cœur de Manhattan!

— C'est officiel, tu es notre idole à toutes maintenant, renchérit Ashley, dont le roman était une dystopie martienne, Darcy s'en souvenait.

Elle ne savait plus comment réagir. Les lèvres en feu, elle était encore troublée par les baisers échangés avec Imogen. Elle avait l'impression d'être une rock star, un peu, mais elle se sentait surtout désorientée.

— On a un aveu à te faire, lui confia Annie. On a pris des paris sur ton âge.

— Ce n'est pas vraiment un...

— Ne dis rien! la coupa Annie. On veut attendre la

révélation, comme tout le monde. J'ai misé sur dix-sept ans.

— Et moi sur dix-neuf, enchérit Ashley. Je sais, c'est probablement beaucoup trop.

— Je ne peux rien vous dire, s'excusa Darcy. (Elle venait de repérer Carla et Sagan isolés près du guacamole, l'air hébété et terrorisé.) J'ai un truc sur le feu, là. Et surtout, je risquerais de me trahir.

— On comprend, lui assura Annie, et ses sœurs deb' la laissèrent passer.

— Ho, les amis ! lança Darcy à Carla et Sagan en se frayant un chemin à travers la salle.

— Enfin te voilà ! s'exclama Carla.

Elle se jeta à son cou et tous les trois firent une petite ronde.

— Désolée. J'étais sur le toit. J'avais un… truc à régler.

Darcy se toucha les lèvres, et pendant un instant son premier vrai baiser lui parut presque imaginaire.

— Je suis trop contente de te voir. (Carla jeta un regard circulaire sur la salle.) Regardez-moi un peu cet appartement, il est fantastique !

Sagan acquiesça, une chips à la main.

— Et cette soirée, c'est le top du top.

— Tu m'étonnes ! fit Carla. Dis, ce n'est pas Kiralee Taylor, là-bas ?

— Si.

— Et elle dit ça sans même regarder ! s'extasia Sagan auprès de Carla. On s'attendrait à la voir vérifier un truc pareil, qu'elle a Kiralee Taylor chez elle. Mais non, elle considère ça comme tout à fait normal.

— Parce que notre Darcy est une célébrité maintenant, déclara Carla. Et qu'elle a très souvent des gens célèbres dans son salon.

Darcy leva les yeux au plafond.

— Allez, venez. Je vais vous présenter.

— Nous présenter ? bafouilla Sagan en recrachant des miettes de chips. Mais je n'ai même pas apporté mon exemplaire de *Bunyip*.

— On n'est pas à une séance de dédicaces, Sagan, lui reprocha Carla. C'est juste le salon de Darcy, rempli d'auteurs célèbres.

— C'est simplement ma pendaison de crémaillère, reprit Darcy.

Quoique, brusquement, tout cela lui parût à peine croyable à elle aussi. Elle se tourna vers le pan de miroirs pour avoir la confirmation de sa propre existence.

— Mais si je me mets à baver comme un fan ? s'inquiéta Sagan. Parce que... *Bunyip*, quoi !

Darcy sourit.

— Bave plutôt sur *Dirawong*. Kiralee en a par-dessus la tête de *Bunyip*, parce que tout le monde lui en parle tout le temps et que...

Elle n'acheva pas, mais se promit de demander son avis à Sagan un peu plus tard sur le détournement des divinités hindoues à des fins bassement littéraires.

— Exact, dit Carla. Comme John Christopher, qui ne supportait plus qu'on mentionne *Les Tripodes* devant lui.

Sagan hocha la tête.

— Il paraît que Ravel détestait son *Boléro* à la fin de sa vie.

— Ou Jimi Hendrix avec *Purple Haze*, dit Darcy, avant d'agiter la main. Bon, ça suffit. Amenez-vous. Vous allez voir, elle est géniale.

Darcy s'élança vers Kiralee, mais ses amis ne bougèrent pas d'un pas.

— Quoi ?

— Donne-nous une seconde, protesta Carla, le regard

rivé sur le parquet. On n'a même pas encore posé nos affaires.

Darcy aperçut les sacs de couchage poussés sous son bureau, avec deux petites valises.

— D'accord. Pardon. Vous venez d'arriver et je veux déjà vous traîner partout. Tu parles d'une maîtresse de maison !

— On aurait dû arriver avant le début de ta soirée, dit Sagan. C'est moi qui me suis planté en lisant les horaires de l'Amtrak.

— Ah, enfin tu l'admets ! triompha Carla.

Darcy s'agenouilla pour ramasser les sacs de couchage.

— Je vais mettre ça dans votre chambre.

— On t'attend ici, indiqua Sagan. Ta soirée me rend nerveux, mais je ne veux pas en perdre une miette.

— Pas de problème.

Darcy déploya les poignées des deux valises et prit un sac de couchage sous chaque bras. Elle réussit à naviguer à travers la foule sans renverser personne, et se retrouva bientôt seule dans la chambre des invités.

Elle laissa tomber les sacs de couchage et fit rouler les valises dans un coin.

— Zut, toujours pas d'oreillers, marmonna-t-elle.

Carla et Sagan la trouveraient-ils toujours au top quand ils découvriraient leur chambre ?

Sa bibliothèque de planches et de parpaings lui semblait particulièrement bancale ce soir. Darcy s'accroupit pour replacer les parpaings et tendit plutôt la main vers la jaquette vert et or familière de *Bunyip*. Kiralee figurait en quatrième de couverture, beaucoup plus jeune, peut-être un peu photoshopée et loin d'être aussi distinguée qu'aujourd'hui. Pire, elle avait deux doigts pressés sur le front, comme une médium sur le point de lire dans les pensées.

La porte se ferma derrière elle, et Darcy se retourna.

C'était Imogen, une bière à la main.

— Hé, fit Darcy, d'une voix qui lui parut un peu trop forte. (La porte close étouffait le vacarme de la soirée, et soudain elle pouvait entendre son propre souffle.) Ça va ?

— Tu me manquais.

Darcy se remit debout, des picotements sur les lèvres.

— Pareil pour moi. C'est bizarre ?

— On peut endurer avec aplomb l'absence d'une vieille amie, répliqua Imogen. Mais après un premier baiser, toute séparation, même momentanée, est insupportable.

Darcy fronça les sourcils.

— C'est une citation ?

— Oscar Wilde, plus ou moins adapté. (Imogen sourit à la vue de *Bunyip* dans la main de Darcy.) Il paraît que c'est un bon livre.

— Mes amis disent qu'il est génial.

Imogen s'accroupit devant les étagères, effleura du doigt le dos des livres.

— C'est le seul roman de Kiralee que tu possèdes ? Elle va détester ça.

— Je les ai tous ! s'exclama Darcy. Plus un exemplaire des éditions originales. Ce que j'ai là, c'est à peine un pour cent de ma bibliothèque. Papa m'apportait quelques affaires en voiture, alors ma petite sœur a choisi quelques livres à glisser dans les cartons.

Imogen se retourna vers Darcy, les yeux plissés.

— C'est ton père qui te les a rapportés ?

— Ils étaient dans ma chambre… chez moi, expliqua Darcy, qui s'agenouilla près d'Imogen sans oser la regarder en face. Il y a un truc que je voulais te dire avant le début de la soirée. Mais tu es arrivée en retard. Et après, j'ai voulu t'en parler sur le toit, mais on s'est embrassées et je n'y ai plus pensé.

Imogen hocha la tête, attendant la suite. Darcy prit sa respiration, examina mentalement tous les moments beaucoup plus appropriés qu'elle aurait pu choisir pour révéler son âge. Mais à mesure qu'elle avait pris confiance, comme écrivain et comme New-Yorkaise, la nécessité d'en parler s'était faite moins pressante.

Seulement, maintenant qu'elles s'étaient embrassées…

— On est allés au lycée ensemble, Carla, Sagan et moi.

— Je sais. Ce que tu ne m'as pas dit, c'est quand.

— Non. (Darcy baissa d'un ton.) On vient d'avoir notre diplôme.

— Quoi, le mois dernier ?

— C'est ça.

Imogen acquiesça lentement.

— Et ça explique pourquoi tu n'avais jamais…

— J'imagine. Même s'il paraît qu'il y a plein de gens qui s'embrassent au lycée, fit Darcy, adoptant malgré elle le débit monotone de Sagan. Je suis désolée, Gen.

— Pourquoi ?

— De ne pas t'avoir dit que je sortais du lycée ! De t'avoir caché que j'étais une ado !

Imogen inspecta ses ongles.

— Je suppose que l'occasion ne s'est pas présentée.

— J'ai failli le faire, une ou deux fois, se défendit Darcy. Tu m'avais interrogée sur mes études, un jour, et j'ai changé de sujet.

— Oui, j'avais remarqué. Donc tu as quoi, dix-huit ans ?

Darcy fit oui de la tête.

— Putain, c'est ridicule.

Imogen se leva.

Darcy resta agenouillée devant l'étagère, les joues empourprées. N'osant pas relever la tête, elle fixa la quatrième de couverture de *Bunyip*. Une jeune Kiralee Taylor

la regardait avec une expression de contemplation profonde.

— Je veux dire, franchement, continua Imogen. Tu as
écrit un livre pareil à dix-huit ans ? C'est presque… humi-
liant !

— J'avais dix-sept ans quand je l'ai fini, avoua Darcy à
voix basse.

— Merde ! J'écrivais de la fan-fiction de *Mon petit
poney* à dix-sept ans !

Imogen s'assit par terre avec un gros soupir.

— Je continue à le faire, d'ailleurs. Mais plus à plein
temps. Donc, tu as envoyé promener l'université pour
écrire, comme ça, tranquille ?

— C'est surtout mes parents que ça inquiète, expliqua
Darcy. Ils se font un sang d'encre.

— Marrant. Mon vieux a toujours considéré ma licence
d'anglais comme un énorme gaspillage.

— Tu es fâchée, hein ?

— Je t'admire, en fait. (Imogen fit face à Darcy.) De
claquer toute ton avance pour venir vivre ici. Je trouve ça
cinglé. Et courageux, au fond.

— Vraiment ?

— Oui. Mais tu pourrais mieux employer une partie de
ce courage.

Darcy secoua la tête.

— Pour quoi ?

— Pour me faire confiance, autrement dit pour me
parler.

Imogen prit le menton de Darcy entre ses doigts. Puis
elle l'embrassa. Ce baiser fut moins fougueux que les deux
premiers, plus tendre et plus lent, mais il ne laissait aucune
place au doute.

Quand leurs lèvres se séparèrent, Darcy demanda :

— Alors tu n'es pas fâchée ?

— J'ai cinq ans de plus que toi. Ça me rend peut-être un peu… hésitante.

— Hésitante ? Tu viens de m'embrasser encore une fois !

Imogen haussa les épaules.

— Oui, je ne suis pas très forte en hésitation. Mais on devrait peut-être y aller doucement.

— D'accord, ça me va. En tout cas, tu peux me demander ce que tu veux maintenant. Pose-moi n'importe quelle question, aussi indiscrète soit-elle. Je te promets de te dire la vérité.

Imogen réfléchit à cette proposition.

— Très bien. Est-ce que tu m'aimes vraiment, ou bien es-tu simplement excitée parce que tu n'avais encore jamais embrassé personne ?

— Je t'aime vraiment ! s'écria Darcy. J'ai les cheveux qui se dressent sur la nuque quand tu me parles d'écriture.

Imogen haussa les sourcils.

— Et quand tu m'embrasses, ajouta Darcy.

— D'accord, bonne réponse. Et toi, y a-t-il quelque chose que tu veuilles me demander ? Histoire qu'on soit au clair.

Darcy secoua la tête, puis trouva une question à poser, sans rapport direct avec leur discussion.

— Est-ce que tu sais si Kiralee l'a lu ?

Imogen regarda le livre que Darcy tenait à la main.

— Sûrement. C'est quand même elle qui l'a écrit.

Darcy rangea *Bunyip* à sa place sur l'étagère.

— Je parlais de mon livre. Tu le sais très bien.

— Oh, ça. (Imogen souriait à présent.) Pas encore. Elle m'avait demandé de le lire d'abord. Tu sais, au cas où ç'aurait été nul.

— Tu es sérieuse ? En gros, tu débroussaillais le terrain pour elle ?

— Bien sûr. Tu ne fais jamais ça pour tes amis ?

Darcy se renfrogna. Parmi les Rats de Bibliothèque, Darcy avait toujours été la première à découvrir les livres, les films et les mangas. Elle dévorait les exemplaires non corrigés que recevait sa bibliothèque, ignorait les divulgateurs en ligne, et s'était même avalé toute la première saison de *Danger Blonde*, notoirement barbante, pour la résumer à Carla qui avait attaqué directement la saison deux.

Mais la situation était différente.

— Je vous déteste.

Imogen s'esclaffa.

— Est-ce que tu nous détesteras un peu moins si je te dis que je viens de raconter à Kiralee que tu as un putain de talent et qu'elle doit absolument lire ton bouquin ?

— Un peu.

Darcy se leva, soulagée. Cacher son âge avait été stupide, mais c'était pardonné. Elle se promit de ne plus répéter ce genre d'erreur inutile.

— À partir de maintenant je te ferai toujours confiance, Gen, tu peux me croire.

— Tant mieux. (Imogen ouvrit la porte.) Dans ce cas, tu pourrais peut-être commencer par me présenter à tes amis.

Sagan et Carla étaient toujours à la même place, Sagan en train de s'empiffrer de guacamole tandis que Carla prenait discrètement des photos des invités avec son smartphone.

— J'ai mis vos affaires dans la chambre d'amis, leur dit Darcy. Et j'ai un auteur pas du tout intimidant à vous présenter.

— Elle veut dire «inconnue», traduisit Imogen en leur tendant la main.

Une fois les présentations faites, Darcy ne put s'empêcher de remarquer à quel point ses amis faisaient jeunes à côté d'Imogen – timides, nerveux, alors qu'elle était décontractée et pleine d'assurance. Et Darcy avait conscience de partager les défauts de ses amis. Comment avait-elle réussi à se faire passer pour une adulte auprès de tout le monde à New York ?

En publiant un roman, voilà comment. Ce qui voulait dire que sa belle maturité s'évanouirait aussitôt si elle ne parvenait pas à en écrire un second.

— C'est étonnant qu'on n'ait jamais rien lu de toi, Imogen, fit remarquer Carla. Même si tu n'es pas encore célèbre, on lit tout ce qui sort.

— Mon premier roman ne sortira pas avant novembre.

— Oh, on lit aussi des exemplaires non corrigés, dit Sagan. Notre bibliothécaire connaît beaucoup de monde.

— Je vois. (Imogen souriait.) Ça s'appelle *Pyromancer*. Mon nom de plume est Imogen Gray.

— Ce n'est pas ton vrai nom ? s'étonna Darcy, mais Imogen ne répondit pas.

— Ça ne me dit rien, admit Carla. Un pyromancien – c'est une sorte de magicien du feu, c'est ça ?

— Tout à fait, confirma Imogen. Mon héroïne aime jouer avec les allumettes. Jusqu'à ce qu'elle découvre qu'elle n'a pas besoin d'allumettes.

— J'adorerais participer à la bêta-lecture de cette histoire-là, dit Sagan.

— Darcy a le fichier. (Imogen posa la main sur l'épaule de Darcy, qui se sentit tout émoustillée.) Elle n'aura qu'à vous l'envoyer, si vous voulez.

— Ce serait génial, dit Carla. On ne le fera pas circuler, promis !

Imogen haussa les épaules.

— Je préfère le piratage à l'anonymat.

Sagan se tourna vers Darcy.

— Dis donc, tu dois voir passer plein de livres avant tout le monde maintenant que tu es un auteur reconnu.

— Quelques-uns, en convint Darcy.

Elle prit alors conscience qu'elle n'avait de fait pas encore ouvert le fichier de *Pyromancer*. Non par peur de le trouver mauvais, mais parce que sa vie ces deux dernières semaines s'était résumée à un tourbillon d'emballages, de déballages, d'aménagements de fortune et d'appels désespérés à ses parents pour qu'ils lui envoient ses draps par FedEx.

Darcy rougit. Mais elle devait se montrer courageuse, faire confiance à la personne qu'elle venait d'embrasser.

— En réalité, je ne l'ai pas commencé. Mais je suis sûre qu'il est génial.

À peine avait-elle fini sa phrase qu'un frisson d'angoisse lui parcourut l'échine. Et si la fougueuse Imogen, cette jeune femme brillante, la première personne à faire battre son cœur plus vite, n'avait qu'un piètre talent ?

— Je veux dire, Kiralee a signé son baratin promo ! ajouta-t-elle.

Tandis que les autres s'extasiaient comme il convenait, Imogen caressa l'épaule de Darcy et lui glissa à l'oreille :

— J'espère que ça te plaira. Sinon, ça risque d'être embarrassant.

À ce stade, Darcy résolut d'attaquer la lecture de *Pyromancer* dès le lendemain à la première heure, quelle que soit la masse de choses qu'il lui restait à faire. Courageuse ou non, elle avait besoin de savoir.

— Je viens de réaliser un truc, reprit Sagan. Ton bouquin parle de feu, Imogen, alors que celui de Darcy parle d'un froid intérieur. Marrant, non ?

Imogen et Darcy se dévisagèrent un moment, ne sachant pas quoi dire.

Puis Carla prit la parole :

— Tu as reçu ta lettre éditoriale ? Celle qui doit t'indiquer tous les changements à faire ?

Darcy secoua la tête.

— Nan me l'a promise mais je ne l'ai toujours pas. Tu crois que je devrais lui en parler, Gen ?

— À ta soirée ? C'est un peu délicat. Mais je suppose que Moxie pourrait s'en charger.

— Exact, approuva Darcy.

L'avantage avec les agents, c'est qu'ils effectuaient cent pour cent de la partie non rédactionnelle du travail pour seulement quinze pour cent des revenus.

— Sauf qu'elle a dû partir de bonne heure, regretta-t-elle.

— Partir ? Elle est juste là, en train de discuter avec… (Imogen cligna des paupières.) Est-ce que c'est… ?

— C'est bien lui, confirma Sagan. Ta soirée a décidément un succès fou, Darcy.

— Oh, mon Dieu, fit Carla d'une toute petite voix.

Darcy pivota, se demandant si Coleman Gayle était enfin arrivé. Mais ce n'était pas Coleman qui se dirigeait droit sur eux. C'était ni plus ni moins que le Sultan des Réseaux sociaux, Stanley David Anderson.

— Bonsoir, lança-t-il, la main tendue. Il paraît que c'est à toi qu'on doit cette petite fête ?

— Oui, parvint tout juste à bafouiller Darcy. (Elle prit sa main et la serra.) Darcy Patel.

— Stanley Anderson.

— Je sais, dit Darcy. Enfin, hum ! Je vous présente Imogen, Carla et Sagan.

— Carla et Sagan ? fit Standerson avec un hochement de tête. C'est assez drôle, même si vous êtes sans doute trop jeunes pour comprendre en quoi[1].

—————————

1. Carl Edward Sagan fut un scientifique et astronome américain.

— Une combinaison improbable, une chance sur plusieurs milliards, continua Sagan.

— Un hasard tout sauf astronomique. (Standerson gloussa, sans que son expression se modifie.) J'espère que ça ne t'ennuie pas de me voir débarquer sans invitation, Darcy.

— Bien sûr que non. Mais je croyais que vous deviez dîner avec Moxie ?

— Absolument. Mais j'ai eu l'une des mes crises fréquentes de dyspepsie.

— Oh, fit Darcy. Ça craint.

— L'épisode des «Crises fréquentes de dyspepsie» était mon préféré, dit Sagan. Dans la saison Un, en tout cas.

— Le mien aussi, opina Standerson. Dommage que je n'aie pas eu de meilleure caméra à l'époque. C'est du guacamole ?

— Oui, répondit Sagan. Je trouve sa consistance réconfortante.

— Je confirme.

Standerson prit une chips dans le saladier et la plongea dans le guacamole. Puis il se tourna vers Imogen :

— Il me semble qu'on part en tournée ensemble, cet automne ?

Darcy pivota.

— Sérieux ?

— Paradox m'en avait parlé, admit Imogen, visiblement surprise. Mais rien n'est encore signé, alors je ne savais pas si…

— Ça pourrait être amusant, dit Standerson. J'en parlerai avec Nan.

— Ce serait super, souffla Imogen.

Mais Standerson était déjà occupé à se resservir du guacamole.

C'était étrange de voir Imogen aussi intimidée, toutefois pas autant que d'assister à l'amitié instantanée de Sagan et Standerson. Les deux étaient plongés dans leur petit monde à présent, discutant des capacités de stockage de guacamole des différentes formes de chips.

— Ça m'inquiète, avoua Carla à voix basse en les observant. En même temps, il y a une forme de logique là-dedans.

— Tu m'étonnes ! chuchota Darcy.

— C'était chouette de voir que tu n'étais pas du tout à l'aise avec Standerson, commenta Carla. J'ai trouvé ça rassurant, fille de la ville.

— Merci. (Darcy se tourna vers Imogen.) Depuis quand tu pars en tournée avec lui ?

— Aux dernières nouvelles, il n'avait pas encore dit oui. Mais j'imagine que maintenant qu'il m'a rencontrée, l'idée a pris corps pour ainsi dire, tu vois ?

Carla rit.

— Il se passe toujours des trucs aux soirées de Darcy, depuis le collège. Ruptures, coups de foudre, bagarres, tout ce qu'on veut. Mais le plus drôle, c'est que ça ne lui arrive jamais à elle.

Imogen et Darcy échangèrent un regard, et Darcy ne put réprimer un petit sourire. Ses lèvres la brûlaient.

— Eh bien… au temps pour cette théorie, pouffa Carla.

Elle attrapa Darcy par la taille, serra sa vieille amie contre elle et se mit soudain à rire aux éclats, au point que la moitié de la salle se retourna dans leur direction.

— Heu, Carla ? s'inquiéta Darcy. Tu te sens bien ?

— Nickel. Cette soirée est absolument géniale !

18

J'AVAIS LA SENSATION D'ÊTRE PLONGÉE DANS UN VRAI FLEUVE, rapide et brutal, qui nous propulsait avec une puissance irrésistible.

Il me grondait aux oreilles depuis l'instant où je m'étais enfoncée sous le sol de ma chambre. En réalité, ce « vent incessant » était un courant, et à peine avais-je lâché prise qu'il m'avait emportée, d'un coup, à la manière d'un cerf-volant géant. Seules les mains de Yamaraj solidement accrochées aux miennes me donnaient l'impression que nous pourrions nous arrêter un jour.

Le fleuve était infesté de choses froides et humides comme celle qui m'avait frôlée. Elles s'approchaient toujours par-derrière avec des murmures discrets, jamais tout à fait audibles, qui me soufflaient dans l'oreille ou sur la nuque. Yamaraj disait qu'elles étaient inoffensives tant qu'on ne se retournait pas pour les regarder. J'ai donc appris à les ignorer en tremblant. Le trajet, vertigineux, m'a paru durer des heures, et j'avais bien du mal à me concentrer sur l'image de l'ancienne maison de ma mère. Mais une fois que nous nous sommes arrêtés, j'aurais juré qu'il ne s'était écoulé qu'un instant.

Nous étions devant une autre immensité sombre, telle celle que nous avions quittée.

J'ai levé les yeux vers le ciel noir.

— Comment sais-tu où on est ?

— Nous sommes là où tu voulais aller, Lizzie. Si tant est que tu aies une vraie connexion avec cet endroit. Sinon… nous pourrions être n'importe où.

— D'accord.

Je me suis demandé s'il n'aurait pas été plus prudent d'opter pour le Chrysler building.

Yamaraj s'est agenouillé, a posé la main à plat par terre, et une flaque d'huile noire s'est formée. Elle s'est aussitôt étendue et j'ai reculé d'un pas pour empêcher qu'elle n'atteigne mes tennis.

— Qu'est-ce que tu fabriques ?

— Ne t'inquiète pas, Lizzie.

Il m'a attirée vers lui, et j'ai mis les deux pieds dans l'huile noire.

— Tu es sûr ?

Nous commencions déjà à nous enfoncer.

— C'est comme ça qu'on procède. Tu verras mieux avec les yeux ouverts.

— Ah, d'accord.

Je me suis serrée contre Yamaraj pendant la descente, avide de sa chaleur et ne dédaignant pas de sentir ses muscles sous sa chemise. L'huile noire n'était pas beaucoup plus froide que le fleuve lui-même, mais j'ai quand même frémi quand elle m'est remontée dans le dos.

J'ai réussi à ne pas fermer les yeux, et quand la noirceur m'a engloutie j'ai vu une nouvelle réalité se dessiner autour de nous : des maisons, des arbres et des boîtes aux lettres – un quartier résidentiel de banlieue.

J'ai levé la tête, m'attendant presque à voir la surface de l'eau noire au-dessus. Mais je n'ai vu qu'un ciel parsemé d'étoiles, éclairé par le même croissant de lune que nous avions laissé à San Diego. Une maison se détachait devant nous, identique à celle qui figurait sur la vieille photo de ma mère, excepté que quelqu'un lui avait ajouté une palissade en bois.

Nous étions à Palo Alto.

J'ai pris ma respiration, et l'odeur métallique de l'envers du décor m'a empli les poumons.

— Ça n'a aucun sens, ai-je protesté d'une voix qui m'a semblé fluette. J'ai dû traverser le sol de ma chambre pour entrer dans le fleuve, dont on vient de traverser le fond pour en sortir... ?

— C'est comme ça, dans l'au-delà. On s'y enfonce en permanence.

— Bien sûr.

Je me suis aperçue que j'étais toujours collée à lui. Je l'ai lâché et j'ai reculé d'un pas.

Yamaraj souriait.

— Le fleuve n'est pas aussi déprimant que le reste, n'est-ce pas ?

— Non, ça ressemble à des montagnes russes. Avec un bandeau sur les yeux et des trucs humides qui viennent vous frôler dans le dos. (Je me suis tournée vers la maison devant nous.) Mais au moins, ça vous emmène quelque part.

Le petit bungalow était plus vieux que les maisons voisines, avec un grand porche en façade. L'envers du décor l'avait peint en gris et non en bleu ciel comme sur la photo de ma mère, mais nous étions sans conteste au bon endroit.

Naturellement, ce n'était pas vraiment le bâtiment en lui-même que j'étais venue voir.

— C'est génial, Yamaraj. Mais ça me fait drôle, de voir enfin cette maison en vrai. Ça t'ennuie si on se promène un peu dans le quartier ?

— Pas du tout, m'a-t-il assuré et il m'a repris la main.

Je me sentais gênée de lui faire croire que j'éprouvais un

gros choc émotionnel, alors qu'en réalité je jouais les apprenties détectives. Mais j'ai ravalé ma culpabilité et je l'ai entraîné avec moi, heureuse de sentir de nouveau ma main dans la sienne.

L'ancienne rue de ma mère semblait tout à fait normale, avec ses pelouses entretenues au millimètre, ses boîtes aux lettres décorées de coquillages et quelques palmiers qui se balançaient au clair de lune. Pas le genre de quartier dans lequel on s'attendrait à trouver un tueur d'enfants. J'imaginais que c'était précisément l'intérêt d'habiter là, quand on en était un.

Ce que je cherchais ne devait pas être loin, même si je ne savais pas vraiment comment le reconnaître. Selon toute vraisemblance, le méchant homme était mort ou avait déménagé au cours des trente-cinq dernières années. Peut-être avait-il laissé des traces derrière lui, dans l'envers du décor.

Une silhouette menue a jailli de sous une voiture garée devant nous et a traversé la rue comme une fusée. J'ai poussé un cri et fait un bond en arrière.

Mais ce n'était qu'un chat, un grand tigré efflanqué qui s'est arrêté sur le trottoir d'en face pour nous regarder. Une lueur verte brillait dans ses yeux, inquiétante au milieu de la grisaille environnante.

— Nom de... Il peut nous voir ?

— Les chats voient tout, a répondu Yamaraj d'une voix douce, presque respectueuse. Ils ont les yeux ouverts sur les deux mondes.

— Ah oui. Mindy m'en avait parlé.

Mon cœur cognait dans ma poitrine, et je me suis rendu compte que la grisaille ne s'estompait pas autour de moi.

— J'ai eu la trouille, et je suis toujours là. On dirait que mon contrôle s'améliore.

Yamaraj a secoué la tête.

— Tu ne peux pas retourner dans le monde réel ici, mais seulement à l'endroit où tu es entrée. Le fleuve n'emporte que ton esprit, pas ton corps.

— Alors c'est une espèce de projection astrale ?

Je me suis pincé le bras, qui était froid, hérissé de chair de poule et qui me semblait parfaitement réel.

— Pour l'instant, a répondu Yamaraj. Mais un jour, tu seras capable de te déplacer en chair et en os.

— Si mon corps n'est pas ici, où est-il ? Resté dans ma chambre, où ma mère risque de tomber dessus et d'en avoir une crise cardiaque ?

— Ne t'inquiète pas. Ça va te paraître étrange, mais il est dans le sol en dessous de chez toi. En sécurité parmi les pierres.

— C'est drôlement rassurant.

— L'au-delà n'a rien de réconfortant, Lizzie.

— Tu l'as déjà dit. Mais quand même… ça, c'est assez incroyable.

Je me suis redressée et j'ai inspiré un grand coup. J'ai embrassé du regard le paysage vallonné autour de nous, si différent des immenses étendues plates de San Diego.

— Je ne connaissais même pas l'adresse, et on est arrivés directement ici.

— Pas mal, pour ta première fois.

— Merci.

J'ai perçu un mouvement du coin de l'œil, et je me suis retournée d'un bloc. Mais ce n'était que le chat qui nous suivait à distance.

Yamaraj me dévisageait avec attention.

— Tu es surprenante, Lizzie. À l'aéroport, tu as eu suffisamment de sang-froid pour jouer la morte. Et tout à l'heure, tu as affronté ce vieil homme sans l'aide de personne. Mais là, dans ce quartier, on dirait que tu as peur de ton ombre.

— Peut-être.

Pour ne pas mentir à Yamaraj, je m'en suis tenue à une réponse évasive.

— Comme je te l'ai dit, il s'est passé quelque chose ici quand ma mère était petite.

— Quelque chose de mal ?

J'ai acquiescé de la tête.

— Assez pour qu'elle me l'ait toujours caché. Elle ne m'en a parlé qu'après ce qui m'est arrivé à Dallas.

— Il ne t'arrivera rien de mal avec moi.

Nous avons continué en silence, au hasard des rues désertes baignées par le clair de lune. C'était agréable de marcher d'un pas tranquille à ses côtés, sachant que c'était moi qui nous avait amenés là grâce à mes pouvoirs mystiques. Il n'y avait pas trace du méchant homme et cela me convenait tout à fait.

Yamaraj était trop poli pour m'interroger au sujet de ma mère, mais au bout d'un moment, il a lâché :

— Tous les psychopompes ont une histoire de ce genre.

— Comment ça ?

— Une histoire difficile à raconter. La première traversée est toujours une épreuve.

— Et toi, c'est quoi ton histoire ? ai-je demandé d'une voix douce. Comment t'es-tu retrouvé à faire le mort ?

Il a secoué la tête.

— Il n'y avait pas de guerre à l'endroit où je suis, pas de terroristes. Ma sœur et moi venons d'un petit village. Un endroit paisible.

— Ça a l'air sympa.

— C'était magnifique, mais ma sœur et moi le trouvions surtout minuscule. Chaque fois que des voiles se profilaient à l'horizon, nous descendions au pas de course sur les quais pour en prendre plein les yeux. Les marins ressemblaient à des visiteurs d'un autre monde. Ils portaient des vêtements aux couleurs inconnues, et se servaient de couteaux en bronze bien supérieurs à ce que les artisans de notre village savaient faire.

— Les couteaux en bronze étaient high-tech. Donc ça remonte quand même à un sacré bout de temps.

Il a haussé les épaules.

— C'est vrai, et notre village était sans doute un peu en retard sur son époque. Quand les marins nous présentaient des fleurs séchées rapportées de pays lointains et nous affirmaient qu'il s'agissait de guerriers morts au cours d'une grande guerre des fées, ma sœur et moi les croyions.

— C'est mignon.

— Ils parlaient des langues inconnues, également, et ma sœur leur échangeait ses plus beaux coquillages contre des mots étrangers. Elle possédait une remarquable collection de jurons.

J'ai souri.

— Un peu comme moi avec l'espagnol.

Il m'a souri en retour, mais cela n'a pas duré.

— C'était un bon endroit pour grandir. Mais les gens ne vivaient pas vieux en ce temps-là. Ma sœur est morte très jeune.

— Oui, elle avait l'air d'avoir quatorze ans à peine. Attends, est-ce que vous étiez… ?

Il a hoché la tête.

— Jumeaux. Nous le sommes encore, même si je suis un peu plus vieux qu'elle maintenant.

— D'accord. Ça fait bizarre.

Yami resterait éternellement bloquée à l'âge qu'elle avait à sa mort, mais pas son frère.

— C'est pour ça que tu vis dans les enfers ? Pour ne pas l'abandonner ?

— J'y suis pour empêcher les miens de sombrer dans l'oubli.

— Et elle en fait partie. Tu es un bon frère.

Il n'a rien ajouté, et nous avons continué à marcher. Je m'étais toujours demandé à quoi ressemblerait d'avoir un frère ou une sœur, en particulier un jumeau ou une jumelle. Je nous imaginais en train d'inventer un langage codé, ou de nous attribuer des noms secrets.

Bien sûr, j'avais eu une sœur invisible pendant tout ce temps. Mindy avait été là chaque jour, à me regarder grandir et la dépasser en âge. J'ai frissonné.

— Ça va ? s'est inquiété Yamaraj.

Ses yeux bruns chatoyaient dans ce monde gris. Lui et moi étions toujours en couleur, pas vraiment à notre place derrière le voile de la mort.

— Oui, oui. C'est donc à la mort de ta sœur que tu es devenu… comme nous ?

Il a acquiescé.

— Je ne pouvais pas la laisser partir seule.

— Waouh. Alors c'est sérieux, cette histoire de lien indéfectible entre jumeaux.

Yamaraj a réfléchi un instant.

— Ça l'est pour nous.

— Comment est-elle morte ? ai-je demandé d'une toute petite voix.

— Elle a été trahie par un âne.

— Quoi ?

— Un âne, a-t-il répété. Un stupide animal qui appartenait à ma famille.

Je n'étais pas beaucoup plus avancée, mais ma question suivante n'a pas franchi mes lèvres. Au-delà de Yamaraj, plus loin dans la rue, le chat rôdait dans l'ombre. Je voyais briller ses yeux verts.

Mais ce n'était plus nous qu'il regardait.

Il fixait un autre bungalow, encore plus vieux que celui dans lequel ma mère avait grandi. La maison se dressait un peu en retrait de la rue, derrière un massif d'arbustes du désert planté sur un lit de gravier.

Cinq petites filles étaient sur la pelouse, toutes du même âge que Mindy, et portant des vêtements démodés – jupes plissées, chemisiers glissés dans le jean, robes courtes. Toutes observaient la maison.

— Il est toujours là, ai-je murmuré.

Yamaraj a suivi mon regard.

— Qui ça, Lizzie ?

— Le méchant homme. Celui qui a tué Mindy.

Il m'a agrippé le bras.

— C'est pour ça que tu tenais à venir ici ?

— Elle a besoin de savoir.

— Fais attention, a murmuré Yamaraj. Il y a des fantômes qu'on ne peut pas sauver.

— Je ne veux pas les sauver, je veux juste aider Mindy. Elle est encore terrorisée après toutes ces années.

Je ne parvenais pas à détacher mon regard de cette *collection* de fillettes. Elles restaient plantées devant la maison, à patienter en silence, on pouvait croire qu'elles attendaient le début d'un spectacle.

— Elle a besoin de savoir si son meurtrier vit toujours. Ou s'il est en train de sillonner l'envers du décor à sa recherche.

— Éloigne-toi de cet endroit, Lizzie.

Yamaraj m'a tirée par le bras, mais je me suis dégagée.

— Je dois m'assurer qu'il est toujours en vie.

— Ne t'approche pas de cette maison.

J'allais lui demander pourquoi quand l'une des petites filles a bougé. Elle a tourné la tête au ralenti, le reste de son corps parfaitement immobile, jusqu'à ce que ses yeux gris soient rivés sur nous. Un peu plus jeune que Mindy, elle portait une salopette et des tennis. Son visage était dénué d'expression, à part peut-être un soupçon de perplexité.

Yamaraj m'a fait face.

— Ne les regarde pas.

— Mais ce ne sont que des...

Les autres gamines, d'un bloc, ont tourné la tête vers nous. Leurs frimousses grises me fixaient avec un intérêt grandissant.

— D'accord, elles sont un peu flippantes.

Yamaraj s'agenouillait déjà, la paume sur l'asphalte. Il s'est relevé alors que la flaque d'huile bouillonnante commençait à nous lécher les pieds et il a refermé ses bras autour de moi, les muscles durcis.

— Ne t'encombre pas la mémoire avec elles, m'a-t-il soufflé à l'oreille tandis que nous commencions à nous enfoncer dans la rue. Pense simplement à chez toi.

Notre deuxième trajet dans le fleuve m'a paru plus court. C'était facile de garder en tête l'image de ma maison parce que j'avais très envie d'y retourner. Par contre, cette fois j'ai eu plus de mal à ignorer les choses humides qui nous frôlaient. Au fond de moi, j'avais deviné de quoi il s'agissait – de bribes de souvenirs, de fragments de fantômes dispersés.

J'ai gardé les yeux fermés pendant tout le voyage, la tête plaquée contre le torse de Yamaraj. Je savourais sa chaleur et me sentais protégée du regard sinistre des fillettes au visage gris.

Nous nous sommes arrêtés au milieu de nulle part, sous un ciel vide, mais je sentais confusément que ma maison se trouvait juste au-dessus de nous. Ou peut-être au-dessous – je m'y perdais un peu, dans l'au-delà.

Avant que je ne retourne dans ma chambre, Yamaraj m'a prise par les épaules.

— Oublie ça, Lizzie. Ne retourne surtout pas là-bas.

— Je dois aider Mindy. C'est ce que je ferais pour une personne vivante.

— Tu as ces fantômes dans la tête, maintenant.

— Ça, c'est sûr. (J'ai frissonné au souvenir des visages gris.) Mais où est le problème, si ce n'est que je risque d'en faire des cauchemars ?

— Les fantômes vont là où ils trouvent à se nourrir. Réfléchis un peu. Mindy est morte dans cette maison, n'est-ce pas ? À des centaines de kilomètres d'ici. Mais elle vit chez toi désormais.

— Exact. Parce que ma mère se souvient d'elle.

— Plus que n'importe qui d'autre dans le monde. Plus que ses propres parents.

— Je trouve ça un peu triste. Et curieux.

Il a secoué la tête.

— Ce n'est pas aussi étrange qu'on pourrait le penser. Parfois, dans les cas de disparitions d'enfants, les parents ne supportent pas de s'accrocher indéfiniment à leurs souvenirs. Quand ils finissent par lâcher prise, les enfants en question s'estompent, sauf si quelqu'un d'autre se les rappelle.

J'avais la bouche sèche.

— Ça veut dire que ces gamines restent là-bas... parce que leur meurtrier se les rappelle mieux que n'importe qui ?

— Leurs derniers jours, à la perfection. Mais si elles pouvaient se nourrir de toi à la place ?

Je me suis imaginé les cinq petites filles plantées devant chez moi, à attendre sans relâche, et j'en ai eu froid dans le dos. Je voyais encore le visage de la première qui s'était tournée vers moi – avec sa salopette usée et sa demi-douzaine de barrettes à paillettes dans les cheveux.

— Comment veux-tu que j'oublie ce que j'ai vu ?

— Tu ne peux pas, Lizzie.

Ses mains ont glissé de mes épaules, et il a soupiré.

— C'était juste un coup d'œil, heureusement, pas de quoi les conduire jusqu'ici.

— Donc tu essaies juste de me faire peur ?

— Tu devrais avoir peur ! (Il était fâché maintenant ; je le voyais dans ses yeux.) Promets-moi de ne plus jamais t'approcher de cette maison.

Je me suis détournée. J'en avais assez d'être effrayée. Quant à Mindy, elle vivait prisonnière de sa terreur depuis des décennies. Je ne pouvais pas la laisser dans l'ignorance, je savais où vivait son meurtrier.

J'ai choisi mes mots avec soin.

— Je te promets de ne plus jamais revoir ces gamines.

Yamaraj m'a dévisagée un long moment, mais en fin de compte il a hoché la tête.

— Merci.

Sa colère l'avait quitté ; il semblait fatigué à présent. Sans doute commençait-il à penser que j'allais lui donner beaucoup de travail.

Au moins avais-je appris que le méchant homme était toujours en vie ; Mindy ne risquait rien dans l'immédiat. Et c'était à Yamaraj que nous le devions.

— C'était gentil, d'être venu à mon secours.

Son regard s'est adouci.

— Je ne suis pas certain que tu avais besoin de mon aide.

— Peut-être pas. En tout cas c'était plaisant de voir ce type décamper devant toi.

Il a esquissé un sourire.

— Je me demandais si tu allais te décider à m'appeler. Ma sœur était sûre que oui.

— Ah bon ? Yami a une opinion sur moi ?

— Elle pense que tu risques de me distraire de mon travail.

— J'espère qu'elle a raison.

Il a opiné.

— Elle a toujours raison.

— Yamaraj…

Ça m'a fait tout drôle de prononcer son nom à voix haute.

— Appelle-moi Yama. « Raj » n'est qu'un titre.

— Ah bon ? Quel titre, exactement ?

— Prince, ou plutôt seigneur.

J'ai haussé les sourcils.

— Tu veux dire que, pendant tout ce temps, tu m'as laissée t'appeler « seigneur Yama » ?

Il se retenait de sourire.

— Tu ne l'as dit qu'une ou deux fois.

— D'accord, mais je le disais dans ma tête !

Je me sentais idiote.

— Bon, maintenant que je connais ton vrai nom, est-ce que ça va marcher ? Je n'aurais qu'à le dire, et tu viendras ?

Il a fait oui de la tête.

— Le nom est important, mais comme pour se rendre quelque part, il faut aussi une connexion.

— Tu m'as entendue ce soir. Donc, la connexion existe.

— Exact, a-t-il reconnu en s'approchant. Mais on peut la renforcer, pour plus de sécurité.

— Et comment on procède ?

Mes paupières se fermaient.

— Comme ça.

Quand ses lèvres ont touché les miennes, j'ai eu une sensation de picotement dans tout le corps. Elle s'est épanouie dans ma poitrine, me coupant le souffle, balayant la peur que cette longue nuit avait fait naître en moi. J'ai pressé ma bouche avide contre la sienne et nous avons échangé un baiser fougueux.

Le vent du fleuve s'est fait plus sec, plus mordant, et j'ai senti mille piqûres d'épingles sur ma peau. J'ai ouvert les yeux et vu des étincelles tourbillonner autour de nous, comme quand Yama était apparu pour me sauver et que l'air s'embrasait sous ses pieds.

— C'est toi qui fais ça ? ai-je murmuré.

— Pas seulement moi.

Nous n'avons pas ajouté grand-chose.

Une heure plus tard je l'ai quitté pour redescendre dans ma chambre accueillante et familière. J'avais encore des picotements partout. Je me sentais plus légère. Le froid qui m'habitait d'ordinaire s'était presque dissipé, aspiré par les lèvres de Yama.

Il ne restait qu'un tout petit problème. Ma mère se tenait assise sur mon lit, penchée sur son téléphone.

Après cette nuit, j'avais complètement oublié qu'elle était entrée dans ma chambre juste avant que je m'enfonce dans le fleuve. Elle ne m'avait pas vue, bien sûr, et je me trouvais toujours dans l'envers du décor, mais je n'allais pas y rester toute la nuit.

Serrée contre Yama, je m'étais sentie puissante, invulnérable. À présent j'avais l'impression d'être une gamine sur le point de se faire sonner les cloches. Si je sortais de la maison pour revenir par la porte d'entrée et racontais que j'étais allée faire un tour, comment réagirait ma mère ? Après cette semaine riche en émotions, elle risquait de piquer une crise. Ou pire, de passer tous les soirs vérifier que je sois bien dans mon lit.

J'ignorais combien de temps avait duré mon absence. Et je ne pouvais pas la laisser m'attendre plus longtemps, à se demander où j'étais. Il fallait que je trouve une explication plausible.

Mindy avait disparu, probablement terrée dans le placard de ma mère. Ça m'a donné une idée…

Je n'étais pas encore experte dans l'art de traverser les murs, mais j'avais laissé la porte de mon placard entrouverte au moment où j'avais sorti mon jean. Je me suis faufilée à l'intérieur et couchée sur les vêtements sales entassés au fond. Sans être aussi spacieux que celui de ma mère, mon placard était suffisamment grand pour que je puisse faire semblant de m'y être endormie.

J'ai respiré à grande vitesse pour accélérer mon rythme cardiaque, et bientôt, j'ai senti mon emprise sur l'envers du décor se desserrer. Le placard a repris des couleurs.

Une fois de retour dans le monde réel, je me suis tortillée sans bruit pour quitter mon jean et mon sweat, puis j'ai émis un léger bâillement.

J'ai attendu, nerveuse. J'étais sur le point de recommencer quand j'ai entendu la voix de ma mère.

— Lizzie ?

J'ai repoussé la porte du placard. Elle a pivoté avec un grincement plaintif, révélant l'expression stupéfaite de ma mère.

— Oh ! ai-je dit d'une voix ensommeillée. Qu'est-ce que tu fais là ?

— Je t'ai entendue parler, alors je suis venue voir ce qui se passait. Et tu n'étais pas… Pour l'amour du ciel, Lizzie. Qu'est-ce que tu fabriques dans ton placard ?

— Euh, je dormais. (Je me suis étirée.) J'ai fait un cauchemar horrible. Ça m'a réveillée, et après, je me sentais plus en sécurité là-dedans.

L'inquiétude qui se lisait sur son visage m'a fait de la peine. Mais un faux cauchemar valait mieux que la vérité. *J'ai été suivie jusqu'ici par un méchant psychopompe, et après je suis allée avec un ami visiter la maison d'un serial killer. Oh,... et on s'est embrassés.*

— Lizzie, je suis désolée. Tu as envie de me raconter ton cauchemar ?

J'ai secoué la tête.

— Non, ce n'était rien, pas d'aéroport ni de terroristes. Juste... j'avais les pieds collés dans une espèce de boue noire. Et je coulais.

— Ça devait être horrible, ma chérie.

— Pardon de t'avoir réveillée.

J'ai rampé hors de mon placard et je me suis mise debout.

Ma mère m'a adressé un sourire forcé et s'est levée de mon lit pour me serrer dans ses bras. Quand on s'est détachées l'une de l'autre, elle a baissé les yeux sur mon petit nid douillet à même le sol.

— C'est drôle, a-t-elle dit. Tu as toujours eu peur des placards quand tu étais petite. Mais dans la maison où j'ai grandi, il y avait d'immenses penderies, et parfois j'y passais la nuit avec...

J'ai attendu la suite, mais maman avait perdu le fil. Elle s'est penchée pour ramasser quelque chose au fond du placard. Un objet métallique – le couteau de cuisine que j'avais emporté avec moi dans l'au-delà. Il avait dû tomber de ma poche quand j'avais retiré mon jean.

J'ai essayé de sourire.

— Ah, ça, c'était pour me rassurer.

Elle a paru tellement triste.

— Je suis désolée, m'man. Tu dois trouver ça bizarre.

Elle tenait le couteau avec délicatesse, à deux mains.

— Je sais ce que c'est d'avoir peur en permanence. Après la disparition de mon amie, ça a duré des mois. On ferait n'importe quoi pour se sentir plus en sécurité.

250

J'ai acquiescé, l'image de ces petites filles m'est revenue en tête et j'ai su avec certitude qu'en un sens, oui, ma mère comprenait. Et j'ai su aussi que je retournerais à Palo Alto, pour m'assurer que le méchant homme ne ferait plus aucun mal à personne.

19

C E QU'ELLE AVAIT TOUJOURS PRÉFÉRÉ DANS LE FAIT D'ALLUMER un feu, c'étaient les allumettes. Elle aimait les voir s'aligner comme des petits soldats de bois dans leur pochette en carton, et leur manière de s'épanouir en fleurs chaudes au creux de ses mains. Elle adorait le chuintement crépitant qu'elles faisaient dans le vent. Même leurs vestiges étaient beaux – arachnéens, noirs et courbés – une fois qu'elles avaient brûlé jusqu'à ses doigts rendus calleux par les flammes.

Ariel Flint ne partait jamais au lycée sans elles.

Comme elle était un peu en avance ce jour-là, elle se dirigea vers le repaire des fumeurs, un coin discret entre deux préfabriqués derrière le gymnase. Ces bâtiments temporaires avaient servi de salles de classe plusieurs années auparavant. À travers leurs vitres salles, on distinguait encore les tableaux noirs sur les murs. Ils faisaient désormais office de fourre-tout pour l'association théâtrale qui y entreposait ses vieux décors et ses costumes mangés aux mites. Les préfabriqués étaient toujours fermés à clé, mais ils étaient posés sur des parpaings. On pouvait ramper dessous pour s'esquiver en cas de mauvaise surprise.

La mauvaise surprise de ce matin avait déjà eu lieu. Peterson, le vigile du lycée, se tenait à genoux dans le coin et scrutait la pénombre sous les préfabriqués. Il criait des menaces à un élève qui venait de s'échapper, tandis que son talkie-walkie crachotait.

Ariel pivota sur les talons, la tête courbée. Une fois par mois environ, Peterson opérait une descente dans le repaire des fumeurs et condamnait tous ceux qu'il attrapait à des travaux d'intérêt général, autrement dit passer la serpillière dans la cafétéria. L'idée de devoir porter un filet dans les cheveux pendant une semaine fit détaler Ariel en direction des portes au fond du gymnase.

Elle fit irruption sur le terrain de basket. Les portes se refermèrent derrière elle avec fracas – le bruit résonna à travers le gymnase désert, se mêlant au crissement de ses semelles sur le sol. Elle s'arrêta, le souffle court, préparant déjà des excuses, mais Peterson ne l'avait pas suivie.

Ariel sourit, effectua une petite pirouette au centre du terrain et mima un panier gagnant sous les applaudissements d'un public invisible. Sauvée !

L'année précédente, elle avait rédigé un devoir de psychologie sur le jeu, à propos d'une expérience impliquant des pigeons en cage qui se nourrissaient au moyen d'un levier. Si le levier leur fournissait chaque fois une ration de graines, les pigeons ne l'actionnaient que lorsqu'ils avaient faim. S'il ne leur fournissait plus rien, les pigeons renonçaient rapidement à le toucher. Mais si le levier fonctionnait de façon aléatoire, donnant tantôt une grosse ration de graines et tantôt rien, les pigeons se prenaient au jeu. Même rassasiés, ils continuaient à tirer sur le levier pour voir ce qui se passerait.

Les pigeons aimaient parier, comme tout le monde.

Pendant la rédaction de ce devoir, Ariel avait compris que le repaire des fumeurs reposait sur le même principe.

Si Peterson s'y était montré tous les jours, ils auraient trouvé une autre cachette, ou peut-être renoncé à fumer. Et si personne n'avait essayé de les surprendre, fumer n'aurait pas été aussi drôle. Mais Peterson passait juste assez souvent pour rendre les choses intéressantes.

Bien sûr, les vrais fumeurs de Reagan High étaient accros à la nicotine, pas au jeu, et ils auraient été ravis qu'on les laisse tranquilles. Mais Ariel ne fumait pas. Elle venait pour allumer les cigarettes des autres, regarder la fumée sortir de leur bouche, savourer le grésillement du bout incandescent à chaque bouffée. Pour elle, le risque de se faire prendre faisait partie de l'excitation que lui procuraient les flammes, grandes ou petites.

— Nom de Dieu, Flint ! Mais qu'est-ce qui vous prend ? tonna une voix à travers le gymnase.

Ariel détourna le regard des gradins déserts pour faire face à une Erin Dale furibonde qui s'approchait à grands pas.

— Euh…, fit Ariel. Je marquais juste un panier gagnant.

Le coach Dale s'arrêta à quelques mètres, les bras croisés. Elle portait sa tenue habituelle, un débardeur moulant avec un pantalon de jogging, les cheveux rassemblés en queue-de-cheval. Sur son épaule gauche, trois griffes rouges s'échappaient de sous le débardeur. Personne n'avait jamais vu le reste de son tatouage, mais Ariel était certaine qu'il s'agissait d'un dragon lové entre ses seins.

— Je suis bien contente de vous voir vous intéresser au sport, mademoiselle Flint. Mais vous portez des Doc Martens sur mon parquet en pin.

— Oh, c'est vrai. (Ariel baissa les yeux et vit une spirale de minuscules traces noires autour de ses pieds.) Hum ! Désolée.

La prof toisa Ariel avec froideur. En cours de gym,

Ariel ne travaillait vraiment que la course, le saut et le grimper à la corde – compétences précieuses quand on avait besoin de s'échapper – et témoignait d'une nullité abyssale dans toutes les disciplines impliquant un ballon ou un score. Mais elle en pinçait secrètement pour Dale, et s'en voulait d'avoir sali son terrain de basket.

Pour manifester sa contrition, elle décolla un pied du sol et entreprit de défaire ses lacets. Vacillant un peu, elle arracha sa chaussure, puis procéda de même avec l'autre pied.

— Bonne coordination et bon sens de l'équilibre, apprécia Dale. J'aimerais voir ça plus souvent pendant mes cours.

Ariel ne répondit rien. Le sol du gymnase était froid sous ses chaussettes, et elle se sentait petite et penaude sous le regard du coach.

L'une des portes du fond s'ouvrit brusquement. C'était Peterson, son talkie-walkie à la main.

— Hé, coach, lança-t-il, toisant Ariel. Z'avez vu quelqu'un entrer ici ?

L'expression renfrognée de Dale ne se modifia pas d'un iota.

— Non, personne. Et vous, mademoiselle Flint ?

Ariel secoua la tête.

Peterson ne parut pas convaincu, mais il salua sèchement la prof et sortit du gymnase.

Après un silence, Dale décroisa les bras.

— Je ne vais pas me fatiguer à vous dire que fumer est mauvais pour les poumons et l'endurance. Mais vous savez que ça dessèche les lèvres, pas vrai ?

— Et que ça donne les dents jaunes, la peau grasse et des rides au coin des yeux, récita Ariel. C'est pour ça que je ne fume pas.

La prof plissa les paupières et s'approcha, jusqu'à ce

qu'elles soient nez à nez. Ariel s'efforça de ne pas loucher sur les griffes rouges qui s'échappaient du débardeur.

Elle renifla.

— Je ne sens pas une odeur de fumée ?

— Si, mais pas de fumée de cigarette. J'ai allumé un feu ce matin… pour me réchauffer.

Elle haussa les sourcils. Mais Ariel ne mentait pas, et la fumée de cigarette n'avait pas du tout la même odeur que le feu.

Ç'avait été un tout petit feu. Ariel s'était fait plaisir sur le chemin du lycée, dans un vieux baril noirci derrière le Shop'n' Save. Quelqu'un avait jeté un gros tas de tubes en carton d'un mètre de long dans une benne à ordures – impossible à ignorer. Elle les avait disposés en pyramide sur le bord du baril, et quelques minutes plus tard l'édifice enflammé s'était écroulé, projetant une galaxie d'étincelles dans les airs.

— Si vous le dites, Flint. Venez avec moi.

Ariel la suivit jusqu'au vestiaire des filles, ses Doc Martens à la main.

Le vestiaire dégageait ses relents habituels de sueur et de savon bon marché. Le coach Dale ouvrit la porte de la Cage – c'était ainsi que tout le monde surnommait son bureau avec ses murs en grillage. Elle ouvrit le tiroir de son bureau et en sortit une gomme rose toute neuve de la taille d'un briquet.

Elle la lança à Ariel, qui l'attrapa au vol de sa main libre.

— Ça devrait faire l'affaire. N'hésitez pas à vous servir de votre salive au besoin.

Ariel contempla la gomme un moment, et le coach Dale soupira avant de se pencher par-dessus son bureau. Elle prit ses chaussures à Ariel, ouvrit un autre tiroir et les laissa tomber à l'intérieur. Puis elle claqua le tiroir et le ferma à clé.

— Je vous les rendrai quand il n'y aura plus aucune trace sur mon parquet.

— D'accord, mais…

Le mugissement de la sonnerie coupa Ariel.

La prof se laissa retomber dans son fauteuil, attrapa une planchette à pince et un stylo et croisa les jambes sur son bureau.

— Il vous reste un quart d'heure avant le prochain cours. Vous feriez mieux de vous y mettre, Flint. Et n'oubliez pas de frotter dans le sens du bois.

Ariel ouvrit la bouche pour protester mais comprit que ce serait peine perdue. Elle soupira, fit volte-face et quitta la Cage pour regagner la salle de sport. Envolée, l'excitation d'avoir échappé à Peterson ou de se retrouver seule en compagnie du coach Dale.

C'était la misère.

Elle s'agenouilla au centre du terrain, compta les traces noires – plus de vingt. Elle entreprit de gommer la plus petite, crachant dessus une ou deux fois jusqu'à ce qu'elle ait complètement disparu.

Puis Ariel leva les yeux vers la grande horloge accrochée au-dessus de la porte. Encore douze minutes, et quelque dix-neuf marques à effacer. Elle doutait que le coach Dale lui rédige un mot d'excuse.

C'était l'inconvénient de se faire prendre. Une infraction en entraînait une autre et on se retrouvait bientôt cataloguée parmi les élèves à problèmes, les irrécupérables. Enfin, Ariel ne pouvait rien y faire sinon continuer à gommer ses traces et ignorer à quel point elle avait froid aux pieds.

Elle en était presque à la moitié quand la sonnerie annonça le début des cours. Un instant plus tard, une troupe de filles jaillit du vestiaire, toutes en tenues de hockey.

Le coach Dale les suivit en criant :

— C'est parti pour quatre tours, les filles ! Et on ne coupe pas !

Ariel commit l'erreur de relever la tête, et croisa le regard des premières filles de la troupe. Elle lut sur leurs visages l'amusement et la pitié.

Elle fixa le sol à nouveau et frotta de toutes ses forces sa gomme sur les traces noires. Ariel maîtrisait comme personne l'art de faire le dos rond, mais cela ne lui servait pas à grand-chose en plein gymnase, avec une vingtaine de filles qui décrivaient des cercles autour d'elle en petites foulées et qui n'avaient rien de mieux à contempler. Ses joues devinrent aussi chaudes qu'elle avait les pieds froids.

— Quand vous voulez, Flint, lui lança Dale depuis le bord du terrain. J'ai besoin de mon parquet.

— Désolée, marmonna Ariel, histoire de dire quelque chose.

Elle entendit son nom de famille répété par la troupe comme un murmure à travers le gymnase. Elle ferma son esprit à son environnement pour se concentrer sur les marques de chaussures…

Puis elle sentit quelque chose – le bois qui s'échauffait sous la friction de la gomme, la chaleur qui se répandait dans ses doigts. Sa conscience s'étendit, non pas vers l'extérieur, pour inclure les gloussements des filles autour d'elle, mais vers les profondeurs pour s'enfoncer dans les matériaux du gymnase lui-même. Elle perçut d'abord le pin sous ses mains et ses genoux, l'oxygène piégé dans les minuscules interstices dans le grain du bois, les résines et les huiles qui lui donnaient sa couleur ; puis plus loin, le bois sec des gradins et les banderoles accrochées aux murs. Elle flaira l'oxyde de fer dans les rognures de gomme, et les filaments incandescents des ampoules au-dessus de sa tête.

Le lycée regorgeait de produits volatils, de bois et de BA13, de tissu et de plastique, de pots de peinture et de ramettes de papier.

Tout cela n'appelait qu'une étincelle...

Interrompue par un bruit sourd, Darcy leva la tête de son écran.

Ce n'était pas Carla ni Sagan dans l'autre chambre, rien qu'un camion qui venait de rouler sur une plaque d'égout. Darcy s'étira. L'ordinateur portable était brûlant sur ses cuisses, et à force de lire elle avait les épaules raides.

Elle se détendit et souffla :

— Dieu merci !

Pyromancer n'était pas mauvais, loin de là. Surtout, elle retrouvait Imogen partout, dans sa diction, dans le rythme de sa prose, et jusque dans ses hésitations, ses virgules et ses ellipses.

Darcy savait qu'elle aurait dû se lever, prendre une douche, s'habiller et se préparer à passer la journée à visiter les musées en compagnie de Carla et de Sagan, à se renseigner sur Imogen et à exploser son budget pour une semaine au moins.

Mais elle refusait de lâcher *Pyromancer*. Pas seulement parce que les phrases avaient le goût d'Imogen, mais parce qu'elle s'était fait happer par l'histoire.

Elle ne pouvait pas s'empêcher de faire défiler les pages.

— Ma copine a un putain de talent, murmura Darcy.

Elle plia les genoux et se remit à lire.

— Alors, elle est comment ? demanda Carla sans préambule.

Les trois amis se trouvaient au Metropolitan Museum, dans une immense galerie construite autour du temple de Dendour, ancien sanctuaire d'Isis rapporté d'Égypte et remonté pierre par pierre. Le mur nord de la salle était entièrement vitré et la lumière de cette fin de matinée inondait le grès antique. Sagan était entré dans le temple pour déchiffrer des inscriptions vieilles de plusieurs siècles laissées par des soldats. Carla l'attendait dehors avec Darcy, qui se sentait claustrophobe à l'intérieur du temple – trop de millénaires fourrés dans un si petit espace.

— Tu l'as vue hier soir, répondit Darcy. Elle est comme ça, en gros.

— Elle a l'air très décontractée.

Darcy fit la moue. Certes, Imogen ne paraissait jamais nerveuse, mais elle avait une élégance naturelle magnétique. « Décontractée » n'était pas le mot.

— Elle est plutôt passionnée. Tu devrais l'entendre parler d'écriture, ou de livres.

Carla se frotta les mains.

— C'est trop cool que vous soyez écrivains toutes les deux. J'ai hâte de lire son roman !

— Il est excellent, murmura Darcy. Je l'ai commencé ce matin.

— Alors, est-ce que vous écrivez ensemble ? Dans la même pièce, je veux dire.

— Oh, euh, je n'ai pas écrit grand-chose depuis que je suis installée.

— Ah.

Darcy ressentit une pointe de culpabilité.

— J'ai eu plein de choses à faire. Trouver un appartement, emménager, m'acheter toutes sortes de trucs.

— Nouveaux amis, nouvelle petite amie, soirées mondaines… Je comprends. Mais quand je pensais à toi ici, je t'imaginais en train d'écrire comme une folle en permanence. Sinon, pourquoi avoir quitté Philly et sacrifié le dernier été qu'on aurait pu passer ensemble ?

Carla souriait, mais la culpabilité qu'éprouvait Darcy

lui remuait les entrailles. Depuis son arrivée à New York, elle pensait de moins en moins à ses amis de Philly.

Ce week-end lui offrait l'occasion de se racheter. Elle leur devait toute la vérité, dans les moindres détails.

— Je ne savais même pas que Gen en pinçait pour moi avant hier soir, avoua Darcy.

Carla ouvrit de grands yeux.

— Alors c'est pour ça que tu étais introuvable quand on a débarqué !

— On était sur le toit. En train de, enfin, se bécoter.

Carla lâcha un petit cri qui détonna au milieu des bruits de pas et des murmures de la salle du temple.

— Une scène de baiser sur un toit de New York !

Darcy rit.

— J'en ai peur.

— Est-ce qu'il y a eu de la danse ?

— Imogen et moi ne sommes pas vraiment comédie musicale, expliqua Darcy. On serait plutôt portées sur les mots. Et les nouilles.

— Les nouilles ? C'est une nouvelle pratique que je ne connais pas ?

— C'est exactement comme les nouilles que tu connais, en beaucoup plus cher. Gen est une mordue de nourriture. Elle dit que pour bien connaître une ville, il faut croquer dedans.

Carla eut un sourire malicieux.

— Est-ce qu'elle dit ça pour d'autres choses ?

Darcy se sentit paralysée par la question. Elle aurait pu rester figée si Carla n'avait pas pouffé.

— Pardon, pardon ! parvint à bredouiller Carla entre deux rires étouffés. Mais il y a des tournures de phrases...

Comme plusieurs visiteurs les foudroyaient du regard, Darcy lui fit signe de se taire.

— Cette discussion m'a l'air prometteuse, dit Sagan qui les rejoignait. J'imagine que vous parlez d'Imogen.

— Mais oui, soupira Darcy. Joins-toi à nous.

— Vous n'étiez pas supposées commencer sans moi, reprocha-t-il à Carla. On s'était mis d'accord.

— Désolée ! s'excusa Carla. Tu n'as pas manqué grand-chose, je te le promets.

— Pas de détails salaces ?

Darcy laissa échapper un couinement. Sagan parlait toujours un peu trop fort, mais là, dans l'atmosphère feutrée de la salle du temple, on aurait dit qu'il beuglait dans un porte-voix. Et le fait que sa question ait plongé Carla dans un fou rire n'arrangeait rien.

Darcy les prit par le bras tous les deux et les entraîna de force dans l'aile américaine. Elle ne s'arrêta pas avant qu'ils aient atteint la discrétion relative de la salle Frank Lloyd Wright. L'espace de vie reconstitué, avec sa géométrie majestueuse et son plafond en verre fumé, étouffa les petits gloussements de Carla.

Darcy fit face à ses amis.

— Vous voulez bien arrêter de vous comporter comme des gamins ?

— C'est toi qui rougis, fit observer Sagan. Ça veut dire qu'il y a des détails salaces ?

— Est-ce que vous avez couché ensemble sur le toit ? demanda Carla.

— Le toit ? (Sagan se tourna vers Carla.) Donc j'ai raté quelque chose !

— Elles se sont embrassées hier soir pour la première fois ! s'extasia Carla en battant des mains. Sur le toit !

— Sur le toit, répéta Sagan. Je veux tout savoir !

Darcy grogna.

— Il y avait une soirée. On avait besoin d'intimité. Le

toit était désert. On n'a pas chanté ni dansé. On n'a pas couché ensemble non plus. Voilà, Sagan, tu sais tout.

— Qui a fait le premier pas ? voulut-il savoir.

Carla gloussa et renifla.

— Bah. À ton avis ?

Darcy lui jeta un regard mauvais, mais ne releva pas.

— Est-ce que tu savais qu'elle t'aimait ? demanda Sagan.

— Est-ce que tu savais que tu l'aimais ? demanda Carla.

— Est-ce que tu savais que tu aimais les filles ? ajouta Sagan.

Darcy se racla la gorge. Elle n'avait pas su grand-chose, en réalité. Ce qui s'était produit la veille au soir était arrivé sans initiative, sans action ni même volonté de sa part. C'était assez pathétique, à bien y réfléchir. Mais c'était également magique de voir comment un simple baiser sur le toit – presque surgi de nulle part – avait tout transformé.

— Nous prendrons votre silence pour un non, un non et un non, l'avertit Carla. Pauvre petite Darcy.

— Elle a quel âge, Imogen ? demanda Sagan.

— Elle a…, commença Darcy, mais aucun chiffre précis ne lui vint en tête. Euh, elle a décroché son diplôme l'année dernière. Ça fait vingt-trois ans ?

Carla secoua la tête.

— Je ne sais pas, mais de toute façon, c'est une adulte.

— Et cette différence d'âge ne vous effraie pas ? interrogea Sagan le bras tendu avec un micro invisible sous le nez de Darcy.

— Je m'en fiche, répondit-elle en repoussant sa main. Quand je suis arrivée ici, je n'ai dit à personne l'âge que j'avais. La question ne s'est même pas présentée avant hier soir. J'imagine qu'elle m'a simplement acceptée comme un autre écrivain.

— Le pouvoir de l'écriture! s'exclama Carla. C'est mignon.

— Trop mignon, maugréa Sagan. Je crois percevoir comme un manque de détails salaces.

— On y va en douceur, se justifia Darcy.

Carla lui tapota l'épaule.

— On n'en attendait pas moins de toi.

— Hé! C'est la volonté d'Imogen, pas la mienne! protesta Darcy en reculant. Vous me prenez vraiment pour la dernière des innocentes?

À l'instant où cette question franchissait ses lèvres, Darcy eut la réponse. Elle était pire qu'innocente; elle ne se rendait compte de rien. Et pour ne rien arranger, ses amis la dévisageaient, attendris.

— Le truc que je ne comprends pas, avoua Carla, c'est comment une grande naïve comme toi a réussi à écrire une histoire d'amour crédible?

— En fait, intervint Sagan, jusqu'au début des années 1980 les héroïnes de romans d'amour étaient toujours vierges. On écrit sur ce qu'on connaît. Même si la définition de la virginité se complique un peu quand il s'agit de deux filles. Ça fait débat sur Internet.

Carla le fixa avec des yeux ronds.

— Je peux savoir pourquoi tu as fait des recherches là-dessus?

— Oh, c'était sur le forum de *Mon petit poney*. Tu te rappelles que dans l'épisode quarante et un, il est fortement suggéré que Tensile-Toes a une petite amie licorne? Mais naturellement, seule une vierge peut approcher une licorne, alors soit Tensile-Toes est encore vierge comme notre Darcy ici présente, soit sa virginité est purement technique et…

— Chut! siffla Darcy.

Deux filles en uniforme scolaire traînaient près de l'entrée de la salle Frank Lloyd Wright, prenant des notes – sur l'architecture, avec un peu de chance.

Carla parla d'une voix basse mais ferme :

— Darcy, on t'aime tous les deux exactement comme tu es. En plus, il paraît évident que la répugnance des licornes à l'égard de celles qui ne sont plus vierges ne s'applique pas aux autres équidés.

— Entièrement d'accord, chuchota Sagan. Sur les deux points.

— Je sais qu'Imogen en pince pour moi. Seulement, j'ai peur de tout faire foirer. Ce n'est pas un jeu, là, c'est bien réel. J'ai l'impression d'apprendre à conduire avec une Ferrari !

— Les Ferrari sont des voitures très sûres, en fait, observa Sagan. Elles ont beaucoup d'accidents à cause du pourcentage élevé d'abrutis parmi leurs propriétaires.

— Exactement ! renchérit Carla. Si vous y allez en douceur, il n'y aura aucun problème.

— Tant mieux si tout le monde est d'accord avec ça, dit Darcy.

Elle avait voulu prendre un ton sarcastique mais le commentaire sonnait tout à fait juste à ses oreilles. La veille, à sa soirée, elle s'était sentie mûre et sûre d'elle, armée pour en mettre plein la vue à ses amis du lycée. En vérité, Carla et Sagan la connaissaient mieux que personne et elle était toujours la dernière des innocentes à leurs yeux.

Darcy tourna les talons et sortit de la salle en passant devant les écolières, lesquelles échangeaient des messes basses dans une langue qui ressemblait au français – sans doute à propos de sa virginité. Elle continua à marcher à travers les galeries américaines et emprunta plusieurs escaliers, suivie en silence par Carla et Sagan.

Ils débouchèrent dans une aile du musée à la moquette rouille et à l'éclairage tamisé, pleine de paravents décorés conservés sous verre. L'endroit était quasi désert et Darcy ralentit, rassurée de voir que les écolières ne les poursuivaient pas, carnet de notes à la main.

— Parfois, j'ai l'impression de faire semblant d'être une adulte.

Carla sourit.

— C'est pareil pour tout le monde, je crois. On commence par faire semblant, et tôt ou tard, ça devient vrai.

— Comme quand on joue les malades pour sécher les cours, dit Sagan. On se retrouve toujours avec un vrai mal de ventre.

— Dans ce cas, tout va bien. Je suis très forte pour faire semblant.

Darcy s'obligea à sourire, pour balayer son manque de conviction. Quelle importance qu'elle ne connaisse rien à l'amour ? Quelle importance qu'elle soit si jeune ? Ce qu'elle vivait avec Imogen était bien réel, et tant qu'elle pouvait s'appuyer là-dessus, aucune autre préoccupation n'avait de sens.

Enfin, sauf la réécriture de son livre, la mise en chantier de la suite et la nécessité de ne pas dépenser plus de dix-sept dollars par jour.

— Hé, vise un peu ça ! fit Sagan le doigt pointé sur une gigantesque toile. C'est lui qui a fait la peau à ton premier rôle masculin.

Darcy examina le tableau. Plus grand qu'elle, il représentait un monstre bleu à trois yeux entouré d'un halo de flammes, et portant une guirlande de crânes sur la tête.

— Yamantaka, vainqueur de Yama, lut Sagan penché sur la plaque murale. Le type qui a tué la Mort !

— Plutôt classe, approuva Carla. Tu devrais t'en servir dans ton deuxième bouquin.

— Jamais entendu parler de lui. (Darcy poussa Sagan du coude pour lire la plaque à son tour.) Ah, c'est parce que c'est une divinité bouddhiste. J'ai déjà assez d'ennuis comme ça sans avoir besoin d'aller piocher dans les autres religions.

— Tu as des ennuis ? s'inquiéta Sagan.

— Plus ou moins, reconnut Darcy avec un soupir.

Elle avait eu l'intention d'aborder la question avec Sagan aujourd'hui, et le cadre était idéal.

— Tu sais, le premier soir où je suis arrivée ici, quand j'ai rencontré Kiralee...

— Darcy appelle Kiralee Taylor par son prénom, fit remarquer Sagan à Carla. Je n'en reviens toujours pas.

— Tu as partagé du guacamole avec Standerson !

— Bon, écoutez, reprit Darcy. Ce soir-là, on a pas mal discuté de la manière dont j'avais utilisé un vrai dieu comme personnage dans mon roman. Sans parler de tous les trucs que j'ai empruntés aux Veda. Est-ce que ça t'ennuie, toi, Sagan ? En tant qu'hindou ?

Il haussa les épaules.

— Ça m'a fait bizarre au début, après je me suis dit que ce n'était pas un problème, vu qu'il n'y a pas d'hindouisme dans ton univers.

Darcy cligna des paupières.

— Hein ?

— Bah, tu te rappelles quand Lizzie essaie de trouver un meilleur mot que « psychopompe » et qu'elle fait des recherches sur tous ces dieux de la mort ? Au départ, je ne comprenais pas pourquoi elle ne tombe pas une seule fois sur le nom de Yama.

— Parce que ça ferait bizarre, se justifia Darcy. Elle sort avec lui, quand même. Et dans mon monde c'est une personne, pas un dieu.

— Exactement. Alors j'ai pensé qu'on était face au paradoxe d'Angelina Jolie.

Darcy jeta un coup d'œil à Carla, qui paraissait aussi perdue qu'elle.

— Le quoi?

Sagan s'éclaircit la voix.

— Tu sais, quand tu regardes un film avec Angelina Jolie, et que son personnage ressemble trait pour trait à Angelina Jolie?

— Euh, oui. Parce que c'est vraiment elle.

— Non, dans le film elle joue quelqu'un d'ordinaire, pas une star de cinéma. Les autres personnages ne mentionnent jamais qu'elle est le sosie d'Angelina Jolie. Personne ne l'aborde jamais dans la rue pour lui demander un autographe.

— Ça casserait l'atmosphère du film, commenta Carla.

— Exactement. Donc chaque fois qu'Angelina se retrouve à l'affiche d'un film, le scénariste crée en fait un univers parallèle dans lequel l'actrice Angelina Jolie n'existe pas. Parce que sinon, les autres personnages remarqueraient sans arrêt la ressemblance. C'est ce que j'appelle le paradoxe d'Angelina Jolie.

— Tu sais, Sagan, fit observer Carla, tu aurais pu lui donner le nom de n'importe quelle star de cinéma.

— Très juste. Mais en tant qu'inventeur du paradoxe, c'est à moi qu'il revient de le baptiser et j'ai choisi Angelina Jolie.

— J'accepte ta nomenclature, déclara Darcy. Mais je ne vois pas le rapport avec mon livre.

— Eh bien, vu que Lizzie fait des recherches sur les dieux de la mort sans jamais réaliser que son petit ami est une divinité authentique pour, allez, huit cent millions d'hindous, on peut considérer que ton livre se déroule

268

dans un univers qui ne connaît pas l'hindouisme. Je ne vois pas d'autre explication.

— Merde. Tu as raison, lâcha Darcy.

Elle se laissa tomber sur un banc en bois sombre au centre de la salle.

— Oh, bravo ! (Carla s'assit à côté d'elle et lui décocha un coup de poing dans le bras.) Tu viens d'effacer ta propre religion. C'est comme si tu avais remonté le temps et assassiné Bouddha.

— Ne ris pas ! protesta Darcy en lui retournant son coup de poing. C'est grave !

— Tu crois que tu risques l'excommunication, ou je ne sais quoi ?

— La question ne se pose pas, dit Sagan. Nous n'avons pas l'autorité religieuse pour prononcer une excommunication.

— Ça ne change rien ! s'exclama Darcy.

Elle fixait Yamantaka sur le mur et s'aperçut qu'elle et le monstre à la peau bleue avaient une chose en commun – ils avaient tous les deux assassiné Yama, le seigneur de la Mort.

— Je veux dire, tu es sérieux avec ta théorie ?

— Je t'accorde que le paradoxe d'Angelina ne fait pas l'unanimité, reconnut Sagan. C'est plus une conjecture qu'une théorie.

— Parfaitement ridicule qui plus est, souligna Carla.

— Mais je l'ai dans la tête maintenant, se lamenta Darcy, parce que, aussi ridicule que soit le paradoxe de Sagan, elle ne pouvait pas nier qu'il recelait une part de vérité.

Chaque fois qu'elle se mettait à composer une histoire, Darcy sentait un univers alternatif prendre forme. Il recoupait son propre monde par endroits, comme à San Diego ou à New York, mais certains éléments découlaient de sa seule imagination, à l'instar de Lizzie Scofield ou du Mouvement de la Résurrection. Ces connexions avec la réalité donnaient plus d'impact à l'histoire, et quand ce réalisme commençait à s'effilocher quelque chose se brisait chez Darcy.

Elle leva les yeux vers le tableau. Un personnage comme Yama, emprunté aux Veda, avait déjà ses propres histoires dans le monde réel. Et chaque jour, Darcy doutait un peu plus d'avoir le droit de se l'approprier.

— Tu n'as qu'à lui donner un autre nom, suggéra Carla. Appelle-le Steve…

Darcy poussa un petit cri étranglé.

— Steve ?

— Un prénom indien, si tu préfères. Elle pourrait prendre le tien, Sagan, non ?

— Mon prénom veut dire « seigneur Shiva », alors non, pas vraiment. (Sagan adopta une posture d'archer digne de Bollywood.) Par contre, je veux bien interpréter le rôle de Yamaraj s'il y a un film.

Darcy secoua la tête. Elle ne pouvait pas davantage modifier le nom de Yamaraj que celui de Lizzie, ou de n'importe quel autre personnage. C'était trop tard. De plus, il ne suffisait pas de limer le numéro de série d'une voiture volée pour qu'elle vous appartienne.

— À cause de vous, je ne sais plus où j'en suis.

— Et je n'ai même pas encore abordé le paradoxe proprement dit, l'avertit Sagan. La seule manière de ne pas effacer Angelina Jolie consiste à ne jamais la faire tourner.

Carla ouvrit de grands yeux.

— Ce qui revient aussi à l'effacer.

Darcy poussa un petit geignement.

Carla soupira, et lui caressa l'épaule.

— Tu crois vraiment qu'un dieu de la mort vieux de trois mille ans se préoccupe de ce que tu peux écrire sur lui ?

— Yamaraj est ce qu'il est, répliqua Darcy. Il s'agit de moi – de savoir qui je suis, moi.

20

J AMIE N'ARRÊTAIT PAS DE LOUCHER SUR MA CICATRICE. PAS celle que j'avais au front, les points de suture s'étaient presque résorbés, mais l'ovale de peau rougie qui descendait de mon œil gauche en dessinant une larme.

— Je peux toucher ?

Elle tendait déjà le bras.

Je me suis penchée par-dessus la table en formica. Nous prenions le petit déjeuner dans un café avant notre rentrée au lycée, histoire de marquer le début de notre dernier semestre.

— Ça fait mal ?

— Non. C'est un peu comme un gommage, mais minuscule. (J'ai senti le bout de son doigt m'effleurer la joue.) C'est à cause de la réaction du gaz lacrymogène avec l'eau. Conseil beauté antiterroriste : si tu prends du gaz lacrymo en pleine figure, ne te rince surtout pas !

J'avais répété cette réplique dans ma tête la veille, optant pour le trait comique. Mais Jamie est restée silencieuse, hébétée.

Je me suis raclé la gorge.

— Je plaisantais. Je n'ai pas de conseils beauté antiterroristes.

— C'est vrai que c'est joli, a reconnu Jamie en attrapant son téléphone sur la table. Tu permets ?

Je me suis penchée de nouveau, et elle a pris une photo en gros plan.

À présent, elle louchait sur son appareil.

— On dirait le tatouage d'une larme.

— C'est exactement ça. J'ai versé une larme, qui a laissé cette marque.

— Waouh. Mais une seule larme ? Tu parles d'un gaz lacrymogène !

Je me suis abstenue de lui expliquer que j'avais échappé au gaz en basculant dans une autre réalité, hantée par des fantômes, des psychopompes et des bribes de souvenirs ballottées par le vent en paquets froids et humides.

J'ai préféré lui demander :

— Tu ne finis pas ton bagel ?

Elle l'a poussé dans ma direction, le regard toujours rivé sur son téléphone.

Jamie était la première personne que j'avais appelée avec mon nouveau téléphone – il était arrivé la veille par colis express. (C'était bien mon père, ça : attendre une semaine pour faire quelque chose, puis payer un supplément pour accélérer le processus. Quand je lui avais laissé un message pour le remercier, il m'avait répondu par texto : *Remercie Rachel. C'est elle qui a insisté.* Là encore, c'était tout lui.)

Jamie m'avait annoncé qu'elle passerait me prendre une heure à l'avance pour me conduire au lycée, parce que nous avions une foule de choses à nous raconter, et voilà comment nous nous étions retrouvées à petit-déjeuner au Abby's.

C'était bien plus amusant que de me faire emmener par maman. Entre Mindy, Yama et une toute nouvelle

273

dimension à explorer, je n'avais pas réalisé à quel point ma meilleure amie m'avait manqué.

— Je trouve cool que tu ne sois pas apparue une seule fois à la télé, a déclaré Jamie.

— C'est maman qui a décidé ça, je crois. Je n'ai même pas imaginé donner une interview.

— Tu aurais voulu ?

— Je n'en ai pas vraiment eu le temps. (J'avais eu autre chose à faire, un au-delà à découvrir.) Je n'ai même pas révisé mon espagnol pendant les vacances. Pour une fois, ma mère ne m'y a pas obligée.

— Pauvre Anna, a dit Jamie. Elle doit être encore sous le choc.

— Ne m'en parle pas. (Sans compter qu'elle m'avait retrouvée endormie dans mon placard, avec un couteau en guise de peluche.) Elle est tout le temps fatiguée en ce moment.

— Ça a dû lui faire bizarre, de revoir ton père à Dallas ?

— Il n'est pas venu.

Jamie est restée sans voix, puis elle a plaqué vigoureusement sa fourchette sur la table.

— Tu déconnes ?

J'ai haussé les épaules. Le comportement de mon père provoquait souvent l'incompréhension générale, j'en avais l'habitude.

— Il ne sait pas très bien gérer ce genre de trucs.

— Personne ! Je veux bien qu'il soit bizarre, mais là, ça dépasse tout. Quand je pense que tu as failli… Et merde, je m'étais promis de ne pas le dire. Je suis nulle.

— Je sais que j'ai failli y rester. T'inquiète pas.

— Pardon.

— Je crois qu'on a tous été choqués.

— Et pas que nous. Les voyages aériens enregistrent une baisse de huit pour cent. Et quand les Fédéraux ont fouillé les maisons des tireurs, ils ont retrouvé toutes sortes d'explosifs et d'autres saloperies de ce genre. À croire qu'ils prévoyaient un truc énorme. Il paraît que le FBI va bientôt effectuer une descente au quartier général de la secte.

J'étais stupéfaite.

— Tu suis ça aux infos ?

— Je n'arrête pas ! s'est écriée Jamie, tellement fort qu'on s'est retourné vers nous. J'espère que ça ne te paraît pas trop malsain. Seulement, comme tu ne répondais pas à mes e-mails, il a bien fallu que je m'informe quelque part.

— Je sais. Je suis soulagée que tu ne sois pas fâchée contre moi.

Jamie fixait ses couverts, et je voyais bien qu'elle était en proie à des émotions contraires : le soulagement de me savoir en vie, la colère, parce que j'avais attendu si longtemps pour l'appeler, l'horreur de découvrir le monde aussi noir et dangereux.

— C'était égoïste de ma part, de me cacher comme ça.

— Ne sois pas ridicule. C'est toi la victime dans cette affaire, a maugréé Jamie.

— J'avais le droit d'être ridicule. Et de me cacher, aussi. Mais maintenant, j'ai décidé d'aller mieux. (Je lui ai tendu l'une de mes frites.) Tu vois ? Je redeviens altruiste.

Elle a pris la frite et l'a mangée d'un air solennel.

— Tu peux me parler de ce qui t'est arrivé, Lizzie. Ou de n'importe quoi d'autre. OK ?

— OK.

Elle a pioché une autre frite dans mon assiette.

— Tu viens de faire ce drôle de truc avec ta bouche, comme chaque fois que tu mens. Pourquoi ?

J'ai tourné la tête.

— Peut-être parce que je viens de te mentir. Il y a

certaines choses dont je ne peux pas te parler. Parce que je ne peux en parler à personne, tu vois ?

J'ai compris pourquoi j'avais attendu aussi longtemps pour appeler Jamie. Cela n'avait rien à voir avec le traumatisme que j'avais vécu ou le besoin de me cacher pour échapper à ma célébrité récente. C'était parce que je brûlais d'envie de tout lui raconter.

Elle était ma meilleure amie, et je ne pouvais pas lui dire un mot de la chose la plus effrayante et la plus merveilleuse qui me soit jamais arrivée. Je ne pouvais pas lui parler de ce qu'il y avait après la mort, ni du fantôme qui hantait ma mère, ni des cinq fillettes de Palo Alto. Pire que tout, je ne pouvais rien lui raconter à propos de Yama.

Être avec lui m'avait transformée. Je sentais bouillonner en moi des énergies inconnues, j'avais la lueur des psychopompes sur la peau et du feu dans les mains. Je n'avais pas dormi depuis deux jours. Le vieil homme rencontré sous le sol de ma chambre avait dit vrai – je n'en avais plus besoin.

J'étais en train de devenir une autre. Quelqu'un de puissant, et de dangereux.

— Tu m'en veux ?

Jamie a secoué la tête.

— Je n'ai pas dit que tu devais me parler, seulement que tu pouvais. Mais peut-être que tu aurais besoin de l'aide de quelqu'un d'autre.

— D'un psy, tu veux dire ?

Sa suggestion m'a agacée. Maman m'avait déjà proposé de voir quelqu'un, mais ce n'était pas la même chose venant d'une amie.

— Je vais bien, Jamie. Par certains côtés, je vais même très bien. Mieux que jamais.

Une expression de tristesse a assombri son visage.

— Comment tu pourrais aller mieux ?

— Eh bien, parmi les choses dont je ne peux pas te parler, il n'y a pas que du mauvais. Je dirais même qu'il y a des éléments positifs.

J'ai porté machinalement les doigts à mes lèvres. Comme si Jamie pouvait y voir une trace de la chaleur de Yama.

— Nom d'un chien, Lizzie. Tu as rencontré quelqu'un !

J'aurais dû nier, mais j'ai été surprise. Nous sommes restées là, à nous dévisager l'une l'autre. Mon silence confirmait ce qu'elle venait de dire.

Jamie a secoué la tête.

— Je me disais aussi... je te trouvais assez guillerette.

Quelque chose dans sa façon de dire « guillerette » m'a fait rire.

— Jamie..., ai-je commencé.

— Lizzie, a-t-elle répliqué sur le même ton. Est-ce que c'est arrivé à New York ? Non, tu m'en aurais parlé avant. Donc tu as rencontré quelqu'un à Dallas ?

Un geignement m'a échappé, on m'arrachait la vérité de la bouche. Au fond j'étais plutôt soulagée à l'idée de me confier, un peu excitée aussi.

— Voilà. C'est ça.

— C'est tellement romantique ! À l'hôpital ?

— Non.

— Pas un autre patient, donc. Je trouve que tu fais bien des mystères. Tu n'en as pas encore parlé à Anna, j'imagine ?

— Bien sûr que non.

— Ah ! Donc il est plus âgé. À moins que tu ne fasses des mystères parce que ce n'est pas un garçon ? Est-ce que tu as changé de bord, Lizzie ? Tu sais que ça ne ferait aucune différence pour moi.

— Je sais, mais c'est un garçon. Et, oui, plus âgé. En un sens.

Cela me faisait drôle d'en parler de cette manière. Yama était né longtemps auparavant, mais il n'avait pas beaucoup changé depuis qu'il avait quitté le monde réel. Mindy avait toujours onze ans, et Yama ne devait pas être tellement plus vieux que moi.

— Un jeune infirmier sexy?

— Non, ai-je répondu avec un sourire.

Jamie ne risquait pas de deviner, bien entendu, mais c'était agréable de la voir essayer. Comme si la situation était normale.

— C'est juste quelqu'un qui m'a aidée. On a... des choses en commun.

— Trop mignon, mais «juste quelqu'un qui m'a aidée»? Tu es nulle pour donner des indices.

— Qui a dit que je voulais te donner des indices?

Elle s'est penchée pour m'envoyer un coup de poing dans l'épaule.

— Moi! D'autres indices, vite!

— D'accord. (Mais que pouvais-je lui raconter tout en restant crédible?) C'est quelqu'un qui sait gérer les crises.

— Un professionnel du soutien psychologique?

C'était probablement ce qui se rapprochait le plus de la vérité, alors j'ai fait oui de la tête.

— Waouh. Mais... ce n'est pas contraire à l'éthique, de draguer une victime traumatisée?

— Il n'est pas..., ai-je commencé. Ce n'est pas vraiment un psychologue, Jamie.

— Tu viens d'affirmer le contraire.

— Pas officiellement, je veux dire.

La conversation devenait un peu trop spécifique à mon goût, j'ai opté pour une réponse vague.

— C'est juste quelqu'un qui m'a apporté ce qu'il fallait pour m'en sortir. Il m'a sauvé la vie. C'est grâce à lui si je ne suis pas en train de m'effondrer en ce moment.

Elle a acquiescé lentement.

— D'accord, jusqu'ici je l'aime bien. Mais j'imagine qu'il doit vivre à Dallas, non ? Tu sais que la plupart des relations à distance sont condamnées d'avance.

— Il vient ici de temps en temps. Il voyage beaucoup. Pour, euh, son travail.

— Son travail ? Lizzie, il fait quoi exactement ?

J'ai ouvert la bouche, puis je l'ai refermée. Guide des âmes ? Psychopompe ? Gardien des morts ?

— C'est un secret, ai-je bafouillé. Son travail est un secret.

Il y a eu un long silence, durant lequel Jamie soupesait ma réponse tandis que je réfléchissais au piège dans lequel je m'étais fourrée. C'était peut-être pour ça que je n'avais pas appelé Jamie plus tôt – parce qu'elle s'y entendait très bien à me soutirer des informations.

— Attends, a-t-elle fini par dire. C'est une sorte d'espion, c'est ça ?

— Pardon ?

— C'est pourtant évident, a déclaré Jamie en commençant à compter sur ses doigts. Un travail secret. Voyage beaucoup. Présent sur les lieux d'un attentat terroriste. Formé à la gestion de crise. Trop vieux pour toi.

— Pas si vieux que ça. Il fait vraiment jeune.

— Tu sors avec un agent du gouvernement ! Et ce qui t'embête le plus, c'est de savoir quel âge on lui donnerait ?

J'ai regardé autour de nous, je me demandais si quelqu'un dans la salle n'avait pas entendu l'exclamation de Jamie. Je n'ai reconnu personne. Les amis de ma mère venaient souvent déjeuner au Abby's. Sans oublier que mon visage avait fait les gros titres ces derniers temps.

— On devrait arrêter d'en parler, ai-je murmuré.

— Parce que tu ne peux ni confirmer ni infirmer, a

conclu Jamie en consultant son téléphone. De toute façon, c'est l'heure d'aller au lycée. Je t'invite.

Un peu plus tard, nous étions dans sa voiture, silencieuses.

Voilà ce que j'avais gagné à me confier. J'étais empêtrée dans un mensonge – et ridicule, en plus. Mais si je lui disais que mon petit ami mystérieux n'était pas un agent secret, Jamie recommencerait à me poser des questions. Et je ne me voyais vraiment pas lui avouer la vérité.

D'ailleurs, la connaissais-je moi-même ? Que savais-je exactement de Yama ? Je n'avais qu'une vague notion de son âge ou de ses origines. Il n'avait pas fini de me raconter comment il était devenu psychopompe. Je me souvenais juste qu'il était question d'un âne.

Je n'avais pas les réponses aux questions que Jamie avait sans doute envie de me poser. Mais il fallait bien que je dise quelque chose.

— Je sais que tout ça doit paraître bizarre.

Elle se mit à tambouriner sur le volant.

— Ça, tu l'as dit. En fait, je suis tentée de croire que tu es complètement folle. Et que tu as inventé cette histoire d'agent secret pour te sentir plus en sécurité.

— Pourquoi tu aurais envie de croire ça ?

— Ça voudrait dire que personne ne se sert de toi.

Je l'ai dévisagée. Mon petit déjeuner me pesait sur l'estomac.

— Il n'est pas comme ça.

— Je suis sûre qu'il a l'air gentil, Lizzie. Parce que dans tous les films d'action la fille tombe amoureuse du gars qui la sauve, comme si c'était normal. Mais dans la vraie vie c'est le plus mauvais moment pour nouer une relation, parce qu'on est complètement chamboulés quand on se fait tirer dessus. Ce n'est pas ce qu'on appelle le syndrome de Stockholm ou je ne sais quoi?

— Non, ça c'est quand on tombe amoureuse du terroriste, pas du gentil.

— Ah oui. Ce serait encore pire. Mais tu ne vas pas me dire que tu es sortie avec lui uniquement parce que tu avais peur, quand même?

Elle m'a regardée. J'ai secoué la tête.

— Tu n'y es pas du tout. En fait, il n'arrêtait pas de répéter que je devais oublier l'attentat, même si ça voulait dire l'oublier lui aussi. Sauf que je n'ai pas pu. Il y a eu quelque chose entre nous à l'instant où je l'ai vu.

Elle a reporté son attention sur la route.

— Autrement dit, tu le trouves sexy.

— Oh oui.

Je ne savais pas par où commencer, je tremblais à l'idée de le décrire à voix haute.

— Des yeux bruns. La peau foncée. Il est grand, du genre noueux.

Je pouvais encore sentir son torse musclé sous sa chemise.

— Tu veux dire qu'il fait de la muscu?

— Non. Plutôt le genre de gars qui a grandi dans une ferme.

En disant cela, j'ai compris que c'était logique. Le travail manuel ne devait pas manquer à son époque.

— Noueux. D'accord.

Soudain j'ai eu envie de tout raconter à Jamie, du moins tout ce qu'elle était en situation de comprendre.

— Il a une sœur jumelle dont il est très proche. On dirait presque qu'ils ont un lien télépathique.

— C'est bizarre, mais cool. Donc, vous vous êtes embrassés à Dallas, quand tu étais encore à l'hôpital?

— Non. C'était ici, avant-hier soir. C'était la première fois que... qu'il s'est passé quelque chose.

— Il était ici, à San Diego? Il ne t'a pas suivie, au moins?

— Non. Il était dans le coin, c'est tout. Et c'est moi qui l'ai appelé. Je t'assure, il y a un truc entre nous. Fais-moi confiance.

Elle m'a dévisagée un instant.

— D'accord. Je vais te faire confiance, Lizzie. Je suis contente que quelqu'un ait été là pour toi. Simplement, sois prudente.

— Je le serai.

Naturellement, je mentais. Être prudente voulait dire écouter Yama et oublier les cinq petites filles de Palo Alto. Impossible. Mindy avait besoin de savoir que le méchant homme ne lui ferait plus aucun mal. J'avais besoin de savoir qu'il n'en ferait à personne d'autre non plus.

J'ai posé la main sur celle de Jamie, je voulais lui confier une chose qui ne soit pas une demi-vérité.

— Je suis heureuse d'avoir pu discuter de tout ça avec toi. Ça me paraît plus réel, maintenant que je l'ai formulé à voix haute.

Elle m'a souri, et elle a tourné le volant pour s'engager sur le parking des élèves. Il y avait déjà foule, des groupes se constituaient, on était excités de se revoir ou déprimés de reprendre les cours. La scène paraissait tellement normale, banale, que j'ai eu un pincement au cœur.

Je ne m'y sentais plus à ma place.

C'était troublant. Dans le monde gris j'avais l'air décalée, brillante et colorée. Paradoxalement ce parking de lycée me semblait tout aussi étranger, beaucoup trop vivant pour une psychopompe comme moi.

Je ne supportais pas ce nom. J'avais entamé quelques recherches en ligne pour en trouver un qui me plaise, mais je retombais toujours sur les classiques «guide des âmes» ou «faucheuse», sans oublier une tripotée de dieux et de déesses appelés Oya, Holotl, Pinga ou Muut, plus deux divinités chinoises aux noms évocateurs de Tête-de-bœuf et de Face-de-cheval.

Je continuais à chercher.

Jamie s'est garée. À l'instant où j'ai mis le pied hors de la voiture, j'ai vu les gens me jeter des regards furtifs, quelques-uns ont même sorti leur téléphone. Au moins n'y avait-il aucune caméra télé ni aucun journaliste en vue. Les vacances d'hiver avaient duré assez longtemps pour que ma célébrité de survivante commence à s'émousser.

Alors que Jamie et moi nous dirigions vers l'entrée du lycée, j'ai aperçu une berline noire dans la rue, dont l'occupant regardait passer le flot des élèves.

— Attends-moi une seconde, ai-je dit à Jamie.

J'ai traversé la bande de pelouse qui séparait le parking de la rue.

La vitre du conducteur s'est abaissée en bourdonnant à mon approche.

— Salut, m'sieur l'agent spécial.

— Content de vous revoir, mademoiselle Scofield.

Elian Reyes portait son habituel costume sombre et ses verres fumés, ainsi qu'une cravate rouge vif.

— Moi aussi, je suis contente. Mais, euh…

— Qu'est-ce qui vous vaut l'honneur de ma visite ? (Son sourire étincelait dans le soleil matinal.) Rien de grave. Mon supérieur tenait à s'assurer que votre rentrée se passait bien.

— Y a-t-il quelque chose que je devrais savoir ?

Il a secoué la tête.

— Rien de nouveau, mademoiselle Scofield. Simplement un excès de précaution.

— C'est gentil de votre part. Ma copine a entendu

quelque chose aux infos à propos de votre secte. Le FBI préparerait un assaut sur son quartier général.

— Ce n'est qu'une rumeur, mademoiselle Scofield.

— Que vous ne pouvez ni confirmer ni infirmer. Ben voyons.

— Sur laquelle je ne peux vous donner aucune information supplémentaire. Ici, dans le sud de la Californie, on s'occupe surtout du trafic de drogue. Mais une bonne affaire de terrorisme bien médiatique est toujours excitante.

— Tant mieux si j'ai pu vous aider là-dessus.

Dans mon dos, la première sonnerie a retenti. Je me suis retournée machinalement et j'ai vu que Jamie nous observait avec des yeux ronds.

— Oh, zut.

— Une de vos amies ? a demandé l'agent Reyes.

— Oui. Et maintenant, elle doit s'imaginer… (Ma propre bêtise m'a arraché un couinement.) Elle doit sûrement vous prendre pour mon nouveau petit ami.

Il a baissé ses lunettes, plissé ses yeux bruns.

— Votre nouveau petit ami ?

— Mon petit ami secret dont je viens de lui parler. C'est une longue histoire, plutôt embarrassante.

— Je suis bien de cet avis. N'hésitez pas à la détromper, mademoiselle Scofield.

— Je m'en occupe tout de suite, ai-je promis en rougissant. Euh, c'était la sonnerie. Il va falloir que j'aille en cours.

Il a hoché la tête.

— Prévenez-moi si vous remarquez quoi que ce soit d'inhabituel aujourd'hui.

— J'ai déjà enregistré votre numéro.

Je l'ai salué et je suis partie.

En me dirigeant vers l'entrée principale, j'ai remarqué

que Jamie n'était pas la seule à m'avoir vue discuter avec l'agent spécial Reyes. Super.

— C'est vrai qu'il est sexy, a reconnu Jamie avec un sourire salace quand je l'ai rejointe. Mais je croyais que tu n'avais pas travaillé ton espagnol ?

— Jamais de la vie ! Je veux dire, oui, il est peut-être pas mal. Mais ce n'est pas…

— Un Latino ?

J'ai gémi.

— Tu comprends tout de travers.

Elle a passé son bras autour du mien et m'a entraînée à l'intérieur.

— D'accord. C'est juste un autre gars sexy et mystérieux dans une voiture banalisée qui te suit comme ça pour le plaisir.

— Oui ! C'est exactement ça.

— Je te crois, ma belle.

Un groupe d'élèves de seconde nous observaient avec intérêt, et je les ai entendus murmurer mon nom quand nous sommes passées devant eux. Jamie les a fusillés du regard.

— Pauvres types, a-t-elle maugréé.

J'ai envisagé de convaincre Jamie que l'agent spécial Reyes n'était pas mon petit ami, mais à quoi bon ? Elle l'avait vu de ses propres yeux, après tout, ce qui valait toujours mieux qu'un psychopompe invisible. Au moins, elle ne me prendrait pas pour une folle.

— Merci, Jamie.

— De quoi ?

— De m'avoir écoutée. De me faire confiance.

Elle a resserré sa prise sur mon bras.

— Je te le répète : sois prudente, c'est tout.

J'ai hoché la tête, me laissant conduire par Jamie au premier cours de la matinée.

C'était bizarre. Malgré les malentendus et autres demi-vérités qui l'avaient émaillée, ma conversation avec Jamie m'avait aidée à y voir plus clair. Je n'avais jamais compris pourquoi Yama s'était montré aussi réticent au début et m'avait suggéré de l'oublier. Mais peut-être que de nouveaux fantômes s'attachaient à lui sans arrêt, tels des canetons influencés par l'empreinte de leur mère. Ainsi, il craignait de voir ces petites filles s'attacher à moi…

Mais ce n'était pas ce qui s'était passé entre nous, si ?

À l'instant où je l'avais vu, Yama m'avait paru si beau, si nécessaire. Non parce que j'étais traumatisée, mais en dépit des choses terribles qui se déroulaient autour de nous. Depuis notre premier baiser à l'aéroport, il faisait partie de moi. Je pouvais encore sentir ses lèvres sur les miennes, et il m'avait entendue quand je l'avais appelé.

Notre lien était réel ; en parler à Jamie n'avait fait que le consolider, quels que soient les mensonges que j'avais dû broder autour.

C E FUT DIX JOURS APRÈS SON PREMIER VRAI BAISER QUE
Darcy Patel reçut sa première vraie lettre éditoriale.
Il lui semblait naturel de partager l'un et l'autre avec
la même personne.

— Je l'ai ! cria-t-elle dans son téléphone.

— Minute, grommela Imogen d'une voix endormie. (Il
s'ensuivit un bruit de brossage de dents, puis de crachat.)
Tu parles de ta lettre éditoriale ? Pas trop tôt.

— Je sais, d'accord ? Ce bouquin doit sortir dans
quatre cent vingt-huit jours !

— Comment le sais-tu ?

— Nisha m'a envoyé un texto ce matin.

Imogen rigola.

— Pratique. Alors, que dit Nan ?

— Je ne l'ai pas encore lue. Je voudrais que tu sois là !

Darcy se sentit pathétique d'avoir dit ça, et un peu
agacée d'avoir à demander :

— Tu peux venir ?

— Je devrais pouvoir te caser dans mon planning,
répondit Imogen d'une voix traînante, avant d'ajouter
aussitôt : Envoie-moi une copie de ta lettre. J'arrive dans
cinq minutes.

Quinze minutes plus tard, elles se trouvaient toutes les deux sur le toit de l'immeuble de Darcy, téléphones et muffins à la main. Darcy était encore en pantalon de pyjama et tee-shirt, mais Imogen avait enfilé une chemise blanche immaculée et portait toute sa collection de bagues, preuve qu'elle faisait grand cas de cette affaire de lettre éditoriale. Elle était passée prendre deux cafés et des muffins à la gargote sino-italienne en bas de l'immeuble.

— Jusque-là tout va bien, annonça Darcy en parcourant le paragraphe d'introduction. Elle adore le premier chapitre.

— Nan commence toujours par des compliments.

Imogen fit passer son pouce sur l'écran.

— Hé ! Ces compliments me sont adressés. Tu pourrais au moins les lire jusqu'au bout !

— Garde-les pour quand tu en auras besoin. Le dessert en dernier.

Darcy leva les yeux au ciel.

— Dit celle qui s'envoie un muffin au petit déjeuner. Qu'est-ce qu'on fabrique sur ce toit, de toute manière ?

— On prend du recul, répondit Imogen, le doigt pointé vers la ville en contrebas.

Darcy ne se donna même pas la peine de demander pourquoi. Elle était tout à son e-mail. Le paragraphe suivant s'intéressait aux chapitres deux et trois, dans lesquels Lizzie descendait dans le palais souterrain de Yamaraj après l'attaque à l'aéroport.

Le ton en était nettement moins élogieux.

— Merde. Elle déteste.

— Non, pas du tout.

— Elle dit que ce n'est qu'une longue exposition !

— Eh bien, c'est un peu vrai. Par contre, j'adore l'événement fondateur de Yamaraj. La vengeance de l'âne ! Ça déchire.

— Merci, fit Darcy à voix basse.

L'histoire de l'âne était l'une des rares choses complètement inventées dans son livre. Sans rapport avec le Yamaraj des Veda ni avec l'amie assassinée de sa mère. Elle était sortie de nulle part, comme un récit surgi d'une autre époque.

Mais Nan n'avait pas tort. Pendant deux chapitres entiers Yamaraj et Yami étaient assis dans leur palais à expliquer à Lizzie le fonctionnement de l'au-delà – un gigantesque pavé d'exposition, la bête noire de tous les manuels d'écriture. Comment cela avait-il pu échapper à Darcy ?

Elle tâcha de conserver une voix claire et parla avec lenteur :

— Peut-être qu'ils pourraient lui expliquer les choses plus tard. Ainsi, Lizzie commencerait à découvrir l'au-delà par elle-même et ça rendrait Yamaraj plus mystérieux au début.

Imogen approuva de la tête.

— Mystérieux, j'aime bien. C'est un dieu de la mort, après tout.

— Oui. D'ailleurs, à ce propos…

Elle hésita à poursuivre. Darcy se demanda d'où exactement lui était venue cette idée d'emprunter un personnage à sa religion. Peut-être de ces récits des Veda qu'elle avait toujours aimés. Peut-être que cela n'avait même pas été conscient.

À un moment donné, Yama s'était retrouvé mêlé à toutes les autres histoires qu'elle avait dans la tête, parmi les acteurs de Bollywood, les petits amis de mangas, les héros de romans d'amour fantastiques et même les princes charmants des films de Disney…

— Merde. C'est ça.

— Quoi donc ? demanda Imogen.

— Le fait que Yamaraj emmène Lizzie dans son palais. C'est cucu. Les châteaux, ça fait tellement Disney…

— C'est un raja de l'au-delà, plaida Imogen. Tu voudrais qu'il habite où, dans un bungalow ?

Au milieu des doutes qui l'assaillaient, Darcy nota qu'elle aimait bien le mot « bungalow », sans savoir à quoi il correspondait exactement.

— D'accord, il a un palais, admit-elle. Il a une ville entière. Mais Lizzie ne va pas demeurer là et prendre le thé. Plus tard oui, quand les choses se compliquent et que l'au-delà devient une affaire grave et inquiétante. Yama doit rester un dieu de la mort crédible.

Imogen leva les yeux de son téléphone.

— C'est la réflexion de Kiralee qui te fait dire ça ?

— Pas seulement. Mon ami Sagan a soulevé un sérieux problème.

Le paradoxe d'Angelina Jolie semblait trop ridicule pour l'exposer à Imogen, mais Darcy devait essayer d'en donner les grandes lignes.

— En prenant Yamaraj comme personnage, c'est comme si je l'effaçais des écritures. Mais me débarrasser de lui reviendrait à l'effacer aussi. Donc la seule issue qui me reste, c'est de le rendre crédible. Je lui dois bien ça.

— Tu le dois à tous tes personnages, dit simplement Imogen.

— Oui, bien sûr.

Le plus étrange, c'était qu'au premier jour de rédaction, en novembre dernier, Darcy avait imaginé le palais souterrain somptueux de Yamaraj. Comme elle n'était jamais allée en Inde, elle s'en était fait une image confuse à partir de films, de dessins animés et de sites web d'hôtels de luxe.

— J'aimais vraiment cette scène au palais. Un peu trop mièvre, hein ?

— Supprimez vos favoris, cita Imogen, le fameux conseil de William Faulkner.

Elle traça du doigt une ligne sur le bras nu de Darcy. Celle-ci fut parcourue d'un frisson, une sorte de soulagement ; une scène favorite brisée venait d'être évacuée de son système.

Elle ouvrit une application de prise de notes sur son téléphone et tapa : *Exposition plus tard. Palais plus effrayant. Yama plus mystérieux.* Sa main tremblait encore un peu, elle respirait vite, mais ce n'était plus un réflexe de lutte ou de fuite. C'était le bouillonnement des idées sous son crâne, et le fait de se trouver avec Imogen à l'endroit même où elles s'étaient embrassées la première fois.

Canal Street grondait avec autorité en contrebas, et la ville environnante se déployait, immense, inébranlable.

D'une voix neutre, Darcy déclara :

— C'était une bonne idée, de monter travailler ici.

Imogen lui répondit avec ses lèvres, qu'elle posa en douceur au creux du cou de Darcy. Elle sentait le café et le gingembre, avec une légère touche de lessive qui provenait de son chemisier.

Ce baiser produisit un séisme dans le ventre de Darcy, déjà passablement tiraillé par l'angoisse et la caféine. Elle aurait voulu se retourner et embrasser Imogen à pleine bouche, mais il y avait un certain élan dans ses idées, et dans son corps, qu'elle ne voulait pas réprimer.

— Donc je dois trouver où Yamaraj peut emmener Lizzie. Où, à part dans les enfers ? Il faut un endroit sombre et qui fasse peur.

Pendant un long moment, ni l'une ni l'autre ne prononcèrent un mot. Darcy passa en revue tous les décors de son livre – l'école fantôme, l'île balayée par le vent, le pic montagneux en Perse. Lequel était le plus sinistre, le plus approprié à l'introduction d'un dieu de la mort ?

C'est Imogen qui rompit le silence.

— Pourquoi faut-il absolument qu'ils aillent quelque part ?

— Tu veux dire… ?

La voix de Darcy mourut. Tout le monde adorait la scène de l'aéroport, alors il n'était peut-être pas indispensable de le quitter.

— Mais il y a une attaque terroriste en cours.

— Si tu veux de l'effroi, c'est plutôt une bonne chose. Et si Lizzie bascule dans l'envers du décor, elle devient invisible, les balles ne peuvent plus l'atteindre.

Darcy ferma les yeux un instant et imagina la scène : Lizzie se réveille au milieu d'un amas de corps sanguinolents, en pleine fusillade entre terroristes et agents de la Sécurité dans les transports et de l'Unité spécialisée. La panique la renverrait aussitôt dans le monde réel. Où elle se ferait descendre.

Sauf, naturellement, si Yamaraj était là pour l'aider à garder son calme.

— Bien sûr, il faut qu'elle sache qu'elle se trouve dans un autre monde, continua Imogen. Sinon, il n'y a pas de transition de genre.

Darcy ouvrit les yeux.

— Pas de quoi ?

— Tu sais, ce moment où Dorothy se rend compte qu'elle n'est plus au Kansas, et le lecteur du *Magicien d'Oz* aussi. Ton livre commence comme un thriller avec des terroristes, puis le personnage de Lizzie bascule dans un autre genre. C'est là que ton histoire m'a vraiment accrochée.

Darcy se détendit un peu, heureuse d'être de retour sur la case louanges.

— Attends une seconde.

Elle ferma les yeux et se replongea dans le théâtre

expérimental qu'elle avait en tête, l'endroit où elle imaginait toutes ses scènes. Elle revit l'attaque à l'aéroport, Lizzie au beau milieu, cette fois dans la grisaille de l'envers du décor.

Imogen laissa le silence se prolonger, alors que Nisha ou Carla auraient certainement fait une remarque ou une suggestion. Peu à peu Darcy vit ce qu'elle avait déjà écrit s'estomper dans le brouillard et la fumée. Elle rouvrit les yeux pour s'exclamer :

— Le gaz lacrymogène !

Imogen la fixait d'un air calme.

— Quand la police arrive sur les lieux, elle commence par envoyer du gaz lacrymogène. Du coup, Lizzie reprend connaissance en plein brouillard.

— Elle se met à tousser et à pleurer ? demanda Imogen avec prudence.

Darcy secoua la tête.

— Pas dans l'envers du décor. Bref, Lizzie se croit au paradis, quand elle découvre Yami qui l'observe à travers la grisaille.

— La petite sœur flippante au paradis. J'aime.

Darcy sourit, imaginant la scène.

— Sauf qu'en fait de paradis c'est l'enfer – avec des cadavres partout, à moitié noyés dans la brume.

— Et avant qu'elle ne les voie et ne pète les plombs, Yamaraj arrive à son secours !

— Et trouve exactement les mots qu'il faut.

Darcy prit une gorgée de café pour reprendre pied dans le réel. Son cerveau résonnait de mille possibilités. Mais ce qu'elle venait de voir n'avait rien d'une rustine, c'était un tout nouveau chapitre.

— Merde. Nan soulève un problème en un paragraphe, et je vais devoir écrire un millier de mots pour le résoudre ? Ce n'est pas juste !

— Tout est juste en amour et en art.

— Cette foutue lettre fait encore cinq pages !

Imogen se mit à rire.

— J'imagine que c'est pour ça que tu touches le pactole.

Elles continuèrent ainsi tout l'après-midi, d'abord une heure sur le toit puis en bas dans la grande salle, installées au bureau devant leurs ordinateurs portables. Heureusement, la plupart des remarques de Nan n'exigeraient pas autant de travail que la première. Certaines étaient plutôt tatillonnes.

— J'abuse à ce point du mot « veines » ? s'indigna Darcy.

— Un peu.

Darcy se renfrogna.

— Et où peut bien gicler l'adrénaline de Lizzie, sinon ? Dans ses aisselles ? Et pourquoi es-tu toujours d'accord avec Nan ?

— C'est une bonne éditrice, répondit Imogen, avant de lever les mains en signe de capitulation. Mais ça reste ton bouquin. C'est toi qui as le dernier mot.

— J'ai interrogé Moxie là-dessus, une fois, et elle m'a dit que ça dépendait.

— Uniquement de ton courage. Si tu t'opposes à elle sur un point important, Nan peut menacer de ne pas te publier. Et j'imagine qu'elle pourrait le faire. Mais n'oublie pas : elle ne peut pas t'obliger à écrire un roman différent.

— Tu es drôlement rassurante, tu sais ?

— Ne t'en fais pas. Personne ne va annuler ton contrat pour un simple problème de veines. (Imogen pianota sur le clavier de son portable.) C'est parti... rechercher et remplacer «veines» par «pingouins». Oh, regarde : cent quatre-vingt-sept changements effectués.

— J'ai utilisé ce mot cent quatre-vingt-sept fois ? Tu es sérieuse ?

Imogen se tordait de rire.

— Oui, et mon héros aussi a senti la colère se répandre dans ses veines hier soir. Tu commences à déteindre sur moi !

— Désolée. Je suis nulle comme auteur. Euh, je peux savoir pourquoi tu as choisi «pingouins» exactement ?

— Pour que tu ne risques pas d'en rater un à la relecture. (Imogen appuya sur le pavé tactile de son ordinateur et une sonnerie confirma l'envoi de son e-mail.) Et voilà !

Darcy se pencha pour prendre la main d'Imogen. Elle sentit la chaleur de sa peau et le froid de ses bagues.

— Merci. Pas pour les pingouins, mais d'être là. Tu m'aides à encaisser l'humiliation qui circule dans mes pingouins.

— Plus qu'une page, annonça Imogen, les yeux brillants. À ton avis ? Une bonne grosse tranche d'admiration, ou une ultime remarque éditoriale dévastatrice ?

Darcy grinça en faisant défiler la dernière page de sa lettre. À moitié noircie, elle ne contenait qu'un seul paragraphe, dont la densité toutefois n'annonçait rien de bon.

— Il y a plutôt intérêt à ce que ce soient des compliments, prévint-elle, avant de se mettre à lire.

Imogen se renversa sur sa chaise avec un soupir.

— Il fallait s'y attendre.

— Ne me dis pas que tu es d'accord avec elle !

— Non, je déteste cette idée. Mais j'avais peur de quelque chose comme ça.

Imogen tambourina sur le bureau avec ses doigts. Darcy relut le paragraphe. C'était une longue et laborieuse explication, qui parlait plus des chiffres de ventes et de la suite que de la narration pure. Mais il exprimait une fermeté, une assurance dans les convictions de Nan, qui donnait à Darcy l'impression d'être toute petite et sans défense.

Son éditrice voulait une fin heureuse.

— Merde. Je trouvais que les derniers chapitres fonctionnaient super bien.

— Je trouvais aussi, confirma Imogen, l'œil rivé à l'écran de son portable.

— Alors pourquoi dis-tu qu'il fallait s'y attendre ?

— Les fins heureuses sont populaires. Tu ne vas jamais au cinéma ?

— Si, mais ce sont des films, maugréa Darcy. Les livres sont au-dessus de ça !

— Aucune industrie n'est au-dessus du pognon.

— N'empêche que je n'aurais jamais cru qu'on me demanderait… Hé, une seconde. La fin de *Pyromancer* est beaucoup plus noire que celle d'*Afterworlds*. Est-ce que Nan t'a demandé de la modifier ?

— Non. Elle l'a adorée.

— Ben alors ? C'est parce que je suis plus jeune, c'est ça ? Elle croit pouvoir me réclamer n'importe quoi ?

— J'en doute.

Imogen indiqua son écran.

— Tu vois ce qu'elle écrit là ? « Nous attendons énormément de ce livre, Darcy, mais nous ne serons pas en mesure de répondre à cette attente sans l'appui inconditionnel du service des ventes. »

— Qu'est-ce que ça veut dire ?

— Ça veut dire qu'ils te paient trois cent mille dollars, et que pour ça ils veulent une fin heureuse.

Elles restèrent un moment couchées sur le futon, Imogen tenant Darcy dans ses bras.

Leurs corps s'emboîtaient voluptueusement – deux

continents séparés depuis une éternité, désormais réunis. Malgré la lettre éditoriale qui tournait encore dans sa tête, Darcy percevait les moindres détails d'Imogen dans son dos – la finesse de ses bras, le souffle discret de sa respiration. Être allongée là, comme ça, aurait dû suffire à lui faire oublier tout le reste.

Pourtant Darcy n'arrivait pas à s'abandonner à ses sensations, parce que son cerveau bouillonnait de stratégies – des arguments contre les diktats de Nan, une douzaine de fins heureuses possibles, le discours tragique qu'elle pourrait tenir si la publication de son livre se voyait annuler. Et, sous-jacente, la crainte que tout ne soit entièrement sa faute.

— C'est parce que je ne sais pas m'y prendre, hein ?

Imogen changea de position et resserra son étreinte autour de Darcy.

— Qu'est-ce que tu racontes ?

— *Pyromancer* marche sur la corde raide depuis le début. Et Ariel devient de plus en plus sombre et tourmentée au fil du bouquin, jusqu'à la fin.

— Alors tu l'as lu ?

— Oui ! Pardon ! s'écria Darcy, consciente que dans son excitation de ce matin elle avait complètement oublié d'en parler. Je l'ai fini juste après que Carla et Sagan sont partis. J'ai trouvé ça super, sans concession, très réaliste. Et personne ne vient au secours d'Ariel quand elle a des ennuis. Surtout pas une espèce de prince charmant à la manque qui vit dans un palais.

Imogen gloussa.

— Tu vas régler la question du palais.

— C'est trop tard, maintenant. Nan veut une fin heureuse, et le service des ventes aussi. (Darcy se pelotonna dans les bras d'Imogen.) Tu as le droit de conserver ta fin dramatique parce que tes personnages sont dramatiques et tourmentés, et que tu n'as pas détourné un dieu de la mort pour le rendre mièvre. Parce que tu es un vrai écrivain.

— Tu ne vas pas recommencer avec ça ?

— Tu m'as comprise. Personne ne s'attend à ce que *Pyromancer* ait une fin heureuse à la Disney.

— Parce que personne ne s'attend à ce qu'il se vende à des millions d'exemplaires, quelle que soit la manière dont il se termine. Le service des ventes se fiche pas mal d'une pyromane de la classe ouvrière qui en pince pour sa prof de gym.

— Il est bien bête, dans ce cas. Parce que tu vas en vendre des millions.

— Chut, fit Imogen et elle attira Darcy plus près.

— Mais ton livre est génial !

— Merci, mais chut.

Elles demeurèrent silencieuses un moment. Darcy réfléchissait à ce qu'elle devrait faire. Contacter son agent ? Se battre jusqu'à la mort ? (La mort de son contrat ? De sa carrière ?) Ou bien fallait-il envisager une fin heureuse pour Lizzie et Yamaraj ?

— Est-ce que Nan se rend compte que mon bouquin tourne entièrement autour de la mort ?

Le soupir d'Imogen lui réchauffa la nuque.

— C'est peut-être pour ça, justement. Tu commences tellement fort dans la tragédie qu'elle voudrait te voir terminer sur une note optimiste.

— C'est ridicule.

— Les fins heureuses le sont toujours un peu.

Imogen tira sur le col du tee-shirt de Darcy et elle embrassa son amie entre les omoplates, la faisant frissonner.

Darcy se tortilla jusqu'à se retrouver nez à nez avec elle.

— Tu crois qu'on aura droit à une fin heureuse ? Ou est-ce que tu trouverais ça ridicule ?

— Nous deux, tu veux dire ?

Imogen soupesa la question avec méfiance.

— Je crois qu'il est un peu tôt pour envisager la fin.

— Je n'étais pas en train d'envisager la fin, se défendit Darcy.

Cela était vrai quelques instants plus tôt. Mais à présent qu'elle avait commencé, elle ne pouvait plus s'en empêcher. À quoi correspondait une fin heureuse dans la vraie vie, de toute manière ? Dans les histoires, on écrivait simplement « Ils vécurent heureux jusqu'à la fin de leur vie », et le tour était joué. Mais dans la vraie vie, les gens devaient continuer à vivre jour après jour, année après année.

Quelles étaient ses chances de passer sa vie entière avec la première personne qu'elle avait embrassée pour de bon ? Darcy roula sur le flanc et ramena ses genoux contre sa poitrine, entre ses bras.

— Position fœtale, hein ? s'amusa Imogen. J'avais peur que tu ne réagisses comme ça, alors je t'ai gardé une bonne nouvelle.

— Contente de savoir que je suis aussi prévisible. C'est quoi, la nouvelle ?

— À la sortie de *Pyromancer*, je partirai en tournée avec Standerson.

— C'est officiel ? s'exclama Darcy, se retournant vers Imogen. Il part en tournée avec toi ?

— Eh bien, techniquement, c'est plutôt moi qui pars en tournée avec lui.

Son sourire s'agrandit.

— Pas dans les vingt villes, bien sûr. Mais on se retrouvera sur la même scène tous les soirs pendant une semaine.

— C'est formidable !

Darcy se pencha et elles s'embrassèrent longuement

pour la première fois de la journée. La pression des lèvres d'Imogen, sa langue, tout cela desserra le nœud que Darcy avait au creux du ventre. Elle se demanda pourquoi elles avaient attendu si longtemps.

Quand leurs bouches se séparèrent, Imogen souriait toujours.

— Je ne le crois pas ! fit Darcy en secouant la tête. Tu me cachais ça depuis ce matin ?

— Comme je te l'ai dit, je pensais bien que tu pourrais en avoir besoin. Le dessert en dernier, toujours.

— Tu réalises que « le dessert en dernier » et « les fins heureuses sont ridicules » se contredisent l'une l'autre, pas vrai ?

Imogen haussa les épaules.

— L'une est une stratégie. L'autre une philosophie. Aucune contradiction.

— Si tu veux. (Darcy soupira.) Quand même, toi et Standerson ! Tout ça grâce à ma fête !

— Je suis bien contente d'être venue, confia Imogen. Pour ça et le reste.

Tout en riant à cette remarque, Darcy retrouva un souvenir fugace. Elle avait un peu bu ce soir-là, et il s'était passé tellement de choses. Mais depuis cette soirée, un détail en particulier n'arrêtait pas de lui trotter dans la tête.

— Tu as dit un truc bizarre ce soir-là.

— Que je craquais pour ton bouquin ?

— Plus bizarre encore. Tu as dit qu'Imogen Gray était ton nom de plume. Tu rigolais, hein ?

Le sourire d'Imogen s'effaça enfin.

— Non. C'est vrai.

— Donc ce n'est pas ton vrai nom ?

— Pas celui sous lequel je suis née.

Darcy fronça les sourcils.

— Mais c'est très proche, non ? Genre, Imogen Grayson ?

Imogen secoua la tête.

— Ne cherche pas. Je ne donne jamais mon vrai nom.

Darcy s'assit.

— Et pourquoi pas ?

— Parce qu'on s'en fiche.

— Alors dis-moi ce que c'est !

Imogen lâcha un grognement sourd.

— Écoute, Darcy. Quand j'étais à la fac, j'ai rédigé un tas d'articles pour un blog alternatif. C'était une sorte de journal : j'y racontais tout ce que je pensais, tout ce que je faisais... toutes les personnes que je m'envoyais. Et quand les gens de Paradox m'ont acheté mon roman, ils m'ont demandé si je voulais prendre un nom de plume. J'ai fait une recherche sur Internet avec mon vrai nom et je n'ai pas aimé ce que j'ai trouvé. Alors, j'ai décidé de garder tout ça à l'écart de mes bouquins.

— D'accord, je comprends. Mais à l'écart de moi aussi ?

— Pour l'instant, oui.

Darcy en resta muette. Imogen lui prit la main.

— Ce n'est pas la personne que je suis pour l'instant, c'est tout.

— Mais tu n'as pas changé, protesta Darcy. Tu as simplement changé de nom.

— Au début, peut-être. Mais c'est l'occasion de repartir de zéro, sans avoir besoin d'un programme de protection des témoins... Prendre un nom de plume m'a donné une nouvelle identité : la romancière Imogen Gray. Aujourd'hui, cette identité me correspond. Pourquoi tu me regardes comme ça ?

— Je ne sais pas.

Darcy baissa un instant les yeux sur le couvre-lit de son

301

futon. C'était comme si Imogen venait de lui annoncer qu'elle était un alien, une métamorphe, ou un imposteur.

— Ça me fait tout drôle, de penser que je t'ai appelée par un faux nom pendant tout ce temps.

— Pas du tout. Imogen Gray est vraiment mon nom.

— Quoi, tu l'as modifié légalement ?

Imogen gémit.

— Non, mais c'est mon nom !

— Si je promets de ne pas faire de recherches sur Google, est-ce que tu me donneras ton vrai nom ?

— Non. Et arrête de dire que c'est le vrai.

— Je croyais que tu voulais que je te fasse confiance !

— Tu peux me faire confiance sans pour autant connaître mon nom.

— Tu entends à quel point ça sonne bizarre, Imogen – ou quel que soit ton vrai nom ?

— Écoute, Darcy, commença Imogen, avant de pousser un long soupir exaspéré. Tu sais à quel point ça fait mal quand un personnage meurt ?

Cela ressemblait à un argument piège, si bien que Darcy mit un moment à répondre :

— Bien sûr.

— C'est parce que les personnages ont une réalité. Leurs histoires sont réelles, alors même qu'elles relèvent de la fiction. Ce qui veut dire que les noms de plume ont une réalité eux aussi, parce qu'un roman transforme son auteur en une personne différente. Donc Imogen Gray est bien réelle. Et c'est moi. D'accord ?

— Ça me donne quand même l'impression que tu me caches quelque chose.

— Pas plus que toi.

— Moi ? s'esclaffa Darcy. Je n'avais jamais embrassé personne avant toi, Gen. Je n'ai rien à cacher !

— Vraiment ? Alors comment se fait-il qu'à ton arrivée à New York tu aies caché ton âge à tout le monde ? Que tu n'aies apporté aucune affaire personnelle ? À ta soirée, Johari t'a demandé pourquoi cet appartement était à ce point vide, et tu lui as fait croire que c'est parce que tu étais une espèce d'ascète de l'écriture. Mais en réalité, c'est parce que tu veux tout recommencer à zéro.

Darcy recula un peu devant la fougue d'Imogen, et son regard tomba sur la rangée de livres triés sur le volet qui composaient sa bibliothèque. Il n'y avait là aucun livre qu'on l'ait forcée à lire à l'école, aucun manga qu'elle ait abandonné à la moitié. Les murs de sa chambre ne comportaient aucune photo d'elle, aucun vieux poster de boys band, aucun résidu de son enfance. Chaque matin, quand elle pénétrait dans la grande salle, Darcy respirait une atmosphère fabriquée de ses seuls choix, sans aucun vestige du passé ni élément de seconde main. Rien chez elle ne provenait de quelqu'un d'autre.

L'appartement 4E était une page blanche.

— Tu avais envie de te réécrire, conclut Imogen.

Darcy regarda les mains d'Imogen. Elles tremblaient, comme chaque fois que leur propriétaire se lançait dans une tirade sur l'écriture ou sur les livres. C'était stupide de se disputer avec elle à ce sujet. C'était comme débattre de sa religion avec un croyant.

— D'accord, j'ai pigé, capitula Darcy. Mais tu me le diras, un jour ?

— Bien sûr, promit Imogen. Mais pour l'instant j'ai besoin que tu continues à l'ignorer, parce que tu fais partie de mon processus d'évolution.

— De quoi ?

— De mon évolution, répéta Imogen en rougissant un peu. Ça fait seulement un an que je porte ce nom. Je suis encore à l'état de brouillon. Et tu figures dans le processus, maintenant. Tu en es peut-être même la pièce maîtresse.

— D'accord.

Darcy prit les poignets d'Imogen dans ses mains et les caressa jusqu'à ce qu'elle desserre les doigts. C'était leur première dispute, et maintenant qu'elle était terminée, elle laissait quelque chose en Darcy. Du soulagement, mais aussi un appétit nouveau.

— Toi aussi tu fais partie de mon évolution, Gen.

— J'espère bien, dit Imogen, avant de l'attirer vers elle pour un autre baiser, langoureux et passionné.

Darcy sentit quelque chose s'embraser en elle, et pour la première fois elle regretta qu'elles aient choisi d'y aller doucement. Mais ne voulant pas courir le risque d'une deuxième dispute, elle préféra garder cette réflexion pour elle.

OUBLIE SIMPLEMENT QU'IL Y A UN MUR, M'A RÉPÉTÉ MINDY.
— Tu sais, ça serait plus facile si tu arrêtais de m'en parler.

Mindy fronça les sourcils.

— Comment veux-tu que je fasse autrement? Tu essaies de le traverser.

— Exact, ai-je dit. Et comment veux-tu que je l'oublie alors que j'essaie de le traverser?

Mindy a paru sincèrement décontenancée, et je me suis rappelé qu'elle n'avait que onze ans. Elle n'avait jamais appris à maîtriser les subtilités de la distanciation. Et en cet instant, ma concentration laissait à désirer.

J'ai fixé le mur qui longeait l'ancien terrain de jeux près de chez moi. Je venais de passer une heure à tenter de le traverser en suivant les indications de Mindy. Mais tout ce que j'y avais gagné jusque-là, c'était un bleu au genou et une humeur massacrante.

— Peut-être que si tu fermais les yeux…? a suggéré Mindy.

— Déjà essayé.

J'ai indiqué mon genou.

Elle n'a rien dit de plus. Elle s'est contentée de rester

assise sur le mur, parvenant avec brio à prendre un air à la fois perplexe et amusé.

Après m'y être employée en vain pendant une heure, j'en arrivais à penser que toute cette histoire de traverser les murs n'avait aucun sens. Si on pouvait passer à travers, comment se faisait-il qu'on ne s'enfonce pas dans le sol ? Qu'est-ce qui nous empêchait de dégringoler à travers les nappes phréatiques, la croûte terrestre et quelques milliers de kilomètres de magma pour se retrouver finalement au centre de la planète ?

Mindy était juchée au sommet de ce même mur qu'elle avait traversé tranquillement quelques instants plus tôt. Comme si elle pouvait décider inconsciemment de ce qui était solide et de ce qui ne l'était pas – le mot clé étant ici « inconsciemment ». Chaque fois que j'y pensais, je me cognais dans quelque chose.

Et le problème ne se résumait pas à mon genou douloureux. Ici, dans l'envers du décor, j'étais pareille à un fantôme. Incapable de rien déplacer dans le monde réel, je ne pouvais pas ouvrir les portes. Franchir les murs était donc une nécessité pour me déplacer.

Yama avait proposé de m'enseigner les us et coutumes de l'au-delà, mais je tenais à acquérir un minimum de maîtrise sans son aide. C'était indispensable si je voulais en apprendre davantage sur le méchant homme. Yama ne serait pas toujours là pour m'ouvrir les portes.

— Allez, Lizzie. Tu l'as déjà fait, s'est impatientée Mindy en balançant les jambes dans le vide. Quand tu as couru à travers le grillage autour de l'école qui fait peur.

— Sauf que cette école datait d'une époque où il n'y avait pas encore de grillage !

— Alors, tu devrais peut-être essayer de remonter dans le temps.

— Imaginer des dinosaures sur le terrain de jeux, tu veux dire ?

— Pas si loin ! Tu es bête.

Mindy avait raison – on ne trouvait pas de tyrannosaure dans l'au-delà. Les fantômes découlaient de l'esprit des vivants, de sorte que l'envers du décor ne comportait que des éléments ayant existé de mémoire d'homme.

Je me suis tournée face au mur. Il était couvert de graffitis, la fresque principale était un monstre en train de dévorer sa propre queue, impressionnante même en nuances de gris. Le monstre n'avait rien d'un dinosaure, mais il m'a donné une idée. Je me suis approchée d'un pas et j'ai posé la main à plat contre le mur, en tâchant de l'imaginer à l'état neuf, sans trace de peinture.

Pendant un long moment, je n'ai vu aucune différence. Mais sous ma paume, la texture des briques a commencé à changer – la couche de laque en bombe a cédé la place à un grain plus épais. Je me suis reculée.

— Waouh.

Sur une surface de la forme de ma main, je pouvais maintenant distinguer des graffitis antérieurs, estompés par le temps. Pendant que je fixais la brèche que j'avais ouverte, le mur entier s'est mis à changer et à ondoyer. Le monstre a disparu, remplacé par d'autres images – une pyramide rayonnante, un visage de clown hilare, un mot illisible en lettres de deux mètres de haut – qui s'effaçaient à leur tour, l'une après l'autre, comme si le mur était en plein décapage. Entre les images dansaient les signatures d'une centaine de graffeurs, logos empilés les uns sur les autres et qui réapparaissaient à mesure que je remontais le temps.

Un bref instant, le mur s'est retrouvé nu, le ciment encore humide et luisant entre les briques. Puis il a fini par s'évaporer aussi et j'ai pu voir le terrain vague qui s'étendait derrière.

— Ça marche.

— Ne me regarde surtout pas, m'a conseillé Mindy.

J'ai levé la tête – elle était là, flottant dans le vide. Mon cerveau a tenté de réconcilier les deux réalités du présent et du passé, et les briques se sont matérialisées à moitié.

— Je t'ai dit de ne pas regarder !

— Chut.

J'ai chassé Mindy de mon esprit et je me suis avancée d'un pas ferme.

Le mur a tenté de me retenir, telle une bourrasque, et je me suis retrouvée de l'autre côté.

— Bravo ! s'est écriée Mindy.

Je me suis retournée, un cri de triomphe aux lèvres, mais j'ai eu une vision de chaos. Le terrain de jeux tout entier bouillonnait. Sa surface souple s'est mise à fumer avant de se transformer en asphalte, puis en sable hérissé de mauvaises herbes. J'ai perçu des mouvements fugaces, entendu des éclats de rire et des cris de douleur. L'histoire du terrain de jeux défilait en un torrent de bruits, d'odeurs et d'émotions. Os brisés et humiliations enfantines résonnaient autour de moi – plusieurs décennies d'incidents concentrées en un seul instant.

J'ai senti crépiter en moi une énergie comparable à celle qui émanait de Yamaraj. Mon cœur battait à tout rompre, et j'ai dû m'obliger à respirer lentement pour m'accrocher à l'envers du décor.

— Ça va, Lizzie ? Tu as l'air bizarre.

— Je vais bien.

La vision s'estompait déjà – l'au-delà retrouvait ses teintes grises et ternes habituelles. Mais les étincelles subsistaient, comme des paillettes sur mes mains.

Ces images étaient-elles des vestiges d'histoires à demi

oubliées ? Nous autres psychopompes serions-nous des pilleurs de tombes psychiques, exhumant les souvenirs pour mieux leur donner forme ? Tout cela n'avait-il été qu'une hallucination ?

Il y avait maintenant une semaine que je n'avais pas dormi. Le vieil homme n'avait pas menti : je n'en avais plus besoin. Le sommeil était une petite tranche de mort et j'en avais avalé bien assez comme ça. Toutefois, les rêves que je ne faisais plus s'accumulaient en moi et débordaient parfois au grand jour. Railleries et jalousies d'autrefois hantaient les recoins et les escaliers de mon lycée. Je ne savais jamais quels bruits émanaient du monde des esprits ou de mon imagination.

Un court instant, j'ai envisagé de rentrer chez moi, de me coucher et de fermer les yeux. Mais j'étais encore toute frémissante de ma vision, trop pleine d'énergie.

Et je pouvais marcher à travers les murs, maintenant.

— On devrait aller quelque part, Mindy.

Elle a sauté à bas du mur.

— Où ça ?

— Quelque part loin d'ici. Au Chrysler building, par exemple !

— Mais ça veut dire descendre dans le fleuve. J'ai trop peur.

— Il n'y a aucune raison, lui ai-je assuré. Tu n'arrêtes pas de dire que tu t'ennuies. Ça pourrait être amusant !

Elle a secoué la tête.

J'ai soupiré.

— Le méchant homme est toujours en vie, Mindy. Ce n'est pas un fantôme. Il ne peut pas te faire de mal.

— Et alors ?

— Et alors ? Tu étais si contente de l'apprendre !

Mindy s'est détournée.

— C'est vrai. Mais il aurait peut-être mieux valu qu'il

soit mort depuis longtemps. Parce qu'il serait peut-être oublié maintenant. (Elle s'est retournée vers moi, les yeux brillants.) Il doit être très vieux, non ? Les viveurs meurent à tout bout de champ.

— Il peut très bien vivre encore une vingtaine d'années.

— Tu veux dire qu'il est peut-être encore en train de faire du mal ? a-t-elle chuchoté.

Je suis restée plantée là, incapable de lui répondre. Mindy était morte depuis trente-cinq ans, donc son meurtrier devait être assez âgé. Mais cela ne voulait pas dire qu'il avait pris sa retraite en tant que criminel.

— Écoute, j'ai hésité à appeler la police, lui ai-je avoué. Mais pour dire quoi ? Que j'avais vu les fantômes de ses victimes dans son jardin ?

Mindy a fixé le sol. C'était une enfant, elle ne connaissait rien aux preuves et aux présomptions. Elle savait juste qu'elle avait peur.

— La police n'a rien fait non plus à l'époque.

— Je suis sûre qu'elle a essayé.

Elle m'a regardée, le regard empli de tristesse. L'écho de ce qui s'était passé trente-cinq ans auparavant résonnait encore en elle, aussi inéluctable que la mort. La seule possibilité pour elle de surmonter sa peur était que quelqu'un règle son compte au méchant homme.

Et maintenant je savais marcher à travers les murs.

Le fleuve Vaitarna était fort et impétueux ce soir-là, regorgeant de choses froides et humides. Mais il savait exactement où m'emporter.

Quand mes pieds ont touché le sol, j'ai baissé les yeux pour ne pas voir les cinq fillettes qui se tenaient entre les arbres noueux. Surtout, je ne voulais pas qu'elles établissent un contact visuel avec moi. J'étais déjà en train de rompre la promesse faite à Yamaraj de rester à distance.

C'était la première fois que j'empruntais le fleuve sans lui. Je m'étais entraînée toute la semaine, j'avais mené de courtes expéditions nocturnes jusqu'à mon ancienne école ou au travail de maman. Mais ça me faisait drôle de me retrouver là, dans cet endroit qui me rendait vraiment nerveuse en son absence.

J'ai marché jusqu'au coin de la rue pour lire le panneau : Hillier Lane. Mon smartphone ne fonctionnait pas dans l'envers du décor, j'ai donc sorti une feuille de papier de ma poche arrière. Je n'avais pas dit à Mindy où je comptais aller, mais elle m'avait vu imprimer le plan de la ville.

Les yeux sur la feuille, j'ai pris à gauche, dépassé un pâté de maisons puis tourné à gauche encore une fois pour arriver chez le méchant homme par l'arrière. Malheureusement, le quartier n'était pas un damier parfait et les ruelles ne comportaient pas de panneau. J'ai déambulé quelques minutes, à moitié perdue. Il était plus d'une heure du matin et il n'y avait personne dans les parages, aucune voiture.

Rien qu'un chat, qui me fixait de ses yeux verts.

— C'est toi ?

Le chat a cligné des yeux. Je l'avais vu la semaine dernière, quand Yama et moi avions emprunté le fleuve pour la première fois jusqu'à l'ancienne maison de ma mère.

Il m'a regardée m'approcher avec dédain, avant de me tourner le dos et de s'éloigner en se dandinant. J'ai trotiné derrière lui, tâchant de le suivre sans l'effrayer.

Le chat a quitté la rue principale pour s'engager dans une ruelle étroite, semblable à celle que nous avions derrière chez nous à San Diego, en plus sale. J'ai vu un alignement de poubelles pleines, quelques vieilles chaises abandonnées. Les pelouses négligées étaient envahies de mauvaises herbes.

Le chat a fini par se glisser sous une palissade en bois,

et je n'ai pas pu le suivre. Mais je ne devais plus être très loin. J'ai continué dans la ruelle, en regardant à droite et à gauche, jusqu'à ce que je parvienne devant une maison à l'air familier. Elle avait la même structure en A que le bungalow du méchant homme, le même enduit granuleux. On ne voyait pas de fantômes de fillettes de ce côté-là, cela me convenait parfaitement.

Je suis restée là un moment, à reprendre mon souffle. Je savais désormais que pour traverser une masse solide j'avais besoin de me concentrer. La dernière chose dont j'avais envie, c'était de me retrouver coincée dans cette maison sous l'effet de la panique.

En traversant le grillage du jardin, j'ai senti ses maillons m'accrocher, puis ça a cédé avec un craquement sec. Les fenêtres de la maison du méchant homme étaient éteintes, et quand j'ai gravi les marches jusqu'à la porte arrière, je n'ai entendu aucun bruit à l'intérieur.

Je n'avais pas de plan, rien qu'un vague espoir de trouver un élément à rapporter à la police. Ce n'était pas une raison pour me dégonfler. Ici, dans l'envers du décor, j'étais invisible et hors d'atteinte des vivants.

J'ai pris une grande inspiration avant de traverser la porte, abandonnant le clair de lune pour m'enfoncer dans l'obscurité de la maison.

Un silence de mort régnait à l'intérieur. L'atmosphère était lourde, imprégnée d'une odeur de rouille que je percevais jusque sur ma langue. Je me suis avancée avec prudence, les mains tendues devant moi. La fenêtre était masquée par du papier journal.

— Pas de quoi s'inquiéter, ai-je murmuré.

Je n'ai plus bougé jusqu'à ce que mes yeux se soient habitués au noir. L'idée de me cogner dans quelque chose me faisait froid dans le dos.

Une sorte de buanderie s'est précisée autour de moi, le

genre d'endroit où l'on retire ses chaussures quand on rentre du jardin. Quelques pots de peinture et des outils sur une étagère, plusieurs sacs de terreau empilés dans un coin… Une porte me barrait la route. Je l'ai traversée sans anicroche.

Le clair de lune se déversait à flots dans la cuisine, qui était pimpante comparée à la pièce lugubre que je venais de quitter. L'évier était impeccable ; quelques verres à eau brillaient sur l'égouttoir. Le carrelage semblait avoir été lessivé récemment.

Une cuisine ordinaire, en somme. En dehors du congélateur, beaucoup trop imposant.

D'un blanc éclatant, il occupait un pan de mur entier. Pendant que je le regardais, le compresseur s'est mis en marche et j'ai senti le sol vibrer. On aurait pu sans problème y faire tenir un adulte, à plus forte raison un enfant.

Mais mon corps était resté à San Diego et j'étais incapable d'ouvrir une porte. Je ne pouvais que traverser les objets.

Je me suis approchée et j'ai posé la main sur le métal froid du congélateur. Son moteur tremblait sous ma paume. J'ai fermé les yeux et compté lentement jusqu'à cent.

Les yeux clos, je me suis penchée sur l'appareil et me suis enfoncée à travers le métal. Un air froid m'a heurté le nez avant d'envelopper mon front et mes joues, comme si je baignais mon visage dans de l'eau.

Le plus dur était de rouvrir les yeux sans savoir ce que j'allais découvrir autour de moi. Quand je me suis enfin décidée à le faire, j'ai vu quelque chose dans la lumière grise de l'envers du décor, une masse informe…

Des petits pois. Un sac de petits pois.

Il y avait aussi des cônes de glace, des steaks surgelés sous plastique et une pile de poches de gel, du genre de celles qu'avait utilisées mon père quand il s'était blessé au footing quelques années plus tôt.

Le méchant homme avait les genoux fragiles.

Je me suis redressée et je suis restée à grelotter dans cette cuisine immaculée. Le congélateur se dressait devant moi, solide, beaucoup moins inquiétant désormais.

Et si je m'étais trompée de maison ?

Après la cuisine se trouvait le salon, dominé par un énorme téléviseur. Le canapé était vieux et fané, mais très propre, avec des coussins rebondis. Aucune photo de famille, pas de fauteuils pour les invités, juste une table roulante installée devant la télé.

Un couloir partait du salon. Je craignais que le plancher grince sous mes pas, mais dans l'envers du décor, j'étais légère comme une plume. Je suis passée devant une salle de bains, un placard à linge entrouvert et deux portes fermées, pour rejoindre finalement l'entrée du bungalow.

J'ai collé mon oreille aux deux portes dans le couloir. Je n'ai rien entendu.

J'en ai choisi une au hasard et j'ai découvert une pièce exiguë occupée par un vieux bureau en chêne. Des stylos étaient alignés en une rangée parfaite. La maison tout entière était d'une propreté obsessionnelle, aux antipodes de la chambre des horreurs que j'avais imaginée. Sans chaînes ni crocs pendus au plafond, sans la moindre trace de crasse.

Le bureau comportait quatre tiroirs, et les étagères contre le mur du fond étaient chargées de classeurs soigneusement étiquetés. Ils ne semblaient pas contenir les preuves des crimes du méchant homme, à moins que le mot « Impôts » n'ait une signification cachée. De toute manière, je n'avais aucun moyen de les ouvrir. Pour cela, je devrais me rendre sur place en chair et en os.

Ma nervosité a cédé la place à l'agacement. J'avais été

stupide de croire qu'il suffirait de me baisser pour ramasser des éléments à charge. Cet homme avait échappé à toute mise en cause pendant des dizaines d'années.

Le bureau donnait sur l'avant de la maison, et j'ai pu voir les arbres tordus dans le jardin. Les fillettes fantômes étaient là, qui me dévisageaient. J'ai détourné le regard, le souffle coupé.

Puis un détail sur le bureau a capté mon attention – une facture de téléphone. J'ai mémorisé le nom et le numéro du méchant homme, tâchant de ne pas trop penser aux gamines à l'extérieur.

Il ne me restait plus qu'une dernière porte à vérifier. Je suis ressortie dans le couloir et me suis plantée devant.

C'était forcément celle de sa chambre. Derrière dormait l'homme qui avait assassiné Mindy et bouleversé la vie de ma mère, l'homme à cause de qui elle avait eu si peur tout au long de mon enfance.

Je me sentais nerveuse. Mais j'allais enfin pouvoir dire à Mindy l'âge qu'il avait, à quel point il était proche de la mort. J'ai effacé mentalement la porte et suis passée à travers.

Il faisait sombre à l'intérieur – les rideaux étaient tirés. Le grand lit, installé entre les fenêtres, était occupé par une masse informe sous des couvertures grises. Je pouvais l'entendre respirer.

Il ne paraissait pas très en forme. Sa respiration était sifflante, produisant une sorte de gargouillis à chaque exhalaison. Sur la table de chevet j'ai vu des flacons de pilules disposés avec soin, comme tout le reste dans cette maison.

Je me suis accroupie pour lire les étiquettes : Pradaxa, Marplan, des noms de médicaments.

Puis, à quelques centimètres de mon visage, j'ai remarqué une main qui dépassait des couvertures, immobile et blafarde. Elle était tavelée, ridée. La main d'un homme très âgé, ou malade.

Que se passerait-il s'il décédait là, maintenant, dans son sommeil ? Verrais-je son esprit émerger dans l'envers du décor ? Où le conduirais-je, en bonne faucheuse que j'étais ?

Je me suis relevée. Une armoire était ouverte, pleine de chemises pendues à des cintres et de chaussures rangées sur une étagère. Il n'y avait rien d'autre à examiner dans cette chambre. À moins qu'il ne cache quelque chose sous son lit…

J'ai inspiré à fond. Le dessous de mon propre lit avait toujours été l'endroit qui m'effrayait le plus chez moi, bien plus que le fond de n'importe quel placard.

Mais c'était le dernier emplacement où je pouvais encore espérer trouver des indices. Je me suis agenouillée, les paumes à plat sur le sol, et me suis penchée en tâchant de ne pas m'imaginer des yeux en train de me fixer dans l'ombre.

Au début je n'ai rien vu, rien que le plancher qui s'enfonçait dans le noir. Ni moutons de poussière ni mouchoirs en papier. Toujours cette propreté. Puis j'ai distingué un reflet métallique. Le clair de lune accrochait une ligne incurvée, comme un sourire.

Je me suis répété que j'étais invisible, invulnérable, que c'était moi qui faisais peur aux fantômes. En appui sur un coude, j'ai tendu le bras.

J'ai senti sous mes doigts une surface métallique, froide et lisse. J'ai enfoncé la main plus loin – un bout tranchant, puis un manche en bois fixé dans une douille en métal.

J'ai retiré ma main d'un geste brusque.

Une pelle. Il dormait avec une pelle sous son lit.

Je suis restée là un moment, m'efforçant de me souvenir

précisément de ce que j'avais vu dans le jardin en façade. Cinq filles et cinq petits arbres noueux ?

J'ai redressé la tête jusqu'à la hauteur de la fenêtre et jeté un coup d'œil entre les rideaux. Les cinq fillettes se tenaient dans le jardin, au milieu de six petits arbres. Les chiffres ne correspondaient pas.

L'arbre supplémentaire était-il pour Mindy ? Elle avait été enterrée dans son propre jardin, m'avait raconté ma mère. Qu'avait-elle eu de spécial ?

Je me suis concentrée pour me représenter le jardin sans ces arbres, avant la construction des maisons neuves de l'autre côté de la rue. Et comme pour le terrain de jeux, le temps s'est mis à onduler avant de se rembobiner. La rue s'est brouillée, chaos de mouvement et de construction, de gens qui emménageaient et déménageaient, mais le jardin du vieil homme changeait à peine, hormis la pelouse qui pulsait au rythme des saisons. Et soudain l'un des arbres a disparu ainsi que son fantôme, puis un autre, et un autre, à mesure que la carrière meurtrière du méchant homme se déroulait à rebours sous mes yeux.

Finalement, il n'est plus resté qu'un seul arbre au milieu du jardin. Aucun fantôme ne se tenait à côté. Les fillettes avaient toutes disparu.

Mindy avait été la première. Parce qu'elle habitait dans le quartier.

J'ai baissé la tête et me suis frotté les yeux pour chasser cette vision, je m'empêchais de prêter attention à la respiration sifflante du meurtrier.

Quand j'ai rouvert les yeux et regardé de nouveau par la fenêtre, le présent avait repris ses droits. Mais les fillettes avaient imperceptiblement changé de place, comme si elles m'avaient senti remuer le passé. Celle qui portait une salopette me fixait, la tête inclinée sur le côté comme un petit chien.

Les avertissements de Yama me sont revenus en mémoire et je me suis écartée de la fenêtre. Dans le mouvement, j'ai touché de mon épaule les doigts immobiles qui dépassaient de la couverture. Il y a eu un crépitement d'électricité entre nous, comme lorsque ma joue avait frôlé celle de l'agent Reyes.

Le souffle du méchant homme a été coupé de hoquets, et une secousse a agité les couvertures grises. Je me suis figée, l'œil rivé sur le lit, le cœur cognant contre ma poitrine. Même invisible, je craignais que le moindre mouvement de ma part ne le réveille. Je n'osais même plus respirer.

Peut-être étaient-ce les gamines dans le jardin qui troublaient son sommeil ? Elles existaient ici grâce à ses souvenirs, après tout. Et si la relation opérait dans les deux sens ?

J'ai failli jeter un autre coup d'œil par la fenêtre, pour voir ce qu'elles faisaient. Si elles s'étaient rapprochées, et qu'elles se tenaient juste derrière les rideaux ?

Je me suis reculée à quatre pattes, loin de la fenêtre et du meurtrier. Je me suis levée et me suis dirigée vers la porte. J'avais besoin de quitter cette maison tout de suite.

Mais la porte m'avait l'air drôlement solide. J'ai tendu le bras, me suis concentrée…

J'ai effleuré le bois du bout des doigts. Je pouvais sentir le grain sous la peinture.

— Non, ai-je soufflé. Dégage, saleté de porte !

Elle était toujours là. La panique qui me gagnait était trop forte.

J'ai reculé d'un pas et fait mon possible pour ralentir les battements de mon cœur. Si j'essayais de la franchir et ratais mon coup une deuxième fois, je risquais de passer la nuit à retrouver ma concentration. Alors je me suis assise sur le plancher, en tailleur, et pour me changer les idées j'ai passé en revue tout ce que j'avais appris ce soir.

J'avais le nom et le numéro de téléphone du méchant homme. Surtout, j'avais vu la pelle sous son lit, son bureau avait une vue imprenable sur les petits arbres noueux, et il y avait le matériel de jardinage à l'arrière...

Le meurtrier ne s'était peut-être pas montré si prudent, après tout. Peut-être avait-il laissé derrière lui des preuves enterrées dans son jardin, dont je pourrais parler à mon ami du FBI. Alors que j'étais assise là, à respirer fort, l'odeur rouillée de la mort m'a saisie. Comment avais-je pu ne pas m'en rendre compte plus tôt ? Je pouvais *sentir* ce qu'il avait fait.

Puis je me suis aperçue que la chambre était silencieuse. On n'entendait plus la respiration sifflante du vieil homme.

J'ai fait volte-face.

L'homme était réveillé, à moitié redressé sur son oreiller. Il était presque chauve – quelques rares cheveux gris luisaient encore sous la lumière des lampadaires. Il a écarté les rideaux d'une main et regardé par la fenêtre en direction des arbres.

Peut-être ne pouvait-il pas voir les fillettes. Les sentait-il dehors en train de le regarder et de puiser dans ses souvenirs ? S'en nourrissait-il ?

Et s'il trouvait du plaisir dans ces moments de veille nocturne ?

— Oh, et puis merde ! ai-je grommelé, n'y tenant plus.

La situation m'était devenue insupportable. Et pas uniquement à cause de Mindy.

Je me suis levée et j'ai quitté la chambre folle de rage, traversant la porte comme un mouchoir en papier tandis que les meubles et le mobilier ondulaient devant moi. Je me suis frayé un chemin à travers la maison. Dix secondes plus tard je me trouvais derrière, dans le jardin.

À peine avais-je mis un pied hors de la propriété que je me suis enfoncée dans le sol, quittant l'envers du décor pour replonger dans le fleuve Vaitarna. Le courant m'a happée avec violence, aussi furieux que moi, et m'a emportée si vite que les bribes de souvenirs oubliés n'étaient plus que des embruns glacials sur ma peau.

Dès que j'aurais trouvé un moyen, je fournirais à la police assez de preuves pour envoyer le méchant homme en prison. Et si ce n'était pas possible, j'obligerais Yama à m'aider, que ça lui plaise ou non. Et si ça ne marchait toujours pas, je m'en occuperais moi-même et je taillerais en pièces l'âme de ce sale type.

23

DARCY ET IMOGEN CROQUÈRENT LA VILLE EN ENTIER.
Elles attendaient d'avoir fini leur séance d'écriture
quotidienne pour leur rāmen parce qu'un blog culi-
naire avait affirmé que les nouilles avaient meilleur goût
après minuit (c'était vrai). Dans un restaurant du Sud près
de l'appartement d'Imogen, elles s'empiffrèrent de poisson
cru mariné dans du jus de citron vert et d'orange sanguine.
Elles s'achetèrent des friandises inconnues enveloppées
dans des feuilles de lotus et mangèrent ce qu'elles contenaient, avec interdiction de se dégonfler. Une fois, elles
patientèrent une heure pour des milk-shakes que la chaleur étouffante de la soirée avait rendus indispensables.

La plupart du temps, elles laissaient du budget de Nisha
des confettis dans leur sillage.

Quand Darcy montrait davantage de retenue, elles visitaient les galeries d'art. Imogen avait travaillé un an dans
l'une d'entre elles à son arrivée à New York, et elle connaissait les artistes, les bonnes adresses – et les ragots.

Mais c'étaient leurs séances de travail que Darcy préférait par-dessus tout. Exercice plus exigeant que tout ce
qu'elle avait jamais connu, que de se retrouver face à ces
phrases sans queue ni tête écrites au lycée. Son récit lui

semblait dégouliner de tout ce qu'elle ignorait à l'époque, aussi embarrassant que des vieilles photos de classe.

Il y avait pourtant quelque chose d'agréable et de facile dans le fait d'écrire en compagnie d'Imogen – un sentiment d'appartenance, un retour aux sources. Elles travaillaient principalement dans la grande salle, devant les fenêtres qui surplombaient les toits en dents de scie de Chinatown, mais aussi dans le confort douillet du futon de Darcy. Ou dans la chambre d'Imogen, séparées des colocataires par une simple cloison. Au fond, cela n'avait pas beaucoup d'importance. Seul importait le fait qu'elles soient ensemble, l'espace qui se constituait autour d'elles – une portion d'univers privée, intime et inviolable.

Écrire à deux rendait l'exercice totalement original. Cela faisait autant de différence qu'entre une carte postale et la réalité, entre des oreillettes bon marché et un groupe en live dans une salle bondée, entre un ciel couvert et une éclipse totale.

Imogen avait tout changé.

— Comment dit-on, quand… ? murmura Darcy.

— Informations incomplètes, répondit Imogen sans lever la tête de son écran, et continuant à taper.

— Quand les otages tombent amoureux. Des méchants.

— Syndrome de… je ne sais plus quoi. Ça rime.

— Stockholm ! s'écria Darcy, aussi triomphante qu'un chat qui recrache une plume.

La réécriture devenait parfois une tâche gigantesque, philosophique, une simple phrase pouvait nécessiter une réflexion fondamentale sur la finalité de l'écriture. Mais à d'autres moments, elle tenait davantage des mots croisés, de la mise en place des bonnes lettres dans le bon ordre, avec un déclic.

— C'est ça, confirma Imogen, tapant toujours.

Elle semblait ne jamais s'arrêter, même les jours où elle affirmait n'avoir écrit qu'une dizaine de phrases correctes. Ses pensées fusaient de son esprit à l'écran, parfois pour être excisées l'instant d'après. La touche d'effacement du clavier d'Imogen était tout usée, creusée en son milieu comme les marches d'un monastère.

Darcy, à l'inverse, préférait fixer son écran plutôt que de le remplir. Elle commençait par composer ses phrases dans sa tête, puis les murmurait à voix basse avant de les taper. Ses mains mimaient les gestes du dialogue, son expression reflétait les émotions des personnages. Elle fermait les yeux chaque fois que son théâtre mental était occupé par un décor et des personnages, ou lorsqu'elle cherchait simplement le mot juste.

— Il va bientôt faire jour, annonça Imogen en refermant son ordinateur portable.

Darcy continua à taper, soucieuse de boucler le chapitre qui introduisait Jamie, la meilleure amie de Lizzie. Nan avait réclamé plus de scènes avec Jamie, pour donner à Lizzie une meilleure prise sur le monde réel. Mais Darcy commençait à fatiguer ; son regard dériva vers la fenêtre.

Sur le trottoir en contrebas, des livreurs déchargeaient d'un poids lourd des bacs en polystyrène remplis de poisson tandis que l'aurore éclaircissait le ciel. Fidèle à sa parole, Imogen n'écrivait jamais quand il faisait jour, ce qui avait complètement chamboulé les habitudes de Darcy. Celle-ci s'émerveillait encore du spectacle du lever de soleil, de la vitesse avec laquelle une touche de rose dans le ciel réveillait les rues de Chinatown.

Imogen était partie préparer du thé. C'était devenu un rituel depuis trois semaines qu'elles écrivaient ensemble, mangeaient ensemble, faisaient tout ensemble. À ce stade Darcy aurait dû refermer son ordinateur portable, ou poster enfin quelque chose sur son vieux compte Tumblr inactif. Mais un autre rituel s'était instauré au moment où Imogen disparaissait dans la cuisine.

Darcy ouvrit une fenêtre de recherche et tapa : « changé son nom en Imogen Gray ». Une phrase tellement simple qu'elle en paraissait évidente, sauf qu'elle ne l'avait encore jamais essayée.

Elle ne trouva pas l'occurrence exacte, seulement des liens en rapport avec *Pyromancer*, lequel devait sortir dans moins de deux mois.

— Merde, murmura Darcy.

Pour adoucir sa déception, elle parcourut les images que sa recherche avait fait apparaître. Il y avait quelques photos prises à l'occasion d'une lecture à Boston, l'an dernier, où Imogen avait les cheveux plus longs.

Entendant la bouilloire siffler, Darcy ferma la fenêtre et supprima son historique de recherche. Même si elle n'avait jamais promis de s'abstenir de rechercher l'ancien nom d'Imogen sur Internet, elle se sentait un peu coupable.

Mais c'était tellement bizarre, d'ignorer le nom de sa première petite amie.

Certains jours, Darcy avait l'impression de ne rien savoir du tout – si elle était vraiment écrivain, ou une bonne hindoue, ni même si elle était encore vierge. C'était triste à dire, mais Sagan avait raison : Internet proposait plus de questions que de réponses. Suffisait-il d'une nuit ensemble, des doigts, de la langue, ou de quelque chose d'intangible ? Ou bien le mot « vierge » appartenait-il à une langue morte dont les catégories n'avaient plus de sens, de la même façon qu'un philosophe de l'Antiquité reviendrait à la vie pour demander si les électrons relevaient de la terre, de l'eau, de l'air ou du feu ?

L'hypothèse de Darcy était beaucoup plus simple : le vrai monde ne fonctionnait pas comme dans les histoires. Dans un roman, on savait toujours précisément à quel

instant les choses se passaient, à quel instant un changement s'opérait. Alors que la vraie vie était pleine de transformations graduelles, partielles, continues. Elle était
pleine d'accidents, d'événements indéfinissables et de
choses qui se produisaient toutes seules. Seule certitude :
c'était compliqué – quelle que soit la position des licornes
sur la question.

Ce fut quelques heures plus tard, au début de l'après-
midi, que Darcy se réveilla.

Cela continuait à l'étonner parfois, de trouver Imogen à
côté d'elle. Elle contempla sa petite amie et nota d'infimes
détails. Dans ses cheveux en bataille deux épis qui se croisaient, comme deux épées dans un duel. Les marques
blanches laissées par ses bagues, de plus en plus prononcées à mesure que ses mains bronzaient sous le soleil de
l'été. Les taches de son qui apparaissaient sur ses épaules
maintenant qu'il faisait assez chaud pour porter des tee-
shirts sans manches.

Peut-être était-ce une certitude suffisante, de savoir ces
choses.

Darcy attrapa son smartphone et consulta sa boîte e-mail.

— Hé, Gen, annonça-t-elle un instant plus tard, en
secouant doucement sa petite amie. Kiralee veut dîner
avec nous. Ce soir !

La réponse tomba, engourdie par le sommeil.

— Ça devait arriver.

— Qu'est-ce que tu... ? commença Darcy, avant de
comprendre. Elle a lu mon livre !

Imogen roula sur le dos et étira son poignet qui manipulait la souris d'ordinateur, comme elle le faisait tous les
matins.

— Elle t'a dit quelque chose ? demanda Darcy. Est-ce
qu'elle a aimé ?

Tout ce qu'elle obtint en guise de réponse fut un haussement d'épaules et un bâillement, alors qu'une dizaine d'autres questions se bousculaient sous son crâne. À quelle brutalité devait-elle s'attendre dans les critiques ? Pourquoi Kiralee avait-elle mis près d'un mois à lire *Afterworlds* ? Savait-elle que Darcy en avait déjà entamé la réécriture, qu'elle avait remplacé des chapitres entiers ? Cette invitation à dîner était-elle bon signe ?

Mais Darcy avait conscience que ces questions paraîtraient pathétiques, elle les résuma donc en une seule, la plus importante :

— Tu crois qu'elle commencera par des compliments ?

Imogen gémit et se remit sur le ventre, en rabattant sur sa tête l'oreiller de Darcy.

Kiralee Taylor les avait fait venir jusqu'à Brooklyn, dans un restaurant appelé Artisanal Toast. Les murs étaient ornés de tableaux de toasts, de photos de toasts et d'une mosaïque géante de Jésus entièrement composée de toasts. Les allumettes qu'Imogen avait raflées à l'entrée avaient un toast dessiné sur la pochette.

Après avoir examiné le menu, Darcy fronça les sourcils.

— Minute. Ils ne servent pas de toasts, ici ?

— Voyons, dit Imogen, c'est le menu du dîner, pas du petit déjeuner.

Kiralee acquiesça de la tête.

— Ce ne sont pas des fanatiques. Tu te crois à Williamsburg ?

Darcy secoua la tête, parce que ce n'était pas du tout ce qu'elle avait en tête. En réalité, elle s'inquiétait beaucoup de savoir ce que Kiralee avait pensé de son livre et se demandait si elle pourrait avaler quoi que ce soit. Une bonne tartine de pain grillé lui aurait convenu à merveille.

Des serveurs arrivèrent et achevèrent de dresser la table – retirer la vaisselle en cuivre, rectifier la position des couverts, déplier les serviettes. Le tout avec une précision et une efficacité qui impressionna Darcy, c'était aussi intimidant qu'attendre le début d'une critique.

Pourtant, ce fut Imogen que Kiralee questionna en premier.

— Comment se passe la relecture d'*Ailuromancer*?

— J'en suis au grand nettoyage de printemps, répondit Imogen, promenant un regard maussade à travers la salle. J'ai vidé tous les placards sur la moquette. Les tapis sont sortis et n'attendent plus que d'être battus. Autrement dit, c'est le bazar.

Kiralee lui tapota la main.

— Ça commence toujours par aller plus mal avant d'aller mieux. Et ton problème de titre?

— Les gars de Paradox en sont revenus à l'idée de garder «*mancer*» dans les trois titres, mais ils ne veulent pas démordre de *Cat-o-mancer*. Et moi, je déteste.

— Il y a toujours la solution *Felidomancer*, suggéra Darcy.

— Ce n'est pas beaucoup mieux, si? dit Kiralee. Je suis sûre que tu finiras par trouver, ma chérie. Continue à chercher, et la bonne fée des titres viendra se pencher un jour ou l'autre sur ton épaule. As-tu attaqué le troisième livre?

Imogen haussa les épaules.

— Je n'ai encore rien écrit pour l'instant.

— Des idées? Des notions? Des pistes?

— Eh bien, j'en ai une, oui… la phobomancie.

— *Phobos*, la peur?

Kiralee s'adossa à son siège et contempla le portrait de Jésus en toasts. Puis elle sourit.

— Tu as de quoi développer une magie très intéressante à partir de ça. Et c'est parlant. Tout le monde a ses petites phobies.

Darcy hocha la tête, mi-surprise, mi-confuse.

Imogen se pencha en avant, agitant les mains tout en parlant :

— Le point de départ est assez simple. Mon héroïne commence avec un certain nombre de phobies très handicapantes : la foule, les poupées, les araignées, les espaces clos. Et puis un jour, elle se retrouve enfermée dans un placard, confrontée de plein fouet à sa claustrophobie. Surmonter cette épreuve lui donne la force de vaincre ses autres peurs, une à une. Et en faisant ça, elle développe des pouvoirs magiques. Au début, elle peut simplement voir les phobies des autres, sous forme d'aura ou quelque chose comme ça.

— Mais avec le temps, elle apprend à les contrôler, acheva Kiralee, les yeux brillants. J'adore.

— C'est génial, renchérit Darcy. Drôlement bien pensé.

Ces derniers mots sortirent plus sèchement qu'elle n'en avait eu l'intention, et Imogen se tourna vers elle, une lueur d'excuse dans le regard.

— Oui. J'y réfléchis depuis un bout de temps.

Darcy baissa les yeux, surprise par sa propre aigreur. Elle avait passé l'après-midi à s'inquiéter pour ce dîner, et maintenant, cela !

— C'est une super idée, Gen.

Elle était sincère. Mais depuis trois semaines qu'elles écrivaient ensemble, Darcy avait soumis chaque décision, chaque souci, chaque inspiration concernant *Afterworlds* à Imogen, laquelle en retour avait partagé avec elle les moindres détails de sa propre réécriture. Sauf que Darcy n'avait jamais entendu parler de phobomancie.

L'opinion de Kiralee Taylor comptait plus que la sienne, naturellement, parce que Kiralee avait déjà écrit une demi-douzaine de romans. Mais pourquoi Imogen avait-elle gardé le secret sur cette idée jusqu'à présent ?

Darcy serra les poings sous la table.

— On a parfois besoin de laisser mûrir certaines idées, reconnut Imogen d'une voix douce. C'est seulement quand elles sortent qu'on se rend compte qu'on les avait gardées pour soi.

— Je comprends.

Darcy s'efforça de ravaler sa jalousie. Kiralee devait la trouver pathétique.

— Tu devrais parler à ma petite sœur. Nisha a plein de phobies marrantes.

— Par exemple ? demanda Kiralee avec intérêt.

— Elle a peur des patins à glace, répondit Darcy. Et des raisins secs dans les cookies, et des batteries de voitures. Elle dit qu'une batterie ne devrait pas être carrée mais ronde, comme une pile.

— Waouh, fit Imogen qui sortait son téléphone pour prendre des notes.

— Ça pourrait être le début d'une nouvelle trilogie, observa Kiralee. Sur les phobies au lieu des mancies.

— Ne me tente pas.

Imogen continuait à taper, dans un chatoiement de bagues.

— Nisha a aussi peur des sweat-shirts avec des chiens, continua Darcy. Et des chaussettes. Pas seulement celles avec des chiens, toutes les chaussettes.

Elle sourit, heureuse de contribuer à cette idée parfaite. En dépit de sa jalousie, il y avait eu quelque chose d'excitant, de presque sensuel, à l'entendre sortir de la bouche d'Imogen.

Au moins les deux autres faisaient-elles semblant de n'avoir rien remarqué.

— Tu pourrais combiner les deux trilogies avec un livre intitulé *Mancyphobia*, dit Kiralee.

— Je sais que tu dis ça uniquement pour m'embêter, mais au fond, ce n'est pas une si mauvaise idée. (Imogen posa son téléphone et leva son verre d'eau.) À *Phobomancer*!

Darcy l'imita, mais Kiralee secoua la tête.

— Ça porte malheur de trinquer avec de l'eau, les filles. Attendez le vin.

Tandis qu'elles reposaient docilement leurs verres, Imogen grommela :

— Quand on parle de phobies...

— Les superstitions relèvent d'une autre trilogie, ma chérie, dit Kiralee en ouvrant son menu. Et maintenant, passons aux choses sérieuses. Je vais commander, d'accord?

Juste après que le serveur eut débarrassé les amusegueules (des galettes de risotto au barramundi accompagnées d'oignons rouges en saumure), Kiralee déclara sans préambule :

— J'ai beaucoup accroché avec le personnage d'Anna.

Darcy mit une seconde à réaliser que l'heure tant attendue de la critique d'*Afterworlds* était arrivée. D'une voix qui frémissait un peu, elle demanda :

— La mère de Lizzie?

Kiralee confirma d'un hochement de tête.

— J'ai bien aimé le fait qu'elle n'ait jamais raconté à sa fille le meurtre de son amie d'enfance. Qu'elle ait un squelette dans son placard, littéralement.

— Pas littéralement, protesta Imogen. Mindy est un fantôme, pas un squelette.

— Elle se cache littéralement dans son placard, et les fantômes ont sûrement des squelettes. Sinon, comment tiendraient-ils debout ? (Kiralee se tourna vers Darcy.) Et Mindy a vraiment les pieds sur terre. Ça m'a plu, que Lizzie découvre non seulement que le monde a ses fantômes mais surtout qu'elle en a, *elle*. Enfin sa mère, ce qui est encore plus intéressant. Bien joué.

— Merci, dit Darcy, soulagée que Kiralee ait commencé par des compliments. En fait, c'est de là que m'est venue l'idée.

— Comment ça ?

— De ma mère. Quand elle était petite, sa meilleure amie s'est fait assassiner. Mais elle ne m'en a jamais parlé. (Darcy repensa à ses réflexions enfiévrées d'octobre dernier, qui lui semblaient antédiluviennes.) Je l'ai appris par accident, en saisissant le nom de famille de ma mère sur Google. L'affaire avait fait beaucoup de bruit au Gujarat.

Kiralee fit tournoyer son vin dans son verre, en l'examinant attentivement.

— Est-ce que ta mère t'a expliqué pourquoi elle ne t'en avait jamais parlé ?

— Je ne le lui ai pas demandé. C'était trop bizarre. Mais je n'arrêtais pas de penser à Rajani – c'est comme ça qu'elle s'appelait. Est-ce que ma mère se souvenait encore d'elle ? Parce que si elle hantait ma mère, peut-être qu'elle nous hantait aussi, Nisha et moi. J'en suis arrivé à me demander à quoi ressemblerait un monde plein de fantômes, et *Afterworlds* s'est mis en place à partir de là.

Darcy s'interrompit, c'était la première fois qu'elle racontait cette anecdote. Elle avait toujours eu trop peur d'abîmer la graine qui avait tout fait pousser.

Elle jeta un coup d'œil à Imogen.

— Désolée de ne pas t'en avoir parlé. Seule Nisha était au courant.

Imogen sourit.

— Comme je te le disais, certaines idées ont besoin de mûrir avant de sortir.

— Quelle a été la réaction de ta mère en lisant *Afterworlds* ? voulut savoir Kiralee.

— Je ne l'ai pas encore fait lire à mes parents, avoua Darcy, les yeux baissés sur ses mains sagement posées sur la table, comme celles d'une petite fille. Je préfère attendre qu'il soit publié, avec une couverture et tout.

— C'est peut-être mieux comme ça, approuva Kiralee. Tant que tu n'en as pas fini avec ce monde, tu as peut-être besoin de rester hantée.

Darcy dressa la tête.

— Hantée ?

— C'est le fait que ta mère ait gardé le secret qui a maintenu ce fantôme en vie. Une fois que vous en aurez parlé toutes les deux, ce mystère sera résolu. Donc, repousse cette conversation pour l'instant – reste hantée jusqu'à ce que tu n'aies plus besoin d'écrire sur Mindy.

Kiralee avait parlé avec une telle gravité que Darcy en eut des frissons.

Ce qui était étrange. Car même gamine, Darcy n'avait jamais cru aux monstres ni aux fantômes. Son père, ingénieur jusqu'au bout des ongles, s'était toujours montré très clair quant aux différences entre la réalité et l'imaginaire. Ce que Darcy appréciait chez les fantômes, les vampires et les loups-garous, c'étaient leurs traditions et leurs règles : les points froids, l'eau bénite et les balles en argent. Impossible de croire à de telles balivernes.

— Je ne pense pas à Rajani de cette façon. Je ne suis même pas superstitieuse. J'ai toujours trinqué avec de l'eau !

Kiralee sourit.

— Je ne te parle pas de superstitions. Je te parle de

personnages. Les personnages meurent un peu quand tu arrives à la dernière page. Essaie de garder Mindy hors de la vue de ta mère tant que tu n'en auras pas terminé avec elle. Tu as vendu deux livres, je crois ?

Darcy opina, même si elle n'avait pas encore entamé *Untitled Patel* et n'avait aucune idée de la date à laquelle il serait achevé. Son contrat lui donnait encore un an pour rendre le premier jet, ce qui semblait à la fois trop long et trop court. Il ne mentionnait pas de troisième livre, mais les séries fantastiques étaient souvent pareilles à des fantômes, toujours prêtes à secouer leurs chaînes, sans jamais se lasser.

— Je ne pourrai pas empêcher ma mère de lire *Afterworlds* une fois qu'il sera sorti. Toutes ses amies le liront.

— Mon père n'a toujours pas lu *Pyromancer*, observa Imogen. Il n'aime pas les romans.

Darcy hocha la tête. Son propre père préférait les vieux manuels d'aéronautique, mais Annika Patel adorait les romans. Elle dévorait aussi bien les lauréats des prix littéraires de l'année que les best-sellers les plus navrants ou les séries jeunesse que lui vantaient Nisha et Darcy, sans oublier de relire régulièrement les œuvres complètes de Jane Austen. Darcy avait eu presque autant de mal à lui arracher la promesse de patienter jusqu'à la publication d'*Afterworlds* que d'obtenir l'autorisation de s'installer à New York.

— Ça me fera tout drôle une fois qu'elle l'aura lu, reconnut Darcy. Mais encore plus drôle si elle ne le fait pas.

— C'est ça, la publication, dit Kiralee. À la fois terrifiant et nécessaire. Tant que Rajani reste avec toi.

Des frissons de nouveau, à entendre Kiralee prononcer le nom de la morte. Darcy ne l'avait jamais employé à voix haute avant ce soir. Rajani avait toujours été un concept plus qu'une personne. On aurait dit qu'une présence flottait désormais autour de la table, une quatrième convive.

Un instant plus tard, cependant, trois serveurs vinrent leur apporter leurs assiettes, brisant le charme et n'en laissant que quelques filaments dans leur sillage.

Kiralee entreprit de disséquer les chapitres d'ouverture du livre et pointa les mêmes problèmes que Nan Eliot. Avec l'aide d'Imogen, Darcy expliqua les changements qu'elle était en train d'opérer, et Kiralee parut rassurée.

Mais ensuite elle demanda :

— Quel âge a ton agent Reyes ? Parce qu'il faut avoir au moins vingt-trois ans pour entrer dans le FBI.

— Oh, je ne savais pas, avoua Darcy.

— Ton Google ne marche plus ? Il y a une liste des conditions d'embauche sur le site officiel. Tu aurais peut-être intérêt aussi à marquer une plus grande différence entre le vieil homme au manteau rapiécé et le méchant homme. Parce que le méchant est plutôt vieux, tandis que le vieux est incontestablement méchant.

— Mais l'un d'entre eux est un serial killer humain ordinaire, protesta Darcy. Alors que l'autre a des pouvoirs de psychopompe. Comment pourrait-on les confondre ?

— Parce que les serial killers sont les dieux de la mort du monde moderne, répondit Kiralee. Voilà pourquoi ils ont toujours des super-pouvoirs. Tu devrais peut-être donner un nom à ton méchant homme.

— J'ai un nom pour l'homme au manteau rapiécé. Mais comme il est plutôt évident, je ne m'en suis pas servie.

Kiralee leva son verre.

— Un excès d'évidence n'a jamais tué personne.

Imogen leva son verre à cela, et Darcy les imita. Son anxiété s'estompait progressivement au profit d'une exaltation favorisée par le vin rouge. Kiralee n'était peut-être pas aussi dure qu'elle s'efforçait de le faire croire, après tout.

Darcy aborda donc le sujet qu'elle redoutait le plus :

— J'ai travaillé sur cette histoire de religion, pour faire de Yamaraj un personnage un peu plus complexe. Moins Disney.

Kiralee parut perplexe.

— Au cocktail Jeunes adultes, expliqua Darcy. Vous m'aviez plus ou moins reproché d'utiliser un dieu réel comme prince charmant dans mon histoire.

— Ah. Je crois que le mot clé, là-dedans, c'est « cocktail ». Désolée de t'être tombée dessus comme ça. Ça m'arrive parfois quand j'ai un verre dans le nez, s'excusa Kiralee avec un sourire penaud. Tu n'as pas besoin de la permission d'une Blanche pour adapter ta propre culture.

— Et si ce n'était pas la mienne ? insista Darcy, les yeux sur son assiette. Je mange de la viande. Je ne prie pas. Ça me fait bizarre, d'effacer un vrai dieu pour m'en servir comme d'un simple mortel.

— Ça l'est peut-être.

Kiralee réfléchit un moment, deux doigts posés sur le front, exactement comme sur sa vieille photo d'auteur.

— Mais en tant qu'athée élevée dans la religion catholique, qui trouve sa seule inspiration dans les mythes du peuple wemba-wemba, qui suis-je pour t'en faire le reproche ?

Darcy soupira.

— Autrement dit, je vais devoir trouver la solution toute seule.

— On écrit le plus respectueusement possible, puis on publie. Et on découvre ses erreurs en distribuant ses livres à travers le monde.

— Mais les gens risquent de me tomber dessus !

— Oui, c'est un peu comme apprendre le français. Si

tu ouvres la bouche, tu cours le risque de passer pour une idiote. Mais si tu ne te jettes pas à l'eau, tu ne le parleras jamais.

— Oui, reconnut Imogen. Sauf que les fautes de grammaire ne sont pas une offense à la religion.

— Toi, on voit bien que tu n'as jamais mis les pieds en France, rétorqua Kiralee.

Darcy s'enfonça dans son siège, laissant ses amies poursuivre la discussion sans elle. Elle avait été stupide, naturellement, de rechercher l'absolution de Kiralee. Elle devait trouver les réponses dans ce qu'elle écrivait, dans les histoires qu'elle racontait, et non en réclamant la permission.

— Qu'est-ce que Nan a suggéré d'autre? demanda Kiralee quand elles se remirent à manger. Rien de catastrophique, j'espère?

Darcy et Imogen échangèrent un long regard. Aucune des deux ne répondit.

— Oh mince. C'est quoi?

Devant le silence de Darcy, Imogen expliqua:

— Nan veut une autre fin. Moins tragique. Plus vendeuse.

— Ah, fit Kiralee, adressant à Darcy un regard de commisération totale. Ça, c'est délicat.

— Sans blague.

— Voilà ce que je me dis toujours dans ce genre de situation: tu dois trouver une fin acceptable pour toi, tout en répondant aux exigences de ton éditeur. Ce n'est pas une crise morale mais un problème d'écriture. Je suis sûre que tu sauras le résoudre.

Darcy s'efforça de sourire.

— Merci, souffla-t-elle. Mais est-ce qu'*Afterworlds* ne va pas devenir archi-nul avec une fin heureuse, quelle qu'elle soit?

— Ça m'étonnerait. Tu pourrais sans doute trouver une bonne dizaine de fins heureuses. Sans compter mille fins douces-amères, et un bon million de fins tragiques. Malheureusement, tu ne peux en choisir qu'une seule.

Darcy dévisagea Kiralee. Elle s'était attendue à de l'indignation, ou au moins à de la sympathie. Mais Kiralee souriait, comme s'il s'agissait d'un simple exercice d'écriture, d'une expérience formatrice !

Alors qu'il était question du premier roman de Darcy, qui serait pendant un an le seul livre au monde à porter son nom en couverture. Et dans sa tête, il se finissait toujours de la même façon.

— Je vous ai changée en statue de sel, mademoiselle Patel ? s'inquiéta Kiralee.

— Non, c'est juste que... Vous ne trouvez pas que la fin est bien comme ça ?

— Elle est très bien. Mais il y a d'autres fins possibles qui seraient tout aussi bien, peut-être un peu moins dramatiques. Tu dois pouvoir en trouver une.

— Mais vous ne trouvez pas injuste que je sois obligée de le faire ?

— Est-ce que tu trouves injuste que ton éditeur ait envie de vendre ton livre à des centaines de milliers d'exemplaires ?

Darcy ouvrit la bouche, mais aucun son n'en sortit. Elle était bel et bien pétrifiée cette fois.

— C'est génial qu'ils veuillent miser sur *Afterworlds*, reconnut Imogen. C'est moins génial que le public apprécie uniquement les fins heureuses.

— Oh, ce n'est pas toujours vrai, objecta Kiralee, le regard rivé sur Darcy. *Roméo et Juliette* a connu son petit succès. Mais peut-être que le fait de tuer Yamaraj limite la progression de ton histoire.

Darcy étudia l'expression de Kiralee. S'agissait-il d'une

sorte de test ? Était-elle supposée faire ses preuves, non seulement en s'opposant aux desiderata de Paradox Publishing mais aussi en rivant son clou à Kiralee Taylor, l'auteur de *Bunyip* ?

— Il a toujours été prévu de le faire mourir. Il faut qu'il meure. Mon livre est un livre sur la mort !

— Et la mort est nécessairement tragique ?

— Quand il y a des terroristes dans le coup ? Oui, plutôt.

— D'accord. Mais l'art peut aussi bien brasser les émotions que les distiller.

Darcy se tourna vers Imogen, en quête de son soutien.

— Attends une minute, intervint Imogen. Tu ne dis pas que Darcy devrait forcément rendre sa fin heureuse, mais surtout rendre son éditeur heureux. C'est ça ?

— Exactement, confirma Kiralee, fixant le Jésus en toasts. C'est ton histoire, Darcy. Ce qui veut dire que tu peux y changer tout ce que tu veux, y compris les parties auxquelles tu es le plus attachée.

— Supprimez vos favoris, murmura Imogen.

— Comme tu dis, approuva Kiralee. Et maintenant, mes petites chéries, si nous passions au dessert ?

— Elle a été plus gentille que je ne pensais, reconnut Darcy.

Elles rentraient à Manhattan à bord d'un métro pratiquement vide. Imogen se dressait au-dessus d'elle, accrochée à la barre, se balançant au rythme de la rame.

— Tu croyais qu'elle serait méchante ?

— Absolument. La première fois qu'elle a entendu parler de mon livre, elle a commencé par se moquer des romans d'amour fantastiques.

— Elle n'a pas mâché ses mots ce soir. C'est juste que tu as le cuir plus dur aujourd'hui.

— Tu crois ?

Imogen se mit à rire.

— Imagine : si elle avait lu ton livre à ce moment-là et t'avait déclaré tout net que la moitié n'était qu'une longue exposition ?

— Pas la moitié, seulement les deux premiers chapitres. Mais oui, j'aurais flippé.

— Tu te serais liquéfiée, puis tu aurais littéralement explosé, oui ! (Imogen se balança plus près, ses genoux collés à ceux de Darcy.) Seulement tu es devenue une vraie pro, maintenant. « Oublie les compliments et saute directement aux critiques », voilà ta devise.

— Très drôle. Tu crois qu'elle me déteste et qu'elle a juste voulu être gentille ?

— Kiralee n'est jamais gentille avec ceux qu'elle déteste.

Imogen regarda par la fenêtre. Les parois du tunnel étaient semées de lampes de chantier qui lançaient des éclairs au passage du métro.

— Peut-être qu'elle réfléchissait à sa propre carrière et se demandait si une ou deux fins heureuses de plus n'auraient pas été une bonne idée.

— Possible. J'oublie toujours que ses chiffres de ventes ne sont pas terribles. Je veux dire, si elle ne s'en sort pas, qu'est-ce que je peux espérer ?

Darcy se demanda ce qu'avait dû éprouver Kiralee quand elle avait lu dans le *Publisher's Brunch* qu'une adolescente avait signé un aussi gros contrat. Une inconnue qui avait le culot de débarquer à Brooklyn pour lui demander des conseils. Dire qu'à la fin du repas Kiralee avait même ramassé l'addition !

— Elle ne voudra jamais me complimenter en couverture, hein ?

— Kiralee n'est pas comme ça. Si elle aime ta réécriture, elle signera ton baratin promo.

— Vraiment ? Même si je suis scandaleusement surpayée ?

Imogen haussa les épaules.

— On n'est pas les premières débutantes qu'elle voit arriver. La plupart des carrières ne durent pas moitié aussi longtemps que la sienne.

— J'adore la tournure que prend cette conversation, grommela Darcy.

— Hé, on a passé une super soirée ! protesta Imogen, se laissant tomber sur le siège voisin de celui de Darcy pour saisir son amie par la taille. Kiralee Taylor a suffisamment aimé ton livre pour t'en parler en personne, au cours d'un dîner ! Raconte ça à celle que tu étais il y a encore trois mois.

— Mais chaque fois que je lui ai demandé quoi faire, elle m'a dit que c'était à moi de voir.

— Donc elle te croit assez grande pour régler tes problèmes toute seule. Bouhouhou.

Darcy soupira. Sans doute était-ce une forme de compliment, de s'entendre dire qu'on pouvait trouver les réponses en soi. Mais une part d'elle-même – la plus grande part, en fait – aurait bien voulu que Kiralee lui apporte des solutions concrètes.

— Tu crois que le livre peut continuer à tenir debout si Yamaraj ne meurt pas ?

— Si tu le fais tenir debout, bien sûr. Commence déjà à écrire et vois ce qui se passe. Peut-être qu'il devra mourir de toute façon.

Darcy acquiesça d'un signe de la tête. Pour l'instant, cette réponse lui suffisait. Elles avaient plusieurs heures d'écriture devant elles avant le lever du soleil, et il lui restait deux mois pour démonter et remonter *Afterworlds*.

Plus un an pour rendre le premier jet de la suite. Le processus d'édition était peut-être laborieux, mais il y avait quelque chose de réconfortant dans cette lenteur. Elle permettait de trouver la meilleure fin, qu'elle soit heureuse ou non.

24

J'AI ATTENDU QUELQUES JOURS AVANT D'APPELER L'AGENT SPÉCIAL Reyes. Il était un peu tard, mais je n'ai pas eu l'impression de le réveiller. Il a seulement paru un peu surpris quand je lui ai demandé :

— Et si je connaissais quelqu'un qui a commis un crime ?

— Tout dépend de quel genre de crime. (Il a hésité un moment.) Et de votre degré de connaissance de la personne.

— De mon degré de connaissance ?

— Est-ce que nous parlons de dénoncer votre meilleure amie pour avoir bu de l'alcool ? Un bon sermon serait peut-être plus efficace.

J'ai ri.

— Jamie ne boit pas, et je parlais d'un inconnu. Imaginons qu'il s'agisse d'un crime grave, un meurtre par exemple. Comment amener le FBI à enquêter là-dessus ?

— Oh, a-t-il fait, visiblement soulagé maintenant qu'il était sûr que la question était hypothétique. Eh bien, il faudrait commencer par vous adresser à votre police locale. Le FBI se concentre sur les crimes fédéraux.

— Le meurtre n'est pas un crime fédéral ?

— En règle générale, non. À moins que la victime ne soit un agent fédéral.

— Ah. Pourtant, dans les films, on vous voit toujours enquêter sur les serial killers.

— En effet. Pourquoi toutes ces questions, exactement ?

J'ai regardé mon lit, couvert de pages imprimées issues de mes recherches sur le méchant homme. Une liste de jeunes filles qui avaient disparu pendant que leurs familles étaient en déplacement, les habitudes des psychopathes, les crimes non résolus de Palo Alto. Rien de concret.

Connaître le nom du méchant homme ne m'avait pas servi à grand-chose. Il n'était mentionné dans aucun des articles que j'avais pu trouver, et une recherche sur Google m'avait conduite à une centaine d'individus portant le même nom, dont l'âge ne collait pas ou qui habitaient ailleurs. À croire qu'il n'avait jamais existé, ou que son petit bungalow n'avait pas de connexion Internet.

Tout ce que j'avais se résumait à son nom, son numéro de téléphone et ma fureur sacrée, laquelle paraissait s'atténuer un peu plus chaque jour. J'ai donc servi à l'agent Reyes le mensonge que j'avais raconté à ma mère :

— C'est, euh, pour un devoir que je dois rendre.

— Vous êtes au lycée, mademoiselle Scofield. Vos devoirs ne sont-ils pas censés porter sur des sujets plus… spécifiques ?

— Si. J'en arrive justement à la partie spécifique.

Je me suis efforcée de rassembler mes idées, mais ça faisait maintenant une bonne semaine que je ne dormais plus. Et si mon corps paraissait s'en passer, ce n'était pas le cas de mon cerveau.

— Par exemple, combien de victimes faut-il pour être considéré comme un serial killer ? Y a-t-il une règle à ce sujet au FBI ?

— Il y a des règles sur tout, mademoiselle Scofield. Il faut trois meurtres, dont un au moins sur le sol américain, pour que l'on puisse parler de meurtres en série.

— Trois ? Super. Je veux dire… c'est déjà un peu plus précis, non ?

— Un peu, a-t-il reconnu. Y a-t-il autre chose que vous ayez besoin de savoir ?

J'ai hésité. L'agent Reyes ne me croirait jamais. Pas si je lui parlais de cinq gamines enterrées dans le jardin d'un vieillard. Je ne voyais donc aucune raison de peser mes mots.

— Disons qu'il n'y a aucun témoin de ces meurtres, mais que je sais où les corps sont enterrés. Quel genre de preuves me faudrait-il fournir pour convaincre la police de retourner le jardin d'une personne ?

Il a marqué une pause, avant de répondre avec assurance :

— Le genre qui puisse convaincre un juge de dépenser l'argent du contribuable pour détruire une propriété privée. Des preuves solides.

— Pigé.

J'étais à peu près certaine qu'il devait me prendre pour une idiote, maintenant, et je me suis sentie obligée d'ajouter :

— Du nouveau du côté de nos adorateurs de la mort ?

— Rien de plus que ce qu'il y a aux infos.

— D'accord. Je ne les suis pas trop, en ce moment. Vous allez bientôt attaquer leur quartier général, c'est ça ?

— L'opération a été lancée hier soir, mademoiselle Scofield. Les méchants sont encerclés par deux cents agents fédéraux. Vous n'avez aucune raison de vous inquiéter, bien sûr, mais étant donné ce que vous avez vécu récemment, avez-vous envisagé de modifier le sujet de votre devoir pour travailler sur quelque chose de moins… macabre ?

J'ai contemplé le fouillis étalé sur mon lit.

— Oui, mais j'ai déjà bien avancé sur celui-là. Merci pour votre aide, agent Reyes.

— À votre service, mademoiselle Scofield.

J'ai raccroché avec un soupir. J'avais réussi à passer pour une folle sans même avoir abordé les aspects les plus bizarres de mon problème pas si hypothétique que ça. Comme le fait que certains des meurtres avaient été commis avant ma naissance. Et que le meurtrier vivait dans une ville où je ne m'étais jamais rendue, autrement que par une sorte de projection astrale. Et que j'ignorais les noms de la plupart des victimes.

Aucun juge au monde n'enverrait une pelleteuse chez le méchant homme sur des présomptions aussi légères. Pas étonnant que Yama ait détourné les yeux devant les fillettes. Nous étions des psychopompes, pas une police fantôme.

Néanmoins, je n'étais pas encore décidée à renoncer. Je voulais que justice soit faite, d'une manière ou d'une autre. Que les choses rentrent dans l'ordre. Et pour cela j'allais devoir raconter à Yama ce que j'avais découvert.

Ç'a été notre plus long trajet sur le Vaitarna jusque-là, le plus étrange et le plus varié. Le fleuve a d'abord été furieux, avec des bribes de souvenirs égarés pareilles à mille doigts glacés qui nous frôlaient dans le noir. Mais il s'est apaisé et nous avons dérivé, portés par un courant aussi calme et lent qu'une mer étale.

Yama et moi sommes arrivés sur une plage de sable blanc semée de petits galets. Le rivage s'étendait dans les deux directions, s'incurvant pour former un vaste lagon circulaire. J'entendais des rouleaux se briser au loin, mais devant nous la mer venait mourir tranquillement sur le sable. Un vent chaud a fait danser mes cheveux et onduler la chemise de Yama.

— On est où, là ?

— Sur une île.

Je l'ai regardé.

— Tu pourrais être un peu plus précis ?

— Sur un atoll, précisément.

Il m'a souri, à croire que ça l'amusait de ne pas me donner plus de renseignements que d'habitude.

J'ai levé les yeux vers le ciel nocturne. On ne voyait nulle trace de l'aube, donc nous ne devions pas être trop éloignés du fuseau horaire de la Californie. Mais je ne reconnaissais aucune étoile.

— Dans le Pacifique, c'est ça ?

Yama a hoché la tête.

— Aussi loin de tout qu'il est possible d'aller.

— C'est… sympa, ai-je dit, même si l'atoll n'avait rien d'un paradis tropical.

Ni palmier, ni herbe, ni fleurs au sommet de la plage, rien que de la rocaille et des arbustes rabougris dont les feuilles frémissaient dans le vent.

— On s'y habitue, a dit Yama, m'entraînant à l'écart de la plage.

Il y avait des oiseaux marins nichés partout, et des lézards longs comme le doigt qui détalaient sous nos pas. Nous avons grimpé jusqu'à une crête et sommes redescendus vers la mer. L'île tout entière ressemblait à une bouée de sauvetage, avec le lagon immobile au milieu et l'océan impétueux autour.

Des vagues énormes se fracassaient sous nos yeux, sombres et menaçantes. Elles paraissaient assez grosses pour nous engloutir, et emporter l'atoll avec. C'était vraiment un endroit désolé.

— Tu entends ? m'a demandé Yama.

J'ai tendu l'oreille. Dans l'atmosphère feutrée de l'envers du décor, le grondement des vagues m'ébranlait jusqu'aux os. Seuls quelques piaillements d'oiseaux marins venaient s'y mêler par instants.

— Que suis-je censée entendre ?

— Le silence. Pas la moindre voix.

Je me suis tournée vers Yama. Il avait les yeux clos, et toute préoccupation avait disparu de son visage. J'ai tendu le bras pour suivre le contour de son sourcil du bout des doigts. Il a souri et m'a pris la main.

— Je n'entends que les vagues et les oiseaux, ai-je dit.

— Exactement.

Il a ouvert les yeux. Je ne l'avais encore jamais vu aussi heureux.

— Personne n'est jamais mort sur cette île.

J'ai promené mon regard vers le sol rocailleux et l'horizon désert tout autour.

— C'est sûrement parce que personne n'a jamais vécu ici ?

— Je suppose que oui. En tout cas le résultat est le même – le silence.

— Attends une minute. Ça veut dire que tu peux entendre les morts ?

— Toujours. Partout sauf ici.

Je me suis rappelé la vision que j'avais eue sur le terrain de jeux. L'histoire du lieu avait défilé sous mes yeux, avec ses traumatismes, ses joies et ses peines. Était-ce ainsi en permanence pour Yama ? Mes propres pouvoirs grandissaient de jour en jour, et il était psychopompe depuis des milliers d'années.

Je sentais mon corps vibrer sous le grondement de l'océan. Que ressentirais-je si les morts me murmuraient à l'oreille à tout bout de champ ?

— C'est beau, n'est-ce pas ? s'est-il émerveillé.

Je me suis rapprochée de lui et me suis glissée dans ses bras pour me réchauffer. Le vent était plus fort sur la crête. Le sable se soulevait.

De là-haut, je pouvais contempler l'île en entier. J'appréciais le silence des morts, mais pas autant que le fait d'être là avec lui. C'était comme si on nous avait donné notre propre planète – un peu lugubre, mais rien qu'à nous.

Il y avait quelque chose de merveilleux dans l'air, sur lequel je n'arrivais pas à mettre le doigt.

J'ai posé une main sur la nuque de Yama pour l'attirer à moi. Notre baiser m'a laissée pantelante ; je voyais des éclairs colorés dans le ciel gris. Un instant, l'île est devenue le plus bel endroit au monde.

Avant de s'écarter, il a embrassé ma cicatrice en forme de larme. Je me suis sentie électrisée.

— Comment as-tu découvert cet endroit ? ai-je demandé, le souffle court.

— Il m'a fallu mille ans.

— Tout ce temps pour dénicher un coin tranquille ?

— Au début, je ne savais pas ce que je cherchais. Je voulais parcourir le monde, alors j'ai appris à emprunter le fleuve en chair et en os, et pas uniquement en esprit. Partout où j'allais, il y avait des histoires enfouies dans le sol, des voix dans les pierres.

Je lui ai pris la main et l'ai serrée fort.

— Je les entendrai aussi, hein ?

— Pas avant très longtemps, j'espère. Mais quand tu auras besoin de calme, Lizzie, tu pourras toujours venir ici.

Il a écarté les bras. J'ai contemplé l'océan gris et houleux, ne sachant pas quoi dire. Je ne voulais pas de cette splendide désolation, pas encore – sauf en la compagnie de Yama. L'idée qu'elle puisse un jour me sembler attirante m'effrayait un peu.

Combien de temps avais-je devant moi? J'ai repensé aux fillettes mortes dans le jardin du méchant homme et je me suis demandé si j'étais liée à elles maintenant, si j'étais en relation plus étroite avec la mort. J'avais besoin de raconter à Yama que j'étais retournée là-bas, je voulais lui faire part de mes soupçons concernant l'endroit où elles étaient enterrées.

Mais pas tout de suite. Il avait l'air tellement heureux.

— Merci de m'avoir amenée ici. C'est ton endroit préféré, n'est-ce pas?

— En un sens, a-t-il reconnu. Ma ville en enfer est plus belle. Mais cette île est l'unique endroit où je peux être vraiment seul.

— C'est fichu, maintenant que je suis là.

Yama s'est tourné vers moi, avec un sourire presque timide.

— Je peux être seul avec toi.

— J'imagine que c'est une bonne chose?

— Plus que je ne saurais le dire.

Il m'a attirée plus près, et le ciel s'est coloré de nouveau. J'avais le souffle coupé. Je voulais tout connaître de cet endroit.

— Comment as-tu trouvé cette île? En bateau?

— Dans les pages d'un livre, a-t-il répondu en m'entraînant le long de la crête. Ce sont les Portugais qui l'ont découverte il y a quatre siècles. Ensuite on l'a oubliée, puis redécouverte, jusqu'à ce que des naturalistes y viennent et peignent ce qu'ils voyaient.

— On peut donc être lié à un endroit uniquement par les livres? ai-je demandé, stupéfaite.

Naturellement, puisque j'avais pu retrouver l'ancienne maison de ma mère grâce à une simple photo. Être psychopompe ne paraissait pas si mal, tout à coup, si on pouvait voyager à travers le monde grâce à des lectures.

— En partie, a répondu Yama. Il se trouve que je connaissais aussi un des naturalistes en question. D'après lui, il n'y a que deux sortes de plantes qui poussent sur cette île. Tu imagines ?

J'ai balayé du regard le paysage désolé. Les arbres se ressemblaient tous.

— Ce n'est pas difficile à croire. Tu étais l'ami d'un viveur, enfin, d'une personne vivante ? Ça veut dire que tu avais quitté l'au-delà.

— Cela en valait la peine. (Il a fermé les yeux et inspiré profondément.) Rien que pour l'air qu'on respire ici.

C'est là que j'ai trouvé ce qui me titillait.

— Ça ne sent pas la rouille. D'habitude, il y a toujours une odeur métallique dans l'envers du décor.

Il a rouvert les yeux.

— C'est l'odeur de la mort. Du sang.

— Oh.

J'ai eu froid, tout à coup ; je me suis arrêtée et j'ai enfoui mon visage contre son torse. Le corps de Yama était toujours chaud, comme si un feu couvait en lui.

— C'est nul, d'être un…

Je détestais toujours ce mot de « psychopompe », mais je n'en avais pas de meilleur.

— Pas toujours.

Il m'a serrée dans ses bras.

Je me suis blottie contre lui, contre ses muscles rassurants et sa peau enivrante. Je sentais le sable se dérober sous mes pieds, et l'atoll paraissait bien fragile dans l'immensité de l'océan.

Mon professeur de géographie, à l'école, disait toujours que les îles étaient des montagnes qui émergeaient au ras de l'océan. Ça m'a donné le vertige de penser au récif corallien en dessous de nous, et à la montagne, encore plus bas, qui descendait jusque dans les entrailles du Pacifique.

Des millions de tonnes de pierre et de corail, rien que pour soutenir cette bande de terre émergée à quelques mètres au-dessus de l'eau. Je me suis demandé combien de fois la mer l'avait noyée, effaçant tout sur son passage.

— Comment as-tu fait pour ne pas devenir fou à force d'entendre des voix tout le temps ? Avant de découvrir cet endroit, je veux dire. Ça paraît tellement long.

Sa voix se fit très douce, comme s'il me confiait un secret.

— Chercher pendant mille ans en vaut la peine, si on finit par trouver son bonheur.

Je me suis éclairci la gorge. Les mots avaient du mal à sortir.

— Je suis bien contente que tu l'aies fait.

Il m'a serrée plus fort, et pendant un instant je n'ai plus entendu le grondement des vagues. Je n'étais plus que vibrations.

Nous nous sommes embrassés, dans le fracas de l'océan. Puis j'ai eu besoin d'entendre le son de sa voix.

Je me suis détachée de lui et j'ai dit :

— Tu n'as jamais fini de me raconter comment tu avais basculé de l'autre côté. Tu m'as parlé de l'endroit où Yami et toi avez grandi. Et tu m'as dit qu'elle était morte jeune, à cause de la trahison d'un âne. Tu étais sérieux ?

— C'est ce que j'ai pensé à l'époque.

Il s'est tourné et m'a incitée à le suivre ; il y avait l'océan d'un côté, le lagon de l'autre.

— Le frère de mon père avait une ferme à environ deux heures de marche de notre village. Quand Yami et moi y allions pour jouer avec nos cousins, nous y emmenions notre vieil âne. Ma sœur pouvait le monter quand elle était fatiguée, et il savait retrouver le chemin de la maison dans le noir.

— L'âne savait retrouver le chemin de la maison. Mais bien sûr.

J'avais presque oublié qu'ils avaient des couteaux de bronze dans l'enfance de Yama, à présent ils avaient aussi le GPS asinien. Une époque décidément très étrange.

— Un après-midi, nous nous sommes attardés. Un orage menaçait, et mon oncle nous a conseillé de rester dormir chez lui. Yami a refusé. Elle disait que sa maison empestait l'oignon.

— Elle n'a pas changé, hein ?

— Pas vraiment, a concédé Yama avec un soupir. Elle n'a rien voulu entendre. Nous sommes partis au crépuscule, mais le ciel était noir quand il s'est mis à pleuvoir. La foudre tombait tout près.

J'ai regardé l'océan, tâchant d'imaginer à quoi ressemblerait une tempête sur cette île déserte balayée par le vent.

— Vous ne deviez pas être rassurés.

— En effet. Par chance l'âne nous guidait dans l'obscurité. Sans rechigner.

— Alors comment vous a-t-il trahis ?

— Nous pensions qu'il nous avait fait prendre un chemin différent, le long de la mer plutôt que par les collines, afin d'éviter la foudre. Il était vieux, toujours prudent, et nous lui faisions confiance. Mais il s'est arrêté à un endroit que nous ne connaissions pas. Nous entendions le fracas des vagues à proximité, le sol était dur et friable sous nos pieds. Quelque chose de pointu a transpercé ma sandale. Je me suis accroupi pour voir ce que c'était.

Il a marqué une pause. J'ai frissonné.

— Le sol était couvert d'ossements.

Je l'ai dévisagé.

— Quel genre de fauve vivait là ?

— Aucun, a répondu Yama, les yeux rivés sur les pierres et les coquillages sous nos pieds. Ce n'étaient que des squelettes d'animaux. Il y en avait des tas, brisés et éparpillés autour de nous. Nous avons pu les voir à la lueur des éclairs.

J'ai secoué la tête, je ne comprenais pas. J'ai senti la panique de l'aéroport ressurgir, me serrer le cœur avec ses doigts froids. Je me suis rapprochée de Yama.

— Puis un souvenir m'est revenu, a-t-il repris. Quelques années plus tôt, quand la compagne de notre âne était devenue trop vieille et trop malade pour travailler, mon père l'avait conduite au sommet d'une falaise près de la mer. Il m'avait demandé de l'accompagner pour l'aider.

— L'aider à quoi ?

Il a écarté les mains.

— À la pousser dans le vide.

— Waouh. C'est cruel, non ?

— C'était comme ça dans notre village, a-t-il répondu simplement. Mais j'avais trouvé ça épouvantable, et ce soir-là, ma sœur et moi avons cru que l'animal cherchait à se venger. Je suppose qu'il voulait simplement se rendre sur le tombeau de sa compagne, de ses ancêtres. Il devait y avoir plusieurs siècles d'ossements amassés là. Peut-être voulait-il rendre hommage à la mort en personne, sans autre préoccupation. En tout cas, nous étions terrorisés.

— Tu m'étonnes. Et alors, que s'est-il passé ?

— La foudre a frappé juste à côté de nous, le tonnerre a éclaté au-dessus de nos têtes et ma sœur a pris peur. En tombant de l'âne, elle s'est planté un fragment d'os dans le poignet.

Yama a baissé la voix ; c'est à peine si je l'entendais par-dessus le grondement des vagues.

— Elle saignait. J'ai plaqué ma main sur la plaie, pour

étancher le sang. Elle se retenait de pleurer mais je voyais bien qu'elle avait mal. La mort est douloureuse, quand on la combat.

— Pauvre Yami.

J'avais la voix qui tremblait.

— Elle est morte à l'aube, alors que l'orage se calmait. Je l'ai sentie se refroidir et je lui ai promis de rester auprès d'elle, pour la protéger. Alors quand je l'ai vue quitter son corps, je l'ai suivie.

— Et depuis tu n'as jamais cessé de veiller sur elle.

Il a fait oui de la tête.

— Comme je le lui ai promis. Si j'oubliais Yami, elle s'effacerait.

Je l'ai retenu par le bras, et nous nous sommes embrassés. Il avait un goût de sel sur les lèvres.

— Tu es un bon frère.

— Elle m'aide aussi.

— Avec tes protégés, tu veux dire.

Le poids de ses responsabilités m'est apparu. Il n'y avait pas que sa sœur ; des milliers de fantômes dépendaient de la mémoire de Yama pour ne pas disparaître.

— Tu prends soin de tout le monde.

— Je fais ce que je peux. Parfois, je me demande combien j'en ai perdus. C'est difficile de tenir le compte des gens qu'on a oubliés.

La tristesse qui se lisait sur son visage m'a donné envie de protester :

— Mais tous les souvenirs finissent par s'estomper un jour ou l'autre, non ?

— Comme tout le monde doit bien mourir un jour. Ça n'excuse pas les meurtres.

J'ai secoué la tête.

— Sauf que les fantômes sont déjà morts. Et le vieil homme qui m'a suivie jusque chez moi a dit que les fantômes n'étaient que des histoires qui se racontent toutes seules.

— Les vivants aussi.

J'ai fixé l'océan, songeuse. Parmi les viveurs, certains étaient plutôt faits des histoires qu'ils ne racontaient pas. J'avais gardé pour moi ce qui m'était arrivé à Dallas, brodant pour mes proches un tissu de mensonges et de demi-vérités. Ma mère ne m'avait jamais parlé de la mort de Mindy, bien que ce drame ait continué à la hanter pendant toutes ces années.

Quoique, peut-être l'avait-elle fait, à sa manière. Sa peur des voyages en voiture, son besoin d'entendre ma voix toutes les cinq minutes. Elle me racontait l'histoire de la disparition de Mindy chaque jour de sa vie.

— Si tu veux, ai-je concédé. On est tous constitués d'histoires. Mais toi et moi, on est aussi faits de chair et de sang, contrairement aux fantômes.

— La question n'est pas de savoir de quoi sont faits les fantômes, Lizzie. Il s'agit de décider ce que toi et moi voulons être.

Je l'ai dévisagé.

— Comment ça ?

— Si nous préférons respecter les morts ou bien nous servir d'eux.

Yama s'est reculé d'un pas, et le vent froid s'est glissé entre nous.

— Rappelle-toi comme il est commode pour ce vieil homme de décréter que les fantômes ne sont pas des gens. Il serait plus facile pour toi de faire la même chose. Tu n'aurais plus à te soucier de Mindy, ni d'aucun d'entre eux.

J'ai fixé le sol.

— Je ne suis pas comme ça.

— Non. Mais c'est toujours une question de choix. Tu

dois décider si les fantômes valent ou non la peine d'être sauvés.

J'ai levé la tête pour soutenir le regard de Yama. Des milliers de personnes dépendaient de sa capacité à croire en elles, y compris sa petite sœur. Cette charge pesait sur lui, comme la culpabilité d'un crime qu'il n'avait pas encore commis – le crime d'oublier, de tourner la page.

— D'accord. Les fantômes sont réels. C'est pour ça que je veux aider Mindy. C'est pour ça que je veux retourner à cette maison.

Yama m'a regardée comme si je l'avais frappé.

— Son meurtrier y vit toujours, ai-je expliqué. Il a tué ces gamines. Ces arbres sont comme... des trophées dans son jardin.

— Tu n'aurais pas dû y retourner, Lizzie.

— Il fallait bien que je fasse quelque chose ! Mindy est terrorisée à l'idée qu'il revienne la chercher. Elle vivait déjà dans la peur avant ma naissance !

Il a hoché la tête, acceptant tout cela.

— Alors c'est à cause d'elle que tu évolues aussi vite.

— Hein ?

— La mort a toujours été présente dans ta maison. Une petite fille morte était là, dans la mémoire de ta mère, dans son cœur. Voilà pourquoi tu n'as jamais douté de la réalité de l'au-delà. Voilà pourquoi tu as pu voir des fantômes dès la première nuit à Dallas. Tu étais née dedans, Lizzie.

Je l'ai lâché brusquement et me suis reculée de deux pas.

— Tu es sérieux ? Tu es en train de me dire que je suis maudite ?

— Je dis seulement que l'au-delà est une seconde nature pour toi. Ce qui signifie que tu dois le combattre, et non le rechercher. Tu dois te tenir à distance de cette maison et de ces fillettes mortes.

— C'est dingue ! Mindy n'a rien à voir avec la manière dont j'ai grandi. Maman ne m'a jamais parlé d'elle.

— Elle n'a pas eu à le faire. Son fantôme était là, dans votre maison, rêvant d'être ton amie, jalousant toutes ces années d'adolescence qu'elle n'avait jamais eues. Son histoire flottait autour de toi. Elle est dans tes os.

J'en restais bouche bée.

— Tu ne dois plus lui parler, m'a-t-il implorée. Fais comme si tu ne la voyais plus.

— Yama…, ai-je commencé en secouant la tête. Mindy habite chez moi. Je suis censée faire quoi, déménager ?

— Dès que tu le pourras, oui, tant qu'elle reste connectée plus étroitement à ta mère qu'à toi. (Il a croisé les bras.) Et tu devrais sans doute t'éloigner de moi aussi.

— Pourquoi ?

— Les miens ont besoin de moi pour les protéger, pour me rappeler leurs noms. Tu me détournes de cette tâche, a-t-il avoué d'une voix rauque. Et chaque fois qu'on se touche, la mort se dépose un peu plus sur tes mains.

J'ai tendu les bras vers lui, et il a battu en retraite.

— C'est n'importe quoi ! me suis-je écriée. J'avais encore une vie normale il y a deux semaines !

— La première fois que nous avons emprunté le fleuve, je t'ai demandé où tu avais envie d'aller. Et parmi tous les endroits que tu connaissais, lequel as-tu choisi ?

J'ai avalé ma salive.

— L'ancienne maison de ma mère.

— Et pourquoi ?

Je n'avais pas besoin de répondre. Yama avait déjà compris. Dès cette première nuit, j'avais été intriguée par l'histoire de Mindy.

— Je voulais chercher des indices.

Ses yeux brillaient, sa colère sourdait dans chacun de ses mots.

— Tu aurais pu nommer n'importe quel endroit sur terre, mais tu as voulu trouver la maison d'un meurtrier. Et dire qu'après la découverte de ces fillettes je pensais que tu ne voudrais plus jamais retourner là-bas ! Combien de personnes auraient voulu voir cette maison deux fois, Lizzie ?

— J'étais obligée. À cause de Mindy.

— Exactement. Parce que son meurtre réside en toi. Il faisait déjà partie de toi avant les événements de Dallas.

J'avais toutes les peines du monde à rester debout.

— Tu me prends pour un monstre.

— Non ! Je te prends pour quelqu'un de merveilleux. Voilà pourquoi tu devrais combattre ce qui t'arrive, au lieu de l'encourager. (Il a écarté les bras, embrassant d'un geste son île balayée par le vent.) Imagine te sentir plus en sécurité ici que n'importe où ailleurs dans le monde. C'est vraiment ce que tu veux ?

— C'est pour ça que… (Ma voix s'est brisée.) Est-ce que tu m'as amenée ici pour me faire peur ?

Il a essayé de me dire quelque chose, mais n'a réussi qu'à bafouiller. Il s'est tourné face à l'océan avant de recommencer :

— Je t'ai amenée ici parce que je n'y avais encore jamais amené personne. Parce qu'il n'y a personne d'autre comme toi. Mais tu as une vie dans le monde d'en haut – le monde réel – et tu ne devrais pas y renoncer tout de suite. Pas pour cette désolation.

— Je ne renonce à rien du tout.

— Tu y seras bien obligée si tu deviens comme moi. Essaie au moins de ralentir, Lizzie.

Je me suis détournée de lui. Nous étions parvenus devant un bras de mer qui reliait le lagon à l'océan. Le courant y était très fort, provoqué par les marées ou peut-être uniquement par le tumulte de l'océan tout autour.

L'île en paraissait d'autant plus fragile, comme une chambre à air crevée.

— Promets-moi de ne jamais retourner là-bas.

J'ai regardé Yama. Je ne comprenais pas. Il était censé affronter le méchant homme avec moi.

— Donc tes fantômes valent la peine d'être protégés, mais pas Mindy?

— Je n'essaie pas de venger leur mort. Je ne juge pas les vivants.

— Il n'y a rien à juger. Ce type est le pire genre d'homme qui puisse exister!

Yama est demeuré silencieux. Son regard se perdait dans le lointain, et je me suis demandé s'il repensait à tout ce qu'il avait vu au cours des millénaires. Peut-être que pour lui le méchant homme n'était qu'une anomalie passagère.

Pour moi, il incarnait la peur que je lisais dans les yeux de ma mère chaque fois que je quittais la maison.

— Je n'ai pas l'intention d'en rester là. Je vais régler ça pour Mindy.

Il a secoué la tête.

— J'ai commis une erreur en t'apprenant à te servir du fleuve aussi tôt. Je me suis montré égoïste.

La colère me nouait les entrailles, et j'ai senti que j'allais dire quelque chose que je regretterais. Après tout ce que j'avais traversé, il n'avait pas le droit de me traiter comme une gamine. Personne n'avait ce droit.

J'ai pris un ton très froid.

— Merci de m'avoir montré cet endroit, Yama, mais il faut que j'y aille. Mindy a peur quand je m'absente trop longtemps.

— Ça ne plaît pas à Yami non plus. Elle pense que je vais tous les oublier, à cause de toi.

Les yeux me brûlaient. Yami savait-elle ce que son frère

pensait de moi ? Que j'étais marquée, maudite depuis le jour de ma naissance ? J'avais cru qu'il me comprendrait mieux que personne, et tout ce qu'il voyait en moi, c'était la mort.

Mais quand je lui ai tendu la main, il l'a prise. Sa peau était douce, rayonnante de chaleur et chargée d'électricité.

Je l'ai attiré plus près, j'ai enfoui ma tête au creux de son épaule et j'ai respiré son odeur. On ne sentait pas de rouille sur lui, aucun relent de sang. Il était plein de vie, ce qui contredisait ce qu'il m'avait dit.

Ou peut-être que tous les psychopompes n'étaient pas souillés par la mort. Peut-être que j'étais la seule.

— Il faut que j'y aille, ai-je répété.

Si Yama ne voulait pas m'aider, je connaissais quelqu'un qui le ferait.

COMMENT SE PORTE TON BUDGET? DEMANDA TANTE Lalana.

— Eh bien… disons qu'il est au plus mal, reconnut Darcy.

Lalana s'adossa à son siège avec satisfaction.

— Je suppose que c'est tous ces balais-éponges que tu as dû acheter.

Darcy leva les yeux au plafond. En effet elle avait fait l'acquisition d'un balai-éponge. De mauvaise qualité, il s'était cassé en une semaine. Son remplaçant figurait sur la longue liste des choses indispensables qu'elle n'avait pas les moyens de s'offrir.

— J'ai pas mal exploré la ville. Pour stimuler ma créativité.

— C'est très bien, ma chérie. Mais j'aurais cru que l'exploration était gratuite ?

— En théorie, oui.

Darcy baissa les yeux sur le thali qu'elle avait devant elle, une demi-douzaine de plats différents dans des petits bols sur un plateau. Lalana l'avait invitée dans le plus vieux restaurant gujarati de la ville. La nourriture était végétarienne, délicate et parfaite, et on pouvait se resservir à volonté.

— Mais pas à la façon dont on procède, qui implique beaucoup de recherches culinaires.

— Je suppose que je devrais te faire la morale, soupira Lalana avec un petit sourire. Mais je m'amuse beaucoup trop à avoir raison. C'est qui, « on » ?

— Oh, euh, Imogen et moi.

— Tu m'as déjà parlé d'elle. Une amie écrivain, c'est ça ?

Tout en hochant la tête, Darcy s'entendit répondre :

— C'est plus qu'une amie.

Tante Lalana, fourchette à la main, attendit la suite.

Darcy avait remarqué depuis peu qu'elle ne prenait plus ses décisions à l'ancienne, c'est-à-dire en réfléchissant avant d'ouvrir la bouche. Peut-être parce qu'elle passait ses journées à écrire, donc à trancher sans arrêt – qui va mourir ? qui va vivre ? que va-t-il se passer ensuite ? –, si bien qu'à son retour dans la vie réelle elle ne voulait plus décider quoi que ce soit. Elle disait simplement ce qui lui passait par la tête.

Et bien sûr, elle avait promis de tout raconter à sa tante.

— Ce serait plutôt une sorte de petite amie, précisa Darcy avant de s'éclaircir la gorge. En fait, c'est très exactement ma petite amie.

— Comme c'est intéressant. (Lalana prit une bouchée de lentilles, qu'elle mastiqua d'un air songeur.) En as-tu parlé à… ?

— Pas encore.

Elle n'en avait même pas encore parlé à Nisha, de peur que leur mère ne tombe sur ses textos. Darcy n'était pas la seule indiscrète de la famille.

— Mais tu as l'intention de le faire ?

— Bien sûr. Quand je les verrai en face.

Ce qui lui donnait jusqu'à Thanksgiving, au moins.

— Tu sais qu'ils le prendront bien, j'espère ? Annika, en tout cas.

Lalana haussa les épaules. Elle ne savait jamais trop quoi penser du mari de sa sœur.

— Quant à ta grand-mère, elle risque de trouver ça... très excitant.

Darcy cligna des paupières. Elle avait complètement oublié sa grand-mère et ses oncles, sans parler de la famille de sa mère restée en Inde. Seuls quelques-uns de ses cousins étaient déjà venus leur rendre visite en Amérique, mais les nouvelles concernant Darcy et Nisha semblaient se répandre à travers tout le sous-continent.

Enfin, tout cela se déroulait à plus de douze mille kilomètres. L'important restait ce qui se passait ici.

— Je n'appréhende pas tellement la réaction de maman et papa, assura Darcy. C'est juste qu'avant, je ne faisais jamais rien qui aurait pu les surprendre. Alors qu'aujourd'hui c'est tout le contraire. Ils vont croire que je suis en pleine crise de rébellion, ou je ne sais quoi. Mais ça n'a rien à voir. Ce qui m'arrive est bien réel.

Tante Lalana lui sourit.

— Je vois que tu es toujours aussi sûre de toi.

Darcy ne sut pas quoi répondre à cela. Ces derniers temps, il lui arrivait de ne plus être sûre de rien. Elle ne savait pas si elle était vraiment un écrivain. Si elle réussirait à trouver une fin appropriée à *Afterworlds*. Ou comment faisait Imogen pour supporter une petite amie aussi indiscrète, immature et fauchée.

Seulement...

— Je sais que je suis amoureuse.

Lalana laissa échapper un soupir mélancolique.

— C'est un bien grand mot, Darcy. Et pas très sérieux. Je croyais que tu devais te concentrer sur ton écriture.

— On écrit ensemble, sans arrêt. Imogen me rend meilleure.

Lalana dut entendre l'assurance qui transparaissait dans sa voix, car elle se contenta de hocher la tête.

— Tu ne diras rien à mes parents, hein ? Tu me promets ?

— Darcy, c'est à toi de le faire, estima Lalana, tendant le bras par-dessus la table pour lui prendre la main. C'est un élément capital de ton apprentissage d'adulte. Je ne voudrais surtout pas te le voler.

— Merci, dit Darcy, touchée, se sentant aussi très jeune tout à coup. Je trouverai le bon moment.

— Je suis sûre que oui. Quand est-ce que tu me la présentes ?

— Quand tu voudras. Tu vas l'adorer.

— J'en suis sûre. Mais en attendant, puisque tes parents ne sont même pas au courant, mon devoir de tante m'oblige à connaître tous les détails. (Lalana s'adossa à son siège, les doigts entrecroisés.) Je t'écoute, et n'oublie rien surtout.

Darcy sentit un sourire s'épanouir sur son visage. Elle avait une foule de détails à partager. La manière dont Imogen fendait l'air avec ses mains quand elle discourait sur l'écriture. Son habitude de collectionner les potins et ragots sur les artistes, y compris ceux qui étaient morts depuis des siècles. Le fait qu'elle ne coupait jamais la parole, quel que soit le temps que prenait Darcy pour finir une phrase. Les bagues différentes qu'elle portait chaque jour.

La conversation dura tout l'après-midi, et en fin de compte il n'y eut qu'une seule chose que Darcy laissa de côté. Sa tante n'aurait certainement pas compris qu'elle ne connaisse pas le vrai nom de sa petite amie.

Il arrivait à Imogen de sortir toute la nuit sans Darcy.

Non pas qu'elle ait besoin d'indépendance – c'était l'idée de Darcy. Celle-ci avait beau apprécier les amies d'Imogen, elle avait peur que son faux permis de conduire de la Pennsylvanie ne résiste pas à l'examen d'un portier de boîte de nuit. Et puis c'était gênant, d'être toujours la plus jeune. Il y avait tellement de choses que Darcy ne connaissait pas, tellement de subtilités en politique, en matière de genre et de langage, qu'on apprenait à l'université et qu'on intégrait dans les conversations de bar. Darcy se sentait en permanence à la traîne. Par ailleurs, elle préférait parler de livres et d'écriture dans les soirées, alors que les amies d'Imogen venaient de tous les horizons, pas uniquement du milieu de l'édition. Elle les avait rencontrées grâce à ses petits boulots dans différentes galeries d'art et aux sites web pour lesquels elle avait travaillé au cours des quatorze derniers mois.

Enfin, le budget de Nisha l'accompagnait toujours et se posait dans un coin du bar tel un fantôme accusateur, parfois railleur, parfois hurlant et secouant ses chaînes.

Alors quand Imogen sortait avec sa bande, Darcy choisissait généralement de rester à la maison. Leurs deux vies étant de plus en plus étroitement liées, elle se retrouvait souvent non pas dans l'appartement 4E, mais chez Imogen, où elle était libre de fouiner à sa guise. Ce qui n'était pas toujours une bonne chose.

Imogen aimait collectionner les pochettes d'allumettes.

Elle avait l'habitude d'accumuler toutes sortes d'objets sans valeur – horaires de transports, échantillons de peinture, vieux polaroïds – mais son penchant pour les pochettes d'allumettes virait chez elle à l'obsession. Darcy l'avait vue en ramasser dans des restaurants, des cafés, et l'avait souvent entendue se plaindre d'être trop jeune pour avoir connu l'époque glorieuse d'avant l'interdiction de la cigarette, quand toutes sortes d'enseignes faisaient leur pub sur des pochettes d'allumettes. Mais avant d'avoir fouillé dans le placard de sa petite amie, Darcy n'avait pas pris la mesure de cette passion.

Imogen rangeait sa collection dans des boîtes en plastique transparentes. Chaque boîte était pleine à craquer, soigneusement disposée de manière que les logos et numéros de téléphone de chaque pochette soient lisibles de l'extérieur, le cœur de la boîte étant rempli de doubles exemplaires et autres génériques. Ces boîtes prenaient un placard entier – assez d'allumettes pour incendier la ville. Cependant Imogen n'irait jamais en craquer une, pas plus qu'un collectionneur de comics n'irait déchirer les pages d'un vieux numéro.

Darcy parcourut le contenu des boîtes avec curiosité : quelles histoires recelaient-elles ? Quand donc Imogen avait-elle déjeuné dans un café de Brighton Beach ? Pourquoi s'était-elle rendue dans une station de lavage de voitures dans le Queens ? Et pourquoi diable une école de danse avait-elle des pochettes d'allumettes promotionnelles ?

Et puis un soir, fin août, lors d'une de ses explorations, elle découvrit quelque chose d'encore plus intrigant au bas d'une pile : un annuaire scolaire de 2008.

Comme n'importe quel annuaire scolaire, il comportait la photo et le nom de tous les élèves de la promotion. Darcy procéda à un calcul rapide – 2008, c'était la dernière année d'Imogen au lycée.

Elle referma l'annuaire d'un coup sec, le cœur battant. Le vrai nom d'Imogen devait se trouver sous l'une de ces photos. Il ne s'agissait plus d'une indiscrétion innocente.

Darcy faillit remettre l'annuaire où elle l'avait trouvé, sous la pile d'allumettes. Elle ressentit même de façon fugace la satisfaction d'avoir résisté à la tentation, d'avoir fait ce qu'il fallait. Puis elle rouvrit l'annuaire et se mit à examiner les photos une par une, page après page.

La plupart des élèves étaient des Blancs, les garçons à la chemise impeccable, les filles un peu trop maquillées. Aucun ne ressemblait à Imogen, ni à des gens qui auraient pu être ses amis ou ses camarades de classe. Tous semblaient appartenir à un autre univers que celui d'Imogen Gray. Il n'y avait aucune signature sur les photos, ni *private jokes* ni proverbes encourageants griffonnés dans la marge par des amis.

Peut-être s'agissait-il d'un vieil annuaire abandonné qu'Imogen avait ramassé pour sa documentation, comme une source de noms de personnages et de coupes de cheveux sinistres du Midwest. À moins qu'elle ne l'ait laissé là exprès pour tourmenter une certaine petite amie trop curieuse.

Darcy continua à lire, notant les noms qui figuraient sous les carrés blancs estampillés «aucune photo disponible». Ce serait bien dans la manière d'Imogen de sécher le jour de la photo de classe.

Et puis, sur la toute dernière page, une combinaison de lettres familière retint l'œil de Darcy – Imogen.

Imogen White.

— Non…, murmura Darcy sans quitter la photo des yeux.

La fille avait un large sourire et des grands yeux, des lunettes aux verres épais et les cheveux bruns. Son visage était trop rond pour être celui d'Imogen, son nez trop petit. C'était une coïncidence, rien de plus. Imogen n'était pas un prénom si rare.

Mais White et Gray, quand même…

Darcy poursuivit ses recherches, passant les portraits pour examiner les photos d'activités, de clubs et d'équipes sportives, à la recherche de toute personne qui aurait une vague ressemblance avec son Imogen. Personne ne pouvait être asocial au point d'échapper à l'objectif des photographes d'un annuaire scolaire.

Après de longues minutes, elle finit par trouver ce qu'elle cherchait. Une photo de groupe dans la section Expression théâtrale sur laquelle on voyait à la fois Imogen White et Imogen Gray, sur scène, vêtues de robes à l'ancienne. En marge de la photo figurait le seul commentaire rédigé à la main de tout l'annuaire :

Désolée de te dire ça, bébé, mais tu es nulle pour imiter les accents
Et tu as l'air stupide en robe.
Amour éternel,
— Firecat

Darcy cligna des paupières, se remémorant une chose qu'Imogen avait dite le soir de leur rencontre. *Ma première petite amie était pyro.*

Cela lui fit l'effet d'une gifle, et au début Darcy ne sut même pas pourquoi.

Bien sûr qu'Imogen avait eu d'autres petites amies. Cette fille au lycée, plus toute sa carrière de blogueuse à l'université. Cela n'avait jamais dérangé Darcy jusqu'à présent.

Mais là, c'était différent. Imogen White *alias* Firecat était la pyromane originale, celle qui avait inspiré une trilogie entière, et quand Gen s'était réinventée en tant que romancière elle avait adopté son prénom. La jalousie qu'éprouvait Darcy n'était pas d'ordre sexuel ou sentimental, comprit-elle. C'était une jalousie *littéraire*.

Elle se laissa tomber en arrière sur le lit, subitement épuisée.

Dans un roman policier, Darcy aurait repris l'annuaire scolaire, noté sur un bout de papier tous les noms inscrits sous la mention «aucune photo disponible», puis les aurait entrés un par un dans Google avec les termes de recherche appropriés pour trouver la réponse à sa question.

Mais l'ancien nom d'Imogen n'avait plus d'importance. C'était son nouveau nom – son vrai nom, comme elle le répétait toujours – le plus révélateur.

Darcy contempla de nouveau la photo de l'ex-petite amie, muse et homonyme d'Imogen.

Où était-elle maintenant ? Son amour était-il vraiment éternel ? Était-ce pour elle qu'Imogen avait accumulé toutes ces pochettes d'allumettes ?

Darcy savait qu'elle aurait dû se poser d'autres questions, par exemple à quel moment elle était devenue aussi jalouse. Leur relation avait moins de deux mois et elle avait déjà réussi à se rendre malade pour une inconnue qui était sortie avec Imogen à l'époque où Darcy n'avait que douze ans !

Elle gémit. Elle avait mal partout, à croire que ses émotions étaient directement reliées à ses muscles. Respirer, bouger ou même penser la faisait souffrir. Comment était-elle parvenue à se mettre dans un état pareil ?

Elle se décolla du lit et alla prendre une douche, dans l'espoir de se débarrasser de sa jalousie. Mais le jet d'eau lui fit l'effet de mille piqûres d'épingles, brûlantes comme la glace.

À l'idée d'être publiée – que le monde entier pourrait lire *Afterworlds* –, Darcy s'était toujours sentie nue et vulnérable. Être amoureuse faisait d'elle une écorchée vive.

Imogen fut de retour, titubante et décoiffée, une heure avant le lever du soleil.

— Tu ne dors pas, constata-t-elle, son sourire visible dans la pénombre.

Darcy était restée éveillée toute la nuit, à se débattre avec ses angoisses, et elle était désormais empêtrée dans ses draps comme une enfant qui a fait un cauchemar. Elle avait replacé l'annuaire scolaire dans le placard, sous les boîtes de pochettes d'allumettes.

— J'ai pas réussi à fermer l'œil, expliqua-t-elle. Je n'ai pas pu écrire non plus. Je n'arrive à rien quand tu n'es pas là.

— Tu es mignonne.

La voix d'Imogen était joliment rauque, comme toujours après des heures de discussion à grands cris par-dessus une musique trop forte. Elle sentait le monde extérieur, la sueur et la fumée, l'alcool et la danse. Elle avait toujours une odeur irrésistible.

— Tu as passé une bonne soirée, bébé? demanda Darcy.

Imogen hésita, vaguement sur ses gardes malgré les vapeurs d'alcool. Ce dernier mot avait échappé à Darcy, laquelle n'avait jamais appelé personne «bébé» de toute sa vie. Cela lui avait été soufflé par les quelques lignes griffonnées par Firecat, bien sûr. Toutefois, elles n'étaient pas dans un roman policier où un seul indice suffit à dévoiler toute l'affaire.

Imogen se contenta d'acquiescer et se laissa tomber sur le lit. Elle se pencha pour donner à Darcy un baiser au goût de café et de chocolat. Après une nuit blanche, ses amies et elle avaient l'habitude de s'offrir un dessert dans un resto ouvert toute la nuit avant de rentrer.

Alors qu'Imogen arrachait son tee-shirt, Darcy comprit que si elle ne se confiait pas tout de suite elle ne le ferait jamais. Elle devait miser sur la compréhension de sa petite amie.

— Hum. J'ai un aveu à te faire. J'ai été un peu indiscrète hier soir.

Ce regard méfiant, de nouveau.

— Indiscrète avec qui ?

— À ton avis ?

Le regard d'Imogen dériva vers son ordinateur portable, fermé sur son bureau.

— Dis-moi que tu n'as pas lu mon journal, Darcy.

— Ne sois pas ridicule. Je ne ferais jamais ça ! Euh, tu tiens un journal ?

Imogen grogna et s'affala en arrière sur le lit, les jambes en travers de celles de Darcy.

— Seulement les notes que je prends sur mon téléphone. Elles sont sauvegardées automatiquement sur mon ordi, et elles sont très personnelles.

— Bien sûr. (Même en proie à la pire des curiosités, il ne serait jamais venu à l'idée de Darcy d'ouvrir le portable d'Imogen.) Je ne fouinerais jamais dans ce que tu écris, Gen. Tu le sais, non ?

Imogen se tourna vers elle avec lassitude, écarquillant les yeux.

— Tu es en sûre ?

— Absolument, protesta Darcy. J'ai juste regardé ta collection d'allumettes.

Un petit rire fusa, bas et ensommeillé, tandis qu'Imogen se tournait de nouveau face au plafond, les yeux mi-clos.

— C'est ça, ta confession ? Tu devrais sortir plus souvent.

— Il y avait ton ancien annuaire scolaire au fond du placard.

Imogen poussa un soupir et se redressa en position assise.

— D'accord, c'est de l'indiscrétion. Tu as trouvé quoi ?

— Une photo d'Imogen White.

— Oh.

Imogen se frotta la joue.

— Et une sur laquelle vous êtes toutes les deux sur scène. Elle a écrit que tu avais l'air stupide en robe, mais je ne suis pas d'accord.

Un demi-sourire.

— Moi non plus. Mais je crois qu'elle parlait des robes d'époque. On jouait dans cette pièce débile.

— Je vous ai trouvées très belles toutes les deux.

— Alors tu as dû découvrir mon « vrai » nom.

Darcy secoua la tête.

— Je n'ai pas trouvé ta photo, et aucune autre dédicace que celle d'Imogen dans tout l'annuaire. (Cela faisait une drôle d'impression, d'employer ce nom pour désigner une inconnue.) Tu n'avais pas d'autres amis ?

— Des tas, mais j'étais absente la semaine où ils ont remis les annuaires. J'ai raté quasiment tout le dernier mois de lycée. Mais comme j'étais inscrite dans une fac de l'Ivy League, j'étais intouchable.

Darcy poussa un soupir de soulagement. Au cours des dernières heures, elle s'était représentée Gen passant ses années de lycée dans la solitude la plus déprimante. Alors qu'en fait elle avait été intouchable.

— C'est Firecat qui m'a rapporté mon annuaire. Je ne me suis pas aperçue tout de suite qu'elle avait écrit quelque chose… Alors c'est ça, que tu cherchais à savoir ? Si j'avais eu des amis au lycée ?

— Pourquoi as-tu pris son nom ?

Imogen se détourna et fixa la porte du placard.

— Parce qu'elle a inspiré mon héroïne. Elle adorait allumer des feux. Je t'ai raconté.

— Oui. Mais de là à prendre son nom… Tu ne m'as pas dit qu'Imogen Gray était ta nouvelle identité ? Celle que tu tenais à protéger en refusant de me dire ton vrai nom ? Est-ce que tu essaies de devenir comme elle, Gen ?

— Non, répondit Imogen à voix basse. Juste de ne pas l'oublier.

Pendant un long moment, Darcy écouta la respiration d'Imogen, chargée de fatigue, d'alcool et d'autre chose.

— Oh, merde. Ne me dis pas qu'elle est morte ?

Imogen hocha la tête, sans quitter le placard des yeux.

— Suicide. Enfin, on croit.

— Merde, répéta Darcy en s'asseyant. Je suis désolée.

— Ça remonte à loin, maintenant.

— Ça n'empêche, c'est horrible.

Darcy prit Imogen dans ses bras.

— J'étais à l'université et je n'ai même pas pu m'offrir le billet pour revenir, ce qui a rendu les choses encore plus difficiles. Je n'arrêtais pas d'oublier. Le matin, il me fallait parfois cinq minutes avant de me rappeler qu'elle était morte.

— Je n'imaginais pas remuer tout ça, je te jure.

Imogen secoua la tête.

— Ça ne m'ennuie pas que tu sois au courant. Je ne cherchais pas à te cacher quoi que ce soit. Et ça me plaît plutôt que tu veuilles tout savoir.

Elles se serrèrent l'une contre l'autre et pendant un moment on n'entendit plus rien d'autre dans la chambre que le grondement de la circulation. La lumière se modifiait à l'approche du matin. Darcy sentit son corps s'adapter lui aussi, se blottir contre celui d'Imogen. Les relents d'alcool et de fumée s'adoucirent en odeurs plus familières.

Quand elles se détachèrent l'une de l'autre, Darcy demanda :

— Sur une échelle de un à dix, dix étant le plus pénible, tu me situerais où comme petite amie ?

— Tu n'es pas une petite amie pénible. Tu demandes parfois beaucoup d'efforts, c'est tout.

Darcy détourna les yeux.

— Quand j'ai vu sa photo, j'ai été jalouse. Pas parce que tu avais été amoureuse d'elle. Mais parce qu'elle t'a donné envie d'écrire.

— Beaucoup de choses me donnent envie d'écrire. Mais oui, elle en a fait partie. Et ça t'a rendue jalouse ?

— Évidemment !

Imogen se laissa retomber en arrière sur le lit, lentement, comme un arbre qui s'écroule. Elle lâcha un rire guttural et rauque.

— C'est comme à cette soirée avec Kiralee, quand tu étais jalouse de mon idée de *Phobomancer*. Tu es trop drôle.

— Non, pas du tout. Je suis horrible !

— Tu parles ! Je rentre après six heures passées à boire, danser et parler principalement de sexe avec une demi-douzaine de copines aussi belles que délurées. Et toi, de quoi es-tu jalouse ? De savoir d'où je sors mon *nom de plume*[1] !

Au son de son propre accent français, Imogen rit de plus belle.

— Et de ne pas avoir entendu mon idée avant les autres. Je trouve ça hilarant.

Darcy toisa sa petite amie, se demandant si elle n'aurait pas mieux fait d'attendre qu'elle soit sobre pour avoir cette discussion. Mais quand le rire d'Imogen s'apaisa enfin et que celle-ci rouvrit les yeux, on pouvait y lire une lucidité totale.

Elle tendit la main pour coincer une mèche rebelle derrière l'oreille de Darcy.

— Tu es incroyable.

---

1. En français dans le texte.

— Je suis nulle, Gen. Je fais tout de travers.

— Au moins tu as le cœur au bon endroit, répliqua Imogen en lui adressant un clin d'œil malicieux. Tu tiens vraiment à connaître mon vrai nom ?

— Tu as envie de me le dire ?

— Ça ne me tuera pas, j'imagine.

Darcy soutint le regard d'Imogen. Était-ce le genre de choses à propos desquelles on se déchirait dans un couple ordinaire ? Les noms, les noms de plume et les idées de romans ? Sûrement pas.

— Laisse tomber. Tu es Imogen et ça me suffit.

Cela lui valut un sourire magnifique.

— D'accord, pour l'instant. Tu aimerais partir en tournée avec moi ?

Lorsque le sens de la question parvint au cerveau de Darcy, elle sourit.

— Ce serait chouette. Peut-être un jour, si on a deux livres qui sortent au même moment.

— Je ne te parle pas d'un jour. Je te parle du mois prochain.

Darcy cligna des paupières.

— Une chambre d'hôtel ne coûte pas plus cher pour deux, expliqua Imogen. Et c'est Paradox qui paye, *idem* pour les taxis et autres frais. Sans compter que les restos sont moins chers en dehors de New York, donc on ferait des économies. Tu n'aurais qu'à payer tes billets d'avion, mais je pourrais t'aider pour ça.

— Tu me parles de partir en tournée avec toi... et Standerson ?

— C'est ça – il faudrait lui demander d'abord, par politesse. Mais il t'aime bien, et j'en ai déjà discuté avec Nan. Elle dit que les tournées prépublication, c'est super, surtout quand ça ne coûte pas un rond à Paradox.

Darcy hocha la tête, regagnant enfin la terre ferme. Ses

pieds n'avaient plus touché le sol depuis qu'elle avait découvert la photo d'Imogen White. Mais Imogen parlait de publication, et c'était un sujet qui avait toujours eu pour effet de lui éclaircir les idées.

— Une tournée «prépublication»? Ça existe, ça?

— Bien sûr. Tu pars à la rencontre des libraires et des bibliothécaires et tu leur fais du charme, histoire qu'ils soient tout excités à la sortie de ton livre. On sera en compagnie de Standerson, son auréole déteindra forcément un peu sur nous.

— Et Nan est vraiment d'accord?

— Elle adore l'idée. Mais comme je te l'ai dit, il faudra qu'on se partage le prix de tes billets d'avion.

— Arrête, je suis assez grande pour me payer l'avion toute seule.

— Et ton budget?

— J'emmerde mon budget, déclara Darcy avant de serrer Imogen dans ses bras. Je vais partir en tournée avec Standerson et toi! C'est génial!

— Quelle chance, hein?

Darcy s'écarta en riant.

— Il n'est pas question de ma chance, Gen. C'est génial que tu n'aies pas envie de me laisser seule une semaine.

— Je n'ose même pas imaginer les bêtises que tu ferais pendant ce temps-là.

— Je te promets de ne plus fouiner dans tes affaires.

— Écoute, j'ai pas mal creusé la question des troubles obsessionnels compulsifs et crois-moi, ce genre de chose, c'est plus fort que toi. Mais ça ne fait rien, du moment que tu ne lis pas mon journal.

L'expression d'Imogen devint grave, sa voix se fit sèche et cinglante.

— Ma mère avait l'habitude de lire mes notes quand

j'étais petite, et je détestais ça par-dessus tout. Alors ne le fais pas.

— Jamais. Je te le jure, Gen.

Imogen retrouva aussitôt le sourire ; ses changements d'humeur étaient accélérés par l'alcool.

— Je suis contente que tu aimes bien mon nom.

— J'adore ton nom. Son nom. Je suis désolée que tu l'aies perdue.

— Moi aussi, reconnut Imogen, dont le regard se porta sur le placard. Même si elle pouvait être très pénible par moments.

Darcy suivit son regard.

— C'est pour elle, toutes ces allumettes ? Pour Firecat ?

— Au début oui, mais ensuite je me suis aperçue qu'elles pouvaient m'être utiles.

Imogen attrapa la boîte en plastique à moitié pleine qu'elle gardait à côté de son lit. Elle la tourna pour examiner les pochettes d'allumettes par transparence.

— Je m'en sers chaque fois que j'ai besoin d'une adresse ou d'un métier. Tu vois ? J'ai des monts-de-piété, des merceries et des cordonniers là-dedans. Des serruriers, des enseignes de nettoyage à sec, des salons de tatouages et, tiens... des couvreurs !

— Tu t'en sers pour écrire ?

— Comme de toutes mes collections.

Imogen se pencha vers l'appui de la fenêtre et en fit tomber sur le lit d'autres objets.

— Ces échantillons de peinture me donnent des idées de couleur. J'adore leurs noms : Pomme d'Amour, Anthracite Métal, Bitume Délavé.

— Et les polaroïds ?

— Ce que portent les gens, à quoi ils ressemblent. Des gens qu'on ne trouve pas dans les magazines.

Imogen haussa les épaules, examinant le fouillis étalé

sur son couvre-lit. La lueur qui brillait dans ses yeux commençait à s'éteindre, noyée par la fatigue.

Darcy dit à voix basse :

— Je t'aime comme une folle, Imogen.

— Moi aussi je t'aime.

Un sourire lent, doux, puis les yeux d'Imogen se fermèrent et elle se recroquevilla sur elle-même, les mains jointes sous une joue.

Darcy ramassa les échantillons de peinture et les pochettes d'allumettes pour les remettre en place sur l'appui de la fenêtre. Le temps qu'elle finisse de ranger la respiration d'Imogen était devenue calme, régulière, et Darcy vida délicatement les poches de son jean, sortant ses clés, quelques billets froissés... et son smartphone, précieux sésame de verre noir aux éclats de titane. Quand Darcy pressa le bouton pour couper le son, l'écran s'alluma, prêt à l'emploi.

— Jamais, murmura-t-elle, et elle posa avec soin le téléphone à côté des clés et de l'argent.

Puis elle s'allongea contre Imogen, son Imogen, et ferma les yeux pour s'endormir enfin.

26

L'ÉCOLE ÉTAIT PLUS FACILE À VOIR CETTE NUIT. MES YEUX s'habituaient à l'envers du décor. Le toit scintillait sous la lune grise, chaque tuile se détachant nettement de l'ensemble.

J'ai traversé le parking en prêtant à peine attention à la masse transparente des bus scolaires. Je ne m'intéressais qu'au passé, lumineux et réel. Lors de ma première visite, les marches du perron m'avaient paru lisses et immaculées ; je voyais maintenant qu'elles étaient usées, mouchetées de vieux chewing-gums écrasés.

Yama avait raison. Chaque fois que je basculais de l'autre côté, chaque fois que j'empruntais le fleuve, le monde des esprits affirmait un peu plus son emprise sur moi.

Mais quelle importance, puisque d'après lui j'étais née pour ça ? Je ne savais même pas s'il avait encore envie de me voir, ou si cette dispute sur son île avait été notre dernière conversation.

La porte d'entrée de l'école était ouverte, c'était une invite.

— Même pas peur, ai-je murmuré. Je suis chez moi ici.

Les couloirs étaient plongés dans le silence. Les fantômes des comptines enfantines s'étaient estompés, et je n'entendais que le bruit de mes pas. Je me suis avancée avec prudence, parce que le crissement de mes tennis sur le carrelage me paralysait. J'ai déambulé plusieurs minutes avant de retrouver l'endroit exact où la voix s'était moquée de nous la première fois.

— Vous êtes toujours là ? ai-je lancé, la bouche sèche.

Pas de réponse, seulement la peur dans ma voix. Les casiers se sont brouillés sous mes yeux, comme si une onde de chaleur montait du sol.

J'ai ravalé ma frayeur et l'ai noyée dans le froid que je portais en moi.

— C'est moi, on s'est parlé l'autre jour. Vous m'aviez suivie chez moi. Vous disiez que vous aimeriez bien avoir une apprentie.

Rien d'abord, ensuite j'ai cru percevoir un mouvement du coin de l'œil. Un rire léger a éclaté dans mon dos.

J'ai pivoté sur mes talons mais je n'ai rien vu, à part un panneau accroché au mur : « défense de courir ».

Ce n'était pas le vieil homme dans son manteau rapiécé, juste le fantôme d'une ancienne infraction.

J'ai soupiré.

— Vous êtes vraiment pénible, vous savez ?

Je n'attendais aucune réponse cette fois, pourtant j'en ai reçu une – sous la forme d'un crissement d'ongles sous le carrelage, qui se dirigeait vers moi. Je l'ai entendu cliqueter entre les dalles alors qu'il se rapprochait au ralenti, patiemment. Ce bruit me faisait froid dans le dos.

Quand il est passé sous mes pieds j'ai bondi. Je frémissais comme une feuille.

— Nom de Dieu ! me suis-je exclamée face au couloir désert. Je suis venue vous demander votre aide.

— Tu as besoin d'un service ? a fusé la réponse, venant d'en dessous.

La voix paraissait tellement réjouie, tellement impatiente, que j'ai failli prendre mes jambes à mon cou. Quelques touches de couleur ont flotté à la lisière de mon champ de vision.

J'ai inspiré à fond pour rester dans l'envers du décor.

— J'ai besoin de savoir certaines choses.

En guise de réponse, une huile noire est sortie en bouillonnant d'entre les dalles, de derrière les casiers. Elle s'est étalée jusqu'à mes pieds, et un instant plus tard je m'enfonçais dans le fleuve, prête à affronter le vieil homme dans son manteau rapiécé.

Il était plus lumineux que la dernière fois ; sa peau brillait dans le noir. Peut-être cela venait-il simplement de mes yeux, plus habitués à la lueur que nous dégagions, nous autres psychopompes. Ces jours-ci, je parvenais même à distinguer les choses froides et humides charriées par le fleuve – filaments d'ombre flottant dans l'obscurité.

— Quelle charmante surprise, a dit le vieil homme. Et moi qui commençais à croire que tu ne m'aimais pas.

— Oh, vous pouvez continuer à le penser.

J'ai posé la main sur ma poche arrière, là où je gardais le couteau que j'avais apporté.

Mon geste ne lui a pas échappé.

— Pas très poli, pour quelqu'un qui vient réclamer un service.

— Tant pis.

J'ai laissé retomber ma main.

— Vous disiez que vous pourriez m'apprendre des trucs. J'ai des questions pour vous.

— Des questions ? a-t-il répété, l'air amusé. Tu veux dire qu'il y a des choses que ton ami à la peau noire ne sait pas ?

J'ai préféré l'ignorer.

— Je connais un homme, un meurtrier. Je crois que ses victimes sont enterrées dans son jardin. Elles hantent sa maison.

— Tu es venue m'offrir des petits fantômes? Comme c'est gentil à toi.

Il a souri, mais aucune joie ne brillait dans ses yeux pâles.

— Hélas, a-t-il déploré, j'ai des goûts très particuliers.

— Je ne vous offre rien du tout. Je veux simplement savoir comment m'occuper de lui.

— Oh. Tu parles de vengeance.

— Pas vraiment. Ce que je veux dire, c'est…

Je n'ai pas terminé ma phrase. Dire que je réclamais justice aurait paru pompeux. Cela ne me dérangeait pas si le méchant homme devait souffrir, mais au fond, je voulais surtout régler le problème.

— Je veux juste que mon amie cesse d'avoir peur.

— Ton amie fantôme, a compris le vieil homme. La petite, celle qui t'accompagnait à notre première rencontre.

— Oui, celle que vous vouliez pour votre collection.

Pourquoi donc lui demandais-je de l'aide, à lui? Mais je n'avais personne d'autre vers qui me tourner.

— Il l'a tuée, elle aussi. Pour ce que j'en sais, il continue peut-être à tuer. Je dois absolument l'arrêter.

— Intéressant, a commenté le vieil homme.

Il a dit ça comme s'il le pensait vraiment. Comme si rien de tout cela ne lui semblait inquiétant, cauchemardesque ou même inhabituel. Juste intéressant.

J'ai continué mes explications :

— Je possède des pouvoirs, maintenant. Je peux me déplacer où je veux, voir le passé. Je sais ce qu'il a fait, mais je ne peux pas le prouver.

— Tu veux dire que tu ne peux pas le changer, a-t-il

382

rectifié, avant de hausser les épaules. Les gens comme nous ne sont pas là pour changer le monde. Seulement pour ramasser les débris.

— Il n'y a pas de «gens comme nous». Vous et moi, on n'est pas pareils! Mais vous avez dit que vous aimeriez bien avoir une apprentie, alors apprenez-moi comment régler ça.

Il avait une drôle de façon de sourire, son expression émergeait lentement, telle une bulle à la surface d'un tonneau de goudron.

— Ton ami noir ne te raconte pas tout, hein? C'est pour ça que tu viens me voir en rampant.

Je l'aurais volontiers lardé de coups de couteau, mais j'ai préféré répondre :

— Il trouve que j'évolue trop vite. Il cherche à me protéger.

— Il est stupide. L'ignorance n'est pas une protection. Quand tu seras appelée pour la première fois, tu auras besoin de connaître toutes les ficelles.

— Appelée? ai-je fait en secouant la tête. Par qui?

— À ton avis? Par la mort.

Je l'ai dévisagé, et j'ai senti le froid en moi s'étendre un peu plus. Chaque fois que je pensais commencer à maîtriser l'au-delà, les choses se compliquaient.

— Qu'est-ce que ça veut dire? La mort n'est pas... une personne, si?

Ma réaction l'a fait rire, si fort que des petites larmes brillantes ont coulé de ses yeux translucides.

— Un type avec une faux, tu veux dire? Pas vraiment. Ou alors, je ne l'ai jamais rencontré. Peut-être que la mort n'est qu'une puissance de la nature, peut-être qu'elle a une étincelle d'intelligence. En tout cas, une fois qu'elle aura posé ses griffes sur toi, elle t'enverra où elle aura besoin de toi.

J'ai secoué la tête.

— C'est-à-dire ?

— Les endroits habituels. Incendie, massacre… peut-être un champ de bataille. Pour ma première fois, j'ai eu droit aux trois d'un seul coup – une ville entière à l'agonie. Je n'étais pas vraiment préparé.

— Oh.

Je me suis souvenue que Yama était apparu à l'aéroport, à un endroit où quatre-vingt-sept personnes avaient été assassinées. Il n'était sûrement pas venu pour prendre l'avion.

— Donc, partout où des gens meurent, les psychopompes débarquent ?

Il a frissonné de dégoût.

— Psychopompes. Je déteste ce mot.

— Là, je vous rejoins. Vous en connaissez un meilleur ?

— J'aime me considérer comme un artiste.

Il a tapoté les poches de son manteau rapiécé.

— Un de ces jours, je te montrerai ce que j'entends par là.

— Non merci.

Au moins le vieil homme me racontait des choses que j'ignorais. Je serais appelée un jour… Qu'est-ce que Yama m'avait caché d'autre ?

— Il y aurait peut-être un autre mot pour une jolie fille comme toi, a-t-il continué. Là d'où je viens, on les appelait « valkyries ». Celles qui choisissent les défunts.

Je n'ai pas réagi, mais ce nom me plaisait bien. Je suppose que ça s'est vu sur mon visage, parce que le vieil homme a souri.

— Je pourrais t'aider avec ton meurtrier. J'ai été chirurgien autrefois.

Il a fait un pas vers moi, le sourire solidement fixé à ses lèvres. Il a ouvert grand les mains.

— Je suis très doué avec des ciseaux et du fil.

J'ai posé la main sur le couteau dans ma poche arrière.

— Qu'est-ce que vous faites ?

— Je veux juste te montrer ça, a-t-il répondu en tirant sur son manteau rapiécé.

Il s'était approché, presque à portée de ma main, et je pouvais sentir le froid qui émanait de lui.

— Je l'ai cousu moi-même. Comme tu peux le voir, il me va parfaitement.

— Et alors ? ai-je répliqué, les doigts crispés sur le manche de mon couteau.

— Je pourrais tailler son fantôme en pièces.

— Ce n'est pas ce que je…

Je me suis interrompue. Au fond, je ne savais pas précisément ce que j'attendais de lui.

— Crois-moi, a-t-il insisté. C'est comme ça que tu pourras rendre le sourire à ta petite copine. Je n'ai qu'une seule condition.

J'ai battu en retraite, et j'ai senti sur mes épaules les choses froides qui s'étaient massées derrière moi dans l'obscurité. Je me suis retenue de frissonner.

— Laquelle ?

— Tue-le toi-même. Je me charge de le découper ensuite.

J'ai fixé le vieil homme, tâchant de décrypter son sourire. Était-il sérieux ?

— Je ne peux pas faire ça.

Il a lissé son manteau de ses paumes, comme s'il était en soie et non en morceaux de tissus de récupération.

— Mais si. Tu es une valkyrie. Une vierge guerrière.

— Non.

À ma dernière visite chez le méchant homme j'avais eu envie de lui régler son compte. Mais de là à tuer quelqu'un de sang-froid…

— Je ne saurais même pas comment faire.

— Ce n'est qu'un homme. Tous les moyens habituels sont valables.

— Je ne peux pas me déplacer en chair et en os, pas encore. Je ne suis qu'un fantôme quand je vais là-bas. Cette discussion est ridicule. Je ne peux pas commettre un meurtre.

— Quel dommage, a soupiré le vieil homme. Tu n'es pas la valkyrie que je croyais.

Je l'ai dévisagé.

— Ça veut dire que vous n'allez pas m'aider ?

— J'essaye, je t'assure, s'est-il défendu, avant de glisser ses mains dans ses poches. Mais je vois qu'il te reste du chemin à parcourir.

Un instant plus tard, il avait disparu.

J'ai quitté l'école pour retourner vers chez moi, les mains dans les poches, à respirer l'air frais et vivifiant du monde réel. Au fond de moi, j'étais soulagée que le vieil homme m'ait demandé quelque chose que je ne pouvais pas lui accorder. Quand j'étais avec lui, c'était comme si je portais des chaussettes mouillées ; je n'attendais qu'une seule chose – que ça cesse.

Yama avait peut-être raison. Peut-être qu'aider Mindy ne ferait que me précipiter un peu plus vite dans les bras de l'au-delà.

J'ai remarqué quelque chose de l'autre côté de la rue. D'un éclat fluorescent, une sorte de colonne de lumière blanche dans l'obscurité – une vieille cabine téléphonique aux flancs de plastique rayés et cabossés. On n'en voyait plus beaucoup désormais, et je me suis demandé s'il ne s'agissait pas d'un fantôme. Puisque les bâtiments scolaires et les bruits pouvaient avoir des fantômes, pourquoi pas les téléphones ?

À cette heure-ci il n'y avait pas de voitures ni de joggeurs, rien que le vent et le parfum de l'océan. Alors j'ai traversé la route, intriguée. Le combiné était lourd et dur dans ma main – le téléphone était bien réel. Contre toute attente, j'ai entendu une tonalité quand je l'ai porté à mon oreille.

J'ai appuyé sur le zéro, comme si j'avais toujours eu l'intention de passer un coup de fil.

— Opératrice ? a fait une voix.

Une toute petite voix, lointaine, qui semblait me parvenir depuis l'envers du décor. Je m'attendais presque à ce qu'elle me demande quelle était mon urgence.

— Je voudrais passer un appel en PCV, ai-je dit.

Avant de pouvoir changer d'avis, j'ai donné le numéro du méchant homme. J'avais un goût de bile dans la bouche. Mais il fallait bien tenter quelque chose, aussi futile que cela puisse sembler.

— Votre nom, s'il vous plaît ? a demandé l'opératrice.

— Pardon ?

— De qui dois-je dire que vient l'appel ?

Il m'a fallut une seconde.

— Mindy.

— Patientez une seconde le temps que j'établisse la communication, Mindy.

J'ai entendu des grésillements, des crépitements, et une sonnerie étouffée. Puis une voix lointaine a résonné :

— Allô ?

Tous les muscles de mon corps ont tressailli d'un coup, et j'ai repoussé le combiné loin de ma tête. Je respirais très fort, soudain, et j'étais trempée de sueur. Un goût amer m'a explosé dans la bouche ; le téléphone glissait dans ma main moite. Entendre sa voix avait tout de suite rendu le méchant homme plus réel.

Il m'a fallu un long moment pour rapprocher le combiné de mon oreille, si long que j'étais sûre qu'il aurait raccroché. Mais je l'entendais respirer au bout du fil.

— C'est vous ? ai-je demandé.
— Qui est à l'appareil ?
Sa voix était rauque, comme s'il venait de se réveiller.
Ma langue est restée collée au palais. J'étais incapable de prononcer un mot.
— Je ne connais aucune Mindy, a continué la voix. Pourquoi est-ce que vous m'appelez ?
— Je sais ce que vous avez fait, suis-je parvenue à dire. Je sais ce que vous êtes.
Ça lui a coupé le sifflet.
— Je vais venir m'occuper de vous, ai-je continué, gagnée par une étrange sensation de calme. Vous ne pourrez pas m'en empêcher. Je marche à travers les murs.
— Putain, mais qui êtes-vous ?
— La mort elle-même ne pourrait pas m'arrêter. J'ai un ami qui découpe les âmes.
J'ignorais d'où je sortais tout ça, qui me soufflait ces paroles. Mais elles étaient très agréables à prononcer.
— Je vais vous jeter en pâture aux choses froides dans le fleuve. Et ces gamines dans votre jardin assisteront au spectacle.
Il n'a rien répondu, alors j'ai raccroché. Tandis que je m'éloignais, l'éclairage fluorescent à l'intérieur de la cabine a clignoté brièvement au milieu des ténèbres environnantes. J'avais juste voulu l'effrayer, lui faire payer un peu tout ce qu'il avait fait. Au moins, maintenant, il savait qu'il avait quelqu'un sur ses traces.
Presque une minute plus tard, à l'extrême limite de ma perception, j'ai entendu le téléphone sonner dans la cabine.

Mindy m'attendait devant chez moi, les bras croisés.
— Tu t'es sauvée en douce ! Ce n'est pas très gentil.
— Désolée. J'avais un truc à faire.

Je ne lui avais rien dit de mes intentions. Je ne tenais pas à ce qu'elle pense au méchant homme, aux psychopompes, ni à rien de tout ça.

— Ah bon ? (Son expression s'est radoucie.) Tu as l'air triste.

— Fatiguée, c'est tout.

Je n'avais pas dormi depuis près de deux semaines. Le sommeil me fuyait. Quand je m'allongeais sur mon lit, des ombres fugaces dansaient derrière mes paupières et des rêves indicibles bouillonnaient dans mon esprit.

Mindy a reniflé.

— Les psychopompes, ça ne dort pas. Tu devrais jouer avec moi. Je m'ennuie !

J'ai souri. Quand la peur l'abandonnait, on voyait bien le genre de gamine joyeuse qu'elle avait dû être avant que le méchant homme ne la prenne.

— D'accord. Qu'est-ce que tu as envie de faire ?

— Allons à New York. Comme tu disais.

Je l'ai dévisagée, les yeux ronds.

— Tu voudrais aller voir le Chrysler building ? Je croyais que tu avais peur du fleuve ?

— Hé, c'était ton idée. Et puis, c'est drôlement mieux depuis que tu as commencé… à me voir. Comme je te l'ai dit, je m'ennuie à mourir, ici.

Je n'en croyais pas mes oreilles. Peut-être que les fantômes avaient le pouvoir de changer. Peut-être qu'il suffisait à Mindy d'échapper à son invisibilité de fantôme pour se remettre à grandir. Peut-être qu'elle avait juste besoin d'une amie.

— Je n'aurai pas peur avec toi, m'a-t-elle assurée. Une psycho-garde du corps rien que pour moi… Simplement, ne me lâche pas.

— Bien sûr que non. (J'ai souri quand sa petite main

froide s'est refermée sur la mienne.) Je te ramènerai toujours à la maison.

Le fleuve Vaitarna s'est montré indulgent avec Mindy pour son premier voyage. Seules quelques bribes de souvenir humides et froides nous ont frôlées, et le trajet jusqu'à New York s'est effectué vite et dans le calme. Je faisais des progrès, ou alors j'avais une connexion solide avec le Chrysler building.

Du moins, c'est ce que j'ai pensé jusqu'à ce que nous soyons sorties du fleuve.

Nous étions à New York, mais pas dans le bon quartier. Au lieu de gratte-ciel, nous étions entourées d'immeubles résidentiels et d'un grand magasin. Seule une haute tour incurvée se dressait devant nous, drapée dans du verre réfléchissant. Il m'a fallu un moment pour la reconnaître : c'était la tour de mon père.

— Waouh, s'est exclamée Mindy. Tu avais raison. Il est énorme !

— Ce n'est pas le Chrysler. J'ai dû me tromper quelque part.

Elle m'a regardée.

— Tu es sûre ? Il est gigantesque !

— Le Chrysler building est cinq fois plus grand. Ça, c'est l'immeuble où habite mon père.

Mindy a lâché un petit rire incrédule. Elle ne s'était jamais rendue à New York auparavant, ni nulle part ailleurs, probablement. Elle avait passé la majeure partie des trente-cinq dernières années à un jet de pierre du placard de ma mère.

— Où sont les maisons ? a-t-elle demandé en regardant alentour.

La neige s'accumulait partout en masses grises. L'hiver

était dix fois plus froid ici qu'à San Diego, mais la température dans l'envers du décor restait neutre.

— Il n'y en a pas. Les New-Yorkais habitent tous dans des appartements. Viens, ai-je dit en lui donnant la main, je vais t'en montrer un.

Elle m'a retenue.

— Cet immeuble est plein de gens ? Qui habitent tous ici ?

— Oui. Pourquoi ?

— Ça veut dire qu'ils meurent ici, a-t-elle expliqué, les pieds plantés dans le sol. Il doit y avoir des tonnes de fantômes à l'intérieur !

J'ai soupiré, me demandant si nous ne ferions pas mieux de marcher jusqu'au Chrysler. Mais j'étais curieuse de découvrir pourquoi le fleuve nous avait conduites là. Avais-je une connexion si forte avec l'appartement de mon père ? Je ne m'y étais pourtant jamais sentie à l'aise.

— Ne t'en fais pas, Mindy. Cet immeuble a été construit il y a quelques années à peine. Mon père n'apprécie que ce qui est flambant neuf.

Voyant qu'elle refusait de bouger, j'ai humé l'air. Il y flottait une odeur plus métallique qu'à San Diego, mais rien de comparable à ce qu'on sentait dans la maison du méchant homme.

— Est-ce que tu vois des fantômes ? ai-je demandé.

Elle a jeté un coup d'œil dans le vestibule, sur le portier, puis balayé la rue d'un regard circulaire. Il était trois heures plus tard à New York, l'aube n'allait plus tarder, mais on voyait encore errer quelques noctambules.

— Non, juste des viveurs, a répondu Mindy, serrant ma main dans ses petits doigts. C'est peut-être parce qu'il y a plein de 'pompes pour les ramasser ?

J'ai soupiré.

— Mon père dit qu'il aime bien New York parce qu'il n'a pas besoin de parler à ses voisins. Alors les fantômes doivent probablement s'effacer, tu vois ? À moins qu'ils ne retournent dans leur ville natale, où certaines personnes se souviennent encore d'eux.

— Peut-être. Mais reste près de moi, d'accord, Lizzie ?

— Bien sûr.

Je l'ai entraînée gentiment pour lui faire traverser la rue.

Comme je ne pouvais pas appuyer sur un bouton dans l'envers du décor, nous avons dû prendre l'escalier. Mon père vivait au quatorzième étage, mais je n'étais même pas essoufflée en arrivant là-haut. Apparemment on ne brûlait pas de calories à marcher dans l'envers du décor.

J'ai commencé à me sentir nerveuse devant l'appartement de mon père. J'avais visité beaucoup d'endroits dans l'envers du décor, mais c'était la première fois que je me servais de mon invisibilité pour espionner quelqu'un que je connaissais. Il m'a fallu un instant de concentration pour traverser la porte en bois massif.

À l'intérieur, tout était comme dans mon souvenir, lequel remontait à quelques semaines : mobilier en chrome et cuir, immenses baies vitrées surplombant la ville baignée de lune. Tout étincelait, à l'image des stalactites de glace sur la rambarde de la véranda au-dehors ; la même beauté froide.

L'écran géant de mon père était allumé et j'ai détourné les yeux. J'avais pu constater à la maison que la télévision avait l'air très bizarre vue de l'envers du décor. Les chats, qui voyaient dans les deux mondes, la fixaient avec une expression d'horreur absolue. Mais peut-être les chats eux-mêmes étaient-ils bizarres.

— C'est qui ? a demandé Mindy.

— Rachel, la petite amie de mon père.

Tous les deux étaient lovés sur le canapé, le regard focalisé sur l'écran.

— Ça me fait drôle de le voir avec quelqu'un d'autre, lança Mindy. Il me manque, même si c'était une sacrée tête de pioche.

— Il me manque aussi, ai-je reconnu à ma propre surprise.

Mindy ne m'avait encore jamais parlé de mon père, mais bien sûr elle l'avait connu plus longtemps que moi. Elle en savait probablement plus que moi sur la rupture de mes parents, et pourtant, elle contemplait le couple sur le canapé comme si elle ne parvenait pas à saisir le concept du divorce.

Il m'arrivait de me demander si ma mère aussi ne regrettait pas un peu le départ de mon père. Elle avait toujours l'air tellement fatiguée ces jours-ci, on pouvait croire que le fait de le perdre l'avait définitivement privée d'une partie de son énergie vitale. Peut-être était-ce les heures supplémentaires qu'elle était obligée de faire.

J'ai porté la main à ma joue, touché ma cicatrice en forme de larme. J'ai brièvement été tentée de sortir de l'envers du décor pour la faire voir à mon père, lui montrer à quel point elle me donnait l'air cool et comment le maquillage échouait à la faire disparaître. Et peut-être lui demander pourquoi il n'avait pas sauté dans le premier avion pour Dallas trois semaines plus tôt.

C'est là que j'ai compris que j'étais venue motivée par la colère. J'étais souvent le jouet de mes émotions ces derniers temps ; on aurait dit que la colère me manipulait comme une marionnette. Je m'étais fâchée avec beaucoup de mes amies, et à part Jamie, tout le monde avait peur de moi. C'était encore la colère qui m'avait poussée à appeler le méchant homme, dans une tentative pathétique de lui faire peur.

J'entendais encore la sonnerie du téléphone qui avait retenti alors que je m'éloignais. Le méchant homme savait probablement où se trouvait la cabine à cette heure.

J'ai soupiré et porté mon regard sur Rachel. Je n'avais jamais dit à maman à quel point elle était belle. Je l'avais même volontairement oublié, par loyauté. Son visage était éclairé par la télé ; ses grands yeux buvaient le film avec la fascination d'un enfant.

— Il ne va rien lui dire, pour le flingue, a indiqué mon père, un doigt pointé vers l'écran.

— Chut ! s'est écriée Rachel. Je t'avais dit : ne gâche pas la surprise !

J'ai levé les yeux au plafond. C'était le passe-temps favori de mon père : revoir un film qu'il avait déjà vu en compagnie de quelqu'un qui ne le connaissait pas. Comme s'il était une sorte d'expert en cinéma, et vous, une idiote de ne pas avoir prévu ce qui allait se passer.

— Je ne gâche rien, s'est défendu mon père. C'est quand même un détail important, si tu veux comprendre ses motivations.

Rachel a gémi, et je me suis demandé une fois de plus ce qui la séduisait chez lui.

Mon père avait beaucoup d'argent, bien sûr ; et mes amies du lycée m'avaient toujours dit qu'il avait du charme, pour un vieux. Mais ces deux raisons ne pouvaient pas suffire à Rachel. C'était une femme intelligente, drôle, incollable sur l'histoire de l'art. J'avais adoré visiter les musées avec elle pendant mon séjour chez eux. Et elle devinait toujours quand j'avais besoin de prendre mes distances avec mon père.

Elle avait dû trouver en lui une facette dont j'ignorais tout. Mais les espionner dans leur intimité ne me semblait pas le meilleur moyen de découvrir laquelle.

— On n'aurait pas dû venir ici, ai-je dit.

— Au moins il n'y a pas de fantômes, a fait valoir Mindy en se dirigeant vers la chambre. Cet endroit est minuscule. Je croyais que ton père était très riche.

— Les appartements sont toujours petits comparés aux maisons.

— Ça ne doit pas être pratique pour jouer à cache-cache.

J'ai ri.

— Je crois que mon père a passé l'âge.

— Mais il doit bien y avoir des enfants à New York, a fait Mindy, sourcils froncés. Non ?

Nous étions dans la chambre de mon père à présent, la seule vraie chambre de tout l'appartement. Lors de ma visite j'avais dormi dans son bureau, sur un canapé en cuir à l'odeur agréable.

— Bien sûr, ai-je répondu. Il y a même un square pas très loin.

J'y avais vu une foule de gamins surveillés par leurs nounous, qui jouaient au milieu de vieux chewing-gums écrasés. Je me suis demandé à quoi ressemblerait l'histoire du jardin dans le flash d'une vision.

— Mais il n'y a nulle part où se cacher ! s'est encore désolée Mindy.

— Tu crois ? Regarde ça.

La porte du dressing de mon père était fermée, mais je me suis avancée vers elle. Je n'ai pas essayé de me représenter le passé, j'ai simplement continué à marcher jusqu'à ce que je passe à travers. Le bois n'a pas offert plus de résistance qu'un rayon de soleil poussiéreux.

Quand mes yeux se sont habitués à l'obscurité, j'ai vu que Mindy m'avait suivie. Elle se tenait là, dans la lumière grise de l'envers du décor, à fixer les tiroirs en verre et les costumes accrochés en bon ordre sur leurs cintres.

— Je parie que tu aimerais bien que ma mère ait un dressing comme ça, ai-je dit. La cachette idéale !

— Tu parles, a murmuré Mindy. Il pourrait y avoir quelqu'un d'autre ici avec nous, qu'on ne s'en apercevrait même pas !

J'ai ri, mais Mindy n'avait pas tort. Le dressing constituait presque une deuxième chambre à part entière. L'envers du décor était toujours un peu sombre, même en plein jour, mais ce dressing comportait des coins d'ombre dans lesquels on aurait pu cacher n'importe quoi.

Je lui ai tendu la main.

— On peut s'en aller si tu as peur.

— Pas du tout, a protesté Mindy, tout en se rapprochant de moi. Quand même, je ne voudrais pas habiter là avec ton père.

— Moi non plus.

Je me suis rappelé le malaise que j'avais ressenti lors de ma visite. Peut-être que cela ne tenait pas au mobilier trop moderne, ni même au fait que je n'avais toujours pas pardonné à mon père de nous avoir quittées, maman et moi. Peut-être que Mindy avait mis le doigt sur ce qui manquait à cet appartement – un endroit où se cacher, où disparaître.

J'ai laissé courir mes doigts sur les manches des vestons de mon père, essayant de palper la soie, le tweed et le lin. Mais comme les couleurs et les odeurs, les textures étaient moins sensibles dans l'envers du décor. L'argent n'avait sans doute plus d'importance une fois qu'on était mort. Les costumes les plus chics avaient tous le même aspect gris et terne.

— Je suis contente que tu m'aies amenée ici, a déclaré Mindy. Mes parents n'aimaient pas les grandes villes. Je n'avais encore jamais vu de gratte-ciel.

J'ai baissé les yeux vers elle.

— Laisse-moi t'en montrer un vrai, dans ce cas. Le Chrysler building est à peine à une demi-heure de marche. Il est cinq fois plus grand, je te jure.

— Vraiment ?

— Et plus beau, aussi. Il a des gargouilles ! Allez, viens.

Mais en me retournant pour partir, j'ai entendu un faible murmure, presque un mot.

Je me suis figée.

— Tu as entendu ?

— Quoi donc ? a demandé Mindy.

J'ai scruté l'obscurité, le temps de cinq respirations.

— Rien. J'ai dû me tromper.

Mais un froid glacial m'avait saisie, et quand je me suis tournée face à la porte du dressing, elle m'a paru drôlement solide.

J'ai tendu le bras pour la toucher. Elle était dure et bien réelle sous mes doigts.

— Oh, mince.

Mindy m'a pris la main.

— Qu'est-ce qu'il y a ?

J'ai fixé la porte. Du dehors, elle m'avait fait l'impression d'un obstacle dérisoire alors que de l'intérieur du dressing, elle paraissait impénétrable, suffocante. Comment avais-je pu être si sûre de mon pouvoir de traverser les objets par un simple effort de volonté ?

Un frisson de claustrophobie m'a parcouru l'échine, me rappelant mes peurs enfantines.

— Ça va aller. C'est juste…

Encore ce murmure, incompréhensible et à peine audible au fond du dressing.

J'ai fermé les yeux et me suis avancée d'un pas. Mais mon mauvais pressentiment s'est confirmé : mon pied a buté dans la porte.

— Merde.

J'ai saisi la poignée. Je pouvais sentir le métal, lisse et froid sous ma paume, or mon corps de fantôme ne pouvait rien déplacer dans le monde réel.

— C'est bon, Lizzie. Tu sais comment faire. N'y pense pas, c'est tout.

— Tais-toi, s'il te plaît.

J'ai posé la main à plat sur le bois. J'ai essayé de pousser, mais la porte a refusé de bouger.

Je me suis mise à haleter, mais la panique ne risquait pas de me renvoyer dans le monde réel. Mon corps se trouvait à près de cinq mille kilomètres.

Une pensée épouvantable m'est tombée dessus. Et si je restais coincée ici ? L'esprit coupé de mon corps à tout jamais...

Puis nous l'avons entendu toutes les deux, un son venu du recoin le plus sombre du dressing, quelque part derrière le mur. On aurait dit une paire de vieux ciseaux rouillés qui s'ouvraient et se refermaient, traînant sous le plancher.

C'était le vieil homme au manteau rapiécé. Ça ne pouvait être que lui.

J'ai serré les poings et fait face à l'obscurité.

— Encore vous ?

Je n'ai pas eu de réponse. Pas un grattement. Mais les geignements de Mindy résonnaient dans l'espace confiné.

— Je t'en prie, Lizzie, a-t-elle supplié. Fichons le camp d'ici.

Je ne lui ai pas dit que c'était impossible. Je n'avais pas envie d'avouer à haute voix que le vieil homme m'avait piégée dans le filet de ma propre panique.

— Ne t'inquiète pas. Il ne m'effraie pas.

Je n'avais peur que des quatre murs massifs et pesants autour de moi.

La terreur ne fit que décupler ma colère. Je n'avais pas

emporté de couteau, mais, face à l'obscurité, je me sentais prête à cogner, à ruer, à mordre. Mindy se cramponnait à moi, frissonnante, et pendant un moment nous n'avons plus rien entendu en dehors de notre respiration.

Puis une voix a murmuré :

— J'ai bien envie de te mettre dans mes poches, petite fille.

— Tirons-nous, a gémi Mindy. S'il te plaît, Lizzie !

— Reste là avec moi.

Je me suis efforcée de garder une voix ferme, mais j'avais du mal à respirer ; le dressing m'enserrait de toute part. Ma panique avait besoin d'un exutoire et elle s'est changée en un frisson qui m'a parcourue de la tête aux pieds.

— Je veux connaître tes secrets, petite fille, a murmuré le vieil homme.

Les doigts de Mindy me serraient comme un étau. Elle haletait.

— Ne crains rien, ai-je dit. Je ne le laisserai pas te faire du mal.

— Je me rapproche…, a soufflé la voix, presque dans mon oreille.

— Lizzie ! s'est écriée Mindy, me tirant en arrière.

Je me suis heurtée à la porte, solide et inébranlable, et Mindy a eu une réaction naturelle.

Elle s'est enfuie.

À l'instant où je l'ai sentie m'échapper, je me suis retournée pour l'appeler. J'ai frappé du poing contre la porte, en lui criant d'attendre, de rester avec moi.

Mais elle était déjà partie, et avec elle la présence que j'avais sentie dans le dressing. C'était elle qui l'intéressait, pas moi.

— Mindy ! ai-je crié d'une voix rauque.

Pas de réponse.

Je devais trouver le moyen de sortir de là. Je me suis couvert les yeux de mes mains tremblantes et me suis représenté la tour en cours de construction, les murs en ciment brut, les appartements vides, les fils électriques et la plomberie à nu...

Quand j'ai baissé les mains, il n'y avait plus de porte devant moi, plus de dressing, pas de plancher sous mes pieds. Rien que le squelette d'un immeuble, l'entrecroisement des poutrelles métalliques et la ville grise et froide visible dans toutes les directions.

— Merde ! ai-je soufflé en commençant à chuter.

Mais ce n'était pas comme si on m'avait jetée par la fenêtre. Légère comme une plume, je descendais lentement dans la fosse béante des fondations de l'immeuble. Et quand sa noirceur s'est refermée sur moi, j'ai traversé la surface friable du monde pour m'enfoncer dans le fleuve Vaitarna.

J'ai senti mes pieds se poser sur une immense plaine désertique. La panique avait laissé place à la colère. Malheureusement, je n'avais aucune idée de la manière de retrouver le vieil homme.

Sinon grommeler :

— Yama, nom de Dieu ! J'ai besoin de toi.

L'ÉTÉ PARTIT À CONTRECŒUR ; IL FALLUT ATTENDRE MI-SEPTEMBRE pour que la chaleur cesse de faire suer et goutter les sacs-poubelles. Des filets d'air frais finirent par s'infiltrer par les fenêtres ouvertes de Darcy à la nuit tombée, et le ciel prit les nuances bleu foncé de l'automne.

Les deux amies poursuivaient leurs réécritures. Imogen envoya *Ailuromancer* à son éditeur quelques jours avant son départ en tournée. Le livre n'avait toujours pas de titre définitif mais Paradox lui avait accordé un délai pour cela, jusqu'au début de l'année prochaine.

Darcy acheva la réécriture d'*Afterworlds*, sauf en ce qui concernait la fin, dont l'idée continuait de la paralyser. Elle essaya d'écrire un article sur ses difficultés, ne serait-ce que pour avoir quelque chose à poster sur son compte Tumblr, mais cela ressemblait trop à des jérémiades. Elle se résolut à en toucher deux mots à Moxie, et un coup de fil à Nan Eliot lui valut un délai de grâce jusqu'à fin novembre.

Novembre… le mois au cours duquel Darcy avait écrit tout un roman. Bien sûr, que cela lui suffirait pour peaufiner une nouvelle fin. Sans compter que la tournée en compagnie d'Imogen et de Stanley Anderson lui éclaircirait certainement les idées.

Darcy et Imogen arrivèrent à JFK presque deux heures avant le départ, portant chacune un bagage à main et un petit sac à dos. Standerson les avait prévenues que tout bagage en soute s'égarerait lors de leur premier vol et ne les rattraperait jamais. Passer outre ses conseils ne leur avait pas semblé une bonne idée.

Le premier vol, le plus long de la tournée, les emmènerait d'une traite jusqu'à San Francisco. De là, ils traverseraient par étapes le Sud-Ouest et le Midwest, pour finir à Chicago. Standerson, bien sûr, continuerait pendant un mois entier, rejoint en cours de route par d'autres jeunes auteurs de Paradox.

Darcy attendit le départ en trépignant, puis réclama le siège côté hublot et regarda le sol défiler en contrebas, fascinée par les glyphes géants des carrefours en as de trèfle et de l'irrigation radiale. Le pays était si vaste ! Cela faisait drôle de penser que le lendemain les exemplaires papier de *Pyromancer* sortiraient des cartons dans toutes les librairies du territoire, tandis que les exemplaires électroniques fileraient à travers les câbles et sur les ondes. Et que dans un an presque jour pour jour *Afterworlds* ferait de même…

Imogen prenait des notes, comme toujours, au cas où elle aurait besoin d'écrire un jour une scène à bord d'un avion. Elle avait pris des photos du plan d'évacuation d'urgence, de la cabine et même de la texture des sièges. Voir Imogen se constituer ainsi une documentation – en particulier pour un livre qu'elle n'était même pas encore en train d'écrire – ne faisait que renforcer la nervosité de Darcy.

— Tu avais déjà pris l'avion, avant ? finit par lui demander Imogen.

— Bien sûr. Mais pas en tournée !

Imogen sourit et détacha en douceur la main de Darcy crispée sur l'accoudoir. Elle entremêla ses doigts à ceux de son amie et lui conseilla :

— Garde un peu d'énergie pour demain, et pour les six jours à venir.

Darcy tripota machinalement sa ceinture de sécurité, se sentant stupide et trop jeune.

— Tu ne regrettes pas de m'avoir invitée ?

— Bien sûr que non, lui assura Imogen. Mais on n'est qu'au début du voyage.

Stanley Anderson les attendait à l'aéroport de San Francisco où il avait débarqué du Kentucky une heure avant. Il était installé près de leur porte d'arrivée, en train de lire un exemplaire de *Pyromancer*.

Darcy trouva bizarre de le voir assis tout seul, sans que personne fasse attention à lui. Le plus modeste de ses commentaires en ligne suscitait d'ordinaire une centaine de réponses en quelques minutes, et à la pendaison de crémaillère de Darcy, une poche d'attention fiévreuse s'était constituée autour de lui, chacun l'épiant à tout instant pour s'assurer qu'il était bien réel. Ici pourtant, dans cet aéroport, il n'était qu'un voyageur parmi d'autres, en jean, tennis et veste de surplus militaire.

Il leva les yeux à leur approche.

— Vous voilà enfin !

— Désolées d'être en retard, s'excusa Darcy.

— Ce n'est jamais la faute des passagers.

Il glissa *Pyromancer* dans une poche de sa veste et déplia la poignée de son bagage, un sac de voyage à roulettes de la couleur d'un surligneur vert fluo.

— En plus, ajouta-t-il, j'aime assez les aéroports. Tous ces panneaux qui vous indiquent où aller.

Il en désigna un au-dessus de leurs têtes : «Taxis et limousines».

Tout en lui emboîtant le pas, Imogen loucha sur la tranche de *Pyromancer* qui dépassait de sa poche. Il avait corné une page au premier tiers du livre environ, soit au passage où Ariel Flint commençait à développer ses pouvoirs incendiaires.

— Vous allez adorer notre chauffeur, leur promit Standerson. J'engage le même à chaque tournée. Il escorte des célébrités depuis trente ans et connaît tous les ragots. Demandez-lui de vous raconter la fois où il a mis le feu à la veste de Jeffrey Archer. Un indice : ce n'était pas un accident.

— Waouh, fit Darcy.

Elle savait qu'ils bénéficieraient d'un chauffeur pour leurs déplacements, mais une «escorte de célébrités»? Voilà qui paraissait bien prestigieux.

— Je dois quand même vous prévenir d'un truc au sujet d'Anton, continua Standerson. Il ne peut plus conduire.

— Plus conduire... une voiture? demanda Imogen.

— Alors comment va-t-on se déplacer? s'inquiéta Darcy.

— Dans sa voiture, répondit Standerson. Je veux dire, il peut toujours conduire, légalement. C'est juste qu'il n'est plus très bon. Il perd un peu la vue, la coordination, la concentration. Mais il a une foule d'histoires formidables à raconter!

— Comme un concierge qui ne saurait plus manipuler des clés, dit Imogen. En plus dangereux.

— Il a eu quelques accidents ces derniers temps, ce qui fait un peu peur, reconnut Standerson. (Puis son visage s'illumina.) Mais il est bien connu que si on meurt en pleine tournée, on file tout droit au paradis Jeunes adultes!

Darcy se tourna vers Imogen.

— Il y a un paradis Jeunes adultes ?

— Naturellement, affirma-t-il.

Ils empruntèrent un long tunnel qui menait à la salle des bagages, dont l'éclairage changeait progressivement autour d'eux – fruit d'une publicité quelconque pour une société de logiciels informatiques, en tout cas cela créait une atmosphère mystique. Standerson baissa la voix.

— C'est un endroit merveilleux. Chaque auteur se voit attribuer son propre bungalow, et on passe la journée dans un hamac à s'échanger des trucs d'écriture. Tous les soirs, on refait le monde ensemble. Avec boissons à volonté.

Imogen rit.

— J'ai vu ce thème sur votre forum. Il n'y a pas aussi une équipe de recherches pour chacun, complétée par un historien, un expert en arts martiaux et un chirurgien consultant ?

— Ça m'a l'air sympa, admit Darcy alors qu'ils s'engageaient dans un escalator pour atteindre le niveau inférieur. Mais que se passe-t-il si on n'a pas encore été publié au moment où on meurt broyé dans la carcasse de sa voiture ? Est-ce qu'on va quand même au paradis Jeunes adultes ?

— Question délicate, dit Standerson. Est-ce que tu as déjà des boniments promo ?

— Un d'Oscar Lassiter, et Kiralee Taylor attend la relecture pour se décider.

— Oscar et Kiralee ? Juste ciel ! Considère que ton bungalow est déjà réservé !

Darcy se sentit étrangement soulagée de l'entendre.

La salle des bagages s'ouvrit sous eux, des centaines de valises défilaient sur des tapis roulants. La scène paraissait chaotique, anxiogène, et Darcy se réjouit d'avoir déjà son

bagage avec elle. Elle se promit de suivre scrupuleuse-
ment tous les conseils de Standerson pour la suite du
voyage.

Au bas de l'escalator, un colosse en costume vert bou-
teille leur adressait de grands signes. Il tenait une pancarte
sur laquelle on avait écrit « Anderson », et les deux hommes
se saluèrent avec moult sourires et poignées de main.

L'homme se tourna vers Darcy et Imogen.

— Bienvenue à San Francisco. Anton Jones, à votre
service. Je suis garé par là !

Ils le suivirent. Quelques instants plus tard leurs bagages
s'entassaient dans le coffre d'une grande berline grise.
Standerson s'assit à l'avant avec Jones tandis qu'Imogen et
Darcy se partageaient la banquette arrière. Elles se prirent
la main. Elles étaient vraiment là, en tournée, toutes les
deux.

Tout en quittant l'aéroport, Anton Jones leur parla de
son dernier client, un chef célèbre qui menait ses séances
de dédicaces comme la cuisine de son restaurant pendant
le coup de feu. Il beuglait ses instructions aux employés
de la librairie derrière lui, lesquels s'empressaient de lui
apporter des livres ouverts à la page de titre, tandis qu'une
équipe d'hôtesses rasait les murs en distribuant des photos
dédicacées et des tire-bouchons.

L'histoire était vraiment drôle, mais dès qu'Anton se
mit à imiter les cris et les gesticulations du chef, il devint
clair que sa conduite hasardeuse n'était pas un concept
imaginé par Standerson. Jones lança sa berline dans le
trafic de fin d'après-midi, changeant de voie avec entrain,
écrasant alternativement l'accélérateur et le frein comme
s'il poursuivait un lapin.

En proie à une sueur froide, Darcy entendit son estomac
gargouiller, signe d'un début de nausée. Elle s'efforça

d'avaler sa salive, mais l'atmosphère climatisée de l'avion lui avait laissé la bouche sèche comme du coton.

Alors que Jones faisait une queue-de-poisson à un poids lourd, le balancement latéral de la berline pressa Darcy contre Imogen. Coincée contre la portière, Imogen couina. Quand la voiture se stabilisa momentanément, elle attrapa Darcy par la taille.

— Parlez-moi encore du paradis Jeunes adultes, implora Darcy.

Comme ces messieurs continuaient à bavarder devant, indifférents au danger, ce fut Imogen qui répondit d'une voix douce :

— Il y a un code vestimentaire. Ceux qui ont figuré dans la liste des best-sellers du *New York Times* ont le droit de porter une robe noire ourlée de rouge, comme un professeur dans un internat.

— Ça doit agacer les autres, observa Darcy.

— Pas vraiment. La robe est jolie, mais trop chaude, et en réalité tout le monde convoite plutôt le diadème que seuls les lauréats du Printz sont autorisés à porter.

— Le Printz est si apprécié que ça ?

— Bien sûr ! C'est pratiquement l'équivalent du titre de chevalier Jeunes adultes.

Standerson, qui les avait entendues, lança à leur intention :

— À dire vrai, un titre de chevalier a moins de valeur parce qu'on peut toujours le révoquer pour trahison ou autre crime de ce genre. Alors que, même si tu deviens serial killer, on ne retire jamais le label Printz de ton bouquin.

— Exact, convint Imogen. Cela dit, les prix n'ont pas grande importance au paradis Jeunes adultes puisqu'on n'a rien d'autre à faire qu'écrire toute la journée. Pas de factures à payer, pas de cuisine à faire, pas de ménage. Juste écrire et discuter littérature, avec un droit de regard sur le choix de la couverture.

Darcy ferma les yeux pour s'imaginer la scène, bercée comme dans un hamac par les balancements de la berline. Aussi absurde soit-elle, l'idée d'un paradis Jeunes adultes la rendait profondément heureuse. Souvent, à New York, quand l'écriture s'était bien passée et qu'elles étaient sorties dîner en compagnie d'Oscar, de Coleman ou de Johari pour discuter intrigues et choix des mots toute la nuit, Darcy se sentait déjà au paradis.

Avec la tournée qui débuterait pour de bon le lendemain, Darcy s'attendait à ne pas fermer l'œil de la nuit. Mais le grand lit moelleux de l'hôtel, ajouté aux trois heures de décalage horaire, eut raison d'elle avant minuit.

Le matin suivant devait commencer par une visite scolaire. Anton Jones passa les prendre de bonne heure pour les conduire en banlieue, où les attendait l'auditorium d'Avalon High. Darcy, qui avait toujours eu peur de prendre la parole devant une assemblée d'élèves, se réjouit qu'il ne s'agisse pour elle que d'une tournée de prépublication. Son travail consistait à lier connaissance avec les bibliothécaires et les libraires, pas à occuper le devant de la scène.

La circulation matinale clairsemée maintint la berline à des vitesses non létales, et Standerson, qui avait eu l'une de ses crises fréquentes de dyspepsie la veille au soir, s'endormit sur le siège passager. Le trajet se déroula sans anicroche jusqu'à ce que le GPS leur annonce qu'ils étaient arrivés au lycée ; ce qui n'était pas entièrement vrai. Une haute barrière grillagée se tenait entre la voiture et le groupe de bâtiments qu'on apercevait de l'autre côté d'un terrain de foot soigneusement entretenu.

— Impossible de trouver ce foutu portail, grommela Jones.

Il se mit à rouler le long de la grille. Celle-ci semblait se prolonger à l'infini.

— Super dispositif de sécurité, approuva Imogen. Il y a juste un petit souci – personne ne peut entrer.

Jones acquiesça de la tête.

— C'est comme ça depuis la tuerie de Colombine. C'est ridicule ; ce sont des élèves qui ont fait le coup !

— Ton programme ne mentionne pas le numéro d'un contact ? demanda Darcy à Imogen.

— Si, celui du bibliothécaire du lycée.

Imogen se mit à fouiller parmi les vingt pages de fax détaillant la tournée étape par étape qu'on leur avait remises à la réception de l'hôtel la veille au soir. Elle sortit son téléphone et composa le numéro.

— Mince, il est sur messagerie. Je croyais qu'il devait nous attendre devant.

— Je ne vois pas de « devant », maugréa Jones. Il n'y a que des côtés partout !

— Le lycée de banlieue typique, bâti comme une forteresse imprenable, dit Imogen d'un ton lugubre. Dire que j'étais tellement douée pour m'échapper de ce genre d'endroits…

Standerson s'agita dans son sommeil et entrouvrit un œil.

— On est arrivés ?

— Désolé, Stan, s'excusa Anton. C'est l'un de ces foutus lycées au portail introuvable.

— Cherche le drapeau, marmonna Standerson, avant de se rendormir contre la vitre.

Les trois autres se penchèrent sur leurs sièges, et comme un seul homme, pointèrent le doigt devant eux vers la gauche, où la bannière étoilée claquait dans le ciel.

Dix minutes plus tard ils se retrouvaient sur scène, face à mille sièges vides. Standerson était parfaitement réveillé et plus du tout dyspeptique, Imogen faisait les cent pas et Darcy avait toujours mal au cœur.

— Le lycée, soupira Imogen. Dire que je m'étais jurée de ne plus jamais y remettre les pieds.

— Ne m'en parle pas, dit Standerson, avant d'inhaler profondément. Ah ! l'odeur des casiers et des phéromones, le panache juvénile des affiches dessinées à la main. Quelle idée géniale de nos éditeurs, de nous imposer ces visites scolaires pour nous rappeler toutes ces sensations.

— Oh, je n'avais pas oublié, rétorqua Darcy.

Mais Standerson avait raison au sujet des odeurs. Des images du lycée lui revenaient en masse, comme si elle l'avait quitté quatre jours et non quatre mois auparavant. Son soulagement de ne pas avoir à monter sur scène augmentait de minute en minute.

— Et si on n'en était jamais partis ? demanda Imogen. Si on était restés là, et que l'âge adulte n'était qu'une illusion ?

— Beau concept, la complimenta Standerson. Pour une trilogie ou pour un tweet ?

— Je ne saurais pas dire, avoua Imogen.

Darcy se débattait encore avec cette question quand le bibliothécaire de l'école, qui les avait temporairement abandonnés pour passer à l'administration, les rejoignit. C'était un homme de haute taille, roux, qui détachait les consonnes avec une telle précision que Darcy se demanda s'il n'avait pas grandi en parlant espagnol.

— Bon, ils vont faire descendre les classes, annonça-t-il. Malheureusement, il y a quelques épreuves en cours alors vous n'aurez que deux cents élèves environ, des troisième et des seconde.

Imogen laissa échapper un petit rire nerveux.

— Seulement deux cents ?

— Je les ferai s'asseoir aux premiers rangs, promit le bibliothécaire, avant de se tourner vers Darcy. L'attachée de presse m'a prévenu seulement hier soir que vous veniez. Vous êtes romancière aussi ?

Darcy se sentit rougir.

— Oui. Mais pas encore publiée.

— Et quel âge avez-vous ?

— Dix-huit ans.

— Formidable ! Je peux vous garantir que mes élèves aspirants écrivains vont adorer vous écouter.

Darcy cligna des paupières.

— Attendez. Hein ? Non, je ne suis pas…

— Je suis sûr qu'elle va faire un malheur, intervint Standerson. Darcy est un exemple pour nous tous.

— Mais il n'était pas prévu que je…, commença Darcy.

À cet instant, les haut-parleurs du lycée se mirent à grésiller, puis une voix en jaillit pour appeler tous les élèves en cours d'anglais à se rendre à l'auditorium. Le temps que l'annonce prenne fin, le bibliothécaire s'était encore éclipsé, et un jeune étudiant qui portait un tee-shirt de death metal s'approcha de Darcy pour agrafer un micro au col de son sweat.

— Alors comme ça, tu as écrit un bouquin ? dit-il tout en s'affairant. C'est hyper cool.

— Euh, merci.

Darcy leva les yeux vers l'entrée de l'auditorium, où les premiers élèves apparaissaient déjà. La sueur froide qui l'avait saisie dans la voiture d'Anton la reprit de plus belle.

Au fond, elle n'avait pas plus le choix de monter sur scène que les élèves qui arrivaient n'avaient le choix de l'écouter. Imogen avait raison – Darcy était encore au lycée. Elle serait toujours au lycée.

Quelques instants plus tard, on les fit monter tous les trois sur scène où les attendaient trois chaises en plastique orange et un pupitre.

Imogen couvrit son micro avec sa paume.

— Veinarde, Darcy, souffla-t-elle. Au moins tu n'as pas eu le temps d'avoir le trac.

— Je suis en train de faire un rattrapage en accéléré, murmura Darcy.

Le flot des élèves s'était changé en marée humaine, et le volume sonore montait dans l'auditorium. Le brouhaha ne semblait pas constitué de voix mais d'une énergie primitive et dangereuse, sans but précis, si l'on exceptait un groupe de fans de Standerson rassemblées sur le devant. Elles le mitraillaient littéralement avec leurs smartphones et poussaient des petits glapissements d'excitation chaque fois qu'il jetait un coup d'œil dans leur direction.

Puis une cloche sonna, et tandis que le silence s'abattait sur la foule, Darcy se sentit décoller de son propre corps, comme si elle assistait à la scène de très, très loin. Le bibliothécaire les présenta tous les trois, il y eut des applaudissements polis, puis Standerson entama son speech. Il ne parla pas du tout de son livre, mais des gens qui lui avaient donné envie d'écrire. F. Scott Fitzgerald, Jane Austen, le bibliothécaire de sa petite ville natale et pour finir une jeune fille adorable, grande lectrice, qu'il avait voulu impressionner en seconde. Il se montra enjoué, charmant, anticipant à la perfection chaque rire, faisant mouche à chaque réplique.

Quand il eut terminé, une salve d'applaudissements retentit à travers la salle.

Imogen se leva alors. Sa voix trembla un peu, au début, et elle serrait les poings. Elle se mit à parler des troubles obsessionnels compulsifs sur lesquels elle s'était penchée pour la rédaction de *Pyromancer* – les gens qui gardaient tout et n'importe quoi, ceux qui se lavaient les mains à tout bout de champ, une femme qui devait vérifier vingt et une fois qu'elle avait bien fermé sa porte à clé avant d'aller se coucher –, une foule de détails bizarres qui captivèrent son auditoire. Ses mains se délièrent, et bientôt elle fut emportée par la passion. Darcy l'observait, fascinée par la beauté de sa petite amie.

Et puis, beaucoup trop vite et trop brusquement, elle eut fini.

C'était au tour de Darcy.

Elle ne se leva pas, contrairement aux autres, mais resta assise sur sa chaise orange, les mains coincées sous les cuisses. Son micro retransmit sa voix dans les haut-parleurs, caverneuse et peu assurée, comme si elle tapait les mots à grands coups de marteau.

— Salut, je m'appelle Darcy Patel. Contrairement à mes amis, je n'ai pas écrit de romans. Je n'en ai écrit qu'un seul. Pas des romans. Un roman, au singulier.

Elle marqua une pause dans un silence pesant, ahurie d'avoir imaginé faire rire avec cette introduction. Elle devait poursuivre, continuer à parler. Les centaines d'yeux braqués sur elle ne se satisferaient pas de son mutisme.

— J'imagine que c'est parce que je n'ai que dix-huit ans. L'année dernière, j'étais en terminale dans un lycée comme celui-ci et je me suis demandé ce qui se passerait si j'écrivais deux mille mots par jour pendant un mois. Eh bien, au final, on se retrouve avec soixante mille mots.

Le plus étonnant, c'est qu'elle avait déjà amusé des gens avec cette réplique. À New York, des adultes en chair et en os l'avaient trouvée drôle. Ou plutôt, comprit Darcy un peu trop tard, ils avaient fait *semblant* de la trouver drôle. De toute évidence, ils avaient simplement fait preuve de gentillesse, mais leur générosité lui avait dissimulé la vérité : cette plaisanterie n'avait rien de très amusant. Or au lycée, la vérité occupait une place centrale.

— Bref, il faut savoir que soixante mille mots constituent à peu près un roman. J'ai donc envoyé ce roman à un agent, lequel l'a envoyé à un éditeur, et aujourd'hui je gagne ma vie en écrivant des romans.

À mesure que Darcy parlait, le mot « roman » commença à lui paraître étrange dans sa bouche, comme un mot qu'elle aurait entendu en rêve mais dont la signification lui échappait maintenant.

— Seulement, le truc, c'est que je n'avais pas besoin d'écrire deux mille mots par jour. Je veux dire, ça représente six pages, ce qui demande quand même beaucoup de travail. Mais vous pouvez vous contenter d'écrire une page par jour, et au bout d'un an vous aurez un roman.

Ce dernier mot résonna dans l'auditorium, vidé de toute la substance qu'il avait pu avoir.

— Tout ça pour dire qu'on raconte beaucoup de choses à propos des livres, de l'écriture et de la littérature, comme si c'était très compliqué. Alors qu'au fond, c'est tout simple. Il suffit d'écrire un petit peu chaque jour, sachant qu'on s'améliore au fur et à mesure qu'on raconte des histoires.

Contre toute attente, le silence s'était approfondi à mesure qu'elle parlait. Presque comme si tout le monde l'écoutait.

— Et voilà, c'est comme ça que naissent les livres. Merci.

Standerson fut le premier à applaudir, avec de grands moulinets qui mobilisaient ses bras jusqu'aux épaules et faisaient claquer ses mains comme des coups de canon. La foule l'imita, et par la mystérieuse alchimie d'une certaine indulgence adolescente, il y eut même quelques acclamations. Darcy comprit à cet instant comment un million de personnes pouvaient littéralement adorer Standerson, et pourquoi tant de gens passaient leur vie à rechercher les acclamations du public.

Les applaudissements se turent, et vint le moment des questions.

La première fut posée par une jeune fille menue aux énormes lunettes. Elle prit soin de détacher chaque syllabe, comme une gamine de dix ans qui s'est vu confier une tirade dans la pièce de fin d'année.

— J'ai une question pour les trois auteurs. Parmi les cinq éléments d'une histoire, lequel est le plus important à votre avis : l'intrigue, le cadre, les personnages, le conflit ou le thème ? Merci.

Darcy se tourna vers ses compagnons. Standerson se caressait le menton d'un air grave. Il s'éclaircit la gorge et répondit :

— Il est généralement admis que l'intrigue l'emporte sur tout le reste.

Imogen jeta un coup d'œil à Darcy, avec une petite moue.

— Par exemple, prenez cette drôle d'histoire qui est arrivée à l'un de mes amis, continua Standerson. Il y a deux mois, sa petite amie a décroché un nouveau boulot. Au début elle avait des horaires normaux, neuf heures dix-sept heures, mais après quelques semaines elle s'est mise à travailler de plus en plus tard. Elle prétendait adorer son travail, mais n'entrait jamais dans les détails. Et elle n'était pratiquement plus jamais à la maison. Alors un jour, mon ami en a eu marre et il s'est rendu en voiture à son travail.

Standerson se pencha en avant et poursuivit à voix basse :

— Et la voilà qui sort devant lui, tranquille, à dix-sept heures pétantes ! Alors mon ami se baisse derrière son volant, et quand elle quitte le parking, il la suit, et découvre enfin ce qu'elle faisait de tout ce temps…

Il s'arrêta, laissa le silence se prolonger. Il y eut quelques grincements de chaises, quelques murmures, mais dans l'ensemble l'auditorium demeura muet.

Après de longues secondes interminables Standerson conclut :

— Et voilà pourquoi l'intrigue est l'élément le plus important d'une histoire.

Des exclamations confuses rompirent le silence qui avait saisi l'auditoire.

— Mais après ? Qu'est-ce qui s'est passé ? s'écria l'un des élèves.

Standerson haussa les épaules.

— Aucune idée. Je viens de l'inventer.

Une sorte de rugissement résonna dans la salle, mêlant des rires et des protestations indignées. Alors que le bibliothécaire s'efforçait d'apaiser les élèves, Darcy les entendit échanger des théories entre eux, achevant l'histoire à leur manière, comme si le récit exigeait une conclusion.

Quand le calme fut enfin revenu, Standerson se renversa en arrière sur sa chaise et poursuivit :

— Vous voyez ? Mon histoire n'a pas de cadre, pas de thème, pratiquement aucun conflit et seulement deux personnages intitulés « mon ami » et « sa petite amie ». Et pourtant, vous êtes tous en train de me détester parce que vous ne saurez jamais comment elle se termine. L'intrigue fait tout.

Standerson sortit ses lunettes de soleil de la poche de sa chemise et les jeta sur la scène.

De nouveaux rires fusèrent, encore teintés d'indignation.

Darcy se tourna vers Imogen, se demandant comment elles devaient rebondir sur cette réponse. De toute évidence,

Standerson avait déjà tenu ce petit discours sur l'intrigue à de nombreuses reprises. Mais Imogen se leva, souriante.

Elle s'approcha des lunettes que Standerson avait lâchées sur la scène et les toisa avec dédain. Puis elle s'accroupit, les ramassa, et les enfila.

— Il a tort, déclara-t-elle. Ce qui compte avant tout, ce sont les personnages.

L'assistance se tut aussitôt, comme si quelqu'un avait appuyé sur un interrupteur. L'affaire tournait à la compétition.

— Je vais vous donner cent millions de dollars, commença-t-elle, ce qui déclencha immédiatement quelques réactions bruyantes. (Elle leva les mains.) Et vous allez devoir faire un film. Avec autant d'argent, vous pourrez y mettre ce que vous voudrez, pas vrai ? Des dinosaures, des vaisseaux spatiaux, des ouragans, des villes entières réduites en cendres. Quelle que soit votre histoire, votre film aura l'air cent pour cent crédible grâce à tout cet argent, et parce que les ordinateurs peuvent recréer presque n'importe quoi avec l'apparence du réel. Sauf une chose. Vous savez quoi ?

Elle attendit en silence, les mettant au défi de ne pas répondre. Finalement, un garçon cria :

— Les acteurs ?

Imogen sourit en ôtant les lunettes de soleil.

— Exactement. Vous aurez besoin d'acteurs, parce que les gens n'ont jamais l'air complètement réels quand ils sont créés par ordinateur. Ils ont toujours quelque chose qui cloche. Qui met mal à l'aise. Et pourquoi ça ? Pourquoi peut-on recréer des dinosaures et des vaisseaux au moyen d'effets spéciaux, mais pas des êtres humains ? Parce que tous ceux que vous aimez sont des personnes, et tous ceux que vous détestez aussi. Vous voyez des gens toute la journée. Vous pouvez savoir au premier coup d'œil s'ils sont fâchés, crevés, jaloux, ou s'ils se sentent coupables. Vous êtes tous des experts en matière de personnes.

Dieu, ce qu'elle était belle !

— Et voilà pourquoi ce sont les personnages qui l'emportent.

Imogen laissa tomber à son tour les lunettes sur la scène. La réaction fut moins vive que celle qu'avait suscitée Standerson, mais l'assistance était conquise. Tous les regards se braquèrent sur Darcy, dont le cerveau commençait déjà à fumer.

Qu'était-elle supposée faire ? Débattre de l'importance du thème ? Ou du cadre ? Elle se prit soudain à détester Standerson et Imogen de tout son cœur. Comment osaient-ils l'embarquer dans cet affrontement absurde ?

Et là-dessus, la réponse lui parut évidente.

Darcy se leva et traversa la scène jusqu'aux lunettes de soleil abandonnées. Elle s'arrêta devant et leva les yeux au plafond, ce qui lui valut quelques gloussements. Ça pouvait réussir.

— Combien d'entre vous se sont levés ce matin en se demandant lequel des cinq éléments d'une histoire était le plus important ?

Quelques rires éclatèrent çà et là, et deux ou trois mains se levèrent.

— Tout le monde s'en fiche. Et pourtant vous êtes tous là, impatients d'entendre ce que je vais dire. Vous savez pourquoi ? Parce qu'à un certain moment, cette question est devenue une compétition !

Elle se tourna vers ses deux compagnons. Standerson était renversé sur sa chaise, un grand sourire aux lèvres. Il devinait où elle voulait en venir.

— Vous voulez voir qui va gagner, continua Darcy. C'est comme avec la téléréalité. Des millions de personnes regardent des concurrents qui ne savent pas chanter, uniquement pour découvrir qui chantera le moins faux. Ou ces émissions de survie, dans lesquelles on observe de parfaits inconnus jouer à celui qui mangera le plus de fourmis. On ne s'était jamais demandé quel goût pouvait bien avoir une fourmi. Et tout à coup ça devient important, parce qu'on veut savoir qui va gagner !

Elle s'accroupit, ramassa les lunettes de soleil et les rendit à Standerson.

— Voilà pourquoi le conflit rafle la mise, déclara Darcy. Parce que c'est le conflit qui fait l'histoire.

Elle regagna sa chaise. Son cœur battait la chamade, son corps tremblait d'excitation, mais l'assistance ne l'avait pas détestée. Ils n'avaient pas ri ni applaudi, mais ils tenaient tous à connaître la suite : un lecteur ne peut pas s'empêcher de tourner la page.

On a un putain de talent, se dit Darcy.

— Bien, bien, se réjouit le bibliothécaire. Trois réponses différentes, toutes très intéressantes. Qui veut poser la prochaine question ?

S A CHALEUR L'A PRÉCÉDÉ, ACCOMPAGNÉE D'UNE ODEUR d'herbe brûlée. Une nuée d'étincelles a jailli de l'obscurité pour tourbillonner autour de moi, dansant sur les courants invisibles du fleuve.

Et puis, sa voix, magnifique :

— Lizzie, que se passe-t-il ?

Il venait vers moi, feu et chaleur parmi les ténèbres.

— L'homme au manteau rapiécé, il est revenu, ai-je prononcé d'une voix qui tremblait encore sous l'effet de la panique. Il a emporté Mindy.

Yama s'est arrêté, si près que je pouvais sentir sa chaleur.

— J'en suis désolé, Lizzie.

— Il faut qu'on la retrouve !

Il n'a pas répondu tout de suite, et j'ai cru qu'il allait me dire que c'était mieux comme ça. Que je n'avais vraiment pas besoin d'un petit fantôme pour me précipiter plus vite dans les griffes de l'au-delà.

Mais il a dit :

— Sais-tu où il l'a emmenée ?

J'ai secoué la tête.

Yama a scruté le vide qui nous entourait.

— Alors ils peuvent être n'importe où. Les prédateurs ne laissent pas beaucoup de traces.

— Il doit forcément y avoir un moyen de remonter jusqu'à lui. Il nous a bien trouvées, alors qu'on était à des milliers de kilomètres de chez moi !

— Cela veut dire qu'il a un lien avec toi.

J'ai sondé son regard.

— Comment ça ?

Yama s'est approché, très calme.

— Ce fleuve est constitué de la mémoire des morts, mais ce sont les liens entre vivants qui assurent sa cohésion.

Il a levé la main pour toucher ma cicatrice en forme de larme.

— C'est pour ça que je t'entends quand tu m'appelles. Nous sommes liés l'un à l'autre.

Je me suis reculée. J'avais besoin de réfléchir.

— Sauf que je ne l'avais pas appelé, et que je ne suis pas liée à lui. Je ne connais même pas son nom !

— Il doit connaître le tien, a dit Yama. Les noms ont du pouvoir ici, Lizzie.

Je me suis souvenue de la première fois où il m'avait suivie à la maison. Mindy avait peut-être prononcé mon nom à l'école, ou dans ma chambre.

— Peut-être.

— Mais il n'y a pas que ton nom. Il éprouve quelque chose pour toi.

— Tu es sérieux ?

— Il veut quelque chose, assez fort pour que le fleuve l'ait emporté jusqu'à toi. Raconte-moi tout ce qu'il a dit.

Je l'ai regardé dans les yeux. Nous ne nous étions pas revus depuis la dispute, et Yama ignorait que j'étais retournée voir le vieil homme.

— Il voulait que je tue quelqu'un.

— Que tu tues quelqu'un ? Qui ça ?

— Le méchant homme.

Il a fallu à Yama un instant pour comprendre.

— Quand t'a-t-il parlé de cela ?

J'ai croisé les bras, en manière de protection.

— J'étais allée le trouver, pour voir s'il pouvait m'aider avec le méchant homme. C'est ma faute.

— Non, pas du tout. Il s'agit de son obsession, pas de la tienne. Ce qui veut dire que ce n'est pas Mindy qui l'intéresse. Mais toi.

J'avais le souffle coupé. J'ai senti la noirceur du fleuve se refermer sur moi, c'était un peu ce que j'avais éprouvé, piégée dans le dressing de mon père. Un obsédé psychopompe. Génial…

J'ai alors compris pourquoi le vieil homme avait enlevé Mindy à New York et pas chez moi, où je me sentais forte et en sécurité. Il avait choisi cet instant dans le dressing parce qu'il voulait que j'aie peur.

Cela n'avait rien à voir avec Mindy.

J'ai refoulé cette idée et me suis abandonnée à la chaleur des mains de Yama, à l'électricité qu'il faisait courir sur ma peau. Ça, c'était une relation réelle. Comment ce vieux prédateur tout fripé osait-il s'imaginer qu'il puisse y avoir quoi que ce soit entre lui et moi ?

— Il a dit qu'il allait la mettre dans ses poches.

Yama s'est crispé.

— Ce n'était qu'une menace. Il l'a enlevée pour capter ton attention.

— C'est réussi. Et maintenant, que fait-on ?

— Rien. Il viendra te trouver quand il aura envie de te parler.

— Le fleuve ne pourrait pas me conduire jusqu'à Mindy ?

J'ai fermé les yeux et visualisé son visage, mais Yama m'a attirée contre lui, brisant ma concentration.

— On ne peut pas suivre un fantôme, Lizzie. Ils constituent la matière même du fleuve.

J'ai rouvert les yeux.

— Alors qu'est-ce que je suis censée faire ?

— Tu dois attendre. Il te met à l'épreuve, et cela peut durer longtemps. Mais je vais rester avec toi le temps qu'il faudra.

— Merci.

On sentait un tel soulagement dans ma voix que je n'ai pas pu m'empêcher d'en faire une blague.

— Tu n'as pas peur que je finisse par t'ennuyer à mourir ?

Yama a tenté de réprimer un sourire.

— Il m'arrive d'avoir peur pour toi. Mais cela ne m'a pas dissuadé de venir quand tu m'as appelé.

Un frisson m'a parcourue de la tête aux pieds. Après notre dispute, une part de moi avait craint qu'il ne veuille plus répondre.

Je l'ai serré fort. J'avais besoin de sa chaleur sur mes lèvres, de son corps contre le mien. J'ai glissé les paumes le long de son dos pour sentir sa force. Son odeur m'enivrait. Le courant du fleuve s'est amplifié autour de nous : une bourrasque m'a soufflé dans les cheveux.

Après ce baiser, nous sommes restés silencieux un long moment. Je me suis demandé si nous pourrions rester là pour toujours, au fond du Vaitarna, sans jamais avoir faim, ni sommeil, sans jamais devenir vieux. Finir par nous oublier nous-mêmes et nous estomper. Nous fondre dans le courant.

Même entre ses bras, je ne pouvais m'empêcher d'avoir des pensées déprimantes.

— Et si ça devient trop effrayant ? ai-je demandé.

— Nous retournerons sur mon île, a-t-il répondu simplement.

— Mais si tout ça, c'était trop pour moi ? Les fantômes,
les prédateurs, la mort à chaque pas. Si cette petite bande
de sable ne suffisait plus ?

— Nous trouverons un autre endroit. Un endroit où tu
te sentiras en sécurité.

J'ai eu comme un pincement au cœur en réalisant ce
que Yama venait de dire. Après avoir passé mille ans à
chercher son île, il me proposait de l'abandonner au profit
d'un autre endroit qui me conviendrait mieux.

Yama s'est rapproché de moi, il a murmuré :

— Tout cela survient si vite, Lizzie. J'aimerais pouvoir
ralentir le cours des choses.

— J'aimerais juste pouvoir dormir, ai-je avoué d'une
voix encore empreinte de panique. Le vieil homme a dit
que je n'en avais plus besoin, parce que le sommeil est une
petite tranche de mort. Alors je ne m'en suis pas inquiétée,
et maintenant je n'y arrive plus.

— Ah. Cela se produit quelquefois.

Il m'a serrée dans ses bras.

— Ramène-moi chez toi, et je te montrerai un petit
tour.

Ça me faisait drôle de voir Yama dans ma chambre. Je
m'étais trouvée avec lui au cœur d'un attentat terroriste,
dans un fleuve constitué des souvenirs des morts et dans
tous les lieux où il nous avait emmenés, mais jamais dans
un endroit aussi banal, aussi étroitement lié à ma vie de
tous les jours.

Heureusement, j'avais débarrassé le fouillis sur mon lit,
je ne tenais pas à ce que ma mère découvre les recherches
que j'avais faites sur les serial killers et les disparitions
d'enfants.

— Et voilà, ai-je lâché, regrettant de ne pas avoir fourré dans la panière à linge les vêtements du lycée jetés sur le dossier de ma chaise.

Yama s'est penché sur les photos accrochées au-dessus de mon bureau.

— Tu as beaucoup d'amis.

J'ai soupiré.

— Plus aujourd'hui. Depuis Dallas, beaucoup ne me comprennent plus.

— La mort te montre qui est réel, a-t-il énoncé, puis il s'est tourné vers moi. Cela fonctionne mieux dans le monde des vivants.

— Quoi donc ?

Un sourire fugace a éclairé son visage.

— Le sommeil.

— Oh. C'est vrai.

Puisqu'on ne souffrait ni de la fatigue ni de la faim dans l'envers du décor, il semblait logique qu'on n'ait pas besoin d'y dormir non plus.

Sa présence ici, avec moi, me rendait tellement nerveuse qu'il m'a suffi de quelques respirations pour être de retour dans le monde en couleur des vivants.

Yama a fermé les yeux et inspiré lentement, comme pour savourer l'air.

J'ai touché son visage. Il avait l'air plein, rien à voir avec un fantôme.

— Attends, ai-je murmuré. Tu es là aussi ? Je croyais que tu ne quittais jamais l'au-delà ?

Il a rouvert les yeux.

— Appelons cela une extravagance.

J'ai tourné la tête vers la porte de ma chambre.

— Mais ma mère…

Yama s'est rapproché, assez près pour me chuchoter :

— Ne t'inquiète pas, Lizzie. Nous ne ferons pas de bruit.

Son souffle me chatouillait l'oreille, et j'ai eu un petit frisson. Un instant, je n'ai plus rien perçu d'autre que le grondement du sang dans mes veines.

Prise de vertige, je me suis laissée tomber sur le lit. Yama s'est assis à côté de moi, et je me suis collée contre lui. Ici, dans le monde des vivants, il n'était plus un flot d'étincelles et de flammes qui ondulait au vent, mais son contact restait chaud.

Je l'ai regardé.

— D'accord. Et maintenant ?

— Tu dors toujours en blouson ?

— Oh.

J'ai défait la fermeture Éclair de mon blouson que j'ai laissé choir par terre.

Bien sûr, je ne dormais pas en tennis non plus ; j'ai retiré mes chaussures et mes chaussettes. Et je ne dormais pas en jean, alors je me suis levée et je l'ai fait glisser au sol. Puis je suis allée tirer les rideaux.

Dans l'obscurité, notre peau de psychopompes semblait briller plus fort. L'air de la nuit me rafraîchissait les bras et les jambes.

Je me suis allongée sur le lit contre Yama, lovée dans sa chaleur.

— Je ne sais pas si c'est comme ça qu'on va pouvoir dormir, ai-je dit d'une voix qui tremblait un peu.

— Rien ne presse.

Il m'observait, ses yeux bruns brillaient dans la pénombre.

J'ai levé la main et touché son sourcil, ce petit décrochement. J'ai suivi la courbe de son épaule et senti les os et les muscles qui se dessinaient sous sa chemise. J'ai détaché le premier bouton de son vêtement avec délicatesse, et élargi le triangle de peau brune et lumineuse.

D'un seul mouvement, il a ôté sa chemise.

Il était sublime. C'était la première fois que je me trouvais avec lui dans le monde réel, sans l'éclairage terne de l'envers du décor, ni le feu, ni les étincelles des courants du fleuve. Nulle autre lumière que celle que notre peau renvoyait, rien n'existait en dehors de nous.

Il s'est penché sur moi pour m'embrasser et le temps s'est arrêté. Rien ne troublait l'air en dehors de notre souffle. Suspendue dans cet instant parfait, je brûlais d'en avoir plus.

Il m'a effleuré le cou d'un doigt léger, et j'ai senti mon sang affluer vers sa chaleur. Mon pouls s'est ralenti pendant ce long baiser immobile.

Quand nous nous sommes enfin détachés l'un de l'autre, je haletais un peu. Il est resté tout près de moi, les yeux rivés aux miens, et pendant un instant j'ai cru que j'allais défaillir. J'ai rompu le charme.

— Est-ce qu'il t'arrive de dormir, Yama?

— Quelquefois.

J'ai avalé ma salive.

— Et de quoi rêves-tu?

— De ça, a-t-il répondu.

J'ai poussé un petit cri. On aurait dit qu'il tirait sur un fil à l'intérieur de moi, effilochant mes défenses. Le peu d'énergie qu'il me restait après ces nuits sans sommeil s'est dispersé sur ma peau, en une dernière secousse.

J'ai enfoui les mains dans la masse épaisse de ses cheveux foncés. Je l'ai tenu comme ça, il avait les yeux fixés sur moi, son regard s'enfonçant un peu plus profondément en moi à chaque respiration.

Le fil qu'il tirait a bientôt formé une pelote, de plus en plus épaisse, que Yama a continué à enrouler lentement.

La peur qui s'était infiltrée dans mes muscles se dissipait enfin, elle se transformait en une chose lumineuse, intense et avide. Tous ces rêves que je n'avais pas faits se bousculaient sous mon crâne, s'entrechoquant, tandis que mon corps entier s'arc-boutait contre Yama.

Pendant un instant je me suis sentie perdue, en mille morceaux, à l'instar des souvenirs d'un fantôme au fond du fleuve. Et peu m'importait que je sois ou non née maudite, souillée et marquée par la mort, puisque cela m'avait conduite ici dans les bras de Yama.

Il m'a montré comment m'endormir à nouveau, prince charmant à l'envers. À l'aéroport, pourtant, son baiser m'avait réveillée.

Peut-être que ses lèvres guérissaient tout.

29

I
L Y EUT UNE DEUXIÈME CONFÉRENCE À AVALON HIGH, PUIS UNE troisième dans un lycée différent à quinze kilomètres de distance, dont l'entrée fut également difficile à trouver. Ce fut donc en fin d'après-midi qu'Anton les reconduisit tous les trois à leur hôtel pour qu'ils s'y reposent avant une dernière séance en librairie dans la soirée.

Peut-être était-ce le décalage horaire, ou bien le décalage temporel d'avoir passé une journée au lycée ? Quand Darcy regagna leur chambre, elle s'écroula tout habillée sur son lit et s'endormit aussitôt.

Elle se réveilla une bonne heure plus tard pour découvrir Imogen assise à côté d'elle, en débardeur et caleçon, qui tapait sur son portable.

— Tu ne dors pas ?

Imogen continua de pianoter.

— Tu rigoles ? Premier jour de publication. Je dois bloguer. Je dois tweeter.

— Oh, c'est vrai.

Dans l'excitation des conférences de la matinée, Darcy avait oublié que *Pyromancer* était sorti aujourd'hui.

— Ça y est, Gen ! Tu es un auteur à part entière, imprimé et publié.

— Je sais, je sais ! Je n'y crois pas moi-même. Je veux

dire, j'ai vu les exemplaires au lycée aujourd'hui. Mais tu crois vraiment qu'il y en a des milliers sur les rayons de toutes les librairies du pays ? Et si ce n'était qu'une illusion ? Si rien de tout ça n'était vraiment en train de se produire ?

Darcy posa la main sur l'épaule nue d'Imogen.

— C'est bien réel, Gen.

— Mais comment en être sûre ?

— Eh bien, parce que ton éditeur te l'a dit ? Et qu'il a, tu sais, cette tour immense à Manhattan.

— Tu marques un point. C'est vrai que cette tour est plutôt imposante, admit Imogen, repoussant une mèche de cheveux qui lui tombait devant les yeux. Je fais sans doute une crise de syndrome de l'imposteur.

— Ça existe, ça ?

— Bien sûr !

Imogen tapa quelques mots et fit pivoter son écran. Au milieu d'une dizaine de fenêtres ouvertes s'affichait un article de Wikipedia.

Darcy en parcourut les premiers paragraphes. Le syndrome de l'imposteur, comme on pouvait s'y attendre, consistait à croire que tout ce qu'on avait accompli était le fruit de la chance, d'un mensonge ou d'une tricherie. Et à redouter de tout perdre une fois la supercherie dévoilée.

— Merde. Ce n'est pas toi, Gen, c'est moi !

— C'est n'importe quel auteur.

Imogen replaça l'ordinateur devant elle et se pencha sur l'écran.

— D'accord, concéda-t-elle, ce n'était peut-être pas une bonne idée de lire ça. Tu crois qu'on peut attraper un syndrome rien qu'en s'en informant ?

— Celui-là, oui. (Darcy tendit le bras pour refermer doucement l'ordinateur portable.) Mais ça se soigne en

montant sur scène devant une centaine de fans de Stanley
David Anderson. C'est un truc interdit aux imposteurs.

Imogen approuva d'un hochement de tête ce remède
de bon sens.

— Après tout, une salle remplie de fans de Standerson,
ça ne peut pas être si terrible, quand même ?

— Terrible ? Non.

Darcy attira Imogen à elle pour l'embrasser, puis lui
glissa à l'oreille :

— Juste excitant.

— Oh, Stanley nous a envoyé un texto pendant que tu
dormais. Il veut que l'on se retrouve en bas pour le dîner.

Darcy consulta son propre téléphone. Nisha lui avait
aussi envoyé un texto : *J'espère que tu t'amuses bien en
tournée – plus que 364 jours avant la publication !*

Elle soupira puis sauta du lit. Ses habits fripés lui col-
laient à la peau.

— Je prends ma douche en premier !

Elles se douchèrent et s'habillèrent, Imogen en chemisier blanc et blouson de cuir, les doigts couverts de bagues.
Darcy se hissa sur la pointe des pieds pour redresser son
col, qui s'était froissé pendant le voyage. Elle-même portait sa petite robe noire, celle qu'elle avait reçue le soir de
leur rencontre ; sans doute pourrait-elle encore lui porter
chance.

Le restaurant de l'hôtel n'avait rien de remarquable.
Des écrans télé accrochés au plafond beuglaient leur
contenu sportif dans toutes les directions. Le vinyle des
sièges couina comme un bébé phoque quand Darcy se
glissa dans le box. Le menu regorgeait de plats à l'intitulé
aussi vague que pompeux, telle la « Farandole fromagère
internationale ». Cette phrase, leur fit remarquer Standerson, constituait plus que la moitié d'un haïku.

Quand ils eurent commandé ce qu'ils avaient trouvé de moins riche, il demanda :

— Aucune de vous n'avait jamais donné de conférence dans un lycée jusqu'à aujourd'hui ?

Imogen s'esclaffa :

— Je ne pensais jamais remettre les pieds au lycée. Et Darcy vient à peine d'en sortir.

— Eh bien, je vous félicite toutes les deux.

— Même si j'adore les compliments, répliqua Darcy, je suis toujours fâchée contre vous pour m'avoir désignée volontaire.

Standerson leva les mains.

— C'était ton attachée de presse ! Tu crois qu'elle a prévenu le bibliothécaire par accident ?

— Je peux tout à fait être en colère contre vous deux, rétorqua Darcy. Enfin, je dois reconnaître que c'était plutôt amusant. J'ai bien aimé la bataille des éléments de l'histoire.

— Parce que tu as gagné.

Darcy émit un petit bruit désapprobateur.

— Vous avez récolté beaucoup plus d'applaudissements que moi.

— Personne n'a gagné, intervint Imogen. Parce que la victoire n'a pas été remportée par l'intrigue, par les personnages ou par le conflit. Mais par le cadre.

Les deux autres la dévisagèrent.

— Le lycée, expliqua Imogen. À part dans ce lieu, où aurait-on pu réduire les éléments entrelacés, interdépendants, de la narration à des cases concurrentielles, alors qu'en pratique ils reposent les uns sur les autres pour former un tout cohérent ?

Darcy haussa les épaules.

— Dans n'importe quel triangle amoureux ?

— Vous marquez un point toutes les deux, trancha Standerson. Et tu devrais continuer les visites de lycées avec nous, Darcy. Il n'y a pas meilleure recherche que la fréquentation de notre électorat.

Imogen rit.

— Darcy faisait encore partie de notre électorat, il y a à peine cinq mois.

Darcy l'ignora et demanda plutôt :

— Quelle est la pire question qu'on vous ait jamais posée ?

Standerson réfléchit un moment, puis déclara d'une voix tragique :

— D'où sortez-vous vos idées ?

— Celle-là sera facile pour Darcy, dit Imogen. Elle les vole.

— Pas vrai !

— Et ma scène du placard ?

Darcy baissa les yeux sur la table, les joues en feu.

— C'était un accident.

— Du rififi dans le paradis Jeunes adultes ? demanda Standerson, les yeux pétillants. Racontez-moi ça.

— On est vraiment obligées ? plaida Darcy.

— Oui. (Imogen se tourna vers Standerson.) Donc *Pyromancer* est le premier livre d'une trilogie.

Il hocha la tête.

— Qui démarre à merveille.

— Merci…

Le compliment fit rougir Imogen, qui se reprit.

— Le deuxième vient de partir en correction, si bien que j'ai attaqué le tome trois – *Phobomancer*. Celui-là traite des phobies. L'histoire commençait avec l'héroïne, claustrophobe, enfermée dans un placard. Super, hein ? J'en ai parlé à ma petite amie. (Imogen donna une tape sur l'épaule de Darcy.) Alors elle a réécrit une scène de son roman avec son héroïne piégée dans un placard, en pleine crise de panique !

— Une coïncidence ! s'écria Darcy.

— Tu viens de dire que c'était un accident, observa Standerson.

— C'était les deux ! Une coïncidence, parce que j'avais déjà insisté sur le dressing du père de Lizzie, et sur Mindy qui aimait dormir dans les placards, donc ça paraissait logique d'utiliser un placard. Et un accident, parce que je ne me suis pas rendu compte de ce que je faisais. En plus, Gen, tu as reconnu toi-même que ça fonctionnait beaucoup mieux que ma première version, où le vieil homme débarquait de nulle part pour enlever Mindy.

— Oui, ça fonctionne mieux, admit Imogen. N'empêche que c'était ma scène !

— Mais ta nouvelle scène est meilleure aussi ! (Darcy se tourna vers Standerson.) Maintenant, le récit introduit son héroïne enfermée dans le coffre d'une voiture ! Beaucoup plus effrayant, non ?

Imogen ne chercha pas à discuter. Elle se contenta de déchirer un coin de son set de table.

— On vole tous des idées, dit Standerson. Le truc, c'est de les voler aux gens ordinaires et pas à d'autres romanciers.

Imogen approuva d'un signe de la tête.

— Ma première petite amie était pyromane et je ne me souviens pas de la moitié des tirades que je lui ai volées.

— Ariel existe vraiment ? fit Standerson avec intérêt. Parle-moi un peu d'elle.

Quelques instants plus tard, Imogen et lui étaient plongés dans une grande discussion à propos d'Imogen White, de *Pyromancer* et du chevauchement du réel et de la fiction. Bientôt, ils débattaient de nouveau des mérites comparés des personnages et de l'intrigue, et de ce qu'ils allaient dire à leur séance du soir en librairie.

Darcy resta recroquevillée dans son coin du box, heureuse de les écouter. Mais la honte d'avoir volé sa scène lui brûlait encore les joues. L'idée du dressing fonctionnait tellement bien pour l'enlèvement de Mindy... Elle avait eu tellement de facilité à écrire la scène ! C'était uniquement en la lisant à voix haute à Imogen qu'elle s'était apeçue qu'elle lui en avait volé le concept.

Peut-être était-ce le prix à payer quand on aimait quelqu'un : on perdait la limite entre ce que l'on était et où commençait l'autre.

La séance du soir était organisée dans le centre-ville, dans une petite librairie en duplex. L'endroit était déjà noir de monde à l'arrivée de Darcy, Imogen et Standerson. Le rez-de-chaussée était bondé et il y avait d'autres adolescents à l'étage, juchés au-dessus de la scène, les jambes pendantes entre les montants de la rambarde.

Afin d'éviter que l'apparition de Standerson ne déclenche une émeute, la libraire l'attendait à l'extérieur pour le faire entrer par la porte de service. Mais Imogen insista pour entrer par la porte principale. Personne ne les connaissait, Darcy et elle, ce qui leur permit de se mêler à la foule sans se faire remarquer.

Naturellement, elles commencèrent par regarder le livre d'Imogen. Il y en avait une pile d'exemplaires près de la porte, avec leur couverture écarlate.

— Tu vois ? dit Darcy, qui redressa le sommet de la pyramide. Tu n'es pas un imposteur.

— Je pourrais être un très bon imposteur, fit valoir Imogen.

Elle caressa la couverture de son livre aux caractères en relief, semblables à du braille.

— Mais si c'est le cas, reprit-elle, ces faux sont tout à fait remarquables.

Darcy leva les yeux au plafond puis entraîna Imogen dans la foule.

Les fans de Standerson étaient tout excités – par l'arrivée imminente de leur idole et par eux-mêmes. La plupart portaient des badges avec leur pseudo Internet, afin que leurs interlocuteurs habituels puissent les reconnaître en chair et en os. Des amitiés spontanées se déclaraient un peu partout, facilitées par des tee-shirts où s'étalaient citations et couvertures de Standerson. Une communauté entière se retrouvait enfin et semblait en avoir le vertige.

— Tu n'as pas trop le trac ? demanda Darcy.

Imogen leva les yeux du livre de photos qu'elle était en train de feuilleter.

— Je me sens toujours bien dans les librairies.

Darcy s'esclaffa.

— Donc c'est vraiment une question de cadre !

— On dirait bien que c'est le thème du jour.

— Peu importe, j'ai le trac pour toi.

— Tant que ce n'est pas contagieux.

Une lueur d'anxiété brilla dans la prunelle d'Imogen.

— Je ne dis plus un mot, promis.

Elles patientèrent en silence, Darcy prenant la mesure de la foule. Il n'y avait pratiquement que des adolescents, et les rares adultes présents ressemblaient plus à des fans de Standerson qu'à des parents venus jouer les chauffeurs. Les trois quarts étaient des femmes, d'origines à peu près aussi diverses que les lycéens du jour – mélange typiquement californien de Latinos, de Blancs, de Noirs et d'Asiatiques, y compris plusieurs représentants du sous-continent indien. Tous avaient choisi de se rendre ici, dans une librairie, en ce mardi soir froid et pluvieux, alors qu'ils auraient pu rester chez eux avec un millier de chaînes de télévision ou l'immensité de la Toile à leur disposition. Quand Standerson les avait appelés «électorat», le terme avait sonné bizarrement aux oreilles de Darcy; en fait il les décrivait assez bien.

À sept heures moins dix, Anton vint chercher Darcy et Imogen pour les conduire dans l'arrière-boutique. La libraire se présenta, et Anton lui brossa le meilleur résumé possible d'*Afterworlds*, reconstitué d'après les conversations qu'il avait suivies dans la voiture et poli à la perfection. La libraire l'écouta avec fascination et assaillit Darcy de questions, dont aucune ne portait sur son âge. Tout d'un coup Darcy pardonna à Anton sa conduite convulsive.

Puis ce fut l'heure d'entrer en scène pour Standerson et Imogen.

— D'accord. Maintenant j'ai le trac.

— Ça va bien se passer, lui promit Darcy, qui la serra dans ses bras pour lui porter chance.

Un instant plus tard, les employés de la librairie les amenèrent tous les trois au milieu d'un concert d'exclamations, de larmes, de hurlements et de piaillements. La foule était devenue un instrument, un engin qui pompait sa ferveur dans la salle. Darcy prit place sur le côté, à un pas d'Imogen et de Standerson. L'estrade mesurait à peine soixante centimètres de haut pour quelques mètres de large, et la foule se pressait jusqu'au bord.

Standerson attendit patiemment que le brouhaha s'apaise, et quand le calme fut enfin revenu il le fit voler en éclats par un simple «bonsoir!». Ses fans avaient eu cent vidéos pour se familiariser avec ses moindres mouvements de cheveux, ses sourires en coin. Il se mit à parler, et, chaque fois qu'il mentionnait sa citation favorite – « Les livres sont des machines à compléter l'être humain» –, ses auditeurs l'acclamaient, ravis, presque soulagés. Il était exactement comme ils l'avaient espéré, en mieux.

L'excitation générale était un peu retombée quand il présenta Imogen. Il le fit d'un ton tranquille, comme s'il s'agissait d'une amie qu'il venait de rencontrer sur le chemin de la librairie. Mais il ne lui ménagea pas ses louanges, au point que l'auditoire adorait la jeune femme avant même qu'elle ait ouvert la bouche. Elle faisait désormais partie de la famille, telle une cousine éloignée qui prononce un discours à l'occasion d'un mariage. Et quand elle glissa une allusion aux crises fréquentes de dyspepsie, dans son baratin habituel sur les comportements obsessionnels compulsifs, les gens l'aimèrent encore plus.

Darcy les observa de près tous les deux. Elle avait peine à croire que c'était l'homme en compagnie duquel elle venait de dîner, la jeune femme auprès de laquelle elle se réveillait presque tous les matins. La fascination de l'assistance les rendait plus brillants, plus réels.

Elle tâcha d'enregistrer la performance, sachant que l'année prochaine ce serait son tour d'accomplir ce travail. Bien sûr elle ne s'imaginait pas bénéficier d'un public aussi conquis, débordant d'amour.

Après une heure d'entretien mené tambour battant, la libraire annonça qu'il était temps de passer aux dédicaces. Ses employés s'efforcèrent de rassembler la foule en file indienne, tandis qu'on installait une table pliante sur la minuscule estrade.

Darcy se faufila auprès d'Imogen.

— Vous avez été super.

Imogen acquiesça de la tête. Elle était hors d'haleine, comme un poisson sur la berge.

— C'était la partie la plus facile, dit Standerson. En face-à-face, les choses se corsent.

— Possible. Je suppose que je ferais mieux de vous laisser ?

— Reste dans le coin, lui demanda-t-il. Tu pourras être notre marque-page.

— Euh, d'accord.

Darcy ne savait pas en quoi cela consistait, mais elle avait très envie de rester sur l'estrade avec eux.

La file d'attente des fans était une longue bête reptilienne. Certains avaient apporté à Standerson des cookies ; d'autres, des poèmes ou des dessins ; la plupart avaient encore des questions sur ses personnages, ses vidéos, son fameux penchant pour le point-virgule. Et bien sûr, tous lui apportaient des livres à dédicacer. Certains avaient la totalité de son œuvre, d'autres un vieil exemplaire tout corné de son premier livre. Étonnamment, quelques-uns lui présentèrent une édition de *Gatsby le Magnifique* (pour lequel son admiration était bien connue) ou de *Moby Dick* (qu'il méprisait notoirement).

Une dizaine de fans se firent également dédicacer le livre d'Imogen ce soir-là. Ils campèrent devant son coin de table, heureux de pouvoir discuter de leurs propres troubles obsessionnels, tout émoustillés par la proximité de Standerson. Imogen les régala du récit de ses recherches sur les mille et une manières d'allumer un feu.

Pendant tout ce temps Darcy se comporta en brave petit marque-page, prenant les livres que lui tendaient les fans pour y placer un signet à la page de titre, afin d'éviter à Standerson de les feuilleter pour trouver où signer. Darcy apprit bientôt à faire la différence entre page de titre et page de faux titre (cette dernière ne comportait pas le nom de l'auteur, donc aucun intérêt pour la signature). De temps en temps, elle changeait de place avec l'un des employés de la librairie chargé d'organiser la file d'attente. Il y avait quelque chose d'agréable dans cette manière professorale de s'assurer que tout le monde porte bien un Post-it à son nom, afin que les précieux instants qu'ils passeraient en présence de Standerson ne soit pas perdus à distinguer une Katelyn d'une Kaitlin, Caitlin voire Caitlynne.

Ce furent deux heures et demie très longues, et le boniment de Standerson commença à tourner en boucle. Sa blague sur sa crampe à la main revenait toutes les cinq minutes, sa dissertation sur le bacon fumé, toutes les dix. Le cerveau de Darcy commença à entrevoir la possibilité qu'elle ait toujours été un marque-page dans cette file d'attente... et qu'elle le resterait.

En fin de compte, la séance s'acheva. Les employés exténués empilaient les chaises dans un coin et raccompagnaient les derniers fans vers la sortie. Une centaine de Post-it jonchaient la table pliante, pareils à des feuilles mortes carrées, jaunes et collantes. Imogen avait disparu, mais on la retrouva bientôt, endormie sur la moquette au rayon des biographies. Anton alla saluer la libraire une dernière fois avec Darcy et tous deux échangèrent quelques anecdotes à propos de la soirée, comme de vieilles connaissances.

Tout le monde semblait épuisé de retour à l'hôtel. Standerson ne disait pas un mot et Imogen s'allongea sur la banquette arrière, la tête sur les genoux de Darcy. Anton conduisait calmement, dans les rues sombres et désertes.

— Vous allez vraiment faire ça pendant un mois entier ? demanda Imogen.

Standerson, visiblement surpris par la question, se contenta de hausser les épaules.

— Je veux dire, comment pouvez-vous supporter une telle adulation ?

— L'adulation c'est comme la pluie. Une fois trempé, on ne la sent plus.

Standerson se tourna vers Darcy.

— Qu'as-tu pensé de cette soirée? As-tu appris quelque chose?

Darcy hocha la tête, chercha ses mots. Elle pensait mieux comprendre les lecteurs et avait été stupéfaite une fois de plus par la puissance de la parole écrite. Et puis, elle connaissait maintenant la différence entre une page de titre et une page de faux titre.

Il s'était surtout produit un changement important chez elle, un réajustement dans sa façon de penser. Depuis l'âge de douze ans, Darcy avait toujours ambitionné de devenir un écrivain célèbre. Ces deux mots éveillaient en elle toutes sortes de fantasmes : écrire à la main sur une véranda en terrasse, être interviewée par un journaliste plein de verve en adoration devant elle, avec les gratte-ciel de Manhattan en arrière-plan. Autant de scènes calmes, presque majestueuses, radicalement différentes de cette soirée à la librairie. À présent Darcy sentait ses fantasmes de petite fille se transformer en quelque chose de plus fort, de plus bruyant, un joyeux pandémonium.

— Je veux bien refaire le marque-page pour vous quand vous voudrez, répondit-elle. La libraire avait hâte de lire *Afterworlds*. Elle m'a demandé de lui envoyer un exemplaire de presse dédicacé. Mince! J'aurais dû noter son nom.

— Anton va s'en occuper, dit Standerson. (Il adressa un salut à Anton, qui s'esclaffa.) Une bonne escorte médiatique, il n'y a rien de tel.

Souriant à cette réplique, Darcy essaya de se remémorer ses premiers instants à bord de la voiture d'Anton, la veille. L'anxiété qu'elle avait pu ressentir à propos d'une chose aussi insignifiante que la mort lui paraissait remonter à une éternité, avant sa première visite dans un lycée, avant sa première séance de marque-page, avant son premier aperçu du paradis Jeunes adultes.

ES JOURS SUIVANTS, J'AI ATTENDU QUE LE VIEIL HOMME AU manteau rapiécé revienne me voir. Je détestais ne pas savoir où était Mindy ; je n'arrêtais pas de me l'imaginer taillée en filaments de souvenirs pour l'amusement du vieil homme. La seule chose qui me permettait de tenir le coup, c'était Yama, sa présence dans ma chambre pendant la nuit, son contact et sa conviction que Mindy allait bien.

Le fait de pouvoir dormir de nouveau m'aidait beaucoup. Le lycée était moins pénible, sans les fantômes de mille ruptures douloureuses et autres humiliations. Les échos du passé continuaient à résonner dans les couloirs, bien sûr, mais plus aussi fort qu'avant. Mon dernier semestre reprenait des couleurs normales, quoique fades après tout ce qui m'était arrivé depuis Dallas.

Mais ce qu'il y avait de mieux avec le sommeil, c'est qu'il me vidait complètement le cerveau. Certains matins, il pouvait s'écouler cinq bonnes minutes après mon réveil avant que les souvenirs ne me reviennent en masse.

— Pas de nouvelles de ton agent secret ? m'a demandé Jamie un jour à l'heure du déjeuner. Ça fait un moment que je ne l'ai pas vu traîner dans le coin.

— Il est occupé, ai-je répondu, ce qui était probablement vrai.

L'agent Reyes avait des trafics de drogue à démanteler, des adorateurs de la mort à surveiller. J'étais bien contente que le FBI ait d'autres soucis en tête que de s'occuper de moi.

— Mais vous êtes toujours en contact, au moins ?

— Oui, on se parle presque tous les soirs.

Ce qui était vrai aussi, parce que j'avais décidé que Jamie me parlait maintenant de mon vrai petit ami, et non de l'agent secret en question. Il était surprenant de voir comme il m'était facile de ne pas mentir à ma meilleure amie à condition d'interpréter ses questions avec assez de souplesse.

— Presque tous les soirs ? On dirait que c'est du sérieux.

J'ai souri, parce que effectivement les choses devenaient sérieuses entre nous. Il n'y avait pas que le temps passé dans ma chambre, mais aussi nos conversations sur son atoll balayé par le vent, ou nos longues promenades dans un autre de ses refuges, un pic montagneux quelque part du côté de l'Iran (Yama disait la Perse, parce qu'il était de la vieille école). Nous envisagions d'aller encore plus loin, même jusqu'à Bombay, une fois que je me sentirais prête à affronter son immense population de fantômes. Et bien sûr, dans un avenir lointain, il m'emmènerait chez lui dans les enfers.

— Tu n'as toujours pas parlé de lui à ta mère, pas vrai ? a demandé Jamie.

J'ai secoué la tête.

— J'y ai pensé, mais elle est encore tellement fatiguée ; je ne veux pas lui infliger un choc supplémentaire.

— Tu n'as peut-être pas tort.

Deux élèves de la classe d'en dessous s'approchèrent de

notre table, l'air d'envisager de s'asseoir à l'autre bout, mais Jamie les chassa d'un regard mauvais.

— Tu ne pourras pas le lui cacher indéfiniment, quand même. Ce ne serait pas gentil.

— Bien sûr que non.

Je m'étais déjà interrogée sur la manière de procéder. Comment expliquer à votre mère que vous sortiez avec un psychopompe vieux de plusieurs millénaires ? Fallait-il lui détailler les règles de la vie après la mort ? Ou lui proposer de l'inviter à dîner sans lui révéler sa vraie nature ?

— Je pensais attendre au moins la remise des diplômes. Je me disais que peut-être, quand j'irais à...

Je me suis interrompue, parce que l'université aussi se perdait dans le flou. J'avais envoyé mes demandes d'admission au semestre précédent, mais les néo-valkyries allaient-elles seulement à l'université ? Quel cursus devaient-elles suivre ?

— Ça va ? s'est inquiétée Jamie.

— Oui, oui.

Je me suis reprise. J'avais besoin d'un moment de sincérité entre nous.

— C'est juste que j'ai un peu de mal à me projeter dans l'avenir pour l'instant.

Elle n'a pas répondu tout de suite. Ses yeux brillaient un peu sous les néons de la cantine. Le déjeuner s'achevait, et le bruit des assiettes qu'on empilait est venu combler le silence.

— Tu veux dire que tu as l'impression qu'une chose horrible pourrait encore t'arriver à tout moment, alors à quoi bon faire des projets ?

J'ai hoché la tête, même si mon problème n'était pas que la mort puisse frapper à tout instant mais qu'elle soit constamment présente autour de moi. Dans les murs, dans l'air. Elle suintait du sol comme une huile noire. Je n'entendais pas les voix de l'au-delà, pas encore. Mais je sentais ses regards peser sur moi.

— C'est très courant, m'a assuré Jamie. Beaucoup de gens qui ont connu une expérience de mort imminente sont dans le même cas.

Je n'ai pu m'empêcher de sourire. Le terme de «mort imminente» paraissait bien faible pour quelqu'un qui descendait le cours du Vaitarna, attendait de sauver un petit fantôme kidnappé et dormait dans les bras d'un dieu de la mort.

La mort n'avait rien d'imminent pour moi. Je nageais dedans.

— Ou alors, c'est la culpabilité du survivant, a continué Jamie. Le remords d'avoir survécu alors que tous les autres y sont passés.

J'ai levé les yeux au plafond.

— Tu as lu ça dans un magazine de psychologie?

— Non, je l'ai entendu dans *Les Misérables*.

Elle s'est penchée par-dessus la table et m'a chanté un passage de la comédie musicale, à peine audible dans le brouhaha de la cantine.

— D'accord. Il y a peut-être un peu de ça.

— Au moins tu n'as plus besoin de t'en faire pour ces types de la Résurrection.

Je n'ai pas compris tout de suite.

— Le Mouvement de la Résurrection?

— Euh, oui. Les types qui ont failli te tuer. Tu les avais oubliés?

Je me suis souvenue de ce que m'avait dit l'agent Reyes lors de notre conversation téléphonique.

— Leur quartier général est assiégé, c'est ça?

Elle m'a fixée bouche bée.

— Je pensais que tu serais au courant, Lizzie! La moitié

des agents du FBI sont envoyés là-bas. Tu n'as pas un petit ami qui risque de s'y retrouver à tout moment ?

— Il ne fait pas ce genre de chose, ai-je dit.

— Zut. (Jamie s'est renfrognée.) Je n'arrête pas de l'imaginer en gilet pare-balles. Tu trouves ça mal ? Note que ce n'est pas parce que je le trouve mignon, enfin pas vraiment.

J'ai haussé les épaules. Les hommes armés me semblaient banals désormais.

— D'accord, a dit Jamie. Je commence à entrevoir que ce n'est ni un syndrome de mort imminente ni la culpabilité du survivant. Tu montres les symptômes classiques de quelqu'un qui est en plein déni.

— Je dénie catégoriquement, ai-je protesté, ce qui m'a au moins valu un sourire.

La cloche a sonné. Je me suis levée de table et Jamie m'a retenue par la main.

— Appelle ça comme tu veux, je m'en fiche, Lizzie. Mais n'oublie pas que tu peux compter sur moi. Ce qui t'est arrivé le mois dernier ne va pas s'effacer comme ça juste parce qu'on n'en parle plus aux infos.

J'ai pressé sa main en douceur et me suis efforcée de sourire. Elle ne pouvait pas savoir que ce qui m'était arrivé ne s'effacerait jamais.

Ce soir-là maman m'a annoncé que nous allions faire des raviolis.

Ce n'est pas aussi difficile qu'on pourrait le croire. Il faut rouler la pâte très, très finement, mais nous avions une machine avec des petits rouleaux pour ça et nous nous servions d'emporte-pièces à cookies pour découper des ronds de taille identique. Pour la garniture, ma mère avait acheté de la ricotta.

Elle a jeté un regard dubitatif sur le fromage.

— Si j'étais rentrée plus tôt, je l'aurais faite moi-même, a-t-elle regretté.

Déjà avant le départ de mon père, elle trouvait honteux d'acheter les choses qu'on pouvait préparer soi-même.

— On s'en remettra, l'ai-je rassurée.

La pâte a bientôt été prête, et je l'ai glissée dans la machine en faisant tourner la manivelle. Ma mère l'a récupérée de l'autre côté, pas plus épaisse qu'une pièce de monnaie et constellée de grains de poivre que nous avions mélangés à la préparation.

Nous avons travaillé en silence un moment. C'était la première fois que nous faisions la cuisine ensemble depuis que le vieil homme avait enlevé Mindy. Sa présence me manquait ; sa façon de nous observer dans son coin, sagement, sans dire un mot.

Ma mère a engagé la conversation par son approche habituelle :

— Comment ça se passe, au lycée ?

— Mieux, ai-je répondu.

Elle a levé les yeux du saladier de ricotta qu'elle était en train d'émietter à la fourchette.

— Mieux ?

— Mes amis ont arrêté de marcher sur des œufs quand je suis là.

— Tant mieux. Et les autres ? Je veux dire, les élèves qui ne sont pas tes amis.

— Jamie les tient à distance.

Ma mère a souri.

— Comment va-t-elle ?

Il m'a fallu un instant pour m'apercevoir que je n'avais pas de bonne réponse.

— En fait, on parle surtout de moi. Je suis nulle comme amie, ces derniers temps.

Ma mère m'a essuyé la farine que j'avais sur le menton.

— Je suis sûre que Jamie ne pense pas ça. Elle n'a sans doute pas envie de parler d'elle. Peut-être qu'elle veut simplement être là pour toi.

— Oui, c'est vrai qu'elle est très forte pour me tirer les vers du nez.

Je me suis promis en silence que la prochaine fois que je verrais Jamie, je m'intéresserais à ses problèmes à elle aussi.

— Te tirer les vers du nez, hein ? Et qu'est-ce que tu lui racontes au juste ?

J'ai regardé maman. Elle n'essayait même pas d'être subtile.

— Oh, les trucs qui me passent par la tête.

— Par exemple ?

De toute évidence, je n'allais pas m'en tirer aussi facilement. Mais je ne pouvais quand même pas avouer à maman que nous discutions de mon petit ami secret, de la culpabilité du survivant ou du fait qu'une expérience de mort imminente vous rendait inapte à envisager l'avenir. Comme je ne pouvais pas lui raconter que mon autre meilleure amie, le fantôme de Mindy, s'était fait kidnapper.

Il fallait pourtant bien que je lui dise quelque chose.

— Certains jours quand je me réveille, je mets un long moment à me rappeler qui je suis. Comme si mon cerveau avait besoin d'un délai pour télécharger tout ce qui m'est arrivé le mois dernier. C'est chouette, de ne plus rien savoir. Même si ça ne dure que cinq minutes.

Elle n'a pas fait de commentaire. Sans doute l'expression que j'affichais ne cadrait-elle pas avec ce que je racontais. En réalité, je pensais aux lèvres de Yama qui m'avaient rendu le sommeil.

Nous avons commencé à former les raviolis. Nous découpions des petits disques de pâte et versions une cuillerée de garniture sur chacun, avant de les replier et de les sceller. Ma mère aplatissait ensuite les bords avec les dents d'une fourchette, si bien que nos raviolis ressemblaient à des calzones miniatures.

C'était assez laborieux, et je me suis demandé si ça valait vraiment la peine, de mettre une trentaine de secondes pour préparer un ravioli qui serait englouti en un clin d'œil. Il faut reconnaître qu'ils avaient quelque chose de délicat, de précieux, comme le mobilier d'une maison de poupée.

— Tu as parlé à ton père, dernièrement ?

J'ai levé les yeux vers maman. Elle ne mentionnait jamais mon père si elle pouvait l'éviter.

— Pas depuis le texto de remerciement que je lui ai envoyé pour mon téléphone.

— Je ne te parle pas d'un texto. Je te parle d'une vraie conversation.

Là, j'ai trouvé ça vraiment bizarre.

— Non, je n'ai pas parlé à papa depuis mon retour de New York.

— Il ne t'a toujours pas appelée ? s'est-elle emportée avec une grimace.

Sa colère était dirigée contre lui, pas contre moi, mais j'ai quand même eu l'impression d'avoir fait quelque chose de mal.

— Vous pourriez faire un effort pour vous parler !

— Enfin maman, qu'est-ce qui te prend ?

— C'est ton père. Tu auras besoin de lui un jour.

J'ai interrompu ce que je faisais, et j'ai fixé ma mère d'un air éberlué. Ses mains tremblaient à la tâche, signe qu'il lui en coûtait d'aborder le sujet de mon père.

— Oh mince, s'est-elle exclamée un instant plus tard. On n'a même pas mis l'eau à chauffer !

Elle m'a tourné le dos pour laver ses mains pleines de farine, et je l'ai regardée verser du sel dans la grande casserole avant de la remplir d'eau. Elle a allumé la gazinière.

Maman regardait l'eau. Je ne pouvais pas distinguer son expression.

— Tu veux bien terminer ? m'a-t-elle demandé avec entrain, avant de se diriger vers sa chambre. J'en ai pour une minute.

— T'inquiète. Je ne ferai pas brûler l'eau, ai-je dit, répétant une blague éculée de mon enfance.

Un instant, je me suis demandé si elle n'avait pas pleuré. Mais pourquoi ?

L'une de ses amies avait dû lui dire que j'avais besoin de ma famille en ce moment, et qu'elle devait assumer l'absence de mon père. Mais maman pensait-elle sérieusement que je pourrais avoir besoin de lui ?

Je pouvais compter sur elle, Jamie, et Yama. Maman avait beau ignorer l'existence de ce dernier, ça me faisait quand même suffisamment de monde. Il ne me manquait que Mindy.

J'ai replié un dernier ravioli avec la pâte qui restait. Pas tout à fait circulaire, il ne contenait qu'une demi-portion de ricotta. Je l'ai refermé tant bien que mal, puis je me suis frotté les mains.

— Et voilà ! me suis-je exclamée.

— Ça m'a l'air délicieux, a commenté une voix glaciale dans mon dos.

Je me suis retournée. Le vieil homme au manteau rapiécé était dans la cuisine, le teint aussi pâle que la farine.

Sans un mot, j'ai sorti un long couteau à découper.

— Allons, allons, Lizzie.

Il a écarté les mains, les doigts en éventail. Ses yeux délavés ressortaient sous l'éclairage de la cuisine.

— Tout ça est bien inutile.

— La ferme ! ai-je sifflé, en jetant un coup d'œil vers la chambre de ma mère.

— Je suis invisible, petite. À mon âge, le monde des vivants est mauvais pour le cœur.

J'ai baissé les yeux au sol – il n'avait pas d'ombre. Malgré tout, il n'avait rien à faire dans la cuisine de ma mère.

— C'est chez moi, ici, ai-je murmuré. Tirez-vous en vitesse.

— Il y a des choses dont nous devons discuter.

— Pas ici.

Il a replié les doigts.

— Alors viens me rejoindre.

J'ai vérifié dans le couloir. Aucun signe de ma mère. Mon cœur battait la chamade, et le couteau tremblait dans ma main. J'étais trop paniquée pour basculer de l'autre côté.

À moins que je ne recoure aux mots qui m'y avaient envoyée la première fois…

— La sécurité est en chemin, ai-je murmuré.

Le couteau s'est immobilisé, ma panique s'est transformée en quelque chose de plus fort et de plus net – une sorte de tension dans les muscles, des étincelles sur la peau.

— Dans ce cas, ai-je continué, je crois que vous allez devoir faire la morte.

Des relents de rouille ont couvert l'odeur farineuse des pâtes crues, et la flamme sous la grande casserole s'est ternie.

Je me suis retrouvée dans l'envers du décor, le couteau à la main.

— Technique intéressante.

Le vieil homme avait dit cela avec l'air de penser tout le contraire – n'empêche qu'il avait observé le processus avec attention.

Je n'étais plus obligée de parler à voix basse.

— Qu'est-ce que vous avez fait de Mindy ?

— Elle t'attend.

— Ne vous fichez pas de moi ! ai-je crié en agitant le couteau. Où est-elle ?

— Veux-tu que je t'emmène la voir ?

J'ai inspiré lentement, puis j'ai accepté d'un signe de la tête.

Il a mis la main en coupe sous sa bouche. Puis, comme un enfant qui recrache un caillou, il a rejeté un crachat noir au creux de sa paume. J'ai fait un pas en arrière.

Il a fermé la main, tendu le bras, et la noiceur s'est mise à suinter entre ses doigts pâles. Elle a goutté sur le sol et commencé à s'étaler en flaque sous ses pieds.

— Technique intéressante, me suis-je moquée. C'est vraiment dégueulasse.

— Le fleuve, c'est le fleuve.

Il a ouvert le poing, m'invitant à m'avancer sur la flaque huileuse qu'il avait formée.

J'ai soupiré, tâchant de me convaincre que ce n'était pas si différent du coup de talon sur le sol de Yama.

— Si vous avez touché un seul cheveu de Mindy, je vous plante ce couteau dans l'œil.

— Une vraie petite valkyrie, a-t-il apprécié avec un sourire. Mais les couteaux ne marchent pas dans l'au-delà, même sur les vivants. Et je ne la toucherais pour rien au monde.

Sur ce, il s'est enfoncé dans la flaque noire.

J'ai serré mon couteau très fort, me suis pincé le nez, et l'ai suivi.

Le fleuve Vaitarna nous a déposés à une petite distance, un trajet d'une minute à peine. Le voyage s'est fait sans à-coups mais au milieu d'un flot épais de choses froides et visqueuses. Nous avons refait surface dans une espèce de cave, sur un sol de béton luisant d'humidité. Les murs étaient tapissés de tuyaux et de boîtiers de raccordement électrique, et le seul éclairage provenait des diodes lumineuses de plusieurs panneaux électriques.

— Je ne vois pas mon amie.

— Elle est là, m'a assuré le vieil homme avec un geste vague alentour, comme s'il avait pulvérisé Mindy partout sur les murs.

— Qu'est-ce que vous attendez de moi?

Il a hoché la tête, l'air joyeux. J'avais posé la bonne question.

— Accorde-moi trois faveurs, et je te la rends.

J'ai resserré ma prise sur le manche du couteau.

— Vous l'avez kidnappée. On ne peut pas parler de «faveurs».

— Rends-moi trois services, alors. Ou bien exauce trois vœux. Appelle ça comme tu veux. Le premier est très simple: je veux que tu m'embrasses la main.

Il m'a tendu sa main, paume vers le bas, la chair pâle et reflétant la lumière typique du psychopompe. Ses yeux brillants se sont réduits à deux fentes.

J'ai eu toutes les peines du monde à m'empêcher de frémir.

— Pourquoi ça?

— Pour renforcer notre connexion. Simple question de commodité.

Sa manière de prononcer le mot «commodité» m'a fait frissonner malgré moi. J'ai senti un spasme me parcourir, me vriller chaque muscle, chassant l'air de mes poumons.

— Je ne tiens pas à renforcer notre connexion. Je ne veux plus jamais vous revoir.

— Tu m'as mal compris. Je peux t'atteindre à tout moment, Lizzie Scofield. Mais j'aimerais que la connexion fonctionne dans les deux sens. Pour que tu puisses m'appeler, moi.

J'ai lâché un petit rire sans joie.

— Ça ne risque pas d'arriver.

— Tu pourrais avoir besoin de moi un jour, petite valkyrie. Il y a tant de choses que je sais faire et que ton ami à la peau noire ignore. Il est peut-être plus vieux que moi, mais je pourrais te montrer des tours qu'une sainte-nitouche comme lui refuserait d'employer. Et si je me trompe à ton sujet, et que tu ne m'appelles pas... (Il a écarté les mains.) Tu ne me reverras plus jamais.

Cette promesse avait quelque chose de tentant. Mais cette histoire des trois vœux et d'un baiser ressemblait trop à un conte de fées, l'un de ces récits des frères Grimm qui se terminaient de manière terrible. Ils regorgeaient de règles arbitraires : Ne t'écarte pas du sentier. Ne mange rien de ce que t'offriront les fées. N'embrasse pas la main du vieux psychopompe qui fait peur.

Sans compter que la seule idée de poser mes lèvres sur sa peau me révulsait.

— Et ce baiser, ça me fera quoi d'autre ? ai-je demandé.

— Rien du tout, a-t-il répondu en levant la main. Promis, juré.

Indécise, j'ai regretté de ne pas pouvoir demander conseil à Yama. Mais si je l'appelais, le vieil homme disparaîtrait, et avec lui tout espoir de retrouver Mindy.

— Écoute, petite. Si tu ne veux pas jouer, on peut toujours remettre ça à plus tard. Disons, à dans dix ans ?

— Dix ans ?

— On peut vivre tous les deux aussi longtemps qu'on en a envie. Alors oui, dix ans, ça me paraît raisonnable pour m'avoir contrarié. Ou alors tu peux m'embrasser la main là, tout de suite.

— Comment être sûre que vous n'allez pas garder

Mindy ? Vous collectionnez les enfants comme elle, après tout.

Il a secoué la tête à regret.

— Pas comme elle, non. Elle n'a rien qui m'intéresse.

Je me suis rappelé ce qu'il m'avait dit lors de notre première rencontre.

— Et tous ces souvenirs de gâteaux d'anniversaires, d'histoires pour s'endormir ? Vous voudriez me faire croire que Mindy n'en a aucun ?

— Je suis sûr que si, mais je possède des anniversaires par milliers, ma chère. Je me suis spécialisé dans la collection des fins. Les douces-amères, celles qui font penser à un coucher de soleil.

— De quoi diable est-ce que vous parlez ?

Sa voix a pris un ton chantant.

— Tu connais cette sensation, quand tu viens de terminer un bon livre et que tu as l'impression que tous les personnages sont partis continuer la fête ailleurs sans toi ? C'est cette douleur que je garde dans mes poches.

— Mais quel rapport avec les enfants ?

— C'est chez eux que je la récolte, Lizzie. Chez ceux qui meurent trop jeunes, qui s'en vont en douceur. Les pauvres petits malades qui sourient à leurs parents, qui s'enfoncent dans le néant avec la certitude qu'on les aime.

J'étais pétrifiée, je suis restée là à fixer le vieil homme. Il paraissait heureux, ses yeux délavés perdus dans le lointain. Ses paroles étaient allées se loger dans le froid que je portais au fond de moi, que rien n'avait pu réchauffer depuis Dallas, malgré toute la volupté du contact de Yama.

Le vieil homme n'était pas un kidnappeur d'enfants, pas tout à fait. C'était un autre genre de monstre. Peut-être n'y avait-il aucun mot pour désigner ce qu'il était.

Son sourire s'est effacé.

— J'ai peur que ta petite Mindy n'ait connu une fin plutôt atroce. Alors non, elle ne m'intéresse pas.

— Qu'est-ce qui vous a rendu comme ça ?

— La guerre, a-t-il répondu, lissant ses poches. J'ai vu une multitude d'orphelins. Chaque fois qu'on m'appelait dans une autre ville en flammes, je voyais leurs petits fantômes errer dans les décombres. Ils étaient morts seuls, en proie à la terreur. Des centaines.

Je l'ai contemplé en silence. Je ne comprenais toujours pas.

— Savoir qu'il y a des enfants qui meurent entourés d'amour m'aide à combattre les mauvais souvenirs. (Son visage s'est durci.) Et maintenant, fin de la leçon d'histoire, petite. Fais ton choix.

En cet instant, une part de moi ne désirait rien tant que le poignarder et continuer jusqu'à ce que mon bras n'ait plus de force. Après quoi je me mettrais à la recherche de Mindy jusqu'à ce que je la retrouve, dans cette cave ou ailleurs. C'était un fantôme. Elle ne risquait pas de mourir de faim. Je pouvais très bien la chercher pendant mille ans.

Mais le vieil homme avait le pouvoir de disparaître en un clin d'œil. Et était-il seulement possible de tuer quelqu'un – un autre viveur – dans l'envers du décor ?

Je ne l'ai donc pas poignardé. À la place, je l'ai menacé :

— Si vous vous fichez de moi, vous le regretterez.

Il a dû sentir à ma voix que je ne plaisantais pas. Ses yeux se sont arrondis, aussi vivement que ces poissons translucides qui gonflent pour effrayer un prédateur, et quand son sourire a reparu il avait quelque chose de contraint. Mais il m'a quand même tendu sa main pâle.

Ses doigts flottaient entre nous dans les ténèbres – la dernière chance.

— Et merde, ai-je marmonné pour moi-même.

J'ai fait un pas en avant. Puis un autre, le regard détourné pour ne pas voir son expression de jubilation croissante.

J'ai pris son poignet en ne touchant que le manteau, le couteau prêt dans l'autre main au cas où il m'aurait menti à propos de ça aussi.

Au moment d'incliner la tête, j'ai eu toutes sortes d'idées effrayantes. Les contes de fées, encore : et s'il s'agissait d'un piège que l'au-delà réservait aux personnes trop crédules ? Embrasser sa peau nue me condamnerait-il à une servitude éternelle ?

Bien sûr, si c'était le cas, j'étais déjà mille fois l'esclave de Yama.

Je me suis baissée encore jusqu'à ce que mes lèvres effleurent le dos de la main du vieil homme. Sa chair avait la froideur du marbre mais elle diffusait la même vibration que celle de Yama, ou la mienne. Son électricité était plus sombre, toutefois, amère.

Je l'ai lâché et je me suis reculée en vacillant, parcourue d'un nouveau frisson. J'ai inspiré l'air à grands traits – j'avais retenu ma respiration.

— Voilà. Content ?

Il a poussé un soupir.

— Très.

— Qu'est-ce que vous voulez d'autre ?

— Pour mon deuxième souhait, j'aimerais que tu dises mon nom. (Il s'est incliné.) Je m'appelle M. Hamlyn, mademoiselle Scofield. Très heureux de me présenter enfin dans les formes.

— C'est tout ? Juste dire votre nom ?

Il a fait oui de la tête.

— Tu auras besoin de le connaître, quand la valkyrie qui sommeille en toi se réveillera. Répète-le deux ou trois fois, pour être sûrs.

Cela me dégoûtait beaucoup moins que l'embrasser. Je

me suis donc exécutée : j'ai répété son nom à plusieurs reprises, très vite, sur un ton que je voulais désinvolte. Mais je me sentais nerveuse. Peut-être qu'il ne faisait que s'échauffer.

— Bon. Et le dernier ?

— J'aimerais que tu transmettes un message à ton ami tellement impressionnant. Comment s'appelle-t-il, déjà ?

— Yamaraj.

Le vieil homme a souri.

— Dis-lui que j'ai faim.

Sur ces mots, il a émi une lueur vacillante puis il a disparu.

Je suis restée plantée là, à fixer l'endroit où il s'était tenu, seule tout à coup dans l'obscurité du sous-sol.

Que venait-il de se passer ? Cela m'avait semblé trop soudain à la fin, trop facile. Le vieil homme avait-il pris peur ? J'ai regardé autour de moi – plus d'étincelles dans les ténèbres, rien d'autre que cette odeur de rouille.

Je ne comprenais pas.

C'est alors que j'ai entendu un bruit dans le noir, un sanglot d'enfant.

— Mindy ? me suis-je écriée. C'est moi !

Je n'ai pas eu de réponse. Puis une silhouette a émergé de la pénombre. Elle avait l'air hébétée, les couettes à moitié défaites. Elle a posé son regard mouillé de larmes sur moi.

— Lizzie ?

J'ai couru m'agenouiller devant elle et je l'ai serrée contre moi. Elle était glacée et grelottait, un pantin entre mes bras.

— Tout va bien, Mindy.

Elle m'a rendu mon étreinte, mais timidement, elle semblait avoir peur que je ne me transforme.

— Tu avais promis que personne ne viendrait m'ennuyer.

Je me suis détachée d'elle et l'ai regardée dans les yeux.

— Je suis désolée.

Mindy m'a dévisagée un moment, puis a sondé l'obscurité.

— J'ai vu le méchant homme.

— Non, ce n'était pas lui. C'était juste... (Je n'avais pas envie de prononcer son nom. Je ne voulais même pas le penser.) Rien qu'un 'pompe. Il est parti, maintenant.

Mais j'ignorais toujours où le vieil homme était parti, ou s'il comptait revenir. Alors je me suis relevée et j'ai pris Mindy par la main.

— Rentrons à la maison. On sera en sécurité là-bas.

Elle a hoché la tête, sa petite main froide dans la mienne, et m'a laissée l'entraîner au fond du fleuve.

Quand nous sommes remontées dans ma chambre, j'ai jeté un coup d'œil en direction de la cuisine. Ma mère ne s'y trouvait pas, et la casserole d'eau ne bouillait pas encore.

Combien de temps étais-je restée absente ? Ces minutes dans le sous-sol m'avait paru des siècles.

— Je dois finir de préparer le dîner, ai-je murmuré. Tu peux venir avec moi si tu veux.

— Non, ça va. Je vais retourner dans le placard d'Anna.

J'ai hoché la tête et me suis laissée glisser dans le monde des vivants. Mon cœur battait à tout rompre, le retour a été instantané. Les couleurs ont envahi ma chambre, et l'odeur de rouille et de sang dont j'étais imprégnée s'est dissipée.

Mindy me regardait en silence.

— Je ne laisserai plus personne te faire du mal, lui ai-je dit d'une voix douce. C'est promis.

— Tu ne peux pas me le promettre.

— Mindy...

Et j'ai commencé à lui expliquer qu'elle n'avait rien à craindre de M. Hamlyn, qu'il ne s'intéressait pas aux petites filles comme elle. Cependant elle avait raison – il y avait trop d'hommes méchants, vieux ou jeunes, vivants ou morts, parfois même entre les deux. Beaucoup trop pour pouvoir faire des promesses.

Mindy s'est dressée sur la pointe des pieds pour me serrer dans ses petits bras tout froids.

— Tu es quand même venue me sauver. C'est le principal.

J'ai entendu ma mère revenir dans la cuisine. Mais je n'ai pas cherché à m'arracher à Mindy quand j'ai entendu la casserole bouillonner au bout du couloir et ma mère pester parce que j'avais laissé «brûler l'eau».

31

L A TOURNÉE SE PROLONGEA ENCORE SIX JOURS – INTENSES et démentiels, irréels et inoubliables. Le pendule basculait de l'énergie sans limites des événements publics à la placidité muette des halls d'hôtels et d'aéroports. De l'exaltation à l'exténuation, des vertiges de la communion humaine à l'ennui des embouteillages.

Puis tout fut terminé, et Darcy et Imogen se retrouvèrent à Chicago O'Hare en train de dire au revoir à Stanley Anderson. Ce fut aussi déchirant que les adieux à la fin d'un camp d'été et, tandis qu'elles descendaient la passerelle qui menait à leur avion, Imogen confia à Darcy :

— On peut endurer avec aplomb l'absence d'un vieil ami, mais la séparation d'avec un nouveau copain de tournée littéraire est insupportable.

L'avion les ramena prestement à New York, où elles passèrent plusieurs jours à traîner au lit avec dans les oreilles les échos d'un millier de lecteurs enthousiastes. Elles se remirent bientôt au travail, toutefois, parce qu'il y avait une nouvelle fin à écrire pour *Afterworlds* et qu'il fallait bien commencer *Phobomancer* et *Untitled Patel*.

— Je crois que c'est la pire idée que tu aies jamais eue, déclara Darcy.

461

— Pour mes recherches ! se défendit Imogen.

Elle fit le tour de la voiture de location, pressa la clé qu'elle tenait à la main, et avec un petit bip, le coffre s'ouvrit.

— Bizarre. Je ne sais même pas comment s'appelle ce truc.

Darcy croisa les bras pour chasser la froideur de ce début de novembre.

— Bah, c'est le coffre, tiens.

— Non, ça, insista Imogen qui ouvrait le coffre un peu plus grand avant de le refermer à moitié. Le truc que je tiens, la partie qui bouge. Est-ce que c'est la porte du coffre ? La trappe ?

Darcy réalisa qu'elle n'en avait aucune idée. L'écriture produisait souvent cet effet-là – lui faire prendre conscience des différents éléments des choses, et du nombre de mots qu'elle ignorait.

— Excellente question. Rentrons chez nous demander à Google.

— Très drôle, répliqua Imogen. Je chercherai pendant que tu conduis. Mon téléphone devrait fonctionner là-dedans, non ?

— Il n'est pas question qu'on aille où que ce soit avec toi dans le coffre ! Je n'ai plus touché un volant depuis mon départ de Philly !

— Tant mieux si tu conduis mal. Le type qui enlève Clarabella est saoul, rappelle-toi.

— Mais non, pas « tant mieux » ! Tu ne veux pas que je t'attache les mains dans le dos, aussi ? Je veux dire, autant faire les choses jusqu'au bout.

— Je n'ai pas apporté de corde.

— Tu ne pourrais pas demander à quelqu'un d'autre ? Au moins, si tu y restes, ce ne sera pas ma faute.

Imogen sourit.

— C'est ta faute de toute façon, parce que tu m'as volé ma scène du placard.

Cette affirmation contenait suffisamment de vérité pour réduire Darcy au silence. Si *Phobomancer* commençait toujours par Clarabella enfermée dans un placard, Imogen aurait pu effectuer ses recherches en toute sécurité chez elle.

Depuis maintenant deux mois, elle se plaignait que sa scène d'ouverture manquait de réalisme, parce qu'elle ne s'était jamais retrouvée enfermée dans un coffre. Alors ce soir, elle avait convaincu Darcy de sortir dans la fraîcheur de novembre soi-disant pour manger des rāmen dans un restaurant ouvert toute la nuit. Mais ce n'était qu'une ruse.

— Et si j'ai un accident ?

Imogen haussa les épaules.

— Tu n'auras qu'à rouler lentement. On est plus en sécurité dans le coffre à trente à l'heure que sur le siège passager à quatre-vingt-dix.

— Tu viens de l'inventer.

— Oui, mais ça sonne bien, non ?

Darcy lâcha un grognement. Imogen ne se laisserait pas décourager par la notion de danger personnel. Pas une jeune femme qui escaladait les murs de son lycée, et qui continuait à voyager sur la plate-forme mobile entre deux voitures quand le métro était bondé. Darcy n'avait plus qu'une carte à jouer.

— Si on a un accident et que tu y passes, on m'arrêtera pour enlèvement. Et sans doute pour meurtre !

— Mais non. J'ai laissé une vidéo expliquant toute l'affaire sur mon portable. Au pire, tu tomberas pour homicide involontaire.

Darcy hésita.

— Ça veut dire que j'aurais le droit de regarder dans ton ordinateur ?

— Seulement le dossier des vidéos ! Si tu jettes un seul coup d'œil dans mon journal, je reviendrai te hanter dans tes cauchemars.

Là-dessus Imogen grimpa dans le coffre, et Darcy fut obligée de contourner la voiture. C'était l'une de ces locations en libre-service que l'on trouvait dans la rue garées sur des places spéciales. Imogen l'avait déverrouillée avec son téléphone et avait trouvé les clés dans la boîte à gants. Le processus s'était révélé dangereusement facile, trop rapide pour que les freins automatiques de sa raison puissent s'enclencher.

Imogen était recroquevillée autour de la galette ridicule qui tenait lieu de roue de secours, la tête inclinée de telle sorte qu'elle donnait déjà l'impression d'avoir la nuque brisée.

— J'aurais peut-être dû prendre une cinq portes.

— Imogen. Ne le fais pas. S'il te plaît.

— Ce ne serait pas si mal si ce foutu cric ne me rentrait pas dans le dos.

— Il n'est pas question que je t'aide à te tuer ! cria Darcy.

Un homme qui promenait un grand chien noir tourna la tête dans leur direction depuis le trottoir d'en face. Le chien s'arrêta, intrigué, mais l'homme se détourna et incita son chien à repartir.

— Seulement quelques kilomètres. Dix minutes là-dedans, c'est tout ce qu'il me faut.

— Je refuse. Tu m'avais promis des nouilles !

— Tu préfères que je demande à la prochaine personne qui passera ? Il est trois heures du matin, l'heure des barjos. Je suis sûre d'en trouver un qui acceptera de promener une inconnue dans son coffre.

Darcy la dévisagea.

— Je n'en reviens pas que tu dises un truc pareil.

— Et moi, je n'en reviens pas du temps que j'ai passé à me triturer les méninges sur cette scène !

Imogen se dégagea de la roue de secours et se mit à genoux dans le coffre.

— J'ai besoin qu'elle soit parfaite. Si ce livre n'accroche pas son lecteur dès la première page, Paradox ne le publiera pas !

— Qu'est-ce que tu racontes ? Ils t'ont acheté la trilogie entière.

— Ils peuvent toujours annuler le reste du contrat, répliqua Imogen, s'avachissant un peu. J'ai reçu un coup de fil de mon agent aujourd'hui. *Pyromancer* fait un bide.

— C'est n'importe quoi, Imogen. Je t'ai vue en signer des centaines d'exemplaires.

— Oui, il y a eu un pic des ventes pendant la tournée. Mais il ne se vend pas dans les grands magasins, ni ailleurs. Ils ont deux mois de recul, maintenant, et c'est la panique générale. Mon agent a participé à une grande réunion chez Paradox lundi, et tout le monde en prenait pour son grade – la couverture trop rouge, le titre incompréhensible, la mention des cigarettes en page une. (Imogen poussa un soupir.) Et bien sûr, les filles qui aiment les filles.

— Quoi, pour un seul baiser ?

— Et cette scène avec la cire qui coule de la bougie. Mais peu importe, le problème n'est pas là. Le livre se vend mal, ce qui veut dire que toute la série est compromise !

Darcy secoua la tête.

— Sauf que le deuxième livre, celui qui n'a pas encore de titre, va sortir entre-temps. *Phobomancer* ne sortira pas avant deux ans. D'ici là, tout le monde aura réalisé à quel point tu es un auteur formidable !

— Je n'ai pas deux ans. Mon agent veut remettre un premier jet à Nan dans quelques mois, un truc en béton, histoire de lui donner envie de se battre. (Imogen agrippa le bord du coffre.) Quoi qu'il en soit, il faut que je le fasse. C'est comme ça que Clarabella commence à contrôler ses phobies.

Darcy ne pouvait pas le croire. Tous ces libraires et bibliothécaires, tous ces fans de Standerson – ils avaient adoré Imogen. Depuis, une cinquantaine de critiques dithyrambiques de *Pyromancer* étaient apparues sur Internet, plus une demi-douzaine dans des journaux et magazines. Dont deux avec des étoiles !

Qu'est-ce que Paradox pouvait réclamer de plus ?

— D'accord, céda Darcy. Je vais le faire.

Un grand sourire illumina le visage d'Imogen dans l'obscurité du coffre, sous la trappe, ou quel que soit le nom que ça portait. Elle jeta les clés à Darcy et se roula en boule.

— Fais attention aux nids-de-poule.

— Je vais faire attention à tout. Tu es prête ?

Imogen leva les deux pouces, et Darcy referma le coffre en douceur avant de refaire le tour de la voiture. Si quelqu'un les observait depuis sa fenêtre au-dessus, il devait avoir l'impression d'assister à un curieux enlèvement.

Darcy resta un moment derrière le volant sans démarrer. La voiture était beaucoup plus petite que toutes celles qu'elle avait pu conduire jusque-là. Ses parents disaient toujours qu'une grande voiture était un gage de sécurité. Quoique, comme Nisha se plaisait à le souligner, cette sécurité concernât surtout les Patel et pas nécessairement les autres usagers qu'ils croisaient sur la route. Mais avec sa petite amie dans le coffre, Darcy s'en serait parfaitement contentée.

Les pédales étaient un peu loin, mais le siège du

conducteur refusait de bouger. Darcy finit par renoncer, mit le contact et se mit à rouler à une allure d'escargot.

C'était étrange de découvrir la ville depuis le siège avant et non depuis la banquette arrière d'un taxi. Plus étrange encore, le fait de conduire lui rappelait des souvenirs du lycée. Elle revit par éclairs sa dernière année, les passagers ivres et les disputes à propos de la station de radio. La consigne de garder les cigarettes à l'extérieur, et son père qui vérifiait le compteur à son retour à la maison. Nisha qui réclamait qu'on la conduise au centre commercial, parce qu'un grand pouvoir automobile s'accompagnait de grandes responsabilités fraternelles. Darcy eut envie de se tourner vers Imogen et de lui raconter tout cela.

Mais Imogen, bien sûr, était enfermée dans le coffre.

— Tu m'entends ? cria Darcy.

Elle crut entendre un choc sourd à l'arrière. S'agissait-il d'une réponse ? Ou des derniers soubresauts de l'agonie suite à un empoisonnement au monoxyde de carbone ?

Au feu rouge suivant, Darcy sortit son téléphone de la poche de sa veste. Alors qu'elle tapait le numéro d'Imogen, elle remarqua un véhicule dans son rétroviseur.

Une voiture de police.

— Et merde, marmonna-t-elle.

La police n'avait aucune raison de l'arrêter et de fouiller son véhicule. Elle n'avait pas dépassé les vingt-cinq kilomètres-heure. Pouvait-on lui donner une amende pour conduite trop lente ?

Toutefois, il était interdit de téléphoner au volant. Darcy posa son portable sur le siège passager et regarda droit devant elle – la conductrice modèle.

Puis elle se rendit compte que le feu était passé au vert. Depuis combien de secondes exactement ?

Darcy se remit à rouler. La voiture de police lui colla aux roues.

— D'accord, je vais accélérer un peu, murmura-t-elle.

Les mains crispées sur le volant, elle poussa son véhicule à quarante à l'heure. Quelle était la limitation de vitesse en ville, au fait ? Elle n'avait vu aucun panneau. Était-ce de notoriété publique ?

La voiture de police la suivait toujours. Sans la doubler, ni tourner dans une rue latérale.

Imogen n'avait pas anticipé ce genre de problème quand elle avait prévu de rouler au beau milieu de la nuit – il n'y avait pas d'autres voitures en vue. Darcy était seule, la cible idéale pour une petite opération de maintien de l'ordre.

— Merde, merde, merde.

Un choc sourd résonna dans la voiture. Il provenait de l'intérieur...

— Qu'est-ce qu'il y a ? cria-t-elle.

Pas de réponse. Darcy jeta un coup d'œil à son téléphone. Pas de message.

— Ça va ? cria-t-elle de toutes ses forces. Nom de Dieu, appelle-moi !

Elle n'osait pas s'arrêter. La voiture de police roulait juste derrière, patiente et vigilante, et les voies dégagées de Delancey Street s'ouvraient devant elle. Darcy prit à droite, parce que c'était le plus facile.

La voiture de police l'imita.

— Putain ! hurla-t-elle, et elle cogna sur le volant.

Un autre choc sourd derrière la banquette lui répondit. Qu'est-ce qu'Imogen essayait de lui faire comprendre ?

Au prix d'un gros effort de volonté, Darcy détacha une main du volant et attrapa son téléphone. Elle ne le leva pas, toucha le nom d'Imogen, mit le haut-parleur puis le laissa tomber sur ses genoux.

— J'ai trouvé ! fit la voix d'Imogen. C'est un couvercle.

— De quoi est-ce que tu parles ?

— Je viens de regarder sur Google, pour ce truc qui ferme le coffre. Ça s'appelle un couvercle de malle. Un peu ridicule, non ?

— Pourquoi est-ce que tu tambourines comme ça sur la banquette arrière ? cria Darcy.

— Pour mes recherches ! Je voulais savoir si tu pouvais m'entendre avec le bruit du moteur.

— Je croyais que tu étais en train de suffoquer !

— Sérieux ? Il faut te détendre.

— Il y a une voiture de police juste derrière moi !

Mais en prononçant ces mots, Darcy sentit une présence sur sa gauche. La voiture de police s'était portée à sa hauteur, et l'agent sur le siège passager était en train de la regarder crier toute seule.

Darcy le dévisagea avec des yeux ronds, terrifiée.

Le rire d'Imogen sonna dans la voiture.

— Génial !

— Oh, la ferme ! lâcha Darcy entre ses dents.

L'agent leva les yeux au plafond, puis la voiture de police la dépassa. Cramponnée à son volant, Darcy roula tout droit jusqu'à ce que les policiers finissent par tourner, au bout d'un kilomètre interminable, disparaissant vers Chinatown.

Un grand soupir lui échappa.

— OK, ils sont partis.

— Tant mieux. Je crois que j'ai mon compte de recherches pour cette nuit.

— Super. Sauf que…

Darcy regarda devant elle. Le pont Williamsburg se dressait devant son capot, massif, inévitable à cause d'une rangée de cônes de circulation orange à sa droite.

— J'ai l'impression qu'on est parties pour Brooklyn.

— Très drôle.

— Tu l'as dit.

La petite voiture se lançait déjà à l'assaut du pont, et Darcy vit des phares grossir rapidement dans son rétroviseur. Elle accéléra pour essayer de caler sa vitesse sur la leur. Elle roulait à quatre-vingt à l'heure quand l'autre voiture la dépassa en trombe.

— Hé, fit la voix d'Imogen dans le téléphone. Tu es vraiment obligée de rouler aussi vite ?

— Pas le choix ! cria Darcy. Je dois m'adapter à la circulation !

Le pont l'emportait, aussi haut que les tours de Brooklyn qui se profilaient devant elle. La voiture qui l'avait doublée disparaissait dans le lointain et le ciel clignotait à travers l'armature des câbles suspenseurs. Darcy se trouva seule au milieu du pont, flottant au-dessus du fleuve scintillant.

C'était un spectacle magnifique.

— Je suis désolée que ton livre ne se vende pas, confia-t-elle d'une voix douce.

Elle n'était pas certaine qu'Imogen l'ait entendue, mais un soupir finit par s'échapper du téléphone.

— Moi aussi, tu sais.

— Pourquoi paniquent-ils aussi vite, chez Paradox ? Ça fait à peine deux mois.

— Parce que si ce livre ne se vend pas, les librairies n'achèteront pas le suivant. Qui n'a toujours pas de titre valable.

Pour la énième fois, Darcy se creusa les méninges à la recherche d'un titre meilleur que *Cat-o-mancer*. Elle aurait tant voulu pouvoir se rendre utile.

— Pardon de t'avoir volé ta scène.

— Ne t'en fais pas, répondit Imogen avec un petit rire. C'est beaucoup plus intéressant là-dedans que dans un placard.

Darcy sourit. Peut-être l'avait-elle finalement aidée un

peu, et au moins, elle n'avait pas tué Imogen dans un accident.

— On arrive au bout du pont. Dès que je vois une place, je me gare.

— Merci pour le coup de main.

— Comme si tu m'avais laissé le choix !

— Je ne t'ai pas collé un flingue sur la tête.

— Tu as menacé de faire appel à un inconnu ! C'était du chantage émotionnel !

— Je rigolais.

— Ouais, tu parles !

Une sortie se présenta enfin, et Darcy ralentit pour se glisser sur la voie de droite. Quelques instants plus tard, elle roulait dans une rue tranquille aux larges trottoirs, avec des devantures de boutiques fermées par des rideaux métalliques. Elle se gara, coupa le contact, prit le temps de décontracter les muscles de ses mains et de respirer à fond. Son corps n'était qu'une boule de nerfs.

— Prends ton temps pour me libérer, lui lança Imogen par le téléphone. Ce n'est pas comme s'il faisait froid là-dedans.

— J'arrive !

Darcy sortit et contourna la voiture. Elle examina les pictogrammes de la clé, puis appuya sur un bouton.

Le coffre s'ouvrit.

— Bordel de Dieu !

Imogen repoussa d'un coup de pied le couvercle de la malle, se redressa et fit craquer son cou.

— Ça va aller ? s'inquiéta Darcy.

— Ce n'était qu'un cric. Tu ne m'as pas tuée.

Imogen sortit du coffre, et Darcy s'avança entre ses bras. Elle avait besoin de sentir sa réalité, sa douceur et sa force sous le cuir de son blouson.

— N'empêche que tu m'as manqué.

Quand elles se détachèrent l'une de l'autre, Darcy s'aperçut que la rue n'était pas complètement déserte. Deux types en chapeaux mous étaient assis sous un porche, et une jeune femme passait devant eux sur un skateboard. Tous trois les fixaient avec des yeux ronds.

— Quoi, z'avez jamais vu quelqu'un sortir d'un coffre? maugréa Imogen.

Darcy gloussa et lui tendit la clé.

Elles retournèrent garer la voiture à l'emplacement où elles l'avaient trouvée, et Imogen bidouilla sur son téléphone pour rendre le véhicule à l'usage commun. Après quoi elle annonça une merveilleuse nouvelle…

Il y avait bel et bien un nouveau restaurant de rāmen ouvert vingt-quatre heures sur vingt-quatre dans le quartier.

Au coin de la rue, elle conduisit Darcy le long d'une ruelle, et elles s'arrêtèrent au sommet d'une volée de marches. À cette heure tardive, les tables en bois brut du restaurant étaient libres, à l'exception d'une seule à laquelle quatre jeunes gens qui parlaient japonais avaient un double rencard très animé. Dans un coin, un chat porte-bonheur en plastique de la taille d'un horodateur agitait une patte avec une régularité lénifiante.

Darcy commanda des rāmen au porc avec des œufs bouillis et des pousses de bambou, ainsi qu'une bière pour se détendre.

— Merci pour cette soirée, souffla Imogen après le départ du serveur.

— Somme toute, ç'a été plutôt amusant.

— Pour moi aussi. Je crois que je tiens enfin ma scène.

— Alors, à quoi ça ressemble, là-derrière?

Imogen réfléchit.

— Ça sent comme dans une voiture, en plus gras. Et

c'est très inconfortable. Depuis un siècle qu'on perfectionne les sièges de voiture, on a appris à faire en sorte qu'ils absorbent bien les cahots. C'est moins vrai pour les coffres.

— Eh bien ! heureusement que je n'ai pas eu d'accident.

Darcy fit tournoyer le dessous de verre devant elle, regrettant de ne pas avoir encore de bière à poser dessus.

— Mais je doute que Clarabella se préoccupe de son confort. Elle vient d'être enlevée.

— Oui, répliqua Imogen, mais se retrouver enfermée là-dedans donne l'impression d'être un vulgaire bagage. Un bagage terrorisé. On ne voit rien, et on se fait ballotter dans tous les sens.

— Désolée.

— Ne sois pas ridicule. C'est moi qui t'ai obligée à m'enlever, sous la menace émotionnelle.

Darcy sourit.

— Enfin tu l'avoues. Tu n'as pas eu mal au cœur ?

— Trop d'adrénaline. (Imogen se massa le cou.) En plus, il y avait un courant d'air à l'intérieur – je me prenais plein d'air froid dans la figure. J'entendais le roulement des pneus sur la route, et le changement de texture de l'asphalte sur le pont.

Une fois qu'on leur eut apporté leurs bières, Darcy réfléchit à tous ces détails. Ils contenaient un réalisme qui faisait défaut au premier jet d'Imogen. Elle brandit sa bière.

— Aux recherches !

— Aux recherches !

Imogen but, puis sortit son téléphone et se mit à prendre des notes, tout sourire.

Darcy savoura sa première gorgée et se demanda quelles recherches pourraient améliorer son propre manuscrit. Devrait-elle s'enfermer dans un placard ? Visiter les dunes de White Sands ? Se rendre dans un aéroport à minuit et arpenter les couloirs déserts ? Ou sur un stand de tir où les gens s'entraînent au maniement des armes automatiques ?

Elle examina l'intérieur du restaurant, nota le bocal d'œufs en saumure sur le comptoir, les lumières de Noël bleu pâle suspendues aux poutres. Le monde était toujours plus détaillé qu'on ne se le rappelait, plus qu'on ne pouvait le voir, et mille fois plus qu'on ne pouvait l'écrire. On occultait et on oubliait beaucoup de choses.

C'est à ce moment-là qu'elle se souvint de ce qu'Imogen lui avait dit plus tôt, et que son cerveau ne voulait toujours pas accepter. Il lui paraissait impensable que *Pyromancer* fasse un bide. Il s'était sûrement écoulé à des millions d'exemplaires, et le problème se résumait à une erreur de comptage qui se dissiperait au petit matin.

Elle regarda Imogen pianoter sur son téléphone. Ruminant son indignation et son incrédulité, Darcy sentit également un premier frisson d'appréhension s'insinuer en elle. Le signe avant-coureur d'une chose plus vaste, un tentacule qui se glissait sous la porte.

Qu'arriverait-il à la sortie de son propre livre ?

Nisha lui avait envoyé un texto aujourd'hui : *Plus que 323 jours avant la publication. Tu flippes ?*

Imogen leva les yeux et vit l'expression de Darcy.

— Je t'ai vraiment inquiétée, hein ?

— Non. Je suis simplement furax de constater que le monde est aussi bête. Et aussi... Ça va te paraître égoïste, mais j'ai un peu peur. Si ton livre ne trouve pas son public, à quoi je dois m'attendre avec *Afterworlds* ?

Imogen posa son téléphone et lui prit la main par-dessus la table.

— Qui sait ? Il y a toujours une part d'aléatoire,

j'imagine. Ou alors, c'est effectivement ma couverture trop criarde, le baiser entre filles, ou la mention des cigarettes.

— Ariel ne fume même pas !

— Mais elle traîne dans le repaire des fumeurs, que j'ai commis l'erreur stupide de mentionner en page une. Mais toi, tu n'as aucune raison de t'inquiéter.

Comme Darcy soupirait, Imogen ajouta :

— Et pas parce qu'*Afterworlds* ne serait pas assez brutal ou réaliste ! C'est juste que tu as su éviter les principaux écueils.

— À l'exception d'une fin malheureuse ?

— Tu vas trouver une bonne fin, heureuse ou non.

Darcy reposa sa bière.

— C'est ridicule. C'est moi qui devrais être en train de te consoler.

— Je n'ai pas besoin qu'on me console, répliqua Imogen. J'ai besoin d'une scène d'ouverture qui déchire. Et d'un titre acceptable pour mon tome deux.

— Saleté de *Cat-o-mancer*, râla Darcy, avec un regard accusateur vers la créature géante qui continuait à agiter la patte, signe de chance, de prospérité ou de ce que les chats en plastique étaient supposés apporter. Comment dit-on « chat » en japonais ?

Imogen réfléchit une seconde, puis tapa la question sur son téléphone.

— *Neko*, annonça-t-elle un instant plus tard.

— *Neko-mancer* ?

Imogen s'esclaffa.

— Les fans de mangas apprécieraient peut-être, mais le service commercial de Paradox, j'en doute !

Elles essayèrent d'autres langues – *Gatomancer, Chatomancer, Katzemancer, Maomancer* –, ce qui eut le mérite de les amuser mais ne les avança pas beaucoup.

Les bols de nouilles arrivèrent, fumants et parfumés. Darcy se réchauffa les mains contre le sien tandis qu'Imogen détachait ses baguettes.

— Au moins j'aurai eu mes nouilles ce soir.

— Et moi, ma scène d'ouverture, dit Imogen, qui piocha un morceau de porc dans son bol avant de souffler dessus. Peut-être que tu devrais me piquer d'autres scènes, pour m'obliger à en écrire de meilleures.

Darcy grogna.

— Je ne te volerai plus aucune scène, je te le promets !

— Quand on est klepto, c'est pour la vie, dit Imogen, désinvolte. Note que je n'ai rien contre les voleurs. Je viens d'écrire un bouquin entier sur un cambrioleur à pattes de velours.

— Attends, l'interrompit Darcy, les baguettes en suspension.

Une étincelle venait de crépiter dans un coin de son esprit.

Imogen termina sa bouchée.

— Quoi ?

— Ton personnage, dans *Cat-o-mancer*, tu viens de l'appeler « cambrioleur à pattes de velours ».

— C'est un voleur avec des pouvoirs de chat. Et alors ?

Darcy leva la main pour lui intimer de se taire. Penchée au-dessus de sa soupe, elle s'efforça de pénétrer mentalement l'épaisseur du bouillon, de démêler l'écheveau des nouilles et des lanières de porc.

— Des pouvoirs de chat... dont il se sert pour *voler* des choses.

— Quelqu'un vient de prononcer ton code d'activation d'agent dormant ?

Darcy secoua la tête avec lenteur, jusqu'à ce que ses idées confuses finissent par se mettre en place.

— *Kleptomancer*, prononça-t-elle à voix basse.

Imogen marqua une hésitation, puis posa ses baguettes.

— Tu sais, ce n'est pas si… En fait, c'est excellent.

— Parce que «klepto» est un vrai mot! s'écria Darcy. Tout le monde sait ce que c'est qu'une phobie, ou un pyromane. Alors que tous les autres titres qu'on avait trouvés ne voulaient rien dire.

— Et la kleptomanie est bien un trouble obsessionnel compulsif.

Imogen planta ses baguettes dans son bol et lâcha un juron.

— Comment n'y ai-je pas pensé plus tôt?

— Parce que tu étais obsédée par les dames aux chats.

Darcy adressa un sourire au chat géant en plastique.

Imogen souleva son bol à deux mains et s'inclina dans sa direction.

— Merci pour votre inspiration, Neko-chan.

— Hé! Pas de compliments à un objet inanimé quand je suis juste devant toi!

Imogen tourna son sourire radieux vers Darcy.

— Merci à toi aussi, mon amour.

— Tu aimes vraiment, murmura Darcy, enfin soulagée du poids de sa dette pour cette histoire de scène volée. J'imagine que tu me dois un titre.

— Que dirais-tu d'un nom, à la place?

Darcy secoua la tête.

— Un nom?

— Audrey Flinderson, souffla Imogen.

Il fallut à Darcy un temps pour comprendre.

— Est-ce que c'est ton vrai… je veux dire, ton ancien nom?

Imogen hocha la tête.

Darcy attendit qu'un changement se produise, que sa machinerie interne s'adapte afin qu'Imogen devienne Audrey. Mais rien de tel ne se produisit.

Imogen restait Imogen.

— Ça veut dire que je peux faire une recherche sur toi, maintenant ? En ligne et tout ?

— Tu peux. Mais tu devrais peut-être éviter.

Darcy se plongea dans la contemplation de son bol de rāmen. Serait-elle capable, avec sa seule volonté, d'effacer ce nom ? Cela paraissait peu probable.

— Tu étais si méchante ?

— J'étais plutôt gentille, la plupart du temps. Mais quand j'écrivais des trucs méchants, ils circulaient davantage et restaient plus longtemps. C'est toujours comme ça sur Internet.

— Tu fais exprès d'être énigmatique ?

— Oui, j'y arrive bien, hein ? J'aurais dû te dire mon nom plus tôt. J'aurais dû te faire confiance. Je suis désolée.

Une sensation douloureuse traversa Darcy.

— Je croyais que tu me faisais confiance. Depuis le début.

— Tu étais plus jeune que moi. Tu l'es toujours. Et comme je te l'ai dit, changer de nom est l'une des meilleures choses que j'ai faites. Mais maintenant, je sais que ça ne modifiera pas ton regard sur moi.

— Je te promets que non, Gen.

— Le plus drôle, c'est que je pensais que tu le connaissais déjà.

Darcy fronça les sourcils.

— Ton nom ? Comment j'aurais fait ?

— On est parties en tournée une semaine entière, et on a pris l'avion presque tous les jours.

Imogen attendit une réaction, n'en obtint aucune et continua :

— On ne peut pas prendre l'avion sous un pseudonyme, tu sais ?

— Ah ouais, fit Darcy.

L'idée ne lui était même pas venue de jeter un discret coup d'œil sur les billets d'Imogen. Bien sûr, elle n'avait pas non plus fouillé dans son portefeuille ni embauché de détective privé. C'était ça, qu'elle avait toujours voulu. Qu'Imogen le lui dise.

Imogen s'efforçait de garder son sérieux.

— J'imagine que c'est une bonne chose que tu n'écrives pas des romans d'espionnage.

— Très drôle.

— Tu vas me passer à la moulinette de Google, hein ?

— Sans doute.

— C'est bien ce que je pensais, fit Imogen avec un soupir. Rappelle-toi juste que ce qu'on écrit n'est pas forcément ce qu'on est.

NOUS AVONS PRIS PLACE SUR UN PROMONTOIRE DE ROCHES noires et coupantes, qui jaillissait d'une étendue blanche. En surface, la neige formait de la glace. Des flocons soulevés par le vent voletaient alentour ; le soleil, haut, formait des halos, comme des arcs-en-ciel gris. Les pics déchiquetés se dressaient dans toutes les directions, dominant des vallées désertiques.

Je n'avais pas de blouson, juste un sweat-shirt, mais dans l'envers du décor je ne sentais pas le froid. Néanmoins, la vue de toute cette neige étincelante m'a fait frissonner.

— Décidément tu aimes bien les endroits lugubres.

Yama a souri.

— C'est peut-être lugubre, mais presque silencieux.

Presque silencieux. Cela voulait dire que quelques personnes avaient réussi à finir leurs jours ici, peut-être des alpinistes malchanceux qui hantaient le pic du haut duquel ils avaient trouvé la mort. Je n'avais pas vu de fantômes dans les parages, mais Yama pouvait entendre leurs voix dans la pierre. Nous étions sur son pic montagneux en Perse, l'un de ces lieux perdus dont il avait besoin pour ne pas devenir fou. Combien de temps avant que j'éprouve le même besoin, moi aussi ?

J'ai secoué la tête pour chasser cette pensée.

— Je me fais du souci à propos de Mindy. Elle a passé toute la journée dans son placard.

— Elle est encore terrorisée.

— Je ne l'avais jamais vue comme ça.

Quand j'étais passée vérifier, ce soir, j'avais découvert Mindy accroupie dans son coin, derrière les robes accrochées dans leurs housses. Elle avait les cheveux en pagaille, les vêtements froissés.

— Sa voix paraît plus douce. Comme si elle était en train de s'estomper.

— Elle ne peut pas s'estomper, Lizzie. Elle a tes souvenirs auxquels s'accrocher, et ceux de ta mère.

— Oui, mais si elle n'avait plus envie d'exister, parce que c'est trop effrayant ? Est-ce que les fantômes peuvent décider d'eux-mêmes de disparaître ? Commettre une sorte de suicide spectral ?

Il a secoué la tête.

— Tu la retrouveras bientôt comme elle était avant. Les fantômes ne sont pas vraiment affectés par ce qui leur arrive. Pour qu'ils changent, il faut que les souvenirs des vivants changent aussi.

— Alors pourquoi est-elle traumatisée ?

— À cause de ce qui lui est arrivé il y a des années. Cela fait toujours partie d'elle.

Je comprenais ce qu'il essayait de me dire – que Mindy avait toujours onze ans, qu'elle avait toujours peur de l'homme qui l'avait assassinée si longtemps auparavant. Mais je détestais l'idée qu'elle soit prisonnière de sa peur à tout jamais. Cela semblait injuste d'accorder tant de pouvoir au méchant homme.

Si l'au-delà gelait les fantômes dans le temps, que me ferait-il à moi ?

— Nous, on peut changer, non ?

— Toi et moi ? Bien sûr.

— Mais as-tu la sensation d'avoir dix-sept ans ? Ou d'être très, très vieux ?

Yama a haussé les épaules.

— Je ne suis pas sûr de savoir ce qu'on ressent à dix-sept ans. J'avais quatorze ans quand j'ai basculé dans l'au-delà, presque l'âge de prendre femme.

— Alors ça, c'est carrément l'angoisse.

— C'était l'usage, dans mon peuple.

Il avait tendance à le répéter.

— Ton peuple et le mien sont différents. (Ça, c'était moi qui le répétais souvent.) Mais tu ne fais pas tellement plus vieux que moi. Tu as l'air d'avoir dix-sept ans. J'imagine que ton peuple aurait considéré que tu étais entre deux âges.

Il a haussé les sourcils, d'un air de défi.

— Dans mon village, les gens jeunes et forts devenaient vieux et frêles en quelques saisons. Ils étaient trop peu nombreux à rester entre deux âges pour que nous ayons besoin d'un mot pour cela.

— D'accord, c'était nul.

Ce n'était pas juste de me moquer d'un peuple qui avait vécu à l'âge de pierre, mais parfois la tentation était trop forte.

— On s'y habitue. À perdre du temps. Tu as déjà quelques jours de retard par rapport à ton âge réel.

J'ai cligné des yeux. Cela faisait bizarre, de penser qu'à mes dix-huit ans je serais en train de tricher, que je ne serais pas tout à fait aussi vieille que mon permis de conduire le prétendrait. Mais plus bizarre encore de me dire que je pourrais vivre éternellement si j'en avais envie.

— M. Hamlyn m'a révélé qu'il ne sortait jamais de l'au-delà. Comme s'il avait peur de mourir de vieillesse en un clin d'œil.

Yama s'est raidi.

— Il t'a révélé son nom ?

— Oui.

J'ai pris une longue inspiration, l'heure était venue de lui expliquer en détail comment j'avais sauvé Mindy.

— C'était l'une de ses conditions pour la relâcher. Je devais apprendre son nom.

— Il veut que tu l'appelles.

— Je ne sais pas pourquoi, mais il pense que je pourrais en avoir envie.

Je me suis gratté les bras. Je sentais encore sur moi l'énergie malsaine de M. Hamlyn, aussi désagréable que pourraient l'être des insectes fantômes.

— Il m'a aussi fait embrasser sa main, pour être sûr qu'on soit bien connectés. Est-ce que c'était une ruse ? ai-je fait avec un rire forcé. Je veux dire, est-ce que je vais devoir lui remettre mon premier-né, maintenant ?

Yama m'a adressé un faible sourire, m'a prise par la taille et répondu par un baiser. La chaleur de ses lèvres s'est diffusée sur ma peau, effaçant pour un temps l'arrière-goût que m'avait laissé le vieil homme. L'atmosphère s'est radoucie autour de moi.

Quand il m'a relâchée, il a dit :

— Ce n'était pas une ruse, mais c'est curieux. Pourquoi pense-t-il que tu voudrais faire appel à lui ?

J'ai haussé les épaules. Je ne voulais même pas essayer de deviner.

— Sa dernière condition a été que je dise qu'il avait faim. Tu y comprends quelque chose ?

— Cela ressemble à une menace.

— Pourtant, il a peur de toi.

— De moi, mais pas de mon peuple. Je protège les morts, alors que lui s'en nourrit.

J'ai attendu la suite, mais Yama était perdu dans ses

pensées. Alors que le silence se prolongeait, je me suis demandée si je ne devais pas le laisser seul. Parfois, dans ces endroits déserts qu'il affectionnait tant, je me sentais comme une étrangère, un cactus transplanté dans la toundra. Il était minuit à San Diego, midi ici, en Perse, et le décalage horaire me donnait le tournis.

— Je comprends pourquoi les psychopompes renoncent au sommeil.

Je me suis appuyée contre Yama, les yeux clos.

Il m'a serrée dans ses bras.

— Tu as quand même besoin de dormir, Lizzie. Cela t'évitera de changer trop vite.

— On s'en ira dans une minute, ai-je dit.

En fin de compte, cela nous a pris plus longtemps que ça.

Quand Jamie m'a raccompagnée chez moi après le lycée, le lendemain, une voiture inconnue était garée dans l'allée. Un coupé. Racé, rouge foncé, rutilant.

— On dirait que ta mère a de la visite, a observé Jamie en tirant le frein à main.

— Elle est censée être au travail, ai-je rétorqué avec un regard vers la maison. Jusqu'à sept heures.

— OK. C'est bizarre. Ce sont des plaques temporaires. Tu crois qu'elle se serait acheté une nouvelle voiture ?

— Tu rigoles ?

Je suis sortie, à la recherche du propriétaire du coupé. Mais personne ne faisait le pied de grue devant la porte d'entrée. Il n'y avait pas un chat dans la rue.

— Depuis le départ de mon père, ai-je continué, on n'a même pas racheté des serviettes neuves.

Jamie a fait le tour de la voiture rouge.

— Ah, dommage. Elle en jette !

— Oui, mais qu'est-ce qu'elle fait là ? Je vais appeler maman.

— Attends.

Jamie s'est penchée sur le capot pour attraper quelque chose sur le pare-brise.

— Il y a une lettre, Lizzie. Pour toi.

Elle a contourné la voiture pour me la remettre. Une enveloppe bleue, avec mon nom écrit dessus, sans autre indication.

— Ouvre-la ! s'est-elle exclamée.

— D'accord.

Au fond de moi, j'avais peur. Il se passait un truc étrange.

J'ai déchiré l'enveloppe, et une feuille de papier en est tombée. C'était l'impression d'un e-mail adressé par mon père à un concessionnaire Chrysler de San Diego. Un passage au milieu était surligné en jaune.

Chère Lizzie, c'est pour toi, après tout ce que tu as enduré... Je me suis arrêtée de lire pour contempler la voiture. Sérieux ?

— C'est de la part de mon père.

— Je le savais ! s'est écriée Jamie. À la seconde où j'ai vu les plaques temporaires, j'ai deviné que c'était un cadeau de culpabilité à la suite de l'attentat terroriste !

J'ai secoué la tête.

— Aucune chance. Mon père ne ferait jamais ça.

— Tu vois bien que si. Qu'est-ce qu'il te raconte d'autre ?

Je me suis penchée sur la lettre, qui venait de chambouler tout ce que je croyais savoir au sujet de mon père. À la lecture, tout s'est éclairé.

... surtout maintenant, avec le diagnostic de ta mère. J'aimerais pouvoir faire plus.

Ils glisseront les clés sous la porte. Je t'aime, papa.

— Non, ai-je fait doucement.

Jamie riait toujours, caressant la carosserie profilée. Mais je me suis projetée mentalement à la soirée de l'avant-veille, quand nous préparions des raviolis avec ma mère. Qu'avait-elle dit à propos de mon père ? *Tu auras besoin de lui un jour.*

Voilà donc de quoi elle parlait.

— Ma mère est malade.

Le rire de Jamie s'est éteint.

— Quoi ?

Incapable de parler, je lui ai tendu la lettre. Jamie me l'a prise des mains et l'a parcourue, son visage exprimant tout ce que le choc m'empêchait de ressentir.

— Quel diagnostic ? De quoi est-ce qu'il parle ?

J'ai secoué la tête.

— Mais tu le saurais, Lizzie ! Je veux dire, ta mère n'irait jamais lui en parler, à lui, avant de te mettre au courant !

— Elle a dit un truc l'autre soir, ai-je bafouillé. Que j'aurais besoin de lui.

— Des clous.

Elle a froissé la feuille dans son poing.

— Il te raconte des conneries, oui.

J'aurais voulu croire Jamie, mais j'ai repensé à cette soirée et à tout ce que maman m'avait dit. *Elle n'a sans doute pas envie de parler d'elle. Peut-être qu'elle veut simplement être là pour toi.*

Ce n'était pas de Jamie qu'elle parlait. Mais d'elle-même.

— Elle croit que je ne pourrai pas l'encaisser, ai-je murmuré.

Jamie a secoué la tête.

— Si elle te cachait quelque chose, Anna aurait sûrement insisté pour qu'il ne te dise rien. Même ton père n'oublierait pas un truc pareil.

Une part impassible de mon cerveau a reconstitué ce qui avait dû se passer. Il était plus facile de démêler les motivations de mon père que de penser à ce que sa lettre venait de m'apprendre.

— Il a voulu me pourrir.

Jamie a regardé la voiture.

— Quoi, te gâter ?

— Pas dans ce sens-là. Il m'a pourri la surprise. Il a voulu me montrer qu'il avait appris la maladie de maman avant moi. Me faire savoir qu'il était au courant, et pas moi.

Tout à coup, mes jambes se sont dérobées sous moi et je me suis assise dans l'allée. Ce n'était pas vraiment une chute, je me suis écroulée lentement. J'ai ramené les genoux entre mes bras et fermé les yeux.

Jamie s'est assise à côté de moi.

— Ça va aller, Lizzie.

— Oh non.

Elle m'a passé la main dans les cheveux.

— Tu ne sais même pas ce que c'est comme diagnostic. Si ça se trouve, il s'agit d'une dent nécrosée.

Je ne me suis pas donné la peine de répliquer. On n'emploie pas le mot « diagnostic » pour un problème dentaire. Et personne ne vous achète une voiture parce que votre mère a besoin d'aller chez le dentiste.

À la place, j'ai dit :

— Et si ça venait de moi ?

— De quoi est-ce que tu parles ?

— La maladie de ma mère, si ça venait de l'attentat de Dallas ?

J'ai ouvert les yeux, le regard implorant. Jamie n'a rien répondu.

— Si tout était à cause de moi ? ai-je insisté. Je ne suis pas une valkyrie, au fond. Je suis une putain de faucheuse !

— Tu racontes n'importe quoi, Lizzie. Tu n'es pas responsable de ce qui s'est passé à Dallas. Ce sont ces types dans le Colorado. Et quel que soit le problème de ta mère, c'est à cause d'une bactérie ou de je ne sais quoi. Certainement pas à cause de toi.

J'ai secoué la tête. Jamie ignorait ce que je portais en moi, cette froideur en résonance avec les ténèbres de l'au-delà. Elle ignorait que je pouvais parler aux fantômes, basculer dans l'envers du décor et voir danser le souvenir des choses mortes. Elle n'avait pas vu les fillettes, ni leur façon de me fixer, de me dévorer du regard.

Elle ignorait que j'appartenais au monde des morts désormais.

— C'est en moi, Jamie.

Elle m'a pris une main et l'a serrée.

— Quoi donc ?

— Depuis Dallas. Quelque chose a changé en moi.

— Bien sûr. Mais ce n'est pas ça qui a rendu ta mère malade. On devrait l'appeler et le lui demander.

— Peut-être que j'ai toujours eu ça en moi, ai-je continué en pressant la main de Jamie. J'ai grandi avec Mindy. Elle était là avant ma naissance.

— Attends. Qui est Mindy ?

Soudain, j'ai eu besoin de tout lui expliquer.

— La meilleure amie de ma mère quand elle était gamine. Elle est morte assassinée. Ça a changé la vie de ma mère.

Jamie me dévisageait sans comprendre. Je me rendais bien compte que ce que je disais n'avait aucun sens pour elle, mais je ne pouvais pas m'empêcher de continuer. J'avais caché tant de choses, à elle comme à tout le monde. J'avais besoin de les formuler à voix haute.

— Je crois que ça m'a changée, moi aussi. J'ai grandi avec le fantôme de cette petite fille.

Jamie m'a regardée un long moment.

— Tu es sérieuse ? C'est vraiment arrivé à Anna ?

— Quand elle avait onze ans, sa meilleure amie a disparu au cours d'un trajet avec ses parents. Mais on a retrouvé Mindy enterrée dans son propre jardin. C'est pour ça que ma mère a toujours peur pour moi.

Jamie m'a lâché la main.

— Tu veux parler de cette excursion l'année dernière, par exemple, quand elle t'envoyait un texto toutes les cinq minutes ?

J'ai fait oui de la tête.

— Merde. Et moi qui me suis tellement moquée de toi à cause de ça.

— Mindy a toujours été là, depuis le jour de ma naissance. C'est pour ça que je me transforme aussi vite.

Même si Jamie devait me prendre pour une cinglée, cela m'aidait d'exprimer tout ça. J'étais une psychopompenée, comme l'avait dit Yama.

Jamie a serré ma main plus fort.

— Tu sais bien que les fantômes, ça n'existe pas, Lizzie. Mais pourquoi ne m'as-tu jamais parlé de cette petite fille ?

— Je ne la connaissais pas avant Dallas. Maman me l'avait cachée.

J'ai baissé les yeux sur la lettre froissée qui traînait par terre.

— Exactement comme elle m'a caché sa maladie.

— Lizzie. On devrait appeler ta mère.

J'ai pris appui sur le pare-chocs de ma nouvelle voiture pour m'aider à me relever.

— Oui. Mais pas pendant qu'elle est au travail. Je parie qu'elle n'a rien dit à ses collègues non plus. Je n'ai pas envie de lui tomber dessus comme ça.

— Ça t'est bien tombé dessus !

— Ce n'est pas sa faute.

Jamie ne paraissait pas de cet avis, mais elle a dit :

— D'accord. Mais je reste avec toi jusqu'à ce qu'elle revienne.

— Tu n'es pas obligée.

J'ai inspiré un grand coup, et je me suis forcée à lui sourire.

— Je crois que j'aurais besoin de rester seule. Tu veux bien ?

Elle m'a dévisagée, et j'ai soutenu son regard. Le froid en moi s'étendait, ça m'aidait à rester calme.

— Tu es sûre que ça va aller ? a-t-elle insisté.

J'ai acquiescé et l'ai serrée dans mes bras.

Jamie a fini par se laisser convaincre. Je lui ai souri et l'ai saluée de la main pendant qu'elle s'éloignait en voiture. Puis j'ai marché jusqu'à l'entrée et ouvert la porte. Il y avait une autre enveloppe bleue sur le sol. Je me suis accroupie pour la ramasser. De petits objets métalliques ont tinté à l'intérieur.

— Lizzie ?

C'était Mindy, dont la tête émergeait du couloir menant à la chambre de ma mère.

— Tout va bien, ai-je dit.

— Tu as l'air bizarre.

J'ai hoché la tête. Bien sûr que j'avais l'air bizarre ! J'avais envie de tailler le monde en pièces. J'ai déchiré l'enveloppe bleue comme un mouchoir en papier, et les clés de la voiture me sont tombées dans la main.

— Je dois sortir ce soir. Mais je serai là demain, je te le promets.

— D'accord, a répondu Mindy d'une voix hésitante. Où tu vas ?

— J'ai un truc à régler.

Ma nouvelle voiture comportait un GPS ultra-perfectionné, qui s'est allumé avec un bip quand j'ai mis le contact. Mais au lieu de m'emmener simplement à Hillier Lane, Palo Alto, il a voulu prendre son temps, m'inonder d'instructions, de conseils d'installation et autres recommandations de sécurité – faire connaissance.

Il avait mal choisi son jour pour ça. Au bout de deux minutes, je lui ai coupé le sifflet et m'en suis remise à mon téléphone pour m'indiquer le chemin.

Le froid qui m'habitait m'aidait à raisonner, Dieu sait comment, et j'avais réalisé une chose : au fond, mon père n'avait pas plus de considération pour moi que M. Hamlyn pour les fantômes. Tous les deux voyaient les autres comme des pions à manipuler. Nos émotions n'étaient pour eux que des fils avec lesquels tisser des motifs amusants.

Je ne pouvais rien faire concernant mon père, ni pour ce qu'il avait infligé à ma mère en dix-huit ans de mariage. Et je ne pouvais rien non plus contre M. Hamlyn.

Par contre, je pouvais régler le problème du méchant homme.

Il était près de trois heures du matin quand je suis enfin arrivée dans Hillier Lane.

Je n'aurais jamais dû mettre onze heures pour couvrir la distance, mais j'étais partie en pleine heure de pointe, suivant un trajet qui m'avait conduite au cœur de Los Angeles. Peut-être m'étais-je un peu égarée aussi.

La batterie de mon téléphone avait commencé à donner des signes de faiblesse au bout de deux heures de route, alors je l'avais éteint pour suivre l'autoroute I-5, me fiant aux panneaux indicateurs pour atteindre Palo Alto. À la fin j'avais même employé une méthode encore plus désuète – demander mon chemin à l'employé d'une station-service.

La durée du trajet m'importait peu. J'étais une valkyrie. Je n'avais plus besoin de dormir.

C'était une sensation étrange, de découvrir la maison du méchant homme dans les couleurs du monde réel. Le bungalow n'était pas gris, en fin de compte, mais d'une teinte safran qui évoquait le jaune d'œuf. Ce n'était pas pour autant une vision agréable. Mes yeux de valkyrie étaient pareils à ceux des chats – ouverts sur l'envers du décor – et je voyais toujours les fillettes mortes, chacune auprès de son arbre rabougri.

Quand je suis sortie de ma belle voiture, elles ont pivoté dans ma direction. Mais je n'avais plus peur. Je me suis avancée droit sur elles et me suis agenouillée devant l'un des arbres.

— Je suis venue régler ça, ai-je annoncé, et j'ai commencé à creuser.

J'ai empoigné à pleines mains les copeaux de bois au pied du tronc et les ai rejetés sur le côté. Les petits fantômes m'ont regardée travailler avec curiosité, sans dire un mot. J'ai atteint une première couche de terre meuble, puis une seconde plus dure, pleine de vers de terre et de cailloux. Je me suis demandé s'il y avait des voisins en train de m'observer, de s'interroger sur ce que je faisais. Je n'étais pas certaine de le savoir moi-même. Je savais juste que j'étais animée d'un besoin viscéral de découvrir la vérité enfouie sous ces arbres.

Alors mes doigts se sont heurtés aux racines, épaisses, noueuses, impénétrables. J'ai lâché un juron et levé les yeux vers le fantôme posté au-dessus de moi. C'était la gamine en salopette, avec des barrettes à paillettes dans les cheveux.

— Ne t'en fais pas. Il ne va pas s'en tirer comme ça.

J'avais les mains terreuses, douloureuses à force d'avoir

creusé. Je me suis relevée, l'œil rivé sur la porte d'entrée du méchant homme. J'ai basculé dans l'envers du décor et gravi les marches du perron. Un instant plus tard je me retrouvais à l'intérieur.

Sa chambre était toujours aussi impeccable, et le méchant homme dormait à poings fermés sous ses couvertures. Il faisait froid ici, dans le nord de la Californie. Je ne m'en étais même pas aperçue.

Je l'ai toisé un long moment, indécise.

J'avais cru que ma colère suffirait. Comme si je pouvais l'éliminer d'un seul regard. Mais la réalité s'insinuait dans mon corps. J'étais percluse de crampes après ces heures passées à rouler puis à creuser le sol à mains nues. J'avais tellement serré les dents que j'en avais mal au crâne, et une part de moi n'aspirait qu'à rallumer mon téléphone et appeler ma mère. Elle devait se faire un sang d'encre en ce moment.

Au lieu de quoi j'ai continué à contempler le méchant homme, à l'écouter respirer.

Je ne pouvais pas m'en aller tranquillement et le laisser finir sa nuit. Il avait fait trop de mal, et continuait à en faire tant qu'il restait en vie. C'était sa mémoire qui conservait intactes les dernières heures de Mindy.

Je me suis mordu la lèvre inférieure, fort. La douleur m'a renvoyée dans le monde réel. Comme l'extérieur de la maison, la chambre s'est colorée – les rideaux ont viré au jaune, les murs au roux pâle, les couvertures étaient barrées de motifs vert foncé. Même dans l'obscurité, la chambre avait quelque chose de joyeux.

Je me suis souvenue de la pelle cachée sous le lit. Peut-être pouvais-je encore trouver les preuves que je cherchais.

Je me suis agenouillée pour chercher sous le sommier,

et une lueur métallique a accroché mon regard. J'ai trouvé la pelle à tâtons et l'ai sortie très lentement. Sa lame a crissé sur le parquet.

Je me suis relevée, l'arme à la main.

Le méchant homme n'avait pas bougé, mais je n'entendais plus ses ronflements.

Était-il éveillé sous la couverture, à s'interroger sur ce bruit qui l'avait tiré du sommeil ? Ou bien était-il encore à moitié assoupi, et se rendormirait-il bientôt ?

J'ai attendu pour avoir la réponse.

Puis j'ai remarqué les yeux qui me fixaient derrière la vitre. Les rideaux tombaient un peu trop court, peut-être pour permettre au méchant homme d'entrevoir ses trophées sous les arbres. Cinq paires d'yeux s'alignaient le long de cette mince bande de verre, braquées sur moi, avides de savoir ce que j'allais faire ensuite.

J'ai frissonné de la tête aux pieds, comprenant que je n'étais pas là uniquement pour Mindy, mais aussi pour que ces petites filles puissent enfin s'effacer, sombrer dans l'oubli. Je n'avais plus le choix. Déterrer leurs os ne suffirait pas.

J'ai entendu une exclamation étouffée.

C'était le méchant homme, qui avait glissé la tête hors de la couverture. Pour se tourner non pas vers moi mais vers la fenêtre. Il contemplait ses précieux arbres.

Et il avait vu le trou.

Au clair de lune, on remarquait facilement cette excavation noire et irrégulière, comme si quelqu'un s'était frayé un chemin hors de la terre froide.

— Je suis venue pour vous, ai-je sifflé.

Il a pivoté dans ma direction, empêtré dans son pyjama, et m'a dévisagée avec des yeux ronds, tel un gamin effrayé par le monstre de sa chambre.

Ça ne me dérangeait pas. J'étais une valkyrie, après tout.

— Pourquoi ? lui ai-je demandé.

Il m'a regardée en secouant la tête, comme s'il ne comprenait pas. Ou peut-être doutait-il de mon existence.

— Pourquoi faire toutes ces choses à d'autres ? Nous ne sommes pas vos jouets.

Il n'a rien répondu. Le froid que j'avais en moi s'entendait dans ma voix désormais. Je ne me reconnaissais plus.

— Nous ne sommes pas là pour vous distraire, pour être enlevés ou abattus dans un aéroport, tout ça parce que vous avez un foutu désir de mort !

Le méchant homme s'est détourné de moi. Sa main pâle a émergé des couvertures pour tâtonner à la recherche de ses flacons de pilules.

J'ai soulevé la pelle, et l'ai abattue à plat sur la table de chevet. Le bois et le plastique ont explosé dans un fracas magnifique et des pilules ont volé dans toutes les directions, détalant dans l'ombre comme des insectes pris brusquement dans la lumière.

La main du méchant homme est restée suspendue dans le vide, tremblante, toujours tendue vers la table de chevet. Ses lèvres ont produit un son – une succession de petits halètements.

J'ai grimpé sur le lit et enfourché le méchant homme, il était piégé sous ses couvertures. Les deux mains sur la pelle, je lui ai écrasé le torse avec le manche. Ses halètements se sont faits plus forts, jusqu'à ce qu'il tremble de tout son corps, parcouru de spasmes sous mon poids.

De l'autre côté de la vitre, les yeux des petites filles brillaient.

Je pouvais sentir ce qui était en train d'arriver au

méchant homme. Je le humais dans l'air – une odeur de rouille et de sang.

Au bout de quelques minutes, les spasmes et les halète-ments ont cessé.

— Monsieur Hamlyn, j'aurais besoin de vous, ai-je appelé.

33

— TU NE M'ENVOIES PLUS ASSEZ DE TEXTOS, ANNONÇA NISHA d'une voix sévère. L'objet de cet appel est de déterminer pourquoi.

— Je t'envoie des textos tous les jours !

Darcy glissa ses écouteurs dans ses oreilles et son téléphone dans sa poche. Elle était en train d'étendre sa lessive, activité qui réduisait singulièrement le cachet littéraire de sa grande salle. Mais faire sécher son linge à domicile lui permettait d'économiser quelques pièces et, au moins, le coup de fil de sa sœur lui offrait une distraction.

— Tu me parles de tes soucis budgétaires, Patel, mais tu ne me tiens pas au courant des ragots !

Darcy s'esclaffa.

— Pourquoi faire ? Que tu vendes la mèche à maman ?

— Je ne vends jamais la mèche, Patel. Je l'examine et j'en sélectionne exclusivement les meilleurs tronçons pour la palette parentale. Je suis une experte en matière de mèche.

— Experte en n'importe quoi, oui ! rétorqua Darcy.

— Quand il le faut. Maintenant, crache le morceau.

Darcy soupira, étendait un tee-shirt d'Imogen sur le dossier d'une chaise. Sa petite sœur ne s'arrêterait pas avant d'avoir obtenu des infos croustillantes. Et pour tout dire, Darcy aurait dû lui parler d'Imogen depuis des siècles.

— D'accord. Mais cette information est uniquement destinée à la conversation orale. Pas aux textos.

— Pas la peine de me rappeler les procédures de sécurité.

Darcy baissa la voix, bien que ses parents se trouvent à plus de cent cinquante kilomètres.

— Je suis avec quelqu'un.

— Je le savais, répondit Nisha.

— Des clous !

— Vous êtes ensemble depuis cinq mois environ.

Darcy jeta un regard mauvais à l'un de ses pyjamas détrempés.

— Examinons les indices si tu veux, continua Nisha. Un : tu n'as mentionné personne. Je veux dire, tu vis seule pour la première fois de ta vie et tu n'aurais pas rencontré qui que ce soit ? Il n'y aurait personne de mignon dans tout New York ? C'est un peu gros, Patel, même pour toi.

— Hum, je suppose.

— Deux : tu ne viens jamais nous rendre visite. Ce qui veut dire que mon esprit incisif ne te manque pas, or la seule chose qui lui soit supérieure, c'est… ?

— Le grand amour ? risqua Darcy.

— Précisément. Et trois : quand j'ai demandé à Carla si tu voyais quelqu'un, elle m'a répondu : «Pas de commentaires.»

— Tu as demandé à Carla ? C'est pas un peu de la triche ?

— Pas quand on connaît déjà la réponse. Alors je me suis demandé : pourquoi tant de mystères ? Pourquoi est-on pratiquement en train de chuchoter ?

Darcy soupira.

— Tu as sûrement une théorie.

— J'en ai deux. Tu es avec quelqu'un de plus vieux que toi, pas vrai ? Assez vieux pour faire flipper les parents.

— Non ! Enfin si, peut-être un peu. Mais elle n'a que...
– oh, merde !

Le rire de Nisha jaillit à l'autre bout de la ligne.

— *Elle ?* Donc mes deux théories sont correctes. Est-ce qu'il existe un mot allemand pour désigner le fait d'avoir toujours raison ?

— Je crois que c'est *obnoxobratten*.

— C'était trop facile. Je te connais comme si je t'avais faite, Patel.

Darcy baissa la voix de nouveau.

— Tu as gardé ces théories pour toi, j'espère ?

— Oui, mais tu sais bien qu'il n'y aura pas de problème avec les parents ? Ou bien c'est Imogen qui n'a pas encore fait son coming out ?

— Elle ne se cache pas, t'inquiète, mais... arrête !

— Est-ce qu'un requin peut s'arrêter de nager ?

— Oui, quand on lui a fait la peau ! Bon, comment as-tu deviné ?

— Bah, ç'a été le plus simple, vu que tu n'arrêtes pas de me parler d'elle. Au fait cette tournée avec elle, c'était pour de vrai ? Ou simplement... ?

Nisha émit un petit bruit suggestif.

— On avait l'approbation de notre éditeur ! protesta Darcy, avant de s'apercevoir que ses parents se poseraient la même question une fois au courant. Merde. Je savais que j'aurais dû vous en parler à Thanksgiving. Mais l'occasion ne s'est pas présentée.

— Hum, c'est à toi d'aborder le sujet, Patel. Ou bien tu comptes attendre que maman te demande un jour si tu ne serais pas gay ?

— Je voulais le faire, mais Lalana était à Hawaï, et elle tenait à être là elle aussi.

— Une minute. Tante Lalana est au courant ? Tu lui en as parlé en premier ?

Un silence menaçant envahit la ligne, et Darcy prit conscience qu'elle venait de commettre une erreur terrible.

— C'est juste que, quand elle a cosigné mon bail, elle m'a fait promettre de tout lui raconter !

— Il s'agit d'une trahison grave, Patel. Il y aura des conséquences.

— Désolée, s'excusa Darcy, baissant encore d'un ton. Il y a quand même une chose que je voulais te dire, que Lalana ne sait pas. C'est en rapport avec le nom d'Imogen.

— Son nom ? répéta Nisha en ricanant. Tout le monde dans la famille se fichera de savoir qu'elle n'est pas gujarati. Enfin sauf grand-mère, peut-être, et je pense qu'elle tiquera plutôt sur le côté « absence de pénis ».

— Non, je ne te parle pas de ça. Le truc, c'est qu'elle ne s'appelle pas vraiment Imogen Gray. C'est un nom de plume. Et elle ne donne jamais son vrai nom à personne.

— Bizarre. Pourquoi ?

— À cause de trucs qu'elle a écrits quand elle était à l'université. Elle ne tient pas à ce que ses lecteurs tombent dessus en fouillant sur la Toile. J'imagine qu'elle ne tenait pas à ce que je tombe dessus moi non plus.

— Donc tu ne connais pas le vrai nom de ta petite amie ?

— Si, elle me l'a dit. Mais je n'ai pas encore fait de recherches sur Internet. Au cas où… je n'aimerais pas ce que je trouverais.

— Tu as peur qu'elle ne soit une meurtrière ou quelque chose comme ça ?

— Hum, je crois qu'on l'aurait déjà arrêtée. Elle se sert de son vrai nom pour prendre l'avion. En plus, elle n'était pas obligée de me raconter tout ça.

— Alors pourquoi l'avoir fait? Son faux nom est Gray!
Et si c'était pour Graybeard? murmura Nisha.

— Quoi?

— Tu sais, Barbe-Grise. Ce pirate, dans le conte de
fées, qui confie à sa nouvelle femme les clés de la maison.
Sauf qu'il y en a une qu'elle ne doit surtout pas utiliser,
parce qu'elle ouvre la pièce où il cache ses anciennes
femmes assassinées! Si ça se trouve, c'est un truc dans ce
genre-là.

— Tu confonds avec Barbe-Bleue, idiote! Greybeard,
c'est le surnom de Gandalf. Ne va pas me dire que c'est
une magicienne, en plus!

— Non. Mais à mon avis, tu devrais tourner cette clé,
répondit Nisha, très sérieuse. Et tu devrais sans doute le
faire avant de tout raconter aux parents. Au cas où.

Darcy réfléchit. Elle croyait agir par respect en refusant
de lire les écrits qu'Imogen préférait oublier. Mais n'était-
ce pas une manière de faire l'autruche?

Peut-être que Nisha avait raison, et qu'il valait mieux en
avoir le cœur net.

— D'accord, je vais regarder maintenant. Je t'envoie
un texto quand j'aurai terminé.

Finalement, il n'existait pas tant de liens que ça pour
« Audrey Flinderson ».

La plupart renvoyaient à des articles du blog qu'elle
tenait pendant l'université. Darcy en parcourut quelques-
uns, et la seule chose qui la frappa fut l'ennui qui s'en
dégageait. Elle pouvait y entrevoir le futur style d'Imogen,
mais les phrases demeuraient informes; le récit chaotique,
et flou.

À la première page s'affichaient les critiques cinéma
d'Imogen; plus récentes, mieux écrites, elles cultivaient
un sens comique totalement absent de *Pyromancer*. On y

trouvait beaucoup de grossièretés, mais rien qu'Imogen n'ait pas déjà prononcé devant son public pendant la tournée. Darcy n'aurait pas compris pourquoi Imogen avait voulu cacher son ancien moi, s'il n'y avait eu l'article en première ligne de la page de recherche. Il provenait d'un blog partagé et avait pour titre : « Tout le monde l'ignore, mais mon ex-copine est une garce. »

Darcy le garda pour la fin. Elle prit son temps pour le lire, le cœur battant la chamade.

Le texte était brillant, à sa façon. Acerbe, caustique, enlevé et plein d'esprit. Il décrivait sans préciser son nom une ex rencontrée à l'université, une fille jalouse, égoïste et d'une méchanceté rare. C'était un portrait habile, féroce, ruisselant de venin à chaque mot. Truffé d'exagérations manifestes, il n'en réussissait pas moins à convaincre Darcy des pires horreurs à propos de son sujet.

C'était terrifiant et pourtant, comme un accident au bord de la route, Darcy ne parvenait pas à en détacher les yeux. Elle se retrouvait embarquée dans le plaisir coupable d'assister à la démolition publique d'une inconnue. Une fille abominable, qui le méritait sans doute, et dont – allez savoir pourquoi – Imogen avait été amoureuse autrefois.

Quand elle eut terminé, Darcy s'éloigna de l'écran, le souffle court. Le plus terrible, c'est qu'on retrouvait Imogen dans toutes ses phrases – sa passion, sa fougue. Darcy parvenait même à se représenter le mouvement de ses mains. C'était de l'Imogen à l'état brut, distillée par la colère et le sentiment de trahison.

Et elle ne s'était pas donné tout ce mal pour rien. L'article avait plus de mille commentaires, et avait été partagé un nombre incalculable de fois. C'était probablement le premier résultat de n'importe quelle recherche comprenant les mots « Audrey Flinderson ».

Darcy s'imagina en train de le lire cinq mois plus tôt, le lendemain de son premier baiser avec Imogen. Elle le trouvait déjà dévastateur. À l'époque, elle l'aurait pris comme une giclée d'huile bouillante en pleine figure.

Au moins comprenait-elle maintenant la nécessité du secret. Assise devant son écran, elle se souvint de l'avertissement qu'Imogen lui avait soufflé la veille au soir : « Ce qu'on écrit n'est pas forcément ce qu'on est. »

C'était vrai, non ? Peut-être que cet article tenait en partie de l'exercice de style. Peut-être qu'Imogen avait seulement fait semblant d'être cette jeune femme blessée, pleine de fiel, comme quand Darcy se coulait dans la peau de M. Hamlyn. Un texte comportait toujours une part de fiction, après tout.

Sauf si c'était le contraire, bien sûr ; si Audrey Flinderson faisait seulement semblant d'être Imogen Gray.

Darcy rejeta cette idée, et sortit son téléphone de sa poche.

Juste une histoire pour faire peur, tapa-t-elle à l'intention de Nisha. *Rien de réel.*

L'hiver recouvrit New York de son grand manteau blanc. Le givre étoila les fenêtres de la grande salle, et la couche de neige mit une sourdine au grondement des camions et des voitures en contrebas. Malgré les vieux radiateurs qui tremblaient et cliquetaient, l'appartement 4E restait désespérément froid, obligeant Darcy à porter des chandails et Imogen à taper en mitaines. Mais les deux ne se plaignaient jamais, car la fraîcheur ambiante était un faible prix à payer pour toutes ces fenêtres, cette vue imprenable sur les toits de Chinatown bordés de stalactites.

C'était plutôt la fin d'*Afterworlds* qui faisait frissonner Darcy à la nuit tombée.

Elle avait réécrit plus de dix fois les trois derniers chapitres, décidée à sauver Yamaraj et le couple romantique
qu'il formait avec Lizzie. Dans l'une de ces versions, Lizzie
renonçait à la vie humaine et descendait dans le royaume
infernal de Yamaraj pour y vivre à jamais dans la splendeur, le froid et la grisaille. Mais chacune de ces fins laissait la mère de Lizzie et ses amis en deuil à l'arrière-plan,
et Darcy n'arrivait plus à se défaire de l'idée qu'un garçon
possédant un château avait forcément quelque chose de
Disney.

Dans d'autres versions, c'était Yamaraj qui renonçait à
l'immortalité pour rejoindre Lizzie sous le soleil du monde
réel. Ces fins ne tiraient pas le rideau sur une mère ou des
amis éplorés (et ne comportaient pas de château), mais
elles soulevaient le problème délicat du peuple de Yamaraj
et de sa sœur Yami. Autant de fantômes qui se retrouvaient seuls et s'estompaient dans le rétroviseur du roman,
pareils à des chiots abandonnés au bord de la route. Pire
encore, en arrachant Yama aux enfers, Darcy supprimerait les dernières traces de l'hindouisme de son monde
fictif.

Elle devait trouver une troisième solution, une fin qui
permette de conserver ses deux personnages en vie tout en
résolvant l'histoire (sans oublier de planter quelques pistes
pour *Untitled Patel*). Elle devait approfondir le rôle de
Yamaraj, en faire plus qu'un trophée à remporter.

Ces derniers chapitres idéaux devaient se trouver là,
quelque part dans les cieux littéraires. Mais Darcy avait
beau multiplier les tentatives de réécriture, ou fixer les
fenêtres ourlées de givre de la grande salle, sa fin ne voulait pas se dessiner.

Elle réclama un nouveau délai, qu'elle obtint, jusqu'à
fin janvier. Mais Nan Eliot se montra catégorique – ce

serait le dernier, l'ultime report, une ligne que même un seigneur de la mort ne saurait franchir.

— Mes parents m'ont invitée pour Noël, annonça Darcy un soir où l'écriture était laborieuse.

— Ah ? fit Imogen, sans s'arrêter de taper.

— Oui, enfin, «invitée» n'est pas le mot. Disons qu'ils s'attendent à ce que je vienne et que je reste une semaine. Et puis, ce n'est pas vraiment Noël, mais Pancha Ganapati. Une fête de cinq jours en l'honneur de Ganesh.

Imogen leva les yeux, les doigts figés sur le clavier.

— Je croyais que tes parents n'étaient pas religieux ?

— Pas vraiment, expliqua Darcy. Mais on installe quand même des guirlandes lumineuses sur des couronnes de sapin et on s'offre des cadeaux le dernier jour, qui tombe comme par hasard le 25 décembre. Ce truc a été inventé uniquement pour que les petits hindous arrêtent de bassiner leurs parents avec Noël.

Imogen rit.

— Ça m'a l'air d'une religion plutôt souple.

— C'est toujours sympa, comme fête, et de toute façon je n'ai pas vraiment le choix.

Darcy hésita. Cette conversation se révélait plus difficile que prévu.

— Alors je me demandais, ça te dirait de venir avec moi ?

— Ça dépend.

Darcy attendit la suite, mais rien ne vint.

— Euh, de quoi ?

Imogen lui lança un regard.

— Est-ce qu'ils sont au courant, pour moi ?

— Oh, fit Darcy, la gorge nouée. Non. Je veux dire, je leur parle de toi sans arrêt, bien sûr, donc ils savent qui tu es, mais...

— Mais ils ne savent pas pour toi et moi.

— Nisha est au courant.

Darcy soupira. C'était toujours frustrant de voir sa nouvelle vie se heurter à celle qu'elle avait abandonnée à Philly.

— Oui, je sais, elle m'a envoyé un texto.

Imogen referma son portable et se renversa dans sa chaise, ce qui voulait dire que la conversation prenait une tournure sérieuse.

— De toute évidence, tu n'as pas trouvé l'occasion de leur en parler à Thanksgiving.

— Je voulais le faire, mais ma tante Lalana était partie à Hawaï avec son petit ami. Elle tenait absolument à être présente quand je le leur annoncerais.

Imogen hocha la tête, d'un air un peu las.

— OK.

— Ce n'est pas OK ! Tu es la personne la plus importante dans ma vie, alors ce n'est pas OK qu'ils ne soient pas au courant. Simplement...

C'était difficile à expliquer. Darcy n'avait pas peur que ses parents lui fassent une scène ou la déshéritent parce qu'elle sortait avec une fille. Il y avait plus de chances qu'ils se moquent d'elle pour leur avoir caché ça aussi longtemps.

Ici, à New York, tout le monde savait à quoi s'en tenir à propos d'Imogen et elle. La plupart des personnes qu'elles rencontraient les connaissaient déjà par le milieu de l'édition. Si leur couple se singularisait, c'était par le fait qu'elles écrivaient toutes les deux des romans pour jeunes adultes. Darcy adorait que la première chose qu'on dise en les voyant soit toujours « Oh, vous êtes les deux romancières ».

Mais pour ses parents, sa relation avec Imogen serait réduite à une tocade, tout comme sa carrière littéraire.

— Simplement…, reprit Darcy, mais il lui fallut un moment. Ça ne me paraît pas juste, d'avoir à le dire à mes parents.

— Ils sont censés deviner ?

Darcy secoua la tête.

— C'est facile, ici. Et quand je compare le nouveau moi à celle que j'étais à Philly, j'ai l'impression de ne pas mériter ce que je suis devenue. Comme si on m'avait donné un permis à mon arrivée à New York sans vérifier mon âge. J'ai sans arrêt le syndrome de l'imposteur.

— Ce que tu essaies de dire, en gros, c'est que tu as eu beaucoup de chance jusqu'ici.

— Quel rapport avec la chance ?

Un camion passa en contrebas. Assourdi par la neige, le bruit de ses pneus ressemblait à un long soupir de lassitude.

— J'ai compris ce que j'étais au lycée, commença Imogen. J'ai dû l'expliquer à mon père alors que je vivais encore sous son toit. J'ai connu les amis qui me tournaient le dos, les professeurs qui réagissaient comme des abrutis pour la plupart, et le bus scolaire tous les matins avec ses ragots, ses machos et autres débiles. Et la cerise sur le gâteau : un vice-principal qui me détestait déjà, alors imagine sa joie quand j'ai complété le tableau avec une petite amie qui adorait jouer avec les allumettes.

Darcy baissa les yeux. Ayant parcouru l'annuaire scolaire d'Imogen au lycée, elle aurait pu deviner tout ça par elle-même.

— Ça n'a pas dû être une partie de plaisir.

— C'est l'épreuve la plus pénible que j'aie jamais affrontée. Tout le monde ne s'en remet pas, tu sais ?

La grande salle demeura silencieuse un moment, à l'exception du murmure des voitures dans Canal Street. Darcy serrait les poings, parce que en plus de son mélange habituel de confusion et de honte elle éprouvait aussi de la colère, à présent, à cause de ce qu'une bande d'inconnus complets avait fait vivre des années plus tôt à Imogen White et Imogen Gray.

Ce fut Gen qui brisa le silence.

— Mais on a tous des expériences différentes, aussi valides les unes que les autres. Je suppose.

Darcy leva la tête.

— Même les sales petites veinardes comme moi ?

Imogen sourit, mais sa bouche gardait une certaine dureté.

— Tu veux venir à la maison avec moi ? demanda Darcy.

— Pour passer Noël avec ta famille ?

— Pas Noël, Pancha Ganapati. Et Carla viendra faire la fête avec nous, alors tu ne seras pas la seule non hindoue.

— Mais je serais la seule personne à mentir sur les raisons de sa présence.

Darcy ne répondit pas. Elle n'avait pas considéré le fait de garder leur relation secrète comme un mensonge, mais c'en était un, naturellement. Elle faisait toujours très attention à la façon dont elle parlait d'Imogen à ses parents, et devait souvent modifier certains détails dans les e-mails qu'elle leur écrivait.

— C'est à cause de ce que tu as appris sur moi ? demanda Imogen. Tu n'as pas envie qu'ils sachent la vérité à mon sujet ?

— Bien sûr que non.

C'était la première fois que l'une ou l'autre mentionnait l'article depuis le soir où Imogen lui avait révélé son nom.

— Je n'ai pratiquement plus repensé à Audrey Flinderson. Sérieusement, Gen, je me fiche de ce que tu as pu écrire sur ton blog à l'université.

Imogen soupira.

— Bon, d'accord. Alors c'est juste que tu te comportes en poule mouillée.

— Ce n'est pas une question de peur ! s'écria Darcy.

Tout à coup, il devenait très important pour elle qu'Imogen la comprenne, totalement.

— Quand j'ai vendu *Afterworlds*, expliqua Darcy, je n'ai pas seulement décroché un contrat. J'ai obtenu une nouvelle vie, où personne n'avait de préjugés concernant qui j'étais ou ce que j'étais. Je me rends bien compte de la chance que ça représente, c'est comme si j'avais gagné à la loterie. N'empêche que c'est mon ticket, et que je n'ai pas envie de renoncer aux gains ! Le fait de ne pas être obligée de me définir en fait partie.

Imogen secouait la tête.

— On est toujours en train de se définir, Darcy. Tu me tiens la main quand on marche dans la rue. Tu crois que les gens ne s'en aperçoivent pas ? Tu n'entends jamais quand un connard homophobe nous balance une remarque ?

— Bien sûr que si, répondit Darcy. Mais te tenir la main, c'est comme respirer – il n'y a rien de plus facile. Rien de plus naturel. C'est comme ça que ça devrait être, non ?

— Oui, reconnut Imogen. Mais ça ne se passe pas toujours aussi bien. Dans les couloirs de Reagan High, tenir la main de Firecat, c'était comme poser une bombe.

— C'est grave. Je n'ai pas eu à subir tout ça, dit Darcy. Et j'aime ma vie comme elle est. Je n'ai pas envie de voir mes parents se montrer compréhensifs. Je veux que tout reste exactement comme aujourd'hui entre toi et moi, et nos amis à New York. Je me plais trop au paradis Jeunes adultes !

Imogen, qui l'avait écoutée sans rien dire, regarda un

long moment par la fenêtre. Ses doigts frémissaient,
comme si elle pianotait sur un clavier invisible.

— Bien sûr, finit-elle par dire. Qui pourrait t'en vouloir?

— Alors, tu me comprends?

Imogen acquiesça.

— C'est la vie dont tu as toujours rêvé, et tu ne veux
pas risquer de la compromettre. Mais moi, je n'ai pas envie
de dormir seule dans la chambre d'amis de tes parents, ou
de t'embrasser en cachette quand il n'y aura personne
dans le coin. Je ne tiens pas à passer Noël à jouer la petite
amie secrète plus vieille de cinq ans.

— Pancha Ganapati, pas Noël! insista Darcy en détachant chaque syllabe. Qu'est-ce que notre différence d'âge
vient faire là-dedans?

— Ça rend la situation encore plus embarrassante.

Imogen se tourna de nouveau vers la fenêtre. Le radiateur sous le bureau se remit à cliqueter et à vibrer, prêt à
produire une nouvelle onde de chaleur.

Darcy se força à sourire.

— Qui joue les poules mouillées, maintenant?

— Toi! Officiellement, la poule mouillée, c'est toi,
répondit Imogen. Mais si je t'accompagne et que je mens
à tes parents, j'en deviendrai une aussi. Sauf que je suis
censée être plus âgée et plus sage.

— Plus âgée et plus sage que moi? Ce n'est pas une
référence.

— Écoute, ça nous arrive à tous de nous sentir imposteurs, mais rien ne t'y oblige dans ce cas précis. Si tu veux
vivre à fond ta vie rêvée, tu dois accorder la nouvelle Darcy
à l'ancienne. Comme j'ai dû accorder Imogen Gray à
Audrey Flinderson. Au risque que tu me détestes.

— Jamais, assura Darcy, pressant la main d'Imogen.
Ce n'est pas ça. Simplement, finir mon livre, tout raconter

à mes parents et terminer de grandir – tout ça prend plus de temps que je ne pensais.

Le matin de son retour à Philly, Darcy et sa sœur s'employèrent à installer des guirlandes lumineuses autour du tableau de Ganesh que leur mère avait descendu du grenier. Le seigneur Ganesh avait un pied en l'air, prêt à danser. Mais il était aussi méditatif, les paumes ouvertes présentées vers le ciel. Une paire de branches de sapin fraîchement coupées s'arrondissait au-dessus de lui, qui diffusait une odeur forestière et semait des aiguilles sur la moquette beige.

— Scintillantes ou pas ?

Nisha se recula et examina leur travail d'un œil critique.

— Scintillantes, clairement.

— OK, c'est parti.

Darcy brancha les guirlandes.

Au bout d'un moment, Nisha secoua la tête.

— C'est à peine un clignotement, Patel. À cette vitesse on ne peut pas parler de scintillement.

— Il faut peut-être attendre qu'elles chauffent ?

D'habitude, c'était leur père qui s'occupait des lumières. Mais leurs deux parents s'étaient retirés en cuisine, inondant la maison d'une odeur de chapatis, de noix de coco et de sucre chaud.

— Pourquoi est-ce que papa fait la cuisine, d'ailleurs ? Je pensais qu'il n'en avait pas le droit quand on avait des invités.

— Je crois qu'ils veulent nous laisser tranquilles toutes les deux, répondit Nisha, un pied en l'air pour imiter la posture de Ganesh. En d'autres termes, ils comptent sur moi pour obtenir des ragots.

— Sérieux ?

— Tu devrais entendre Annika chaque fois que tu m'envoies un texto. Elle veut des détails. Une analyse de la situation.

— Pff… et moi qui pensais que ça allait mieux. Papa ne me parle plus de l'université depuis un mois. Quand il est passé me chercher à la gare, hier soir, il m'a même demandé comment allait ma carrière !

— Oui, je n'arrête pas de leur parler de ta « carrière », histoire de les agacer. Maintenant ils commencent à employer le mot eux aussi, expliqua Nisha, qui joignit les deux mains en prière et s'inclina jusqu'à la taille. Pas de quoi.

— Merci. Puis-je quand même faire remarquer qu'il s'agit véritablement d'une carrière ? Avec du vrai argent à la clé ?

— C'est toi qui le dis. N'empêche que sans mon contrôle parental les Patel père et mère te rendraient visite une fois par semaine. (Nisha s'essuya une larme imaginaire.) Et en échange je n'ai même pas droit à des lumières scintillantes.

C'était exact, les guirlandes persistaient à clignoter.

— Oui, mais je t'ai rapporté des cadeaux !

Darcy pointa une pile de paquets emballés dans du papier orange qui attendaient d'être disposés autour de l'autel. Elle les avait choisis avec le plus grand soin au cours des derniers mois, parce que Nisha ne plaisantait pas avec la qualité des cadeaux. Ils comprenaient une coque de téléphone avec un plan du métro, des billets de train Philly-New York pour les vacances de printemps, et un tee-shirt frappé d'une version death metal de Glitter-Mane, le deuxième petit poney préféré de Nisha.

— Ce ne sont que des objets, Patel. Tu m'as obligée à deviner tous les ragots croustillants.

Darcy leva les yeux au ciel. Tout ça parce que tante Lalana avait su la première, pour Imogen.

— Donc tu aimes les filles, maintenant? demanda Nisha.

— Je ne sais pas.

— Réponse insatisfaisante, Patel. Tu dois bien zyeuter les gens de temps en temps. Genre, quand tu croises quelqu'un de mignon dans la rue. Est-ce qu'il y a des garçons dans le lot?

— Je ne zyeute jamais les gens. Je ne suis pas comme ça.

Les guirlandes clignotaient plus vite à présent, scintillant presque.

— Je suis peut-être Imogeno-sexuelle.

Nisha renifla.

— Je crois que le terme technique est amouretteuse.

— Qu'est-ce que ça peut te faire, de toute façon?

— Simple curiosité. En plus, les parents vont me poser plein de questions une fois que tu seras partie. J'ai intérêt à connaître les réponses!

Darcy prit une grande inspiration.

— Je ne sais pas si je vais leur en parler maintenant.

— Ne joue pas les poules mouillées, Patel.

Encore cette expression. Darcy se demanda si Nisha et Imogen coordonnaient leurs attaques.

— Sérieusement, c'est le premier jour de Pancha Ganapati, reprit Nisha. Le moment idéal!

Darcy mit un moment à comprendre. Depuis qu'elles étaient gamines, Nisha et elle s'étaient toujours focalisées sur le dernier jour de Pancha Ganapati, où l'on ouvrait les cadeaux. Elle avait presque oublié que ce soir, le soir du premier jour de la fête, était consacré à aplanir les différends familiaux, à clarifier ce qui avait besoin de l'être.

— Depuis quand verses-tu dans le religieux?

Nisha haussa les épaules.

— C'est la dimension mathématique qui me plaît.

— La dimension mathématique ?

— Hé, on a quand même inventé le zéro. Sans oublier ce mantra vieux de trois mille ans – tout est puissance de dix, de cent à un trillion. Trop cool, non ?

Darcy haussa les sourcils.

— J'ai peur que toi et moi n'ayons des centres d'intérêt légèrement différents.

— Écoute. Papa m'a offert un livre pour les enfants hindous, dans lequel il est dit que si on brûlait chaque exemplaire des Veda, les mêmes vérités seraient redécouvertes. Ça n'a de sens que si on parle de mathématiques.

— Mouais…

Darcy jeta un coup d'œil au tableau de Ganesh. Les guirlandes s'étaient enfin mises à scintiller.

— C'est tout ce que ça représente pour toi ? Seulement des nombres ?

— Seulement des nombres ? s'indigna Nisha, dont le visage prit une expression de certitude absolue. L'univers entier se compose de mathématiques, Patel. C'est ça, mon credo.

Darcy ne répondit pas. Elle repensait à Sagan et à son paradoxe d'Angelina Jolie. Peut-être que c'était précisément la définition de la vérité – on avait beau l'effacer autant qu'on voulait, elle perdurait, toujours près d'être redécouverte.

Pour le dîner, Annika Patel leur avait préparé un véritable festin gujarati, une dizaine de mini-plats devant chaque convive. En plus du gombo et de la purée de pois chiches habituels, on trouvait des currys de courge écarlate et de margose. Les chapatis étaient faits maison, comme en attestaient leurs bords brûlés et les jurons sonores du père de Darcy dans l'après-midi.

Même à Darcy, qui avait rejeté depuis longtemps le végétarisme familial, les odeurs qui montaient de la table mettaient l'eau à la bouche. Et en voyant arriver d'autres plats, elle se prit soudain à regretter amèrement l'absence d'Imogen. Ç'aurait été merveilleux de lui expliquer les saveurs, de l'aider à disséquer ses boulettes trempées dans le yaourt et ses feuilles de taro cuites à la vapeur, et de la regarder goûter des chutneys propres à vous déboucher les sinus.

Pour bien connaître une famille, il faut croquer dans ses repas, pensa Darcy, et elle se promit que l'année prochaine Imogen serait là.

Elle jeta un coup d'œil à sa tante Lalana, arrivée juste avant le dîner. Et qui l'observait par-dessus la table en donnant l'impression d'attendre quelque chose.

Une pression supplémentaire. Formidable.

— Ça m'a l'air délicieux, madame Patel, déclara Carla, et Sagan approuva d'un hochement de tête.

Invités comme toujours à la première soirée de Pancha Ganapati, les deux semblaient revenus plus mûrs et plus sages de leur premier semestre universitaire. Carla avait adopté une coupe courte très élégante, et Sagan avait remplacé ses lunettes par des lentilles de contact. Changements superficiels, mais qui rappelaient à Darcy que ses amis grandissaient au moins aussi vite qu'elle.

Quand sa mère leur demanda quels cours ils suivaient, Carla se lança dans une grande dissertation sur le roman britannique du XVIIIe siècle.

— Ils avaient un genre entier appelé «le surnaturel expliqué». On n'était même pas encore en 1800 et tous ces auteurs en avaient déjà assez du fantastique. Alors, ils se sont mis à écrire des romans d'horreur dans lesquels chaque élément épouvantable trouvait une explication logique. Enfin, plus ou moins logique.

— Comme à la fin de chaque épisode de *Scooby-Doo*, donc ? demanda Sagan.

— Exactement ! Ils veulent conserver les tropes du genre, mais ne savent pas les gérer.

— Bande de sales gosses, commenta Sagan en déchirant un chapati.

— Je détestais cette série quand j'étais petite, dit Darcy. Les bouquins sont intéressants ?

Carla haussa les épaules.

— Ils ont tendance à abuser des phrases à rallonge. Mais c'est comme avec Shakespeare, on s'y habitue.

— Je suppose que Darcy s'inscrira en anglais elle aussi, intervint Annika Patel. Vous imaginez, lire des romans toute la journée !

Il y eut un bref échange de regards entre les jeunes gens présents à table. Que Darcy s'inscrive à l'université ne faisait toujours aucun doute, naturellement. Pourtant, ce n'était pas cela qui lui hérissait le poil, mais le fait qu'elle lisait déjà plusieurs romans chaque semaine. Peut-être n'avait-elle pas ouvert récemment de romans gothiques du XVIIIe siècle, mais la moitié de ce qu'elle lisait n'avait même pas encore été publié. C'était tout de même autre chose que d'être forcée d'ingurgiter du proto-*Scooby-Doo*.

Elle était sur le point d'en faire la remarque quand sa mère reprit la parole.

— En parlant de romans, j'ai une annonce à faire.

Annika marqua une courte pause, le temps de s'assurer l'attention générale, avant de se tourner vers Darcy.

— J'ai enfin lu le tien, déclara-t-elle.

Il y eut une autre pause, un autre échange de regards.

— Tu étais censée attendre qu'il soit publié !

— C'est ce que je comptais faire. Et puis, je me suis

rendu compte qu'il ne sortirait pas avant septembre prochain !

— Plus que deux cent soixante-seize jours, précisa gaiement Nisha.

— Je veux dire, quand même ! protesta Annika. Il faut vraiment dix-huit mois pour fabriquer un livre ?

Plusieurs explications vinrent aussitôt à l'esprit de Darcy – les conférences promotionnelles, la relecture des épreuves, la diffusion des exemplaires de test et l'élaboration de la couverture – parce qu'elle s'était posé la même question à de nombreuses reprises.

Mais tout ce qu'elle trouva à dire, ce fut :

— Et tu l'as lu jusqu'au bout ?

— Bien sûr, qu'est-ce que tu crois ? dit sa mère en riant. Il faut plus de violence que ça pour me décourager.

— Elle m'a lu le premier chapitre à voix haute, confia son père, tout sourire. J'en ai eu froid dans le dos !

— Merci.

Darcy attendit la suite. Elle n'attendait pas d'autres compliments, non, mais de savoir si sa mère avait reconnu le fantôme de Rajani.

— J'ai adoré ce pouvoir qu'ils ont de se rendre n'importe où rien qu'en le souhaitant.

— S'enfoncer dans le fleuve n'est pas exactement la même chose que faire un vœu, m'man.

— Si tu veux. En tout cas, c'était malin de ta part d'utiliser le Vaitarna. Je ne savais pas que tu t'intéressais à la religion.

Darcy cligna des paupières. Elle s'était rongé les sangs à propos des croyances de ses parents au cours des six derniers mois de réécriture.

— Alors ça ne t'ennuie pas que je me sois servie du seigneur Yama comme personnage ?

Sa mère balaya cette crainte d'un revers de main.

— Ce n'était pas vraiment le seigneur Yama. Juste un garçon ordinaire.

— Oh, fit Darcy. Et qu'as-tu pensé de Mindy ?

Les autres guettèrent la réponse, même si Nisha était la seule à connaître l'existence de l'amie d'enfance assassinée d'Annika.

— Je l'ai trouvée mignonne. Et drôle.

— Mignonne ? Et drôle ?

— Elle a un côté tellement années 1970. J'avais l'impression de voir ses couettes ! Et le velours côtelé ! (Elle se tourna vers son mari.) Tu te rappelles, tu en portais sans arrêt à l'époque ?

Il rit.

— Je dois encore avoir un vieux pantalon quelque part.

— Hum, il n'y a rien d'autre qui t'ait frappé chez elle ? insista Darcy.

Annika Patel fronça les sourcils.

— Comment ça ?

Darcy hésita, ne sachant plus quoi dire. Kiralee avait eu raison, bien sûr – c'était une très mauvaise idée d'aborder la question de Rajani, du moins tant que la série n'était pas terminée. Mais Darcy ne parvenait pas à croire que la ressemblance avait échappé à sa mère.

Cela lui donnait le sentiment d'avoir raté quelque chose dans son écriture. À moins que sa mère ne soit pas hantée par son passé. Peut-être avait-elle tiré un trait dessus en quittant l'Inde.

— Eh bien, je pensais que tu aurais peut-être remarqué…

Darcy fut incapable de poursuivre. Mentionner Rajani en public lors d'un dîner, c'était risquer de l'exorciser de cet endroit gris et discret dans l'esprit de Darcy, où son histoire avait pris forme. Chaque page d'*Untitled Patel* pouvait en être transformée, brisée par la révélation.

Mais comment se faisait-il que sa mère n'ait rien relevé ?

— Quoi donc, ma chérie ? demanda Annika Patel.

Tout le monde avait les yeux fixés sur elle à présent. Il fallait qu'elle dise quelque chose, n'importe quoi, pour protéger son petit fantôme.

— Euh, j'ai une petite amie.

Le silence ne dura pas longtemps, mais pour Darcy il fut interminable, gigantesque et assourdissant. Tous les regards convergèrent sur ses parents – les deux seules personnes de la tablée à ne pas avoir été au courant. Ils paraissaient plus abasourdis qu'autre chose, mais de toute manière, cette annonce n'appelait pas de commentaires. Tante Lalana, au moins, affichait un sourire approbateur.

Nisha fut la première à s'exprimer.

— Bravo, Patel.

Le charme rompu, Darcy reprit :

— Je tenais à vous le dire. On est ensemble depuis un moment maintenant. Je l'aime vraiment beaucoup.

Curieusement, elle éprouvait la même sensation que lors de sa première prestation en tant qu'auteur sur la scène d'Avalon High. Comme elle n'avait pas eu le temps d'avoir le trac, les mots lui étaient venus tout naturellement.

— Une petite amie ? Eh bien, je dois dire que je ne m'y attendais pas.

Le sourire d'Annika Patel, d'abord hésitant, finit par s'affirmer.

— Tu sais que nous t'aimerons toujours, Darcy, quoi qu'il arrive.

— Bien sûr que je le sais, répondit Darcy.

Elle l'avait toujours su, mais fut néanmoins touchée de l'entendre. La gorge nouée, elle sentit deux larmes gonfler devant ses yeux ; toutes les personnes présentes autour de la table devinrent plus nettes et plus claires.

— C'est ce qui s'appelle savoir saisir l'occasion, murmura Sagan.

Puis un pli perplexe barra le front de sa mère.

— Une minute. J'étais censée le deviner en lisant *Afterworlds* ? Est-ce que j'aurais raté quelque chose ?

— Pas là-dessus, non. C'est juste que... (Darcy ne savait plus comment continuer.) Imogen est très gentille, je crois qu'elle devrait vous plaire. Et pardon d'avoir mis si longtemps à vous le dire.

Son père lui assura :

— Tu as choisi le moment idéal, Darcy.

Elle sourit, comme si cet aveu le premier soir de Pancha Ganapati était la conséquence d'un choix conscient et non de sa chance insolente de poule mouillée. C'était vrai, le moment était idéalement tombé.

Avoir de la chance lui convenait tout à fait – cette famille, cette fête réinventée, cette certitude d'être aimée.

C'était cela, son credo.

34

M. HAMLYN A D'ABORD ÉTÉ RAVI DE DÉCOUVRIR LES FILLETTES mortes, jusqu'à ce que je lui explique qu'il ne les trouverait pas à son goût. Elles n'avaient pas été aimées dans leurs derniers instants.

— Et donc tu m'as appelé pour ça ? a-t-il protesté, indiquant le fantôme recroquevillé dans son coin.

L'esprit du méchant homme s'était levé quelques minutes après que son corps avait cessé de respirer. Il était plus maigre que je ne m'y attendais, en pyjama à fleurs et chaussettes blanches. À peine s'il avait fait attention à moi, occupé qu'il était à fixer les cinq petites filles dans son jardin. Peut-être avait-il toujours soupçonné leur présence et pensait-il que ses cauchemars devenaient réalité. Ou peut-être se croyait-il en train de faire un mauvais rêve. Il n'avait pas dit un mot, s'était simplement retiré dans son coin et caché les yeux.

— Oui, ai-je répondu à M. Hamlyn. Je l'ai tué. Maintenant taillez-le en pièces, s'il vous plaît.

Le vieux psychopompe m'a détaillée de haut en bas, s'attardant sur la terre que j'avais sous les ongles et la pelle que je tenais à la main. Son sourire a grandi, grandi, jusqu'à ce qu'il paraisse tordu, faux et beaucoup trop large pour son visage.

521

— Je savais que tu avais ça en toi, petite.

J'ai pointé la pelle vers le fantôme du méchant homme.

— Apprenez-moi comment découper ses souvenirs.

M. Hamlyn a frissonné avec emphase.

— Ce sont de très mauvais souvenirs. Tu devrais commencer avec quelque chose de plus agréable.

— Je n'ai pas l'intention de m'en faire un édredon. Je veux juste qu'il disparaisse. Et les libérer, elles, ai-je ajouté avec un coup d'œil par la fenêtre en direction des fillettes.

— Il est mort. Ses souvenirs ne vont plus retenir grand-chose très longtemps. Mais je suppose qu'on peut accélérer un peu le processus.

C'est alors que M. Hamlyn m'a montré ce qu'il conservait dans les poches de son manteau en patchwork.

C'était un fragment de souvenir qu'il avait trouvé, une chose épouvantable. Si rare, d'après lui, que je pourrais parcourir le fleuve pendant un siècle sans jamais en sentir un me frôler la nuque. Par contre, je m'en apercevrais aussitôt si cela devait m'arriver – le frisson que j'ai ressenti quand il me l'a passé était très particulier, comme si une anguille froide et visqueuse s'enroulait autour de ma colonne vertébrale.

Il m'a dit que c'était comme un diamant, forgé sous une pression inimaginable, capable de trancher dans le vif les souvenirs moins forts. De tels filaments ne se formaient qu'à l'occasion de catastrophes terribles, la mort d'une ville entière dans les flammes, par exemple. Il n'avait vu cela se produire qu'une demi-douzaine de fois.

— Fais très attention, m'a-t-il prévenue. Une chose capable de couper un fantôme peut parfaitement te couper toi aussi, même dans l'au-delà.

C'était l'outil idéal pour un psychopompe comme lui.

Les fillettes se sont estompées pendant que nous

opérions. Le méchant homme se les rappelait mieux que personne, mieux que leurs familles, même. À mesure que son fantôme s'effilochait en débris scintillants, elles ont commencé à s'éclaircir, à vaciller, pour finir par s'éteindre une par une.

Enfin libres, ou tout simplement disparues.

J'en ai vu plus que je n'aurais voulu cette nuit-là, tandis que la carrière morbide du méchant homme se déroulait entre mes mains. Pourtant, aussi effroyables que soient ces visions, il y avait une certaine élégance dans le travail de M. Hamlyn. Croisement entre un chirurgien et un conteur, il extirpait et détachait chaque fil de l'écheveau d'une vie.

Il n'avait aucune envie d'ajouter quelque chose d'aussi vil à sa collection, et nous avons jeté tous ces morceaux découpés avec soin dans le Vaitarna. Le fleuve n'était pas autre chose – une boue noire formée de plusieurs millénaires de souvenirs humains. Je me demandais comment il pouvait sentir aussi bon.

— Merci, ai-je dit à M. Hamlyn une fois que nous avons eu terminé.

— Il n'y a pas de meilleure récompense que d'avoir eu raison.

Je l'ai dévisagé.

— Raison à propos de quoi ?

— Du fait que tu m'appellerais. Même si je dois admettre que je ne m'attendais pas à ce que tu le fasses si tôt.

J'ai ouvert la bouche pour rétorquer que je ne l'appelerais plus jamais. Mais comment en être sûre ? Mon avenir était incertain, aussi bien comme valkyrie que comme être humain.

Tout change quand on a pris une vie.

J'aurais pu laisser le fleuve me ramener chez moi, mais mon corps était ici, à Palo Alto. Je ne pouvais pas l'abandonner sur place, pas plus que ma belle voiture neuve, d'ailleurs.

Quand j'ai rallumé mon téléphone pour qu'il m'indique le chemin de la nationale, il a émis un tintement : j'avais six messages de ma mère et quatorze de Jamie.

Si elles ne m'en avaient laissé qu'un ou deux, je les aurais peut-être écoutés. Mais l'idée de tous ces messages que je devinais de plus en plus anxieux m'a plutôt convaincue d'éteindre à nouveau mon téléphone. Auparavant, je leur ai quand même envoyé un texto à toutes les deux :

Je vais bien. Je serai rentrée ce matin.

La nationale n'a pas été difficile à trouver, et les panneaux pour Los Angeles ne manquaient pas. Une fois de plus, j'avais très mal choisi mon moment, parce que après quatre heures de route je me suis retrouvée dans les bouchons de LA en pleine heure de pointe.

C'était aussi l'heure du petit déjeuner, et je n'avais rien avalé depuis la veille à midi. Je n'avais peut-être plus sommeil, mais ici, parmi les vivants, j'avais encore besoin de m'alimenter.

Je me suis arrêtée à Hollywood Nord dans un resto appelé le Star Diner, que j'avais choisi pour son parking. Une serveuse remarquablement efficace m'a apporté des œufs brouillés et du pain grillé que j'ai dévorés en trois minutes. Manger cette nourriture toute simple m'a aidée à reprendre pied dans la réalité.

Le soleil du matin entrait à flots par la baie vitrée du restaurant, comme si l'au-delà n'existait pas. Les tables étaient bordées de chrome rutilant. Assise là, à boire mon café, je ne me sentais pas dans la peau de quelqu'un qui avait découpé un fantôme la nuit dernière. Je ne savais pas trop ce que j'éprouvais exactement. Plus de colère, puisque le méchant homme était mort, mais pas non plus de sentiment de triomphe. Je n'étais même pas épuisée après avoir conduit toute la nuit. À croire que j'avais excisé une part de moi-même en même temps que les souvenirs du méchant homme. Et qu'il ne me restait que le froid.

Quand j'ai sorti mon portefeuille pour payer, une carte de visite en est tombée. Elle portait un sceau bleu dans le coin supérieur gauche, et le nom de l'agent spécial Elian Reyes. Je me suis souvenue de ce qu'il m'avait dit au téléphone.

Il faut toujours signaler un meurtre, bien sûr.

C'était précisément ce que je venais de faire : j'avais commis un meurtre. Comment appeler ça autrement alors que j'étais entrée par effraction chez un vieillard, en pleine nuit, pour m'asseoir sur son torse jusqu'à ce qu'il fasse une crise cardiaque ?

Cela n'avait rien eu d'un accident.

La carte de visite était cornée et toute froissée. J'en avais mémorisé le contenu depuis longtemps, selon le principe que quand on avait son propre agent spécial, on se devait de connaître son numéro. L'apprendre par cœur m'avait paru amusant sur le moment.

Moins maintenant.

Il faut toujours signaler un meurtre, bien sûr.

Qu'allait-il se passer ensuite à Palo Alto ? Tôt ou tard, quelqu'un finirait par trouver le corps du méchant homme. La police viendrait, et ne manquerait pas de noter la table de chevet renversée et les pilules éparpillées partout. Elle demanderait aux voisins s'ils n'avaient rien remarqué d'étrange, par exemple une voiture inconnue garée devant la maison à trois heures du matin. Ou une jeune folle creuser dans le jardin à mains nues.

Assise là, à regarder la terre que j'avais sous les ongles,

j'ai senti mes œufs brouillés peser sur mon estomac. J'avais rallumé mon téléphone devant la maison du méchant homme pour envoyer deux textos, sans oublier l'appel en PCV que j'avais passé près de chez moi. Quelque part dans la base de données d'une compagnie du téléphone, des chiffres me reliaient à cette mort mystérieuse.

La cerise sur le gâteau, bien sûr, étant mes empreintes sur le manche de la pelle que j'avais remise à sa place sous le lit avant de partir.

J'ai eu un petit rire nerveux. Je ne valais pas grand-chose comme meurtrière, pas vrai ? Et ma défense ne serait pas du meilleur effet devant un tribunal californien : «J'ai fait ça pour libérer cinq petites filles mortes, et aussi pour que mon amie fantôme n'ait plus jamais à s'inquiéter à cause du méchant homme.»

J'ai inspiré longuement, laissant la peur de l'arrestation circuler en moi. Cela valait toujours mieux que de ne rien ressentir. Mieux que de laisser le froid que je portais en moi s'étendre jusqu'à noyer tout le reste.

Il y avait beaucoup de choses auxquelles je ne pouvais rien changer : ce qui était arrivé à ces gens à l'aéroport, ce qui clochait chez ma mère. La nuit dernière, au moins, j'avais essayé d'agir.

De toute façon, on ne jette pas une valkyrie en prison. Nous passons à travers les murs.

S'il existait un châtiment pour ce que j'avais fait, il n'appartenait pas au monde des relevés téléphoniques et des empreintes digitales, du droit et des prisons. Il s'accomplirait plutôt dans les transformations qui se faisaient en moi. Comme Yama avait tenté de me le dire sur son île déserte : que les fantômes existent ou non importait peu, l'essentiel, c'était ce que nous décidions de faire de nous-mêmes.

J'ai rangé la carte de l'agent Reyes dans mon portefeuille et laissé un gros pourboire à la serveuse.

Ma mère m'attendait sur le perron.

— Jolie voiture, a-t-elle commenté en me voyant en sortir.

Je crois qu'elle était sincère.

— Incroyable, hein ?

Nous sommes restées là un moment toutes les deux, stupéfaites que mon père ait dépensé autant d'argent pour moi. Je me suis assise à côté de maman sur les marches, ne sachant toujours pas comment je me sentais. *Dans la mouise* sonnait faux, comme une chose qu'on dirait pour un gamin qui a fait une bêtise, pas pour une meurtrière. Je n'aurais pas su dire si ma mère était en colère, triste, ou éreintée. Ou tout simplement malade.

— Jamie t'a dit, pour la lettre de papa ?

— Évidemment.

— Alors c'est quoi, ton diagnostic ?

— Pas maintenant, Lizzie, a-t-elle objecté en levant une main tremblante. Tu as disparu pendant vingt et une heures. Ce n'est pas toi qui vas fixer les termes de cette discussion.

En colère, donc. Je me suis contentée de hocher la tête.

— Où diable étais-tu passée ?

— J'ai roulé.

— Pendant vingt et une heures ?

— Oui, je sais.

Je n'étais toujours pas fatiguée. Je me demandais si pourrais encore dormir un jour. Certainement pas sans le secours des lèvres de Yama, et aurait-il encore envie de me toucher après ce que j'avais commis ?

— Conduire m'aide à réfléchir. C'est une voiture très confortable.

Maman a pris une grande inspiration. Je l'ai presque entendue ravaler ses mots cinglants.

— Jamie dit que tu as un petit ami.

— Elle te l'a dit ?

Un sourire sans joie a traversé le visage de ma mère.

— Elle n'a vendu la mèche que ce matin, en voyant que tu n'étais toujours pas rentrée.

J'ai soupiré. Foutus embouteillages de Los Angeles.

— Oui, j'ai un petit ami. Mais ça n'a rien à voir avec lui. J'avais juste besoin d'être seule.

Elle m'a dévisagée longuement. Puis elle s'est détournée avec un soupir, comme devant un problème incompréhensible.

Pas étonnant. Je ne me comprenais pas moi-même.

— Est-ce que tu vas mourir ? ai-je demandé.

— Pas dans un avenir proche, non. Mais nous y reviendrons. Sur ton petit ami aussi.

Pas dans un avenir proche. Si ça c'était une bonne nouvelle, le monde était bien triste.

Maman s'est levée, elle a marché jusqu'à la voiture, ouvert la portière côté conducteur et s'est penchée sur le tableau de bord.

— Nom de Dieu. Mille six cent kilomètres, Lizzie ?

— Comme je te l'ai dit, ça m'aide à réfléchir.

Elle a claqué la portière et est revenue sous le porche. Elle s'est dressée au-dessus de moi, une mère toisant sa fille.

— Où es-tu allée ?

La vérité seule pouvait convenir.

— Palo Alto.

— C'est là qu'habite ton petit ami ?

— Non. Je me suis rendue dans ton ancien quartier.

Elle m'a regardée, perplexe, oubliant un instant sa colère. Ce truc de dire la vérité semblait étonnamment efficace.

— Tu sais, cette vieille photo que tu gardes dans ta

chambre ? ai-je demandé. J'avais envie de voir la maison dans laquelle tu avais grandi.

Elle a secoué la tête.

— Pourquoi ?

— Parce que tu ne m'avais jamais parlé de Mindy. Elle te hantait, et tu ne m'en as jamais dit un mot. Pourtant elle était là, maman !

Je pouvais sentir le froid refluer en moi à mesure que je parlais, alors j'ai continué.

— Chaque fois que je jouais dehors quand j'étais petite, elle était là. Et aujourd'hui encore, quand je voyage, ou quand je pars en voiture, elle est présente dans ta façon de t'inquiéter. Son fantôme nous accompagne tous les jours, m'man. Tous les jours !

Maman n'a pas répondu, et comme j'étais arrivée à court de mots, nous sommes restées silencieuses. Je me suis demandée si Mindy se tenait de l'autre côté de la porte, à nous espionner.

Finalement, ma mère a dit :

— Tu ne sais pas ce que c'est, de voir sa meilleure amie disparaître.

— Peut-être parce que tu ne m'en as jamais parlé !

— Je ne vais pas m'excuser pour ça. Sûrement pas aujourd'hui. Ce n'est pas une chose qu'on peut raconter à ses enfants. On l'a retrouvée dans son propre jardin, Lizzie ! Tu n'as aucune idée.

J'ai hoché la tête, même si je mesurais mieux qu'elle l'horreur de la mort de Mindy. J'en avais vu les moindres détails dans les souvenirs du méchant homme. La seule chose que je ne comprenais pas, c'était la raison pour laquelle ma mère avait voulu me cacher son existence.

— Écoute, je sais que ç'a été horrible. Mais…

— Si tu le sais, alors pourquoi as-tu disparu pendant vingt et une heures ? Pourquoi partir comme ça en éteignant ton téléphone ? Tu t'es envolée dans la nature, exactement comme elle ! À trois heures du matin, je suis sortie vérifier dans le jardin, Lizzie, au cas où quelqu'un t'y aurait enterrée !

Sa voix s'est brisée sur la fin, avec un bruit affreux, comme si toutes ses angoisses lui obstruaient les poumons.

Tout ce que j'ai réussi à dire, c'est :

— Oh.

Elle me dévisageait, attendant la suite, et j'aurais voulu m'excuser, lui promettre de ne plus jamais disparaître sans prévenir. J'aurais voulu m'écrouler et fondre en larmes.

Mais je n'arrêtais pas de repenser à ce que je faisais, moi, à trois heures du matin.

— Je suis désolée, ai-je fini par dire. Sincèrement désolée.

Elle a hoché la tête.

— Bien.

— Mais je ne suis pas Mindy. D'accord ?

Ma mère a soupesé cette affirmation, comme si cela demandait réflexion. Puis une expression étrange a traversé son visage.

— Je ne t'ai jamais dit son nom.

— Ah bon ? J'ai dû le trouver sur Internet.

Maman a secoué la tête.

— C'était son surnom. Les journaux l'ont toujours appelée Melinda.

— Alors tu as dû me le dire.

Je l'ai vue hésiter, pas complètement convaincue. Mais c'était la seule explication plausible.

— Maman, tu veux bien me parler de ton diagnostic maintenant ? S'il te plaît ?

— D'accord. Tu sais que j'étais très fatiguée ces derniers temps ? Mon docteur a d'abord pensé que je faisais de l'anémie, sans plus. Alors j'ai commencé à prendre du fer.

— Ah bon ? ai-je fait d'une petite voix.

Maintenant qu'elle se confiait enfin, je n'étais plus très sûre d'avoir envie de l'entendre.

— Mais ça ne m'a rien fait, et mon hémogramme a continué à se dégrader. Ça pouvait correspondre à toutes sortes de maladies, alors j'ai fait beaucoup de tests – lupus, hépatite, VIH... Mais ce n'était pas ça. Et je ne voyais pas l'intérêt de t'inquiéter tant qu'on ne savait rien avec certitude.

— Tu en as quand même parlé avec papa.

Elle a fait oui de la tête.

— Mon hémogramme était catastrophique, ça pouvait me provoquer une crise cardiaque. Comme ça, d'un coup. Alors oui, il a bien fallu que je prévienne ton père.

— Une crise cardiaque ? ai-je répété en secouant la tête. Tu as dit que tu n'allais pas mourir dans un avenir proche.

Maman a confirmé de la tête.

— Mon cœur va bien. Le diagnostic s'est orienté dans une autre direction. Ce que j'ai s'appelle un syndrome myl... merde. Un syndrome myélodysplasique. Tout le monde dit simplement SMD.

— Et qu'est-ce que ça veut dire ?

— Ça veut dire qu'il y a un problème avec mon sang, à la source. On a fini par me faire une analyse de moelle osseuse. Il y a des cellules souches, là-dedans, qui produisent les cellules sanguines. Les miennes sont bousillées.

— Bousillées ? Comment est-ce arrivé ?

— Ils ne savent pas. Quand j'étais un peu plus jeune que toi, j'ai repeint des maisons pendant un moment. On utilisait du benzène comme décapant, à l'époque. On aurait dû porter des masques, j'imagine.

— Quoi, ce serait à cause de ça ? D'une saleté de produit chimique que tu aurais inhalé il y a une trentaine d'années ?

— Ils ne savent pas, a-t-elle répété en me prenant la main. Le plus important, c'est que ce n'est pas génétique. Tu n'as pas à t'inquiéter pour toi.

— Oui, eh bien, je crois que je vais m'inquiéter quand même.

La faucheuse était en moi, traversant ma vie et celle de toutes les personnes de mon entourage. Ma mère la portait dans ses os.

— Que vont-ils te faire, maintenant ?

— Oh, rien de très enthousiasmant. Des transfusions sanguines, peut-être une transplantation de cellules souches. J'en ai pour des années de traitement, sans aucune garantie que ça marche. Mais je suis plus jeune que la plupart des gens qui attrapent cette maladie, et là-dessus, j'ai de la chance.

De la chance, comme quand on échappe à un attentat terroriste.

— La vraie chance aurait été de prendre un autre vol, ai-je murmuré.

Ma mère ne m'a pas entendue, ou n'a pas compris.

— J'ai une bonne assurance santé, ce qui veut dire qu'on ne devrait pas perdre la maison. Et je ne serai pas invalide, donc tu n'auras pas besoin de t'occuper de moi. Tu pourras aller à l'université normalement. Tu m'écoutes, ma chérie ?

J'ai secoué la tête.

— J'ai perdu le fil quelque part entre les transfusions sanguines et le fait de perdre la maison.

— D'accord, a-t-elle dit avant d'inspirer lentement. J'imagine que tu n'as pas beaucoup dormi la nuit dernière.

— Pas du tout.

— On pourra peut-être entrer dans les détails un peu

plus tard. En même temps qu'on aura cette conversation à propos de ton petit ami.

— Je voudrais aller me coucher.

Ma mère a hésité, manière de me faire sentir qu'elle serait en droit de m'obliger à rester là à m'excuser toute la journée mais qu'elle avait décidé de se montrer magnanime.

— D'accord. Mais tu sais qu'il va falloir que je le rencontre, hein ?

J'ai fait oui de la tête.

— Il est très gentil, et je crois qu'il te plaira.

— J'espère bien.

Elle m'a serrée dans ses bras, longtemps et fort, et quand elle a fini par me relâcher, elle souriait.

— Je suis contente de te revoir en un seul morceau.

Je me suis sentie pardonnée, du moins en partie, même si ma mère ne connaissait que le dixième de ce que j'avais fait cette nuit. Son absolution a recouvert un acte plus noir qu'elle ne l'imaginait.

Elle a tendu la main.

— Tes clés.

Je lui ai donc remis les clés de ma belle voiture, comme si ça rachetait tout, et je lui ai dit que j'allais me coucher.

Maman est restée dehors pour examiner ma voiture encore une fois. J'en ai profité pour me glisser dans sa chambre.

— Mindy ?

Pas de réponse, le placard était vide. Une idée abominable m'est venue : et si les souvenirs du méchant homme étaient la seule chose qui la conservait intacte ? Et si je venais d'effacer mon amie fantôme ?

J'ai entendu glousser dans mon dos.

Je me suis retournée et j'ai vu détaler une ombre. J'ai

suivi les gloussements jusque dans ma chambre, où j'ai retrouvé Mindy assise sur mon lit.

— Enfin !

Elle a souri et tapoté la couverture pour me faire signe de m'asseoir à côté d'elle.

— Je croyais qu'Anna allait te crier dessus toute la journée. Elle est drôlement fâchée, hein ?

— Oui, elle s'est beaucoup inquiétée.

— C'était vilain, de te sauver sans rien dire.

J'ai fixé Mindy. Elle avait de nouveau les cheveux bien peignés, ramenés en deux petites couettes. Elle avait l'air joyeuse, plus détendue que je ne l'avais jamais connue. On aurait dit qu'elle savait déjà pour la mort du méchant homme.

— Tu n'es pas si vilaine, d'habitude, a-t-elle continué, souriant toujours.

— J'avais une chose importante à faire. Tu te rappelles que je t'ai dit que j'allais régler un truc ?

— Quoi donc ? a-t-elle demandé, tapotant la couverture encore une fois.

Je me suis assise, et je lui ai répondu à voix basse :

— La nuit dernière je suis retournée dans ton ancien quartier et je me suis débarrassée du méchant homme. Tu n'as plus à t'en faire à cause de lui.

— Quel méchant homme ?

Il m'a fallu un moment pour recouvrer la parole.

— Comment ça ?

— De quel méchant homme t'es-tu débarrassée ? (Elle a pouffé.) Et qu'avait-il de si méchant ?

— Eh bien, il... Tu ne te souviens pas de lui ?

Elle a réfléchi intensément, les yeux plissés.

— Non, sauf si tu veux parler de ton père. C'est vrai qu'il criait souvent.

Bien sûr. La part de Mindy restée plongée dans la terreur

toutes ces années n'existait que dans la tête du méchant homme. Tout ce qui restait d'elle désormais, c'était la gamine insouciante de onze ans dont se souvenait ma mère.

Les choses s'arrangeaient beaucoup mieux que je ne l'avais imaginé.

J'ai ravalé la grosse boule que j'avais dans la gorge.

— Oui, il criait souvent. Mais il est parti maintenant.

— Il ne reste plus que nous trois !

Mindy s'est penchée pour me serrer dans ses bras. Son étreinte restait glaciale, mais j'ai senti un crépitement sur sa peau qu'il n'y avait pas auparavant. Quand elle s'est écartée, elle riait encore.

— Alors, est-ce qu'Anna va te punir pour avoir disparu comme ça ?

— Elle m'a confisqué mes clés de voiture. En fait, j'ai l'impression qu'elle m'a confisqué ma voiture. Je ne sais pas quand elle me laissera la reconduire.

— Quelle barbe. Attends. Depuis quand as-tu une voiture ?

— Depuis hier. Je ne l'aurai pas gardée bien longtemps, hein ?

Soudain nous nous sommes esclaffées toutes les deux, sans chercher à nous retenir. Après les dernières vingt-quatre heures, j'avais désespérément besoin de me raccrocher à quelque chose de drôle. C'était sans doute aussi bien que ma mère soit dehors, trop loin pour m'entendre.

Il y avait tout de même quelque chose de troublant dans la gaieté de Mindy. Trois décennies de terreur venaient de s'effacer chez elle en une nuit. À se demander si M. Hamlyn n'avait pas raison, si les fantômes avaient vraiment une personnalité. Et si Mindy n'était plus la même, c'était ma faute. J'avais pris les heures qui avaient fait d'elle le fantôme qu'elle était.

J'ai voulu faire un test.

— Tu sais ce que ma mère m'a dit ?

— Non, quoi ?

— Que ton vrai nom, c'est Melinda.

Elle a pris un air pensif et mis un long moment avant d'acquiescer.

— Exact. C'était mon nom.

Elle avait employé l'imparfait. C'était Mindy son vrai nom à présent, parce que les souvenirs de ma mère représentaient tout ce qui lui restait.

— Tu savais que ma mère était malade ?

Elle a haussé les épaules.

— Je l'entends parler au téléphone avec des médecins, parfois, pour leur dire qu'elle est sans arrêt fatiguée.

— D'accord.

Peut-être que les maladies des cellules souches n'étaient pas un concept facile pour une petite fille de onze ans.

— Mais c'est tout ?

— Eh bien oui. Anna va guérir, hein ?

J'ai acquiescé de la tête.

— Ils ont trouvé ce qu'elle a. On va pouvoir la soigner.

Mindy a souri, et j'ai compris que j'avais eu raison de lui mentir. Si maman mourait, Mindy n'aurait plus personne qui se souvienne d'elle. Quelles pouvaient en être les conséquences pour un fantôme ?

De toute manière, je préférais me persuader moi aussi que ma mère allait s'en sortir.

35

— **S**IX MOIS! S'ÉCRIA DARCY. J'AVAIS SIX MOIS POUR FAIRE ÇA, et maintenant il ne me reste plus que six jours !

Imogen ne répondit rien. Elle s'affairait dans la cuisine, répandant dans l'appartement une délicieuse odeur de viande bouillie. Il était quatre heures de l'après-midi, mais le ragoût d'Imogen réclamait plusieurs heures de préparation. De toutes leurs expérimentations sur les marchés de Chinatown, des bulots frits aux oursins en passant par la langue de canard salée, le ragoût de côtes de bœuf s'était révélé la plus réussie.

En dépit de la panique que lui inspirait son échéance, Darcy commençait à avoir faim.

— C'est comme au lycée avec mes devoirs, bougonna-t-elle. Je m'y prenais toujours au dernier moment.

— La malédiction des petits malins ! lui cria Imogen.

— Comment ça ?

Imogen sortit de la cuisine, les cheveux ramenés dans un serre-tête. Elle portait un tablier orné d'une représentation en velours noir de Shimmer-Tail, le petit poney préféré de Nisha.

— Toutes ces années à faire tes devoirs la veille, pour récolter quand même un A. Maintenant, tu en as pris l'habitude.

— Ce n'est pas juste. Je travaille sur cette saleté de fin depuis des mois !

— Oui, mais au fond de toi tu sais bien que ça ne compte pas vraiment avant la veille de la date de remise.

Imogen lui adressa un sourire diabolique.

— Si tu étais moins maligne, tu aurais une meilleure discipline.

Darcy lui retourna un regard mauvais.

— C'est un compliment sur mon intelligence, ou une critique de mon caractère ?

— Plutôt une façon d'exprimer ce qui me tracasse, moi, répondit Imogen avant de retourner en cuisine.

Darcy ne se donna pas la peine de relever. Ces derniers temps, Imogen se faisait un sang d'encre à propos du premier jet de *Phobomancer*. Deux projets à boucler à la fois dans l'appartement, c'était peut-être un de trop.

Darcy avait ouvert une douzaine de documents sur son portable – les douze meilleures versions de la fin d'*Afterworlds*. Certaines étaient sombres et mélancoliques, d'autres légères et réconfortantes, d'autres enfin carrément dignes des Bisounours. Darcy avait l'impression d'avoir écrit toutes les fins possibles pour son livre ; il ne lui restait plus qu'à faire son choix.

— Je suis écrivain, pas décideuse, grommela-t-elle.

Les mots dansèrent un moment dans sa tête, aussi vides de sens que le gargouillement de l'eau qui bouillait dans la cuisine.

Peut-être redoutait-elle de choisir une fin parce qu'une fois son livre terminé le sort en serait jeté. Que ce soit un succès ou un échec, toute sa réalité reposerait sur cet unique coup de dés.

Ou peut-être était-elle moins un écrivain qu'une voleuse. Elle avait volé son petit fantôme à l'enfance de sa mère, une scène d'enlèvement à sa petite amie, et son personnage de bourreau des cœurs à sa propre religion. Peut-être ne trouvait-elle pas la fin qui convenait parce qu'elle n'en avait aucune à voler.

Imogen passa la tête hors de la cuisine, un couteau à la main.

— Qu'est-ce que tu penses de River Treeman ?

Darcy leva la tête.

— Qui est-ce ?

— Personne, pour l'instant. Mais que penses-tu du nom ?

— On dirait qu'il avait des parents hippies. Ou bien est-ce qu'il s'agit d'un elfe ?

— Et merde. Laisse tomber.

Imogen disparut de nouveau.

Darcy secoua la tête et se replongea dans la contemplation de son écran d'ordinateur.

Si seulement Kiralee Taylor s'était contentée de lui dire comment conclure son livre, ou l'avait convaincue de se battre pour imposer sa fin tragique originale. Mais elle avait transformé toute l'affaire en test de compétence, à l'issue duquel Darcy devait soit écrire une fin heureuse en accord avec les thèmes dramatiques de son roman, soit une fin dramatique qui fasse le bonheur de son éditrice malgré les réserves qu'elle avait formulées.

La notion même de fin heureuse commençait à perdre toute signification pour Darcy, comme un assemblage de lettres sans queue ni tête dans une partie de Scrabble.

— Et Amanda Shearling ? lança Imogen depuis la cuisine. Tu en dis quoi ?

— Ça m'évoque quelqu'un de plein aux as.

— Beurk.

Apparemment, la méthode d'Imogen pour lutter contre le stress consistait à inventer des noms improbables pour des personnages et à faire la cuisine. C'était sans doute plus efficace que la technique de Darcy: rester plantée devant son ordinateur jusqu'à ce que les lettres se réarrangent toutes seules à l'écran.

Et s'il était trop tard ? Si elle avait déjà écrit tant de fins différentes qu'elle ne pourrait jamais trouver la bonne ? Comme un enfant qui a raconté trop de mensonges ne se souvient plus de la vérité ?

— Gen ! appela-t-elle. Si le ragoût peut se passer de toi cinq minutes, j'aurais besoin d'un coup de main.

Imogen ressortit de la cuisine, tira une chaise et s'assit en face de Darcy.

— Le bœuf est en train de mijoter et les champignons de mariner. Qu'y a-t-il ?

— Toutes mes fins sont nulles.

— Combien de pages ça représente exactement ?

— Les quatre derniers chapitres. Lizzie a tué le méchant, mis ses souvenirs en pièces, est rentrée chez elle et a découvert en quoi consistait la maladie de sa mère. Mais ensuite… Peut-être que l'histoire est terminée, à ce stade. Le meurtre du méchant pourrait constituer le *climax*, et la confrontation avec la mère, le dénouement. Peut-être que je cherche à rajouter dix mille mots pour rien. Si ça se trouve, mon livre est déjà achevé.

Imogen ne parut pas convaincue.

— On ne parle pas d'un film d'action, Darcy. Tu ne peux pas te contenter de tuer le méchant et d'envoyer le générique.

— Si ce n'est pas un film d'action, qu'est-ce que c'est ? Une romance teintée d'horreur ? Une comédie musicale bollywoodienne ? Un film indépendant sur un ballon à l'hélium qui se dégonfle ?

— Ce n'est pas un film du tout, Darcy ; c'est un roman. Et les romans ont une trame complexe, ambiguë et nuancée. Si tu le termines juste après la mort du méchant, on ne saura jamais ce qui se passe entre Lizzie et Yamaraj.

Darcy secoua la tête.

— Peut-être qu'il ne tient pas une place si importante dans l'histoire. Peut-être que Kiralee a raison, et qu'il n'est là que pour jouer les bourreaux des cœurs.

— Ce n'est pas ce qu'elle a dit. Et ta secte d'adorateurs de la mort ? Tu laisserais ça en suspens ? Et M. Hamlyn ? Et la maladie d'Anna ?

— Je n'aurais qu'à mettre tout ça dans *Untitled Patel*.

Prononcer le non-titre de son prochain roman emplit Darcy de désespoir. Elle n'avait plus que sept mois avant la remise du premier jet. Comment elle qui avait réussi le tour de force d'écrire un roman entier en trente jours avait-elle pu perdre six mois à réécrire quatre chapitres ?

— Commence par finir ton livre. Tu t'occuperas d'*Untitled Patel* après.

Imogen ôta son tablier Mon petit poney, le plia et le mit de côté, concentrée sur l'écriture.

— Tu ne dois pas négliger Yamaraj. C'est lui, la clé de la fin. Ton livre entier est consacré au face-à-face avec la mort !

— D'accord.

Une onde de soulagement envahit Darcy. Cette discussion avec Imogen lui permettrait peut-être de comprendre à nouveau son propre roman.

— Quel rapport entre la peur de la mort et mon personnage de bourreau des cœurs ?

— Les gens n'ont pas simplement peur de la mort. Elle les attire, aussi – c'est pour ça que les adolescents raffolent des films d'horreur. La peur, l'excitation et la tension sexuelle, tout ça au milieu d'un danger mortel. C'est ça qui pousse Lizzie dans les bras de Yamaraj.

— Elle serait amoureuse de la mort ?

— Pas amoureuse, non, attirée par elle ! corrigea Imogen en agitant ses mains. Au milieu de ce massacre à l'aéroport, Lizzie est confrontée à sa propre mortalité. Alors que Yamaraj, lui, l'a déjà affrontée. Il peut l'entendre dans les pierres, la flairer dans l'air. Si elle s'accroche à lui, peut-être que la mort ne lui fera plus aussi peur ! Voilà pourquoi M. Hamlyn collectionne les souvenirs des enfants à l'agonie, il pense acquérir ainsi un certain contrôle sur la mort. Bien sûr, ça ne marche jamais. Voilà pourquoi tu ne peux pas terminer ton roman par le meurtre du méchant. Ce n'est pas une victoire, parce qu'on ne peut pas gagner contre la mort !

Darcy la dévisagea, étourdie comme toujours par le discours d'Imogen. Mais derrière les propos enflammés perçait une vérité subtile, une nouvelle facette de Yamaraj dont Darcy n'avait pas eu conscience. Son charme ne tenait pas uniquement à sa beauté, ou au fait qu'il avait affronté sa propre mort, mais surtout à sa grandeur d'âme. Tous les jours, il livrait une bataille qu'il finirait inéluctablement par perdre.

Elle ne put s'empêcher de demander :

— Alors ils ne sont pas amoureux ?

— Peut-être qu'elle avait besoin d'aimer quelqu'un, après ce qui lui est arrivé. Mais l'amour n'est pas toujours éternel.

Darcy soupira. Cette dernière remarque était sans doute fondée, elle allait néanmoins à l'encontre de tout ce que défendait la littérature. Dans les romans, l'amour devait être parfait et durer toujours.

— Tu ne pourrais pas écrire ça à ma place ?

Imogen se mit à rire.

— Je dois surveiller mon ragoût. Et trouver des nouveaux noms. Que penses-tu de Ska West ?

— Ska, comme la musique ? Bof. À quoi ça va te servir, d'ailleurs ? Tu rajoutes des personnages dans *Phobomancer* ?

— Ce n'est pas pour des personnages, répondit Imogen. Ce sont des noms de plume.

— Pour qui ?

— Pour moi.

Imogen se leva et quitta la table.

Darcy resta abasourdie un moment, puis elle rejoignit Imogen dans la chaleur de la cuisine.

— Gen… Pourquoi te faut-il un nouveau nom de plume ?

Imogen entreprit de hacher les radis blancs et les échalotes.

— Pour tout recommencer de zéro. Quand Paradox aura jeté l'éponge et qu'aucune librairie ne voudra plus entendre parler de moi.

— C'est n'importe quoi.

— Les écrivains font ça sans arrêt. C'est mieux que de se traîner des chiffres de ventes désastreux.

Darcy se rapprocha d'elle. L'idée qu'Imogen puisse écrire sous un autre nom l'horrifiait. Comme si cela faisait d'elle une personne différente.

— Ils ne vont pas annuler ta série, Gen.

— Je serai bien contente quand ils le feront. Parfois dans les romans policiers le criminel est soulagé de se faire prendre.

— Arrête ça, Imogen ! Tu n'es pas une criminelle, ni un imposteur, et personne ne parle d'annuler ta série. Et tu n'auras pas besoin de prendre un nom de plume, parce que Imogen Gray va devenir un auteur à succès !

Darcy regarda Imogen droit dans les yeux, la mettant au défi de la contredire. On n'entendait plus que le bouillonnement du ragoût dans la cocotte.

— J'ai déjà un nom de plume, finit par dire Imogen.

— Non. Imogen Gray est ton vrai nom. C'est la personne que tu es.

— Il n'y a pas si longtemps, tu pensais exactement le contraire.

— J'avais tort.

Imogen allongea le bras pour caresser l'épaule de Darcy, un sourire aux lèvres. Son visage s'assombrit de nouveau et elle retourna à sa planche à découper.

— Ce n'est pas moi la question, c'est le business. Certains livres se plantent. Certains auteurs se plantent. Tout le monde n'a pas droit au paradis Jeunes adultes.

Cette expression fit mal, comme chaque fois depuis leur dispute à propos de la venue d'Imogen pour Pancha Ganapati.

— D'où est-ce que tu sors tout ça, Gen ?

— Mon agent n'aime pas ma nouvelle scène d'introduction de *Phobomancer*.

Darcy secoua la tête.

— Tu la lui as envoyée ?

— Hier, pour lui mettre l'eau à la bouche. Mal joué, apparemment.

Imogen se tourna vers la cuisinière pour touiller son ragoût.

— Il dit qu'on ne peut pas démarrer un roman dans le coffre d'une voiture, parce qu'il n'y a rien à voir.

— C'est tout l'intérêt, justement !

— Eh bien l'intérêt n'est pas clair, rétorqua Imogen avec un soupir. Il dit aussi que la scène ne fait pas peur. Ce qui est vrai, et parfaitement logique. Je ne suis pas vraiment claustrophobe. Quand tu m'as transportée en voiture, c'était toi la plus nerveuse. Moi, je m'amusais comme une folle !

Darcy ferma les yeux. C'était exact – Imogen n'avait peur de rien.

— Je voudrais pouvoir t'aider à trouver une solution.

— Oui, je sais. Tu voudrais vivre en permanence dans le paradis Jeunes adultes.

Voilà qu'elle revenait, cette expression magique pour se moquer de la petite Darcy naïve, qui croyait que tout était facile parce qu'elle n'avait jamais eu besoin de se donner du mal.

Elle encaissa l'insulte.

— Ta carrière n'est pas fichue, Gen.

— Pas encore. Mais on ne sait jamais.

— C'est sûr. Tu pourrais te faire renverser par un bus demain, reconnut Darcy, admettant que le monde était dur et cruel, que la vie n'était pas toujours rose.

Parfois, elle se demandait si le pessimisme d'Imogen n'était pas destiné à l'endurcir. Comme si Darcy constituait un projet – qui demandait beaucoup d'efforts, comme l'avait dit Gen la nuit où Darcy avait découvert l'existence d'Imogen White.

— Ou par un taxi, renchérit Imogen.

— Tu ne veux pas me lire ta scène ? suggéra Darcy. Ça peut aider de lire à voix haute.

Imogen baissa les yeux sur son ragoût.

— Je lis, tu touilles ?

— Parfait. Et si ça ne suffit pas, je trouverai un moyen de te flanquer la trouille de ta vie, je te le promets.

Imogen sourit enfin, et Darcy la prit dans ses bras.

— Laisse-moi d'abord prendre une douche. Je veux laver cette sensation d'échec. Merci de m'avoir parlé comme ça.

— Je ne t'ai pas contrariée ?

— Seulement au début.

Elle remit sa cuillère en bois à Darcy.

— Laisse mijoter à feu doux et retire l'écume au fur et à mesure.

Elle partit vers la salle de bains en arrachant son tee-shirt.

Darcy respira profondément, plus apaisée qu'elle ne s'était sentie de toute la journée. Aider Imogen à surmonter son angoisse ramenait ses propres soucis à un niveau acceptable. Six jours, c'était plus que suffisant pour rédiger une fin. L'essentiel était de ne pas céder à la panique.

Darcy se concentra sur le bouillon, laissant son esprit flotter sur différentes fins d'*Afterworlds*. Son subconscient trouverait peut-être une idée de génie pendant qu'elle touillait et écumait.

Sa rêverie ne dura pas, car contempler le ragoût se révéla vite ennuyeux. Darcy alla chercher son portable, le posa sur le plan de travail de la cuisine et consulta sa boîte e-mail. Elle avait une demande de Rhea, l'assistante de son éditrice : *Est-ce que Nan peut t'appeler ce soir avant de quitter le bureau ? Elle voudrait savoir où tu en es de ta nouvelle fin.*

Le message remontait à quelques minutes à peine. Darcy répondit oui, et un nouvel e-mail tomba quelques instants plus tard : *Elle t'appelle dans cinq minutes.*

Ce message fit monter en Darcy une vague de panique. Nan avait-elle senti que la réécriture se trouvait dans une impasse ? Et si l'échec de *Pyromancer* avait entraîné un changement de politique chez Paradox, une annulation systématique de tous les livres dont les auteurs ne pourraient pas défendre la réécriture en des termes suffisamment convaincants ?

— C'est ridicule, se raisonna Darcy à voix haute.

Nan voulait simplement s'assurer qu'elle recevrait sa nouvelle fin dans les délais. Mais quelle fin ?

Puis Darcy se rendit compte qu'elle n'avait pas son téléphone dans sa poche. Elle ne l'avait pas utilisé de la journée, sauf pour lire le texto de Nisha l'avertissant qu'*Afterworlds* sortirait dans deux cent quarante et un jours. Où l'avait-elle laissé ?

Darcy baissa le feu sous la cocotte et repassa dans la grande salle. Son téléphone ne se trouvait pas sur le bureau, ni sur aucun des appuis de fenêtre. Il n'était pas non plus sur le nouveau canapé pour lequel elle avait explosé son budget de janvier (nouveau budget prévisionnel : selon Nisha, elle en était à manger son mois d'août à l'heure qu'il était).

Darcy retourna en cuisine et vérifia sur le plan de travail. Rien.

Elle ouvrit la porte de la salle de bains.

— Gen ?

— Ne me dis pas que tu as laissé brûler mon ragoût ? lui répondit la voix d'Imogen dans un nuage de vapeur.

— Pas encore. Tu ne saurais pas où est mon téléphone ?

Une pause.

— Tu as regardé dans ta poche ?

— Oui !

Darcy gémit, claqua la porte et fila dans sa chambre. Aucun téléphone en vue, pas plus dans la pièce consacrée aux vêtements et aux livres.

Elle se représenta Nan à son bureau, fatiguée par une longue journée de travail, en train de composer son numéro pour n'obtenir aucune réponse. Comme c'était horripilant. Et en même temps tellement typique de ces petits auteurs débutants qui ne comprenaient rien à la réécriture et savaient seulement taper sans réfléchir, comme des idiots !

Les cinq minutes étaient sûrement écoulées. À moins que l'e-mail de Rhea n'ait pas dit «dans cinq minutes» mais «à cinq heures»?

Darcy retourna vérifier sur son ordinateur. Non. Cinq minutes, dont trois venaient de s'écouler.

— Merde, merde, merde!

Elle retourna le nouveau canapé, jeta les coussins par terre. Elle ne trouva qu'un peu de poussière, soixante-quinze cents et une boucle d'oreille égarée par Imogen la semaine précédente.

Il ne restait plus qu'une minute à présent!

Quand Nan appellerait, le téléphone sonnerait, à moins que Darcy n'ait coupé le son. Elle avisa le téléphone d'Imogen sur son bureau. Elle s'en empara, l'alluma pour composer son propre numéro…

… et se retrouva le nez sur l'écran jaune du journal d'Imogen.

— Jamais, murmura-t-elle.

Mais son regard, malgré elle, avait déjà parcouru la première ligne.

Après tous ces efforts, c'est une garce.

Darcy relut la phrase, mais les mots demeuraient indistincts, sans queue ni tête, les lettres se brouillaient à l'écran. Elle chuchota la phrase sans parvenir à lui trouver un sens. Elle éteignit le téléphone et le reposa doucement sur le bureau.

Darcy se laissa retomber sur le canapé et ferma les yeux. La main lui brûlait encore à l'endroit où elle avait tenu le téléphone. Comment avait-elle pu être aussi bête? Un vrai personnage de conte de fées qui n'avait qu'une règle à respecter, et s'en révélait incapable. Une fois qu'on avait tourné la clé, on ne pouvait plus oublier ce qui se cachait dans le placard.

Darcy tenta de se raisonner. Ces mots pouvaient se rapporter à n'importe qui. Ils ne donnaient pas de nom ni aucun autre indice.

Mais Darcy Patel était la seule personne dont Imogen ait jamais dit qu'elle réclamait « beaucoup d'efforts ». Et « une garce » ? C'étaient les mots d'Audrey Flinderson.

— Merde, lâcha Darcy.

Voilà pourquoi les journaux intimes devaient rester privés.

Un son caractéristique parvint à ses oreilles, une sonnerie étouffée à proximité. Elle bondit sur ses pieds, tourna la tête pour localiser sa source. Le son se répéta, et Darcy se mit à genoux, tâtonnant dans la poussière qui s'accumulait déjà sous le nouveau canapé.

Elle récupéra son téléphone et répondit d'une voix forte :

— Oui !

— Nan Eliot à l'appareil.

— Je sais. Je voulais dire, bonjour. Comment ça va ?

— Très bien, Darcy. Et toi ?

Elle haletait. Son cœur cognait et tambourinait, une brique jetée dans une essoreuse.

— Impeccable.

— Je voulais juste savoir comment se passait la réécriture.

— Oh, super.

Darcy elle-même entendit sa voix trembloter et se briser. *Après tous ces efforts...*

— Je vois.

Nan marqua une pause. Elle avait relevé l'hésitation de Darcy.

— Tu sais que cette échéance est très importante. Si tu la rates, nous n'aurons pas d'exemplaires de presse à distribuer lors de la BookExpo America. Tu figures déjà au programme.

— Bien sûr.

Darcy se rendit compte qu'elle n'entendait plus le bruit de la douche. Elle ne se sentait pas prête à affronter Imogen pour l'instant. Elle tourna le dos à la salle de bains et contempla les toits de Chinatown.

— Ça ne sera pas un problème, assura-t-elle. Je serai dans les temps.

Il y eut une autre pause. Darcy ne convainquait personne, pas plus Nan qu'elle-même.

— Je veux dire, bafouilla-t-elle, la fin est déjà écrite. Ce qu'il y a... c'est que j'en ai plusieurs.

— Intéressant. Veux-tu que je t'aide à choisir ?

Darcy entendit la porte de la salle de bains s'ouvrir, et ferma les yeux.

— Non, je vais me débrouiller.

— C'est un peu angoissant, hein ? De rendre son premier livre.

Darcy ne sut pas quoi répondre à cela. Elle éprouvait de la peur, certes, mais l'incertitude était pire. La phrase surprise dans le journal intime d'Imogen avait mis au jour une ligne de faille dans son existence, une fêlure dans le ciel du paradis Jeunes adultes.

— Ça va aller.

— J'en suis sûre, Darcy, dit Nan. Mais il y a une chose que je dis toujours à mes auteurs débutants. Un premier roman, c'est comme un premier amour. C'est seulement des années plus tard que l'on comprend vraiment les décisions qu'on a prises. Et il y a toutes les chances qu'on ait déjà bousillé la fin.

— Heu, je... Un premier amour ?

— Tu dois bien te souvenir de ta première relation, non ? demanda Nan.

— Si.

— Oh, naturellement. C'est probablement beaucoup plus frais dans ta mémoire que dans la mienne. Donc j'imagine que tu me comprends. Un premier amour, c'est génial, c'est un moment miraculeux, mais avec une sorte de panique sous-jacente, la sensation de ne pas vraiment savoir ce qu'on fait. Un premier roman, c'est la même chose.

Darcy avait une boule dans la gorge et dut s'éclaircir la voix.

— Alors comment peut-on régler ça ? Pour mon livre ?

— On fait de son mieux. Seulement, souviens-toi, ce ne sera sûrement pas ton roman le plus léché, ni le plus profond, ni celui qui se vendra le mieux. Ce serait dommage, d'ailleurs, d'être au maximum dès ton premier essai. Nous avons de grands espoirs pour toi chez Paradox, Darcy, des espoirs qui dépassent largement ces deux livres.

— Oui, mais premier essai ou pas, je tiens quand même à ce que ça fonctionne.

— C'est normal. Heureusement, tu disposes d'un superpouvoir en ce moment, une chose qui ne réclame aucune expérience.

— Quoi donc ?

— La sincérité. Écris tout simplement la fin le plus sincère possible.

Darcy referma les yeux. Elle ne voulait pas envisager de fin, pour quoi que ce soit.

— Tu crois pouvoir faire ça pour moi ? demanda Nan.

— Et si ce n'est pas une fin heureuse ?

Nan soupira.

— Réfléchis à une chose, Darcy – on ne voit pas tellement de fins heureuses dans la vraie vie. Pourquoi les livres ne pourraient-ils pas rattraper un peu ça ?

Darcy resta un moment à la fenêtre après que Nan eut raccroché, le téléphone collé à l'oreille, comme si elle était encore en pleine discussion. En observant l'animation de Chinatown, elle recouvra peu à peu son sang-froid, jusqu'à ce qu'elle se sente assez forte pour retourner à la cuisine.

— Désolée, Gen. Je n'ai rien fait brûler?

— Non, ça va, répondit Imogen sans lever les yeux de son ragoût. C'était qui, ce coup de fil tellement important?

— Nan.

— Qui venait aux nouvelles?

Leurs regards se croisèrent enfin.

— Oh mince. Comment tu te sens?

— Bien, répondit Darcy.

Ce qui était un mensonge, alors qu'elle n'était bonne que dans la sincérité.

— Qu'est-ce qu'elle a bien pu te dire? Si tu voyais ta tête...

Darcy réalisa qu'elle n'était pas prête à avoir cette conversation. Elle ravala le goût amer qu'elle avait dans la bouche.

— Elle m'a conseillé de ne pas trop m'en faire, en gros. Il paraît que de toute manière, plus tard, je me sentirai un peu gênée par mon premier roman.

— Waouh. Elle a vraiment dit ça?

— Pas tout à fait. Elle m'a surtout recommandé de ne pas paniquer.

— Je n'ai pas l'impression que ça ait marché.

— Non, reconnut Darcy, qui ne put s'empêcher de demander : On est bien, toi et moi?

Imogen posa sa cuillère en bois pour prendre Darcy dans ses bras.

— Désolée si je suis invivable ces derniers temps. Ce n'est pas toi, c'est l'écriture. Tu le sais, hein ?

— Oui, oui, murmura Darcy en lui rendant son étreinte. Je sais qu'on est bien toutes les deux.

Encore un mensonge, mais les mensonges valaient mieux que la vérité.

36

L E LENDEMAIN MATIN J'AI RECHERCHÉ PALO ALTO SUR LES SITES d'informations locales et l'édition web des deux quotidiens de San Francisco. Je n'ai rien relevé concernant une enquête pour meurtre ou la découverte d'un vieillard mort dans sa maison.

J'ai trouvé bizarre que les médias n'en disent pas un mot. Bien sûr, le méchant homme n'avait pas été un grand sociable. Il s'écoulerait peut-être des semaines avant qu'on le retrouve dans son lit. Cette idée n'avait rien d'agréable.

Avant de partir au lycée, j'ai effacé l'historique de navigation, au cas où ma mère inspecterait mon portable. Cela éviterait qu'elle ne se pose des questions, mais qu'en était-il de la police ? S'il restait des indices quelque part sur mon disque dur ? Ou des traces de mes recherches sur ces sites ?

J'ai soupiré. En cas d'enquête sérieuse, la police scientifique aurait des dizaines d'autres façons de remonter jusqu'à moi. Les appels passés depuis mon téléphone, voire les données enregistrées dans le GPS de ma voiture. Dans les séries policières, il suffisait souvent d'un détail infime pour conduire à l'arrestation du meurtrier.

Mais à la télé, ce dernier avait toujours un motif clair. Qui pourrait s'imaginer qu'une lycéenne conduirait toute la nuit pour venir assassiner un parfait inconnu ? À moins que la lycéenne en question n'ait subi un traumatisme terrible à la suite d'un attentat terroriste, le genre d'expérience propice à rendre une personne obsédée par la mort.

Je pourrais toujours plaider la folie.

En arrivant au lycée j'ai cherché du regard la voiture de l'agent Reyes mais je ne l'ai vue nulle part. Il ne s'était plus montré depuis ce premier jour des vacances d'hiver. Ce qui me convenait à merveille. Maintenant que j'étais une criminelle, c'était sans doute aussi bien que le FBI ne s'intéresse plus à moi. Si l'agent spécial Reyes avait été dans le coin, j'aurais pu être tentée de lui poser d'autres questions sur les serial killers. Ce qui ne me semblait plus du tout une bonne idée.

Je me suis d'abord rendue aux bureaux de l'administration, pour leur remettre une lettre de maman. Elle expliquait qu'elle était gravement malade, et que je serais peut-être amenée à manquer un certain nombre de cours durant les prochains mois pour rester auprès d'elle. Maman était d'une honnêteté scrupuleuse, sa lettre ne mentionnait donc pas mon absence de la veille. Mais ils ont tout de suite fait le rapprochement et m'ont témoigné beaucoup de sympathie.

J'étais en dernière année. J'avais déjà envoyé mes dossiers de candidature à plusieurs universités. Les élèves comme moi étaient censés faire leur dernier semestre par-dessus la jambe. Avoir une excellente excuse ne ferait que me faciliter les choses.

Jamie m'attendait dehors dans le couloir.

— Salut, m'a-t-elle fait avec un petit geste de la main, l'air coupable.

J'avais presque oublié qu'elle avait vendu la mèche à propos de mon petit ami secret.

Je l'ai prise dans mes bras.

— Salut. Désolée d'avoir disparu comme ça.

— Je comprends que tu aies pu avoir besoin d'espace, mais Anna paniquait complètement. Il fallait bien que je lui dise quelque chose.

— Ça va, Jamie.

— Alors tu ne m'en veux pas de lui avoir parlé de ton copain ? Je me suis dit que ce serait plus facile pour elle de savoir que tu avais un endroit où aller. Au lieu de t'imaginer en train de rouler toute la nuit et de faire n'importe quoi.

J'ai lâché un petit rire, parce que « n'importe quoi » restait très en dessous de la vérité. Jamie a pris ça pour une marque de pardon, et m'a serrée plus fort.

Mais elle semblait toujours inquiète.

— Tu as raconté des trucs bizarres, à propos de faucheuses et tout ça. C'était quoi ?

— Rien du tout. Les mauvaises nouvelles à propos de ma mère m'ont fait péter un câble.

— C'est si grave que ça, pour Anna ?

— Je ne sais pas trop. Un problème de sang.

L'idée m'a frappée que j'aurais pu consacrer mes recherches matinales au SMD plutôt qu'à mes propres méfaits. De toute évidence, je ne valais pas mieux comme fille que comme criminelle.

— Une leucémie ?

J'ai secoué la tête.

— Un truc dont je n'avais encore jamais entendu parler. Il paraît qu'elle va devoir suivre un traitement pendant très longtemps. Et qu'on n'est même pas certains que…

Je n'ai pas pu terminer. Le fait de le formuler à voix haute me faisait vaciller sur mes jambes. La sonnerie de début des cours a retenti, et le couloir s'est vidé.

Jamie a mis sa main sur mon épaule.

— Tu es sûre que tu aurais dû venir au lycée aujour-d'hui ?

— Maman ne m'a pas vraiment laissé le choix.

— Oh. J'imagine qu'elle t'a passé un savon.

— Oui.

Nous n'avions pas parlé directement de punition, mais ma mère était allée au travail avec ma voiture aujourd'hui. J'étais convaincue qu'elle ne me laisserait plus la conduire avant un bon bout de temps.

— Mais je m'en fiche. Elle peut bien m'interdir de sortir jusqu'à mes dix-huit ans, je les aurai dans trois mois.

Jamie a souri.

— Tu as bien choisi ton moment pour te rebeller. J'imagine qu'elle tient à rencontrer ton mystérieux petit ami.

— Grâce à toi.

— Ça veut dire que tu vas me le présenter à moi aussi ? Enfin ?

Je l'ai regardée fixement.

— Alors c'est pour ça que tu lui as dit ?

— Jamais de la vie, a-t-elle protesté une main sur le cœur. Mais je ne regrette pas de l'avoir fait. Anna a besoin d'être au courant de ce genre de choses, surtout en ce moment.

— Je suppose que tu as raison.

Je me suis demandé quelles étaient les chances de voir Yama dîner à la maison un de ces soirs. À plus forte raison une fois que je lui aurais avoué mon crime.

Jamie m'a prise par la main pour m'entraîner en classe.

— Il est grand temps que vous arrêtiez de vous faire des cachotteries toutes les deux, tu ne crois pas ?

J'ai approuvé de la tête, incapable de parler. Il y avait tellement de choses désormais que je ne pourrais jamais raconter à ma mère, ni à Jamie, ni à personne d'autre en ce bas monde. J'avais l'impression que je ne pourrais plus jamais être entièrement sincère.

Ce soir-là, maman et moi avons fait la cuisine et beaucoup discuté. Pas de sa maladie, mais de mon père, de l'homme qu'il avait toujours été. Le plus bizarre, c'est que nous n'avions jamais sérieusement parlé de lui depuis qu'il nous avait quittées.

— Il voit les gens comme des pions dans un jeu, ai-je dit, en pensant aussi à M. Hamlyn. Comme si on était là juste pour l'amuser.

Ma mère s'est renfrognée, j'ai cru qu'elle allait prendre la défense de mon père. Elle s'est contentée de secouer la tête et a dit :

— Je suis désolée. J'étais jeune.

Nous sommes restées debout très tard. Ma mère a même partagé un verre de vin avec moi. Nous avons bu aux heureuses surprises que nous réservait forcément la fin d'année, vu que nous avions déjà eu largement notre lot d'épreuves. Mindy nous observait dans son coin, bien contente de faire partie de la famille, alors je n'ai fait aucune allusion à l'enfance de ma mère. Puisque Mindy avait enfin oublié ce qui lui était arrivé trente-cinq ans plus tôt, il aurait été cruel de le lui rappeler.

Quand maman m'a envoyée me coucher, Mindy débordait d'énergie. Elle voulait descendre le fleuve jusqu'à New York pour espionner mon père.

— Une autre fois. J'ai besoin de voir quelqu'un.

— Ton petit ami 'pompe, tu veux dire ? Il n'a qu'à venir avec nous.

J'ai mis un moment à comprendre – j'avais affaire à la nouvelle Mindy, qui n'avait plus peur des méchants. Mais je ne tenais pas à ce qu'elle entende ce que j'avais à dire à Yama.

— Pas cette nuit. Je serai de retour avant l'aube.

Mindy a bougonné, puis elle est partie hanter le quartier toute seule, comme un brave petit fantôme.

Debout au milieu de ma chambre j'ai basculé dans l'envers du décor, prête à affronter Yama et à lui confesser ce que j'avais fait. Mais alors que j'achevais de répéter les mots magiques de mon appel à l'aéroport, j'ai entendu une voix flotter dans l'atmosphère métallique de l'au-delà.

— *Elizabeth Scofield... j'ai besoin de toi.*

On aurait dit une voix de fille, jeune, à peu près de l'âge de Mindy. Je me suis figée – et si l'une des fillettes que j'avais libérées existait toujours, et en avait après moi ? La voix a retenti de nouveau, et j'ai reconnu un léger accent, le même que Yama.

Il s'agissait du fantôme de sa sœur, Yami.

Je me suis laissé guider par le fleuve.

Je m'étais toujours demandé comment Yama faisait pour se montrer si vite quand je l'appelais. Mais le fleuve était alimenté par les relations, les désirs. Le Vaitarna bouillonnait de mon envie de savoir pourquoi Yami m'appelait, et pas son frère. Le courant m'a emportée brutalement.

Il n'y avait sans doute rien de grave. Ma mère n'avait-elle pas décrété qu'il ne pouvait plus rien nous arriver cette année ?

Je me suis arrêtée en tournoyant dans une partie du fleuve que je n'avais encore jamais explorée. La plaine informe familière s'étendait à perte de vue, mais le ciel avait changé. Au lieu d'être noir et semé d'étoiles, il était d'un rouge ferreux, crépusculaire. C'était étrange de voir de la couleur au-dessus de cette grisaille infinie.

Yami m'attendait là, elle m'a examinée de ses grands yeux.

— Ça faisait un bail, ai-je lancé.

Elle a ajusté les plis de sa jupe grise.

— Nous avons été très occupées toutes les deux. Puisque mon frère avait choisi de négliger son peuple, il a bien fallu le remplacer.

Yama m'avait prévenue que sa sœur désapprouvait notre relation.

— Désolée si je le détourne de ses devoirs.

— Oh, ça m'étonnerait.

J'ai froncé les sourcils.

— Je ne le détourne pas de ses devoirs ?

— Si. Mais ça m'étonnerait que tu sois désolée.

Mes répliques cinglantes se sont fracassées sur le fait qu'elle avait raison.

— Yami, pourquoi m'as-tu appelée ? Est-ce que ton frère va bien ?

— Il s'excuse de ne pas pouvoir venir en personne. Son peuple a besoin de lui. Ils sont assiégés.

— Attends. Tu veux dire qu'il y a une bataille en cours ? me suis-je exclamée, secouant la tête. Il y a des guerres en enfer ?

— Pas une guerre à proprement parler, mais tout aussi mortel. Un prédateur.

Au début, je n'ai pas compris le mot. Puis des images de monstres me sont venues à l'esprit.

— D'accord. Ça fait peur.

— Le seigneur Yama n'a pas peur, mais il pense que tu

pourrais peut-être… (Elle m'a tendu la main.) Mon frère t'expliquera.

— Tu vas me conduire en enfer ?

La seule réaction de Yami a été de hausser les sourcils.

Yama m'avait parlé de son domaine, de sa beauté. Mais l'idée de m'enfoncer aussi loin dans le monde infernal m'effrayait. Les rares fantômes que je croisais au lycée continuaient à m'intimider. Je m'imaginais mal dans une ville qui en comptait des milliers.

J'ai levé les yeux vers le ciel rouge sang.

— On est tout près, hein ?

— Nous sommes dans la partie la plus profonde du fleuve.

Devant mon hésitation, Yami a tendu l'autre main, claqué des doigts, et une goutte d'huile noire en est tombée.

— Viens, jeune fille. Ne me dis pas que tu as peur d'aller en enfer ?

— Tu es obligée de formuler ça comme ça ? ai-je maugréé les yeux rivés à la flaque noire qui s'étendait entre nous.

— Il faut excuser mon anglais, a-t-elle rétorqué avec un sourire. Tu préférerais que je dise « Hadès » ? Ce n'est pas un endroit si terrible, tu sais. Juste très calme.

— Avec des prédateurs.

Elle a hoché la tête.

— En ce moment, oui. Mais mon frère semble croire que tu pourras nous aider.

Difficile de résister à un argument pareil, d'autant que j'avais besoin de voir Yama pour lui raconter tout ce qui s'était passé au cours des deux derniers jours.

Alors j'ai pris la main qu'elle me tendait.

Nous sommes descendues plus profond, plus bas que je n'étais jamais allée.

La lumière était différente par ici. Une teinte rougeâtre colorait tout – le ciel, le sol, la jupe et le chemisier de Yami –, presque joyeuse comparée à la grisaille perpétuelle de l'envers du décor. L'air aussi était différent. Je devais me forcer à le respirer, il était aussi entêtant que dans une pièce remplie de fleurs coupées, avec ses relents de rouille et de sang.

Nous avons émergé sur un balcon qui dominait un amoncellement de toits. Les bâtiments disparates tenaient plus du collage que d'une vraie ville. Ils semblaient provenir de toutes les époques, de la hutte en pierre à la belle demeure coloniale en passant par des immeubles modernes. Une myriade de fenêtres me renvoyait mon regard, reflétant le ciel rouge sang.

C'était une vision magnifique, une ville bâtie sur plusieurs millénaires sans qu'aucune partie n'en ait jamais été détruite. Un pêle-mêle de toutes les villes de la terre.

— Qui a construit cet endroit ?

— Ce sont des souvenirs, pas des constructions.

Des bâtiments fantômes. Évidemment.

Je me suis avancée au bord du balcon pour me pencher sur cette ville des morts. Nous étions plusieurs étages au-dessus du sol, et j'ai remarqué que les bords des bâtiments étaient flous, les détails indistincts. Des souvenirs à demi effacés auxquels on avait donné forme.

Il n'y avait aucun signe de vie. De grandes avenues désertes s'étendaient dans toutes les directions. Le vent incessant ne charriait aucun détritus, aucun papier gras. Il n'y avait ni véhicules ni feux tricolores.

— Où sont tous les habitants ?

— Là où on se réfugie généralement quand un loup rôde. À l'intérieur.

Je me suis tournée vers Yami.

— Un loup, au sens littéral ? Le fantôme d'un animal ?

Elle a secoué la tête, sans rien dire, comme pour me laisser deviner.

Je n'étais pas d'humeur.

— Et Yama, où est-il ?

— Yamaraj est là où on a besoin de lui. Il reviendra quand il le pourra.

— Tu m'as dit que je pourrais l'aider. Comment ?

Yami a réfléchi un moment, puis elle m'a demandé :

— Et si nous prenions le thé ?

Elle a passé les portes du balcon, aussi larges et aussi hautes que des cages de foot, pour me conduire dans une salle de la taille de ma maison tout entière. Un immense tapis en occupait le centre, entouré de dizaines de coussins. Des chandeliers étaient accrochés au plafond. À notre entrée, des hommes en tunique et pantalon flottant sont sortis de l'ombre pour allumer les chandeliers avec des cierges. Ces serviteurs avaient la peau grise, comme Yami – des fantômes, naturellement. Ils n'ont pas dit un mot, l'un d'eux a croisé mon regard avec une expression inquiète avant de détourner les yeux.

Yami s'est assise sur un coussin et m'en a indiqué un autre en face d'elle.

— Assieds-toi, jeune fille.

— Je m'appelle Lizzie.

— Tu devrais montrer plus de respect envers ton nom, Elizabeth. Les noms sont importants ici.

Je suis restée debout, impressionnée par la beauté du lieu. Le plafond voûté était peint d'arabesques roussâtres et soutenu par des colonnes sculptées. Les bougies sur les chandeliers scintillaient comme autant d'étoiles au-dessus de nous.

Puis Yami a dit :

— Le prédateur ne s'intéresse qu'aux enfants.

Mes genoux se sont dérobés sous moi. Je me suis assise, incapable de parler, et j'ai fixé le tapis aux motifs en zigzags, losanges et entrelacs. Ma vue s'est mise à pulser au rythme de mes battements de cœur.

Seulement les enfants...

Yami a claqué des doigts, et deux autres serviteurs se sont approchés. Au lieu de cierges, ceux-là portaient des plateaux en argent avec sur chacun une théière fumante et une petite tasse en porcelaine sans anse. Yami les a regardés s'affairer, les remerciant nommément tandis qu'ils nous servaient. Une odeur de rose et de sucre fondu s'est répandue dans la salle, épaississant l'atmosphère.

— Le prédateur, ai-je commencé. C'est l'un d'entre nous, un psychopompe.

Elle a hoché la tête, elle attendait la suite.

— Et les enfants... je parie qu'ils sont tous morts paisiblement, avec leurs parents auprès d'eux. C'est ça ?

— Donc c'est l'homme qui t'a déjà ennuyée, a-t-elle dit lentement, en détachant soigneusement les mots. Celui qui a envoyé un message à mon frère.

J'ai acquiescé de la tête. *J'ai faim* – une mise en garde.

— Est-ce toi qui l'as conduit jusqu'ici, jeune fille ?

— Pourquoi aurais-je fait ça ? C'est la première fois que je viens ici !

— Comment aurait-il établi une connexion avec mon frère, sinon ?

— Une connexion ?

J'ai tâché de me rappeler ce qui s'était passé dans le sous-sol, la nuit où M. Hamlyn m'avait rendu Mindy.

— Je lui ai embrassé la main, mais je l'avais dit à Yama.

— Réfléchis encore, Elizabeth, a insisté Yami en prononçant chaque syllabe de mon prénom.

J'ai fermé les yeux, et j'ai retrouvé la voix de M. Hamlyn.

J'aimerais que tu transmettes un message à ton ami tellement impressionnant. Comment s'appelle-t-il, déjà ?

Je lui avais répondu.

— Yamaraj, ai-je dit. J'ai dit son nom à M. Hamlyn, sans faire attention.

Yami m'a dévisagée, elle a levé sa tasse et soufflé dessus. La vapeur s'est couchée sous son souffle.

J'avais du mal à respirer l'air lourd aux relents de sang. M. Hamlyn m'avait suivie jusqu'à New York parce qu'il connaissait mon nom.

— J'ignorais que je n'aurais pas dû ! Personne ne m'avait rien dit !

— Mon frère ne te l'avait pas dit, convint Yami en fermant les yeux. Parce que tu lui fais perdre le sens des réalités. Parce qu'il ne voulait pas t'effrayer avec toutes les règles de l'au-delà. Parce que tu le rends idiot, par ta seule existence.

J'ai secoué la tête. Yama m'avait prévenue plusieurs fois que les noms étaient importants ici. Simplement, il n'avait pas été suffisamment clair. Peut-être qu'après trois mille ans cela lui paraissait évident. On ne peut pas tout expliquer aux novices. Il y a tellement de choses qu'ils ne savent pas.

J'avais la bouche sèche tout à coup. J'ai voulu prendre ma tasse, mais elle ne contenait qu'un filet de vapeur.

— Ce ne sont que des souvenirs, a dit Yami.

Il m'a fallu un moment pour comprendre qu'elle parlait du thé. Les souvenirs, voilà tout ce qu'ils possédaient dans les enfers. Nous étions pareilles à deux gamines qui jouent à prendre le thé dans des tasses vides.

— Combien d'enfants ? ai-je demandé.

— Trois, pour l'instant.

— Que puis-je faire ?

Yami a secoué la tête, elle semblait ébahie par ma stupidité.

— Tu as dit que tu l'avais embrassé, et tu connais son nom.

— Bien sûr ! On est connectés.

Je me suis levée, j'avais les jambes en coton.

— Je vais l'appeler, ou le suivre à la trace, je ne sais pas.

Yami m'a arrêtée d'un geste.

— Attends Yamaraj. C'est à lui de faire justice.

37

LA NUIT SE RÉPAND AU FOND DE LA VALLÉE ET JUSQU'AUX collines lointaines, comme une nappe de noirceur. Aucun feu de camp en vue, et en cette saison il n'y a pas de plaques de neige fondue qui pourraient refléter le ciel. Darcy Patel repère néanmoins une tache scintillante au milieu de tout ce velours – un point d'eau.

Sa langue sèche râpe ses lèvres gercées, mais elle ne se presse pas et commence par repérer les constellations du Corbeau et de la Croix du Sud. Il lui faut marcher tout droit si elle veut atteindre ce petit disque argenté avant le lever du soleil. Les dix-sept derniers jours ont amené une chaleur accablante, qui a eu raison des bœufs de l'expédition, des bagnards, et des hommes libres – dans cet ordre. Les guides indigènes se sont sagement éclipsés il y a une semaine.

Une fois sa route fixée, Darcy se met en marche et s'engage en titubant dans la pente rocailleuse. La nuit est longue, et son ardeur initiale, vite refroidie par les chutes brutales qu'elle enchaîne à force de braquer les yeux sur les étoiles au lieu de regarder où elle met les pieds. La vallée est sillonnée de ruisseaux à sec dans lesquels il lui faut descendre avant de remonter de l'autre côté, les muscles en feu. Une odeur entêtante de viande séchée s'échappe de son sac à dos, mais elle a la bouche trop sèche pour toucher à ses provisions.

À l'heure la plus froide de la nuit, alors que l'horizon commence tout juste à s'éclaircir, les reflets de l'eau apparaissent devant elle. Au début, Darcy n'ose pas y croire. Mais le sol s'adoucit sous ses pieds, et elle commence à flairer des senteurs de prostanthera et d'eucalyptus.

Elle entend un clapotis un peu plus loin, peut-être un wallaby descendu boire aux premières lueurs du jour. Elle se préoccupera de viande fraîche plus tard – pour l'instant, Darcy est tout entière à sa soif. Elle s'élance déjà, et s'écroule à genoux dans la boue rouge. Quand son visage touche la surface de l'eau, elle en frissonne d'extase. Ses lèvres se rafraîchissent enfin, les premières gorgées d'eau se perdent dans les crevasses de sa gorge, les suivantes atteignent l'estomac. Elle boit pendant une bonne minute sans s'arrêter. Puis elle essaie de se relever, de s'arracher à l'étreinte de la boue.

Mais la boue la retient.

Darcy prend appui sur ses coudes, rien à faire : ses bras, ses jambes sont prisonniers d'une sorte de force visqueuse. Plus effrayant encore, à quelques centimètres de son visage l'eau se retire. Une chose gigantesque est en train de remuer sous elle, le sol semble se soulever.

Elle entend des éclaboussements tout autour. Dans la lumière rosée de l'aube, une dizaine de wallabies se dispersent dans toutes les directions, fuyant la masse de boue collante et remuante.

La succion exercée sur ses membres se relâche, et Darcy parvint tant bien que mal à se relever. Elle se tient en équilibre au sommet d'une colline molle, ondulante. Soudain, la terre rouge se transforme en mélasse et Darcy s'enfonce dans une substance chaude et vivante. Lentement, inexorablement, la boue engloutit ses genoux, son corps, et finalement envahit ses poumons.

Au moment de disparaître sous le sol rouge, Darcy perçoit un bruit sourd à l'intérieur, comme un grondement de gaz, presque un mot…

Bunyip.

Darcy se réveilla en sursaut, pantelante, entortillée dans ses draps. Il lui fallut un moment pour réaliser qu'elle était en sécurité dans son lit, et non en train de suffoquer dans la boue sacrée et vorace d'un point d'eau de l'Outback.

Cela faisait des siècles qu'elle n'avait plus refait ce cauchemar du bunyip. Pourtant, à se réveiller comme ça trempée de sueur, Darcy se souvint avec précision des terreurs nocturnes que Kiralee lui avait inspirées dans son adolescence. Et se rendit compte que l'huile noire d'*Afterworlds* présentait de curieuses similitudes avec la boue rouge imaginée par Kiralee Taylor.

Bizarre que Kiralee n'ait jamais soulevé ce point. S'en était-elle seulement aperçue ? Ou avait-elle l'habitude d'inspirer les imitateurs ?

Imogen dormait en chien de fusil de son côté du lit. Le cauchemar de Darcy ne l'avait pas réveillée. Il était neuf heures du matin, elle n'émergerait sans doute pas avant des heures. Depuis cinq semaines qu'elle avait envoyé le manuscrit d'*Afterworlds*, Darcy avait cessé d'écrire toute la nuit pour se coucher beaucoup plus tôt, parfois même à deux heures du matin. Mais Imogen continuait à travailler jusqu'à l'aube, à faire en sorte que le premier jet de *Phobomancer* devienne le meilleur possible. Leurs horaires étaient de plus en plus décalés.

Après tous ces efforts…

Darcy se glissa hors du lit, enfila un peignoir et des chaussons et se traîna jusqu'à la cuisine afin de préparer un café. C'était la cafetière italienne d'Imogen qui trônait sur la gazinière, la marque d'expresso d'Imogen, dans le frigo. Leurs affaires se confondaient comme leurs goûts se mélangeaient. Mais par des matins pareils, quand Imogen dormait encore et que Darcy se retrouvait seule dans le froid des premiers jours de mars, elle se sentait abandonnée.

Rejetée du paradis Jeunes adultes, et condamnée à vivre auprès d'Audrey Flinderson.

Elle dosa le café, remplit la cafetière et regarda la flamme s'épanouir. En attendant le gargouillis du café, Darcy se réchauffa les mains au-dessus du feu.

Dans un univers parallèle, elle serait tombée sur un autre passage du journal – une note anodine, une idée d'intrigue, ou l'un des noms de plume ridicules qu'Imogen s'inventait. Elle vivrait toujours dans l'ignorance et la béatitude, et serait sans doute tout excitée à l'idée d'entamer une nouvelle journée d'écriture. Alors que dans ce monde-ci, Darcy n'avait toujours pas tapé un seul mot d'*Untitled Patel*.

La nuit précédente, Imogen l'avait encore surprise à regarder par la fenêtre en broyant du noir. Elle avait refermé son portable avec un soupir et lui avait dit :

— C'est normal d'avoir un coup de mou quand on vient de terminer un roman. C'est la dépression postpartum. Mais le remède, c'est d'attaquer le suivant.

Le conseil était bon – la date de remise d'*Untitled Patel* était dans moins de six mois. Mais Darcy se sentait encore vidée par ses derniers jours de réécriture. Elle avait jeté à la corbeille toutes ses tentatives précédentes pour partir dans une direction radicalement nouvelle. Elle avait envoyé ses personnages en enfer, sans rien leur épargner, et avait même supprimé l'un de ses favoris. Au final,

Yamaraj se retrouvait dans la peau d'un vrai dieu de la mort, meurtri dans son cœur pour l'éternité.

Ce n'était pas exactement ce qu'on pouvait appeler une fin heureuse.

Le plus bizarre, c'était que Moxie et Nan Eliot l'adoraient toutes les deux. Darcy aurait dû faire la fête… *après tous ces efforts*.

Imogen ne l'avait pas encore lue, pourtant des semaines interminables s'étaient écoulées depuis. Elle remettait ça à plus tard, elle avait besoin de se concentrer sur le premier jet de *Phobomancer*. Une fois qu'elle aurait fini, elle pourrait consacrer toute son attention à la nouvelle fin de Darcy.

À moins qu'elle n'en ait par-dessus la tête de ce roman. Par-dessus la tête de tout ce qui avait un rapport avec Darcy Patel.

Peut-être n'avait-elle plus envie de faire des *efforts*.

Le café se mit à crachoter sur la gazinière, promesse de réconfort et de caféine. Darcy s'en versa un mug, qu'elle prit à deux mains pour se réchauffer les doigts, et alla s'installer à son bureau dans la grande salle.

Elle avait reçu un e-mail de Rhea :

Salut Darcy ! Tu trouveras en pièce jointe tes épreuves corrigées et les fiches de lecture d'*Afterworlds*.

Nous avons supervisé la correction, et Nan dit que si tu peux nous renvoyer ton bon à tirer pour vendredi, on n'aura plus qu'à lancer l'impression des exemplaires de presse pour la BookExpo America.

A+

Un frisson d'excitation chatouilla Darcy, qui sentit son humeur s'alléger. Il y avait quelque chose d'agréablement officiel, et d'un peu effrayant, à recevoir ses épreuves corrigées.

Elle ouvrit l'une des fiches de lecture. C'était une liste – celle des noms et caractéristiques de tous les personnages d'*Afterworlds*.

Lizzie : 17 ans, abréviation d'Elizabeth, blanche, fille unique, couleur des cheveux non précisée
Yamaraj : paraît 17 ans (3 000 ?), indien (peau brune), sourcils tordus, séduisant, frère de Yami

Darcy fronça les sourcils. La description de ses protagonistes lui semblait plate et plutôt avare de détails. La couleur des cheveux de Lizzie était sûrement précisée quelque part dans le livre. Elle ouvrit son fichier et fit une rapide recherche sur le mot « cheveux », mais la seule indication qu'elle trouva fut que Lizzie les avait assez longs pour les ramener derrière ses oreilles quand ils étaient mouillés.

— Merde ! protesta Darcy à voix haute.

Puis elle lut la description suivante.

Jamie : 17 ans, possède une voiture, vit chez son père

— Possède une voiture ? C'est tout ? s'indigna-t-elle.

Pas de couleur de cheveux, ni frères ni sœurs ? Aucune mention de la couleur de peau ? Autant dire rien. Pourtant, au fur et à mesure de l'écriture d'*Afterworlds*, Jamie était devenue discrètement un personnage de première importance. Pas seulement une amie, mais une pierre angulaire de normalité qui empêchait Lizzie de tourner la page du monde réel.

Et voilà qu'elle n'était rien d'autre qu'une silhouette en carton.

— Fait chier ! s'exclama Darcy.

— Salut, fit Imogen d'une voix endormie depuis le seuil de la chambre. C'est toi qui t'énerves comme ça ?

— J'ai reçu mes épreuves corrigées. Apparemment, je suis nulle pour créer des personnages.

Imogen se gratta la tête, et huma l'air.

— C'est du café que je sens ?

Elles s'assirent au bureau l'une en face de l'autre, pour parcourir les impressions des fiches de lecture.

— Super chronologie, approuva Imogen.

— Ouais, ne m'en parle pas.

La correctrice avait écumé *Afterworlds* à la recherche de la moindre référence temporelle (Était-ce un jour d'école ? La nuit ? Combien de semaines s'étaient écoulées ?) et les avait rassemblées. Darcy se demandait bien pourquoi elle n'avait pas pensé toute seule à se constituer un document aussi évident et aussi précieux.

Un autre document, la marche typographique de Paradox, se révélait plus nébuleux qu'utile. Paradox exigeait la virgule Oxford – une virgule placée avant la conjonction de coordination dans une énumération de trois termes ou plus –, et demandait que les dialogues rapportés soient mis en italique. Les nombres devaient être en toutes lettres jusqu'à cent, et en chiffres au-delà. Sauf pour ceux qui apparaissaient dans un dialogue, ou les gros chiffres ronds, comme *un million*. Cela représentait une foule de réponses à des questions que Darcy ne s'était jamais posées. Mais les décisions, au moins, avaient déjà été prises pour elle.

Quand Darcy en arriva au manuscrit proprement dit, elle fut confrontée aux questions délicates, aux problèmes à trancher. La correctrice semblait avoir relevé des centaines de points, plusieurs par page. Darcy fit défiler le document et parcourut quelques notes choisies au hasard.

— Comment faut-il comprendre ça, Gen? «On ne peut pas siffler sans sifflante.»

— À quel passage?

À ce stade, Imogen avait ouvert son propre fichier d'*Afterworlds* sur son portable.

Darcy suivit la ligne en pointillés qui menait du commentaire au texte.

— Quand Lizzie est dans la cuisine avec M. Hamlyn. La citation «– La ferme! ai-je sifflé.» Qu'est-ce que ça peut bien vouloir dire, sans sifflante?

— Ça veut dire qu'il n'y a pas de *s* dans «La ferme!»

— Oh. Et on ne peut pas siffler s'il n'y a pas de *s*?

— Moi, si. *La ferme!* siffla Imogen, la voix réduite à un murmure féroce, les muscles du cou saillants, pareille à un serpent montrant les crocs.

— Waouh, s'extasia Darcy. Tu as sifflé ça comme un chef.

Elle ouvrit sa propre petite fenêtre de commentaire et tapa «*stet*». Kiralee lui avait enseigné cette expression magique – «conserver tel quel» – pour annuler les corrections.

— Un problème de réglé, plus qu'un million à traiter. Alors, il y a une note qui dit: «Tu sembles ambivalente à propos des fantômes. Sont-ils des personnes ou non?»

— Attends, la correctrice remet carrément en question le dilemme moral de ton livre?

— Oui. D'ailleurs elle n'a pas tort, Gen. Lizzie se préoccupe constamment de Mindy comme s'il s'agissait d'une personne réelle. Mais quand les cinq gamines disparaissent, elle s'en fiche!

Imogen haussa les épaules.

— Parce que ce sont des personnages mineurs, comme les figurants qui meurent en toile de fond dans un film de guerre. Nous autres romanciers sommes de méchants psychopompes, au fond. En dehors des quelques personnages que nous traitons comme des personnes réelles, tout le reste n'est que de la chair à canon.

— N'empêche que si la correctrice pose la question, c'est que ce n'est pas clair. Mon livre souffre peut-être d'un manque fondamental de cohérence !

— Ou peut-être que les correctrices détestent l'ambiguïté, tout simplement, fit valoir Imogen.

— Bien vu, siffla Darcy, avec un peu moins de talent qu'Imogen. *Stet* !

Elles continuèrent à lire en silence. Darcy survolait en vitesse les innombrables questions. Demain elle recommencerait depuis le début et résoudrait chaque problème dans l'ordre, mais pour l'instant, l'échantillon qu'elle découvrait lui suffisait amplement. Elle ne voulait pas céder à la panique et gâcher ce moment avec Imogen.

Ça lui avait manqué, ce travail en commun sur le même bureau, les petits bruits de claviers, le froissement des feuilles de papier. Imogen était toujours en pyjama, avec ses cheveux en bataille et qui auraient bientôt besoin d'une nouvelle coupe, adorable. Une fois que Darcy aurait recommencé à écrire, les mots qu'elle avait aperçus dans le journal de son amie s'effaceraient peut-être de son esprit.

— Très bon café, au fait, la complimenta Imogen.

— Merci, dit Darcy en regardant son mug vide. Et merci pour ce que tu fais. Je sais que tu es très occupée avec *Phobomancer*. Je crois que je deviendrais un peu dingue si tu n'étais pas là.

Imogen sourit et lui adressa un clin d'œil paresseux.

— Tu devrais savourer, Darcy. Les corrections, c'est ce qu'il y a de plus amusant ! Tu restes assise là une semaine à feuilleter l'*Oxford English Dictionary*, à t'interroger sur l'emploi d'un point-virgule ou d'un tiret.

— Toi et moi n'avons pas la même idée de

l'amusement. Je veux dire, quel rapport avec l'histoire ?
Est-ce qu'un point-virgule a jamais fait la moindre différence dans un roman écrit avec un tant soit peu de talent ?

— Tu rigoles ? Ce sont les points-virgules qui font le
talent !

— Une fois, dans mon cours d'écriture créative en
seconde, je les ai appelés des clins d'œil majuscules.

Imogen ouvrit des yeux ronds.

— Ne raconte pas ça à Kiralee, lui conseilla-t-elle. Elle
te renierait et ne t'accorderait plus jamais de boniment
promo !

Darcy gloussa. Elle avait complètement oublié cette histoire de clins d'œil majuscules. Puis elle dit :

— Attends une minute : plus jamais ? Ça veut dire
qu'elle va me signer mon boniment promo ?

— Merde. Ça devait rester secret. Kiralee voulait te
l'annoncer elle-même, parce qu'elle adore la nouvelle fin.
Elle lui trouve une « froide brutalité ». Mais j'espère qu'elle
formulera ça autrement sur ta couverture.

Darcy sentit un sourire s'épanouir sur son visage, chassant la déprime de ces dernières semaines.

— Je suis bien contente que tu me l'aies dit, Gen,
même si tu n'étais pas censée le faire.

— Quand Kiralee t'appellera, je peux compter sur toi
pour faire semblant d'être surprise ?

— Ça ne devrait pas être trop difficile. Je n'en reviens
toujours pas que Kiralee Taylor ait lu mon livre, encore
moins qu'elle me signe un compliment.

Imogen sourit.

— Je te l'aurais bien signé moi-même, sauf que je ne
pense pas que mon nom te fasse vendre beaucoup d'exemplaires.

— Tu ne l'as même pas lu, de toute façon, lui rappela
Darcy.

La surprise, l'embarras et l'irritation s'affichèrent tour à tour sur le visage d'Imogen. Darcy n'avait pas voulu dire ça de cette manière, ni sur un ton aussi sérieux, ni d'une voix qui se brisait un peu sur le dernier mot.

— Pas la nouvelle fin, en tout cas, ajouta-t-elle faiblement.

— Oui, je suis désolée, s'excusa Imogen. C'était un peu chaud pour moi, ces derniers temps.

— À croire que tu es fâchée contre moi.

— Ne dis pas n'importe quoi. Je suis furax contre cette saleté de *Phobomancer*, pas contre toi.

Darcy essaya de se retenir, mais la suite lui échappa malgré elle.

— Tu n'arrêtes pas de dire que je réclame beaucoup d'efforts !

— Ah bon ?

— Oui, enfin, tu ne l'as peut-être dit qu'une fois, quand j'ai regardé dans ton annuaire scolaire. Mais ça m'est resté dans la tête, parce que…

Darcy ferma les yeux. Merde. On y était – l'heure était venue d'abattre son jeu.

— Je suis tombée sur ton journal intime.

Imogen ne dit rien. Darcy rouvrit les yeux.

— C'était un accident. Nan devait m'appeler, et je ne retrouvais plus mon téléphone.

— Alors tu t'es servie du mien.

La voix d'Imogen ne trahissait aucune émotion. Elle ne paraissait pas furieuse, ni déçue, ni rien. Elle conservait une expression impassible, le regard fixe. Pendant un instant, on aurait dit un personnage en carton découpé.

Imogen : 23 ans, blanche, grande, cheveux bruns coupés court

577

— Je ne voulais pas être indiscrète, Gen, je te le jure. Je voulais juste appeler mon propre téléphone – pour le trouver. Mais je suis tombée sur une page de ton journal. Sur laquelle tu écrivais que je t'avais demandé beaucoup d'efforts, et que je n'étais qu'une garce. Comme l'autre.

Imogen secoua lentement la tête.

— Non, ça m'étonnerait.

— Si, je t'assure.

À présent que la franchise avait pointé le bout de son nez, Darcy n'avait plus qu'à lui lâcher la bride. Et tout dire, jusqu'au bout.

— Vérifie. Fais une recherche avec : « Après tous ces efforts, c'est une garce. »

Imogen sortit son téléphone de sa poche et pianota sur l'écran en prenant tout son temps. Darcy resta assise à l'observer, consciente des battements de son cœur. Elle voyait la pièce se déformer légèrement aux coins de son champ de vision. Quand elle cligna, une larme unique roula sur sa joue.

Après un silence interminable, Imogen haussa les sourcils.

— Tiens ? Je ne m'étais jamais aperçue de ça.

— Tu ne t'en étais pas aperçue ? répéta Darcy en secouant la tête. Comment est-ce possible ? C'est toi qui l'as tapé !

— Pas vraiment, rétorqua Imogen avec un calme horripilant. Il ne s'agissait pas de toi, Darcy. Mais de ma scène d'ouverture. Celle que mon agent n'a pas aimée.

— Ça n'a pas de sens. Pourquoi aurais-tu écrit ça à propos d'une scène ?

Imogen se leva lentement. Elle faisait tout avec lenteur, désormais, pareille à une statue animée.

— Le *f* est juste à côté du *g*, répondit-elle d'une voix douce, avant de quitter la grande salle.

Darcy savait qu'elle aurait dû la suivre, continuer la discussion jusqu'à ce que tout soit mis à plat. Peu importait le coup d'œil qu'elle avait jeté par mégarde sur le journal d'Imogen, l'essentiel était de savoir ce qu'elles pensaient vraiment l'une de l'autre. C'était une question de sincérité, et non d'intimité.

Il s'agissait de savoir si Imogen/Audrey était en train de composer dans sa tête ou dans son journal une nouvelle diatribe, contre Darcy Patel cette fois.

Pourtant, elle était incapable de bouger. Elle était trop en colère, abasourdie par la réponse absurde d'Imogen. *Le* f *est juste à côté du* g. Qu'est-ce que ça pouvait bien vouloir dire ? Dans quel univers ce commentaire obscur pouvait-il se référer à la scène d'ouverture de *Phobomancer* ?

Le f *est juste à côté du* g…

Les doigts de Darcy tressaillirent, et soudain elle comprit. Non pas intellectuellement, mais dans la moelle de ses mains, dans les muscles formés par les millions de mots qu'elle avait tapés dans sa vie – les e-mails, les devoirs et la fan-fiction, et toutes les versions insatisfaisantes d'*Afterworlds*. Ses doigts remuèrent de nouveau, tapant le mot dans le vide, lui indiquant ce qu'Imogen avait voulu dire.

Darcy fixa l'ordinateur portable ouvert devant elle. Sur le clavier, le *f* se trouvait en effet juste à côté du *g*. Elle ferma les yeux, et revit les mots dans sa tête…

Après tous ces efforts, c'est une farce.

Le doigt d'Imogen avait débordé et touché le *g*. Ou n'importe laquelle des lettres voisines – le *d*, le *r* ou le *v* – et le logiciel avait rectifié de lui-même.

— Saloperie de correction automatique, pesta Darcy.

Elle se leva et marcha jusqu'à la porte de la chambre. Imogen avait ôté son pyjama et s'était habillée. Elle s'employait à fourrer des tee-shirts dans un sac en plastique.

— Ne fais pas ça, Gen. J'ai compris, c'est bon. C'était un accident.

Imogen se tourna vers elle.

— Une mauvaise farce, tu veux dire.

Darcy essaya de sourire, mais l'expression ne lui allait pas.

— Je suis désolée.

— Moi aussi, répliqua Imogen, avant de s'éclaircir la gorge. Je ne t'en ai pas voulu d'avoir fouillé dans mon vieil annuaire scolaire, Darcy. C'était logique. Tu voulais juste en savoir un peu plus sur moi. Et tu avais le droit de vouloir connaître mon vrai nom. Tu aurais fini par tomber sur cet article un jour ou l'autre, après tout.

— Imogen...

— Pareil, je ne t'en voulais pas de m'avoir volé ma scène. Tu ne l'avais pas fait exprès. Ce genre de truc est inévitable quand deux auteurs vivent sous le même toit, j'imagine. Ce n'était pas grave, vraiment, tant qu'il me restait au moins une chose à moi – rien qu'à moi. Mon foutu journal.

— Je sais. Mais c'était un accident.

— Ça remonte à quand ? Le jour où tu l'as lu ?

Darcy baissa les yeux.

— À six jours avant ma date de remise. Le soir où Nan a appelé. Je cherchais mon téléphone.

— Je sais. Mais tu ne l'as pas oublié. Et tu as gardé ça pour toi pendant six semaines ! C'est pour ça que tu étais déprimée, non ? Parce que tu n'arrêtais pas de penser à cette note.

— Oui, reconnut Darcy.

Autant continuer à être honnête.

— Ces mots dans mon journal étaient devenus la chose la plus importante pour toi, parce qu'ils étaient censés être secrets. Parce qu'ils m'appartenaient.

Imogen se détourna, rajouta une brassée de sous-vête-ments dans son sac.

— Rien de ce que j'ai pu dire au cours de ces six semaines n'a pu rattraper le coup, hein? Tu ne t'es fiée qu'à ces mots saisis dans mon journal. Tu as préféré faire confiance à une foutue coquille, plutôt qu'à moi!

— J'ai confiance en toi, Gen.

— Non, c'est faux! Ce que je te cache sera toujours plus important pour toi que ce que je pourrai dire ou faire. Quoi que je donne, ce sera toujours moins que ce que je garderai pour moi. Tu en voudras toujours plus. Tu voudras toujours avoir accès à mes pensées les plus intimes, à mes idées d'écriture, à mon vrai nom.

— C'est Imogen Gray, ton vrai nom.

— Pas vraiment. Je suis Audrey, qui a écrit cet article incendiaire pour se venger. C'est comme ça que tu me vois.

— Je te vois comme Imogen.

— Ce n'est que mon nom de plume, et peut-être plus pour très longtemps.

— Arrête de dire ça! Et s'il te plaît, arrête de remballer tes affaires!

Darcy s'adossa contre le mur et se laissa glisser au sol.

— Parle-moi, murmura-t-elle.

— D'accord. Tu veux vraiment savoir ce que je pense? Ce qu'il y a sur toi dans mon journal?

— Oui… Enfin, sauf si tu n'en as pas envie. Tu peux garder tous les secrets que tu veux, Gen.

— Je n'ai jamais pensé que tu étais une garce, Darcy. Pas une fois. Au contraire, je t'ai toujours trouvé très intel-ligente. Peut-être un peu veinarde, un peu trop couvée, mais suffisamment maligne pour ne pas avoir besoin que la vie te mette du plomb dans la tête.

Imogen s'était arrêtée de faire son sac. La voix terne, les traits sans expression, elle ajouta :

— Intelligente, mais peut-être pas si veinarde que ça finalement. Je crois que tu es publiée trop jeune.

— Oh, fit Darcy à voix basse, le cœur brisé.

— Non pas parce que ton écriture n'est pas mûre, mais parce que toi, tu ne l'es pas. Tu n'as pas confiance en moi, et tu n'auras pas confiance dans ton roman quand il sortira et que les gens commenceront à poster leurs avis. Il y aura des milliers de commentaires, certains brillants, d'autres stupides, ou méchants, ou blessants. J'ai tellement peur pour toi, Darcy. Il y a des pages entières de mon journal qui disent à quel point j'ai peur pour toi.

— Je n'en savais rien, murmura Darcy.

— Parce que je ne tenais pas à ce que mes peurs deviennent les tiennes. Parce qu'elles étaient à moi ! Et j'avais bien raison de ne pas vouloir t'en parler, vu que tu viens de passer six semaines à te ronger les sangs pour une saleté de coquille ! Qu'est-ce que ça va être quand des centaines de personnes se mettront à critiquer ton roman ?

— Ça ira, assura Darcy. Parce que tu seras avec moi.

— Peut-être.

Darcy ne voulut pas comprendre ces mots. Elle ne pouvait pas. Elle secoua la tête.

— Je crois aussi que tu m'as rencontrée trop jeune, continua Imogen. Ça aussi, c'est dans mon journal. Tu voudrais une relation plus épique, un truc fantastique, presque divin. Tu voudrais qu'on puisse lire chacune dans les pensées de l'autre.

— Non, pas du tout. Je voulais juste que tu lises ma putain de fin !

— Oui. Désolée pour ça.

La façade de pierre d'Imogen venait de se fissurer. Elle avait l'air vaincue maintenant, les cheveux en désordre, les joues rougies, comme quelqu'un qui aurait perdu une bagarre.

— Mais pour l'instant, reprit-elle, ma scène d'ouverture est toujours aussi nulle, et ça fait pratiquement un mois que je n'avance plus. J'ai vraiment besoin de m'éclaircir les idées, alors je vais rentrer chez moi. J'ai un livre à écrire.

Imogen lui tourna le dos et acheva de bourrer son sac avec ses dernières affaires – son chargeur de téléphone, une poignée de bagues, son exemplaire dédicacé du dernier livre de Standerson et le carton de pochettes d'allumettes qu'elle avait apporté en guise de documentation, avec ses professions diverses, ses adresses aléatoires et ses promesses d'incendies.

Darcy essaya de se lever, d'empêcher sa petite amie de s'en aller. Mais elle était clouée au sol par une force irrésistible. L'air lui semblait si épais qu'elle ne put même pas prononcer un mot.

Imogen passa devant elle sans un au revoir, laissant Darcy à terre dans sa chambre, le souffle coupé. Toute sa vie, sa chance insolente n'avait été qu'un leurre, un trompe-l'œil, un piège. Au fond, elle n'avait vraiment pas de veine.

Elle avait rencontré le grand amour trop jeune, et à cause de cela, elle allait le perdre à tout jamais.

38

Y AMA N'A PAS TARDÉ À REVENIR, DANS UN HALO DE CHALEUR, faisant vaciller la flamme des bougies au-dessus de nos têtes.

— Lizzie.

Un court instant ce fut bon de l'entendre prononcer mon nom.

Mais ensuite, il a bien fallu que je lui explique :

— C'est ma faute. C'est moi qui l'ai conduit jusqu'ici.

Yama et sa sœur ont échangé un regard. Celui du frère, empli de tristesse ; celui de la sœur, froidement triomphant.

— Je suis désolée, ai-je ajouté.

Il a secoué la tête, mais il ne s'est pas avancé jusqu'à moi, ne m'a pas tendu les bras ; il s'est contenté de regarder sa sœur. J'ai pu constater à quel point leurs traits étaient similaires. Malgré les années qui les séparaient, ils ressemblaient vraiment à des jumeaux, sauf qu'elle avait la peau grise alors que la sienne était brune et chaude.

Il a fini par se tourner vers moi.

— J'aurais dû te mettre en garde.

— Oh, c'était évident, ai-je dit avec un goût de fer rouillé dans la bouche. Tu n'arrêtais pas de me répéter à quel point les noms étaient importants.

— C'est ma faute.

— Ça suffit !

Yami a tapé dans ses mains, et l'huile noire s'est étalée sur le sol.

— Vous aurez le temps de vous flageller quand notre peuple sera en sécurité.

J'ai hoché la tête et tendu la main. Les gouttelettes d'huile roulaient sous nos pieds comme du mercure noir, s'unissant les unes aux autres. Elles se confondirent en une seule et même flaque, aussi lisse et luisante qu'un disque d'onyx.

— Comment vais-je le trouver ?

Yama m'a pris la main.

— Ne prononce pas son nom. Cela ne ferait que l'avertir. Repense simplement au moment où tu l'as embrassé.

Saisie d'un frisson, je me suis souvenue de l'électricité amère de la main de M. Hamlyn contre mes lèvres, de la sécheresse et de la froideur de sa peau. Je l'ai détesté pour m'avoir piégée, pour avoir joué si parfaitement son rôle dans le meurtre du méchant homme. Pour avoir été si précisément ce dont j'avais besoin cette nuit-là. J'ai senti ma haine former une connexion entre nous.

J'ai attiré Yama dans la flaque sombre et laissé le courant nous emporter.

Nous avons quitté le fleuve pour déboucher en enfer.

Le ciel flamboyait, aveuglant, brillant de mille soleils. L'air qui s'engouffrait dans mes poumons était épais comme un sirop, me laissant un goût de sang et de rouille sur la langue. Un grondement sonnait à mes oreilles et m'ébranlait jusqu'à la moelle, et j'ai compris que nous étions plus bas encore que dans la ville infernale de Yama.

La chaussée accidentée sous nos pieds était semée de

cratères et d'impacts. Tout autour de nous, on pouvait voir les décombres d'une ville moderne, les bâtiments détruits se découpant à l'horizon comme une rangée de chicots.

Je ne voyais pas M. Hamlyn. Il y avait trop de lumière, trop de bruit.

Yama a contemplé les ruines, la main en visière pour se protéger les yeux.

— Ce sont ses souvenirs. Mais de quoi ?

Il faisait tellement chaud que j'en avais les larmes aux yeux.

— Il m'a parlé d'une guerre, de villes entières rayées de la carte – les adultes, les enfants, tout le monde. C'est comme ça qu'il est devenu psychopompe.

Yama a regardé en l'air, visiblement impressionné.

— La mort qui tombe du ciel.

J'ai compris à ce moment-là. Le grondement qui secouait et embrasait l'atmosphère, c'était le bruit d'un millier d'hélices, le sifflement des bombes en train de s'abattre. Il provenait d'en haut mais aussi du sol fracassé, sourdant de chaque pierre.

J'ai réalisé que ces souvenirs devaient se rapporter à la Seconde Guerre mondiale, et une idée bizarre m'a traversée.

— Il est beaucoup plus jeune que toi, pas vrai ?

— Certains sont vieux au moment de basculer, a reconnu Yama en se tournant vers moi. Peux-tu le localiser ?

J'ai fermé les yeux sous le ciel aveuglant, je me suis concentrée, et j'ai senti la puissance de ma haine me guider vers M. Hamlyn. Il se trouvait dans un bâtiment en ruine juste devant nous, un immeuble de six étages dont seuls les murs extérieurs tenaient encore debout.

Parler était douloureux dans cet air brûlant et chargé de

fumée, alors je me suis contentée de pointer l'endroit. Nous avons foulé l'asphalte crevassé sur une centaine de mètres jusqu'à un trou béant à l'emplacement d'une ancienne porte. Les gravats s'accumulaient à l'intérieur, et le grondement des avions et des bombes résonnait entre les murs.

Yama m'a retenue.

— Soyons prudents. Le loup est un tigre dans son repaire.

J'ai levé les yeux. On ne voyait plus de toit, rien que le ciel en feu.

— Tu veux dire qu'il se sent comme chez lui, ici ?

— C'est cet endroit qui a fait de lui ce qu'il est.

J'ai secoué la tête. Selon la même logique, je devais me sentir à l'aise dans un aéroport, au milieu de hurlements et de traînées de sang. Or, je ne voulais plus jamais repenser à ce moment.

Mais les souvenirs du vieil homme étaient vivaces, il fallait lui reconnaître ça.

— Il est là-haut.

J'ai indiqué un escalier branlant qui s'accrochait encore à l'un des murs. Il menait à un coin de l'immeuble plus ou moins préservé. Alors que nous grimpions, je ressentais les vibrations du grondement des bombes et des avions jusque dans mes os, à tel point que l'escalier semblait sur le point de s'écrouler sous nos pieds.

Au sommet se trouvait un palier, où une section de toit intacte occultait le ciel de feu. Nous avons titubé sous son ombre, à moitié aveuglés.

M. Hamlyn nous y attendait. Il se tenait assis sur un bloc de pierre brisé, une aiguille et du fil à la main. Des bouts de tissu s'entassaient à ses pieds – les pièces d'un nouveau patchwork. J'ai frissonné en m'apercevant qu'il récupérait de quoi coudre ses vêtements dans les décombres d'une ville bombardée.

— Ah, vous voilà, a-t-il dit sans lever les yeux de son ouvrage. Et pas seulement la jeune Lizzie, mais aussi l'impressionnant M. Yamaraj.

Aucun de nous n'a rien dit. Le sol a tremblé sous nos pieds.

— Je suppose que vous êtes fâchés à cause de vos enfants disparus.

— Ils sont là ? a demandé Yama.

M. Hamlyn a levé la tête et souri.

— En esprit seulement. Je suis sûr que vous en avez encore plein d'autres à m'offrir.

Yama a serré les poings et des étincelles ont volé autour de lui. L'atmosphère est devenue encore plus chaude.

— Je ne vais pas vous tuer, a-t-il déclaré. Mais je peux vous brûler.

Le regard de M. Hamlyn s'est éclairé.

— Vous voulez dire que nous serons connectés ?

— Vous porterez ma marque. Et si vous revenez nuire à mon peuple, je vous retrouverai, où que vous alliez.

Le vieil homme écarta les mains, tenant toujours son aiguille entre le pouce et l'index.

— Mais je me plais, ici, et la jeune Lizzie peut revenir quand elle veut. Vous, par contre, vous commencez à m'agacer.

Yama s'est contenté d'avancer vers lui, sans un mot. Des étincelles jaillissaient en cascade de ses poings serrés. M. Hamlyn lui a souri.

J'ai trouvé cela inquiétant. Le vieil homme avait fui sans demander son reste la première fois que Yama s'était dressé devant lui, et il avait même semblé me craindre. Ici, dans son enfer privé, il paraissait insensible aux menaces.

Il a posé avec précaution son aiguille à côté de lui et saisi une boule de fils emmêlés à ses pieds.

C'est alors que j'ai remarqué les lignes scintillantes qui

barraient le sol. Des fils de souvenirs s'étendaient d'un mur à l'autre. Et tous menaient à la pelote de M. Hamlyn.

— Yama ! ai-je crié, à l'instant où le vieil homme tirait sur la boule de fils d'un coup sec.

Les lignes posées au sol ont surgi dans les airs, soudain tendues. On aurait dit qu'une toile d'araignée s'était constituée brusquement autour de nous.

L'un des fils m'a entaillé la cuisse, assez profond. Je me suis écartée en trébuchant, mais deux autres fils se dressaient en travers de mon chemin. Je me suis arrêtée juste à temps.

Je n'osais plus faire le moindre geste. J'avais des fils partout autour de moi, vibrant au son des avions. Yama se retrouvait piégé au centre de la toile. Sa main saignait, et sa chemise de soie noire était tailladée en une dizaine d'endroits.

— Ne bouge pas ! lui ai-je crié.

C'étaient le même genre de souvenirs dont je m'étais servie pour tailler en pièces l'esprit du méchant homme. Les âmes de gens qui avaient vu leur ville entière brûler en une nuit, entretissées autour de nous.

— Vous devriez écouter votre jeune amie, a conseillé M. Hamlyn.

Sa main qui tenait la pelote de fils saignait aussi, mais il ne paraissait pas s'en être aperçu.

— Curieux que vous n'ayez jamais assisté à ce petit tour auparavant. J'imagine qu'on ne connaissait pas les bombes incendiaires à votre époque.

Yama, stupéfait, avait les yeux baissés sur les lignes scintillantes qui le retenaient.

— Je vous présente la population de ma ville natale.

Les fils ont vibré comme des cordes de guitare aux inflexions de voix de M. Hamlyn.

— Fascinant, ce que le fait d'assister à la mort de tout

son entourage peut faire à un fantôme. Sans parler de ce que les filaments de ce fantôme peuvent nous faire à nous.

Le vieil homme a tiré encore un peu sur sa pelote. Les fils scintillants se sont resserrés autour de Yama.

Ce dernier ne pouvait pratiquement plus bouger, mais sa voix était ferme.

— Que voulez-vous ?

Le vieil homme a ri.

— Tout ! Je veux tous ces fantômes que vous avez recueillis pour moi. Par milliers ! Surtout ceux qui sont morts jeunes et choyés par leurs proches.

— Arrêtez ! me suis-je écriée. S'il vous plaît, ne lui faites pas de mal.

M. Hamlyn a tourné vers moi ses yeux incolores.

— Toi, je ne te ferai jamais rien, ma petite valkyrie. Mais tu as entendu ton ami. Il est très fâché contre moi, et très dangereux.

— Je ne le conduirai plus jamais jusqu'à vous, c'est promis !

— Mais j'ai besoin de son peuple, Lizzie. Tous ces souvenirs entretenus au fil des siècles, et qui n'attendent que moi. Pense à tout ce que je pourrais tisser avec !

Yama a grogné, et des giclées d'étincelles ont fusé de ses poings. Le vieil homme a resserré les fils, ouvrant de nouvelles entailles dans la chair de Yama.

— Arrêtez !

Ils se sont tournés vers moi tous les deux. Un fil scintillant frémissait à quelques centimètres de mon visage.

— Va-t'en d'ici, ma petite ! a dit M. Hamlyn. Je n'ai pas envie de te blesser. J'aimerais t'enseigner des choses.

— Allez au diable !

— Lizzie. Tu devrais partir, m'a conseillé Yama.

Le sang formait une flaque aux pieds de Yama. Il se

tenait dans une position inconfortable, tâchant d'éviter que les fils ne le coupent encore plus profond.

— Oui, vas-y, a renchéri M. Hamlyn. Avant de commencer à m'ennuyer.

J'ai hésité. Ici, en périphérie de la toile d'araignée scintillante, j'avais tout juste assez d'espace pour me dégager. Mais si je le faisais, le vieil homme taillerait Yama en pièces.

— D'accord, ai-je dit doucement. Juste une seconde.

J'ai visualisé mon chemin à travers la toile avant de bouger, cataloguant chaque fil mortel. Puis j'ai fait trois pas – délicates et dangereux – vers le centre.

Le vieil homme a poussé un soupir.

— Tu crois connaître plus de tours que moi, petite ?

— Je ne connais aucun tour. (J'ai tendu le bras et posé la main sur l'épaule de Yama.) Mais si vous voulez le tuer, il faudra me tuer avec.

— Lizzie, a murmuré Yama. Ne fais pas ça.

M. Hamlyn a lâché un grognement.

— Qu'est-ce qui te fait croire que j'hésiterais ?

Je l'ai regardé droit dans les yeux.

— Parce que j'ai envie d'apprendre de vous.

Ces mots sont sortis avec conviction, parce qu'une part de moi y croyait pour de bon. J'avais envie de savoir comment il s'y prenait pour faire brûler le ciel, et comment le bombardement d'une ville des décennies plus tôt pouvait se tisser en une toile de lumière mortelle.

Le vieil homme m'a retourné mon regard, et il a vu que je voulais tout.

— Tu me tentes, ma petite.

— Je ne le ramènerai plus jamais ici. Et même si je le faisais, je suis sûre que vous avez d'autres tours dans votre sac.

— Flatteuse, m'a-t-il reproché avec un sourire. Tu le garderas sous contrôle ?

J'ai acquiescé de la tête. Sur le moment, je me moquais bien des fantômes que le vieil homme avait pris. Je voulais juste sauver Yama.

— Alors d'accord, pour toi, a concédé le vieil homme. Et parce que j'ai besoin de lui pour empêcher ses fantômes de s'estomper. Sois prudente avec lui. Les coupures sont dangereuses par ici, dans l'au-delà.

Je l'ai ignoré et j'ai claqué des doigts – une goutte d'huile noire en a coulé. Elle est tombée entre les lignes étincelantes pour se mêler au sang de Yama. Elle s'est étalée lentement, recouvrant le plancher poussiéreux d'une nappe noire.

Nous avons commencé à nous enfoncer dans le sol, et un instant j'ai cru que M. Hamlyn allait tirer sur sa pelote et nous découper en rondelles. Mais finalement il n'en a rien fait, et nous nous sommes retrouvés dans le fleuve.

De retour dans son palais, Yama s'est écroulé entre mes bras. Sa chemise était en lambeaux et il saignait par de nombreuses entailles.

Je l'ai allongé avec douceur sur les coussins avant de regarder autour de moi. Pas de serviteurs en vue, et sa sœur était partie.

— Yami ! ai-je crié, puis je me suis retournée vers son frère.

Le sang formait une flaque sous lui, imprégnant les motifs gris du tapis. Il était écarlate, et paraissait beaucoup trop abondant. La toile du vieil homme avait-elle tranché une artère ?

Puis j'ai senti comme un picotement, et baissé les yeux sur mon bras. Mon sang s'écoulait lui aussi, trop vite, comme de l'eau. Une vague de vertige m'a saisie.

— Yami ! ai-je crié de nouveau.

— Il faut partir, a murmuré Yama. Rentrer à la maison.

— On y est. Mais quelque chose ne va pas !

— Pas chez moi. Chez toi. Vite.

Les formes grises de plusieurs serviteurs se sont ins-crites dans mon champ de vision, et j'ai entendu la voix de Yami.

— Que s'est-il passé ? Yama !

— Le vieil homme nous avait tendu un piège, ai-je expliqué en regardant mon bras qui continuait à saigner. Il nous a tailladés. Il y a quelque chose d'anormal.

— Emmène mon frère dans le monde des vivants, s'est écriée Yami. Vite !

J'ai levé les yeux vers elle.

— Quoi ? Pourquoi ?

— Tu ne peux pas le soigner ici, espèce d'idiote !

Elle a tapé dans ses mains, et des gouttelettes noires en sont tombées en pluie.

— Son corps est arrêté dans le temps !

Je l'ai fixée – et j'ai compris ce qu'elle voulait dire. Nous ne pouvions pas vieillir, nous fatiguer ou avoir faim dans le monde infernal ; nous ne pouvions pas guérir non plus. Parce que notre sang ne coagulait pas.

Yama devenait de plus en plus pâle. Nous étions tous les deux en train de saigner à mort.

— Mais ce n'est même pas mon vrai corps, ai-je mur-muré. Je croyais qu'il s'agissait d'une sorte de projection astrale.

— Mon frère est capable de voyager en chair et en os depuis trois mille ans, a rétorqué Yami. Et tu es beaucoup plus forte que tu ne le crois. Maintenant, file !

Un instant plus tard nous replongions dans le fleuve, emportés par un courant impétueux et tournoyant, reflet de ma propre panique. Je n'arrivais pas à me rappeler un hôpital auquel j'aurais pu être liée – mes souvenirs d'accidents dans mon enfance étaient trop vagues, et la perte de sang me donnait des vertiges.

En revanche, Yama m'avait demandé de le ramener à la maison. Je me suis concentrée sur ma chambre. Peut-être pourrais-je arrêter le gros du saignement moi-même, puis conduire Yama à l'hôpital.

Au début le courant m'a obéi, nous ramenant vigoureusement vers le monde des vivants. Je tenais Yama bien serré contre moi, pour le protéger des filaments de souvenirs charriés par le fleuve.

Et puis, tout à coup, le courant a changé, modifié par une force supérieure à ma volonté, et nous a propulsés dans une autre direction.

— Yama, ai-je sifflé à son oreille. Que se passe-t-il ?

— Le fleuve t'appelle, a-t-il répondu en continuant à saigner dans le courant. Je ne pensais pas que cela se produirait si tôt.

J'ai poussé un hurlement de frustration. Quel que soit le désastre en cours dans le monde des vivants, ce n'était pas le moment !

Yama a laissé partir sa tête en arrière, tous les muscles relâchés. Je l'ai serré plus fort, comme si cela pouvait étancher le saignement.

Après de longues minutes, le fleuve nous a enfin déposés...

... en plein chaos.

Des coups de feu et des lumières aveuglantes crépitaient dans toutes les directions, et une épaisse fumée flottait dans l'air. Nous étions dans une forêt, environnés de sapins qui grimpaient jusqu'au ciel, leurs branches chargées de neige. C'était la nuit, mais les faisceaux de nombreuses lampes torches transperçaient la fumée et la brume. De petites cabanes en rondins s'alignaient entre les arbres. Des silhouettes vêtues de noir et armées de fusils couraient partout, s'arrêtant de temps à autre pour faire feu.

Pourquoi le fleuve nous avait-il conduits ici ? Cela ne ressemblait à aucun lieu connu ou même imaginé.

Yama saignait toujours. Il devait basculer dans le monde des vivants sans attendre, ou bien j'allais le perdre. Je ne voyais qu'un endroit où nous serions à peu près à l'abri – un renfoncement entre deux cabanes appuyées l'une sur l'autre. Je l'ai traîné dans la neige jusqu'à ce recoin.

— Il faut basculer de l'autre côté, lui ai-je murmuré à l'oreille.

Il n'a pas réagi. Son visage était aussi pâle que la neige sur le sol noir.

— Yama ! ai-je crié.

Toujours aucune réaction.

Je me suis souvenue de ce que Yami m'avait dit : *Tu es plus forte que tu ne le crois.* Je saignais moi aussi. Ce qui voulait dire que je m'étais rendue en chair et en os dans la zone de guerre de M. Hamlyn.

Peut-être pouvais-je y arriver…

J'ai pris Yama dans mes bras et fermé les yeux, me focalisant sur les détonations, les cris de panique autour de moi.

— La sécurité est en chemin, ai-je marmonné.

L'instant d'après, je nous ai sentis basculer tous les deux depuis l'envers du décor. L'air frais du monde des vivants s'est engouffré dans mes poumons, avec l'odeur désormais familière de gaz lacrymogène et de poudre. Il faisait très froid tout à coup, et mon haleine formait un panache blanc devant mon visage. Les détonations me sont parvenues subitement avec une netteté mortelle. Mais j'avais réussi, j'avais emprunté le fleuve en chair et en os…

Pour émerger sur un champ de bataille.

Je n'avais pas le temps de me préoccuper des balles perdues. J'ai tiré sur mon chemisier à l'endroit où il était déjà déchiré et j'en ai fait des lanières pour bander les plaies de Yama. Ses entailles paraissaient profondes, mais au moins, le rouge devenait plus épais, commençait à couler comme du sang et non de l'eau.

Quand j'ai eu terminé de panser tant bien que mal ses blessures, j'étais à moitié nue. Je me suis plaquée contre lui pour que l'on se tienne chaud. La fusillade avait cessé, mais des cris et des rugissements de moteurs résonnaient alentour.

C'est alors que j'ai aperçu le corps dans l'ombre à côté de nous.

C'était celui d'un jeune homme, d'une vingtaine d'années environ. Il gisait sur le dos, les deux mains sur la gorge. Un sang épais coulait entre ses doigts et rougissait la neige. Il avait reçu une balle dans le cou. Les yeux fixés sur moi, il donnait l'impression de vouloir parler, d'essayer de capter mon attention à ses derniers instants.

Alors que je lui renvoyais un regard horrifié, j'ai vu son esprit se détacher de lui.

J'avais déjà assisté à ça, à la mort du méchant homme. Mais je m'y étais préparée, alors que cette fois, j'étais prise au dépourvu. Une deuxième version du jeune homme, les traits pâles et insensibles, s'est dressée au-dessus du corps.

Il s'est tourné vers moi, étrangement calme.

— Tu es mort, lui ai-je dit, parce que c'était la seule chose dont j'étais sûre.

Il a hoché la tête, comme s'il le savait déjà.

Un frisson m'a parcourue de la tête aux pieds. Le froid commençait à me gagner.

Je me suis détournée de lui, et j'en ai vu d'autres. Des fantômes, des esprits fraîchement arrachés à leur corps et relâchés sur le sol enneigé.

— Je crois que je suis là pour t'aider, ai-je ajouté.

Voilà pourquoi le fleuve nous avait amenés jusqu'ici – parce qu'on y avait besoin de psychopompes.

— Ça veut dire que tu es un ange ? a demandé le fantôme.

Je n'ai pas pu m'empêcher de rire. Dans mon chemisier en lambeaux, je devais ressembler à une folle plutôt qu'à une créature céleste. Certainement pas à une valkyrie, en tout cas.

— Non, juste une fille.

— Mais le prophète a dit qu'il y aurait des anges pour nous accueillir. Des anges de la mort.

J'ai frémi en réalisant l'évidence. Le fleuve m'avait conduite dans les montagnes du Colorado, au quartier général d'une certaine secte qui préparait l'Armageddon, développait un dogme isolationniste et obéissait à un chef charismatique. Un lieu encerclé depuis une semaine par deux cents agents fédéraux – un massacre qui ne demandait qu'à se produire.

Dans l'immédiat, je me souciais peu des âmes ayant besoin d'être guidées vers les enfers. Je me préoccupais uniquement de garder Yama en vie. Et, curieusement, l'adorateur de la mort venait de m'offrir une lueur d'espoir.

Il y avait des agents du FBI dans le coin. Ils avaient forcément une antenne médicale.

— Je reviens tout de suite, ai-je promis à Yama en me détachant de lui avec douceur.

Il a ouvert les yeux et hoché la tête, très affaibli mais de nouveau conscient. Le monde des vivants et mes bandages grossiers l'avaient tout de même aidé un peu.

Le fantôme s'est agenouillé, les mains jointes, pour prier. Je l'ai ignoré et suis sortie de l'ombre pour m'avancer dans le faisceau des lampes torches. Moi qui me tenais les flancs pour me réchauffer, je me suis obligée à lever les bras en l'air. Mieux valait endurer le froid que me prendre une balle.

— Ohé ! ai-je crié dans l'obscurité. Au secours !

Un instant plus tard, une dizaine de torches se braquaient sur moi entre les arbres, pareils à des yeux de fauve.

Une voix a rugi dans un porte-voix :

— Couchez-vous face contre terre !

J'ai hésité, regrettant de n'avoir qu'un chemisier déchiré sur le dos. Mais la voix dégageait une certaine impatience, alors je me suis d'abord mise à genoux, puis allongée sur le ventre dans la neige.

— Mon ami a besoin d'aide ! ai-je crié. Il saigne !

On ne m'a pas répondu, et j'ai eu l'impression qu'il s'était passé une éternité avant que des bruits de bottes s'approchent de moi sur le sol gelé. Des mains vigoureuses m'ont ramené les bras dans le dos, et j'ai entendu cliqueter des menottes. J'avais trop froid pour sentir le contact du métal sur ma peau.

On m'a redressée en position assise, et j'ai enfin pu voir qui m'entourait. Six hommes et une femme en gilet pare-balles frappé d'un gros FBI en lettres jaunes.

— Mon ami a perdu connaissance, il saigne, il n'est pas armé, ai-je dit en claquant des dents, avant d'indiquer d'un coup de menton la direction des cabanes. Aidez-le, je vous en prie !

— Allez voir, a ordonné quelqu'un, et trois des hommes sont partis en direction de Yama.

J'ai regardé l'homme qui avait parlé, pour lui balbutier des remerciements, mais les mots se sont bloqués dans ma bouche. Parce qu'il y avait un autre agent derrière lui. Il se tenait au milieu de ses camarades, l'air un peu confus. Son gilet était criblé d'impacts sanglants, et il ne projetait aucune ombre dans la lumière croisée des torches.

— Je suis vraiment désolée, ai-je dit.

Il m'a regardée, surpris que je remarque sa présence, contrairement aux autres.

J'aurais voulu lui assurer que ce n'était pas si grave, que tout ne s'arrêtait pas avec la mort ; qu'il y avait dans les enfers des endroits bien tenus, agréables, civilisés même. Mais le froid m'avait figé la langue, et l'instant d'après quelqu'un m'a poussée dans le dos pour me rallonger dans la neige.

39

— **N**OM D'UN CHIEN GALEUX, PATEL, TU AS DIX MINUTES DE retard !

Darcy soupira.

— Contente de te revoir moi aussi, Nisha.

— Cet endroit me fout les jetons.

Darcy regarda autour d'elle, haussa les épaules. Penn Station était un peu froide, noire de monde, et le sol de marbre était souillé de pluie ramenée de l'extérieur, mais la gare n'avait rien d'effrayant.

— C'est la sandwicherie qui te fait peur, petite sœur ? Ou la boutique de bagels ?

— Tout !

Nisha tendit son sac à dos à Darcy et saisit la poignée de sa valise à roulettes.

— L'ambiance générale me porte sur les nerfs.

Darcy sourit. Elle n'aurait jamais cru développer un jour plus d'assurance que Nisha – ou que n'importe qui, d'ailleurs. Mais il était vrai que ces dix mois de vie new-yorkaise l'avaient vaccinée contre la saleté, les tunnels souterrains ou la foule.

Elle prit conscience du poids du sac à dos.

— Bon sang, Nisha, tu n'es là que pour une semaine ! Tu as mis quoi, là-dedans ? Des briques ?

— Des livres. Tu sais, au cas où tes amis célèbres accepteraient de me les dédicacer. À ma soirée cocktail.

— Quelle soirée cocktail ?

— Carla et Sagan ont eu droit à une soirée.

Darcy geignit.

— C'était ma pendaison de crémaillère ! Et je n'ai plus organisé une seule soirée depuis.

— Raison de plus pour en lancer une maintenant.

Nisha s'éloigna à travers la foule.

Darcy lui emboîta le pas, se demandant pourquoi les livres ne se trouvaient pas dans la valise à roulettes, pourquoi c'était elle qui devait porter le sac à dos, et comment Nisha, de manière assez agaçante, avait su choisir précisément la bonne direction au milieu du dédale de Penn Station.

Une demi-heure plus tard elles se trouvaient dans la chambre d'amis de l'appartement 4E. Nisha déballait ses affaires, déplaçant les vestes de Darcy au profit d'une large sélection de vêtements gothiques.

— Ça fait quand même beaucoup de fringues pour sept jours.

Nisha s'interrompit.

— On regrette déjà de m'avoir invitée, Patel ?

— Bien sûr que non, protesta Darcy.

Pourtant, sa conversation avec leur mère la veille au soir avait fait naître quelques appréhensions. Des expressions comme «sous ta responsabilité» étaient revenues plusieurs fois. Pas les mots «soirée cocktail», en revanche.

— Parce que tu n'as pas l'air particulièrement réjouie, tu sais ?

Darcy haussa les épaules mais ne répondit pas.

— Je veux dire, tu as un appartement à New York, ton premier roman sort dans cinq mois et tu vas m'avoir, moi, pendant une semaine entière ! Tu devrais planer comme une licorne défoncée aux antidépresseurs, à voir des arcs-en-ciel partout. Alors que là, on dirait que tu viens de noyer une portée de chatons.

— Joli mélange de métaphores, maugréa Darcy.

— C'étaient des comparaisons. J'aurais cru qu'un auteur serait incollable sur ce genre de trucs.

Darcy dévisagea sa petite sœur. Pourquoi se montrait-elle aussi insensible ? Nisha savait parfaitement ce qui s'était passé le mois dernier, grâce à plusieurs dizaines de textos et d'e-mails, sans oublier trois longues conversations téléphoniques. Elle trouvait cruel de sa part de feindre l'ignorance, à moins qu'elle n'ait simplement besoin d'entendre toute l'histoire de vive voix.

Peut-être que le sujet était inévitable. Ces jours-ci, Darcy ne mesurait plus la rupture en termes de semaines mais au nombre de minutes qu'il lui fallait le matin au réveil pour se rappeler sa réalité.

— Imogen me manque.

Nisha acquiesça doctement.

— Tu ne l'as toujours pas revue ?

— Je l'ai croisée par hasard la semaine dernière, dans Canal Street. On a échangé des banalités. Elle m'a serrée dans ses bras à la fin.

— Les câlins, c'est bon signe, non ?

— Les câlins, c'est de la merde ! Les câlins, c'est nul.

— Oui, les câlins, c'est ce qu'il y a de pire, approuva Nisha. Mais je croyais que vous communiquiez encore par e-mails toutes les deux.

— On le fait. Mais on ne s'écrit pas de longues lettres enflammées. Rien que des petits messages débiles qui ne veulent rien dire – des câlins électroniques, quoi. Imogen dit qu'elle a besoin de se concentrer exclusivement sur son bouquin. On travaillait toujours ensemble, avant, mais maintenant je ne l'inspire plus. Je la perturbe. Je ne lui apporte plus rien.

Nisha prêta une oreille attentive à ce discours puis s'assit en tailleur à même le sol, dans sa position de sagesse.

— N'empêche qu'elle n'a pas écrit d'article au vitriol sur la longue liste de tes défauts, si ?

— Non. Elle ne ferait jamais ça.

Darcy en avait toujours été convaincue.

— Elle ne t'a même pas encore larguée officiellement, d'ailleurs.

— Elle dit que c'est juste en attendant qu'elle ait fini son livre. Je crois qu'elle essaie simplement d'être gentille, mais au final, c'est plus long et ça fait encore plus mal.

Darcy se laissa tomber en arrière sur le futon de la chambre d'amis et contempla le plafond.

— C'est comme si tu sautais du Chrysler building et que tu te cognais à chaque mât et à chaque gargouille pendant ta chute.

— Pourquoi est-ce qu'elle ferait ça, Patel ?

— Parce que je suis trop jeune pour être larguée dans les règles ! Imogen me trouve trop jeune pour tout.

— Oui, c'est vrai que c'est un problème récurrent chez toi.

Darcy se redressa sur les coudes pour foudroyer du regard sa petite sœur.

— Tu es plus jeune que moi, tu sais ?

— Pas pour mon âge.

— Eh merde, grogna Darcy en se laissant retomber sur le futon. Tu as sûrement raison. J'ai tout raté. Je passais mon temps à l'espionner, je ne lui disais pas ce qui me tracassait et je ne l'écoutais pas quand elle avait besoin d'espace.

— Tu me l'as déjà raconté en long, en large et en

travers. On ne plaque pas sa copine parce qu'elle vous espionne, si ?

— Je crois que ce qu'elle me reproche surtout, c'est de ne pas lui avoir fait confiance.

— Alors fais-lui confiance maintenant.

Darcy se rassit. Toutes ces questions lui mettaient les nerfs en pelote.

— Comment faire confiance à quelqu'un qui refuse de me parler ? Que veux-tu que je croie ?

— Ce qu'elle n'arrête pas de te répéter : que ce n'est pas terminé entre vous. Qu'elle a seulement besoin d'espace pour écrire.

— Mais on faisait ça ensemble, se désola Darcy. C'était notre force, justement. Si on ne peut plus écrire toutes les deux, à quoi bon ?

Nisha demeura silencieuse un long moment, comme si elle soupesait sincèrement la question. Son bagout désinvolte avait cédé la place à un ton plus sérieux, plus mûr.

— Imogen t'a-t-elle dit qu'elle ne voulait plus jamais écrire avec toi ?

— Pas vraiment. Elle dit que c'est simplement son livre qui la rend folle. Sauf que c'est moi qui deviens folle, Nisha.

— Pas si tu lui fais confiance, Patel. N'abandonne pas uniquement parce qu'elle ne peut pas être avec toi pour l'instant.

Darcy ne dit rien. Il n'était pas question qu'elle renonce. Jamais de la vie.

À s'écouter se lamenter comme ça auprès de sa petite sœur, qui avait franchi la porte depuis dix minutes à peine, elle se trouva pathétique. Le plus étonnant résidait dans le calme et la pondération de Nisha, comme si les événements se déroulaient exactement selon ses prévisions.

— C'est comme ça que tu comptais passer ton temps à New York ? demanda Darcy avec un soupir. En m'écoutant pleurer sur mon sort ?

— Je suis là pour apprendre. Et ce que tu viens de m'enseigner, c'est d'éviter de tomber amoureuse le plus longtemps possible. Il y a un endroit où on pourrait manger ?

Darcy sourit.

— On est à Manhattan. On va bien trouver.

Leur première étape fut le restaurant de rāmen à la statue de chat. C'était l'un des endroits où Darcy avait pris l'habitude de traîner les tout premiers jours de la rupture, dans l'espoir de tomber sur Imogen. Cela ne s'était jamais produit, mais Darcy eut tout de même un frisson en faisant tinter la cloche au-dessus de la porte.

En plus, les nouilles qu'on y servait étaient exceptionnelles.

— J'ai trouvé un bon titre ici, une fois, déclara Darcy quand elles eurent commandé.

Nisha dressa la tête.

— Tu as enfin décidé comment tu allais appeler *Untitled Patel* ?

— Non, toujours pas, reconnut Darcy. (Elle n'en avait pas écrit grand-chose non plus, à l'exception de quelques vagues idées.) Mais c'est là que j'ai eu l'idée de *Kleptomancer*. C'est le titre du deuxième roman d'Imogen. Pas mal, hein ?

— Patel…, fit Nisha en secouant la tête. Tu ne voudrais pas plutôt parler d'autre chose ?

— Bien sûr. D'accord. Pourquoi pas de mon budget ? Ça devrait être drôle.

— Comme tu dis, confirma Nisha en sortant son

téléphone, toujours heureuse de se retrouver sur le terrain familier des chiffres. J'ai tous les détails ici.

La suite fut passablement déplaisante.

Cela ne tenait pas uniquement au loyer exorbitant de l'appartement 4E, ni aux nombreux billets d'avion qui avaient permis à Darcy de suivre Imogen dans sa tournée. Il y avait aussi les vêtements qu'elle avait dû s'acheter pour l'occasion, les meubles divers acquis au cours des neuf derniers mois, ainsi que son incapacité chronique à maintenir ses dépenses quotidiennes sous la barre des dix-sept dollars. La nourriture était si délicieuse. La bière tellement indispensable.

Mais le pire, semblait-il, c'était qu'elle n'avait conservé aucun reçu pour ses dépenses professionnelles alors que son tout premier versement aux impôts, un montant considérable, était dû pour la semaine prochaine. D'après les calculs de Nisha, Darcy avait presque un an d'avance en matière d'épuisement de son budget.

— Pourquoi cet air surpris, Patel ? demanda Nisha une fois qu'elle eut bouclé son exposé de la situation. Tôt ou tard, tu devais bien te douter qu'il faudrait régler la note.

— J'ai l'impression de ne faire que ça ces derniers temps.

Darcy brisa ses baguettes, qui projetèrent des fragments de bois çà et là.

— Comme si j'allais passer le restant de mes jours à payer les factures. Je viens de recevoir mon formulaire de renouvellement de bail. Mon loyer va augmenter à partir de juillet. De dix pour cent.

— Waouh. (Nisha prit des notes sur son téléphone.) Je t'avais conseillé de signer un bail de deux ans, Patel.

— Tante Lalana s'en serait aperçue.

— Qu'est-ce que tu vas faire ?

Darcy haussa les épaules.

— J'aime toujours mon appartement. Mais ce n'est plus comme avant.

— Tu n'as qu'à t'en trouver un autre moins cher. Ou alors, rentre à la maison !

— Nisha, je vous adore, mais j'ai une suite à écrire. Et ce n'est pas en restant assise dans mon ancienne chambre que j'y arriverai.

— C'est pourtant là que tu as écrit *Afterworlds*. En trente jours !

— C'était facile – je ne savais pas ce que je faisais.

Nisha secoua la tête.

— Patel, tu as encore presque trois mois devant toi, et plus de vie amoureuse. Alors pourquoi ne pas te mettre à écrire pour de bon, et voir où ça te mène ? Enfin, après cette semaine que tu vas me consacrer.

— Peut-être.

Le conseil paraissait judicieux.

— Tu sais, ajouta Nisha, les parents sont toujours persuadés que tu iras à Oberlin en septembre.

— Aucune chance. La date limite pour une nouvelle candidature est passée depuis trois semaines.

Nisha cligna des paupières.

— Je croyais que tu avais une place réservée ?

— Oui, cette échéance est passée aussi. Depuis environ un an.

— Tu es pathétique, Patel, fit Nisha avec un petit rire. Remarque, ça ne change pas grand-chose. Tu pouvais faire une croix sur ta bourse de toute manière.

— Comment ça ?

— Ils ne regardent pas uniquement tes revenus annuels, Patel. Ils examinent aussi ta déclaration d'impôts. Qui montre l'argent que tu as gagné l'année dernière !

Darcy se racla la gorge.

— L'argent qui a presque entièrement disparu, tu veux dire ?

— Tu en toucheras encore après la publication, et aussi pour *Untitled Patel*, mais ça risque de poser un problème si tu veux t'inscrire à Oberlin l'année prochaine. En tant que comptable, je te conseillerais de t'en tenir à ton plan initial de rester auteur pendant trois ans.

— Euh, tu n'aurais pas pu le dire plus tôt ? Par exemple, au tout début, avant que je renonce définitivement à une carrière universitaire ?

— Je croyais que c'était ce que tu voulais ! Et je ne pouvais pas deviner que tu dilapiderais toute ton avance en loyer et en nouilles.

Darcy se renfonça sur son siège. Elle était fichue.

On leur apporta leurs plats, mais Darcy ne trouva aucune consolation à fixer le bouillon trouble et coûteux de ses rāmen. D'abord le téléphone d'Imogen et son correcteur automatique s'étaient ligués pour détruire sa vie, et voilà que son propriétaire, les impôts et sa future université étaient de la partie ! Avant peu, l'univers entier se dresserait contre elle. Même ses baguettes la trahissaient, les nouilles glissaient en lui projetant des gouttelettes de bouillon à la figure.

Les rāmen demeuraient délicieuses, néanmoins, et bientôt les deux sœurs se mirent à parler de sujets moins déprimants : les cours de Nisha au lycée, ses projets pour l'université, les petits travers des parents Patel. Darcy lui raconta tous les ragots qu'elle tenait de Carla et de Sagan, qu'elle avait au téléphone presque tous les jours depuis la rupture – l'un des rares points positifs de ces dernières semaines.

Darcy se demanda si elle devait en trouver d'autres. Nisha avait raison lorsqu'elle disait qu'elle n'avait plus de vie. Il fallait en profiter pour écrire seule.

— Si seulement je pouvais trouver une autre idée, se lamenta Darcy. Un truc original, énorme, comme l'histoire de l'amie de maman qui s'était fait assassiner.

Nisha leva la tête de son bol vide.

— Oh, à propos de ça. Tu te rappelles qu'elle n'avait pas tiqué là-dessus après avoir lu ton livre ?

— Oui. Et alors, elle t'en a parlé ?

— Non, pas une fois. J'ai mené ma petite enquête, il s'agit d'une autre Annika Sutaria.

Darcy fixa sa petite sœur.

— Pardon ?

— Tu vois, l'Inde est un pays très, très peuplé. Du coup, on y trouve des tas d'homonymes. L'Annika qui connaissait cette fille assassinée a un mois de plus que maman. Tu es nulle en recherches sur Internet.

— Merde, lâcha Darcy.

Son petit fantôme ne lui avait jamais appartenu, en fin de compte.

Ou peut-être qu'au contraire cela signifiait que Mindy lui appartenait pour de bon, parce qu'elle l'avait créée à partir d'une erreur sur la personne. À moins qu'elle n'ait exploité une tragédie qu'elle était encore moins en droit de voler. Et si l'autre Annika était morte à présent, et que Darcy était la dernière personne à se souvenir de Rajani, l'ultime gardienne de son fantôme ?

Darcy voyait une chose : un fantôme victime d'une erreur sur la personne ne serait pas une mauvaise idée pour *Untitled Patel*.

— On pourrait aller dans une librairie ? demanda Nisha.

Darcy revint à l'instant présent.

— D'une manière générale, j'essaie plutôt d'éviter tout ce qui touche à l'édition en ce moment.

— Tu as un livre à écrire, Patel. Comment veux-tu éviter tout ce qui touche à l'édition ?

— Tu confonds avec l'écriture, corrigea Darcy avec un soupir. L'édition et tout ce qui va avec, ce sont les blogs, les comptes Twitter consacrés à la littérature jeunesse, les parodies de Printz Awards, les critiques en ligne. Ça fait des semaines que je ne me suis plus connectée.

Tout cela lui rappelait trop Imogen.

— Oui, eh bien les librairies, c'est plutôt ce qui touche à la lecture ! Amène-toi.

La librairie Book of Ages était l'une des dernières grandes librairies indépendantes de Manhattan, avec plus de la moitié de ses rayons consacrés à la littérature jeunesse. Ses murs étaient recouverts de dessins d'enfants, ses étagères débordaient de romans pour lycéens et jeunes adultes. Elle possédait un secteur bandes dessinées de la taille de la moitié d'un court de tennis, repérable par une fusée de Tintin à carreaux rouge et blanc aussi haute que Darcy. Quand elles étaient petites, les deux sœurs ne manquaient jamais de s'y rendre chaque fois que la famille venait en visite à New York.

— Alors dis-moi, tu dois être une sorte de célébrité ici, maintenant ? demanda Nisha au moment de passer la porte.

— Je ne suis célèbre nulle part, rétorqua Darcy. Mon livre n'est même pas encore sorti, tu t'en souviens ?

— Plus que cent soixante-huit jours ! Autrement dit, personne ne va te reconnaître ? On n'aura pas de remise ?

Darcy jeta un coup d'œil à la femme installée derrière la caisse. Darcy n'avait encore jamais eu affaire à elle.

— Désolée. Plein tarif.

— Dans ce cas, pas de livres pour toi, Patel. En tant que comptable, je te déclare officiellement fauchée.

— Je peux te condamner à une amende de un dollar chaque fois que tu diras « en tant que comptable » ?

— Ce n'est pas ça qui te sauvera, l'avertit Nisha, avant de s'arrêter devant une pile de livres de poche en tête de gondole, portant tous la même couverture rouge flamboyant. Dis donc, ce ne serait pas… ?

Darcy hocha la tête. C'était bien *Pyromancer*.

— Bizarre, dit-elle en en prenant un exemplaire. Il n'était pas censé sortir en poche avant l'été.

— C'est bon signe ou mauvais signe ? demanda Nisha.

— Je ne sais pas trop.

Darcy retourna le livre. En quatrième de couverture figuraient le vieux boniment de Kiralee ainsi que les critiques étoilées, toutes montagnes d'éloges qui n'avaient jamais paru booster les ventes.

— Ça veut dire que Paradox n'a pas encore jeté l'éponge, en tout cas, dit-elle.

Quelle qu'en soit la raison, c'était agréable de voir le roman d'Imogen trôner en force à l'avant de la boutique. Darcy examina la photo de l'auteur. Imogen avait l'air heureuse, les mains prudemment rangées dans les poches de son blouson pour s'empêcher de se toucher le front.

Darcy sentit sa gorge se nouer en se rappelant le jour où cette photo avait été prise. L'Imogen d'alors vivait tous les jours à ses côtés.

— Donne-t'en un bon coup sur la tête, lui conseilla Nisha, avant de s'éloigner vers le rayon *Mon petit poney*.

Darcy ouvrit la première page.

Ce qu'elle avait toujours préféré dans le fait d'allumer un feu, c'étaient les allumettes. Elle aimait les voir s'aligner comme des petits soldats de bois dans leur pochette en carton, et leur manière de s'épanouir en fleurs chaudes au creux de ses mains. Elle adorait le chuintement crépitant qu'elles faisaient dans le vent. Même leurs vestiges étaient beaux – arachnéens, noirs et courbés – une fois qu'elles avaient brûlé jusqu'à ses doigts rendus calleux par les flammes...

Les mots semblaient danser sur la page, comme la première fois qu'elle les avait lus. Elle entendait la voix de l'auteur dans le rythme des phrases. Un court moment, elle s'attendit à sentir Imogen s'approcher dans son dos et lui poser la main sur l'épaule, ou l'embrasser dans le cou.

— Un timing idéal, hein ? fit une voix.

Darcy pivota sur elle-même. C'était Johari Valentine.

— Ah, salut. Ça faisait un bail !

— J'étais retournée à Saint-Christophe, expliqua Johari en secouant la tête. Je n'aurais pas pu endurer un autre hiver ici. C'est déjà assez pénible d'écrire sur le froid sans être obligé de vivre dedans !

— Oh, c'est vrai. *Heart of Ice* doit sortir quand ?

— En octobre, répondit Johari, touchant le bois de l'étagère la plus proche pour conjurer le mauvais sort.

— Le mien sort en septembre, dit Darcy.

Elle jeta un coup d'œil à la tête de gondole.

— Qu'est-ce que tu voulais dire par « timing idéal » ?

— La version poche du livre d'Imogen, elle est sortie pile au bon moment.

— Pourquoi ?

Johari fronça les sourcils.

— Enfin, tu sais bien, la fille du président ? La photo ?

Darcy secoua la tête.

— Je... j'ai été un peu hors du coup, ces derniers temps.

— Oh, mince. J'ai l'impression que moi aussi !

Johari paraissait stupéfaite. Visiblement, personne ne l'avait informée de leur rupture. Cela faisait un drôle d'effet de rencontrer quelqu'un qui n'était pas encore au courant.

— Qu'est-ce qui s'est passé ? demandèrent-elles toutes les deux en même temps.

Après un moment d'hésitation, Darcy soupira et se jeta à l'eau.

— Je n'ai pas revu Imogen depuis un moment. On fait une sorte de pause, pour ainsi dire.

— Ma chérie, je suis vraiment désolée. Vous alliez tellement bien ensemble.

— On est encore ensemble. C'est temporaire.

Darcy inspira profondément pour se calmer, tâchant d'écouter le conseil de Nisha et de se fier à ce qu'avait dit Imogen.

— Rien de grave, continua-t-elle. Mais tu me parlais de la fille du président ?

Johari ouvrit de grands yeux.

— Oui, quelqu'un l'a prise en photo alors qu'elle montait dans l'hélicoptère présidentiel, *Pyromancer* à la main. Le livre était facile à reconnaître avec sa couverture rouge.

Darcy laissa échapper un rire surpris.

— Alors ça, c'est drôle !

— Au début, oui. Mais un blog politique en a fait toute une histoire, à cause de son contenu d'un goût douteux. Tu sais, une fille qui déclenche des incendies, qui embrasse d'autres filles… Ensuite une chaîne d'infos lui a emboîté le pas, et très vite, tout le monde n'avait plus que le nom d'Imogen à la bouche.

— Sérieux ? Comment j'ai pu rater ça ?

— Oh, ça remonte à trois, quatre jours ? Les amateurs d'infos people sont déjà passés à autre chose. Mais j'imagine que les lecteurs de romans ont une capacité d'attention plus soutenue, parce que le livre continue à se vendre.

— Waouh. Quelle sale petite veinarde !

Johari s'esclaffa.

Darcy rit aussi. Elle rédigeait déjà mentalement un e-mail de félicitations à l'intention d'Imogen. La chance ne serait peut-être pas toujours de son côté après tout. Peut-être qu'Imogen la lui avait juste empruntée.

40

ON M'AVAIT INSTALLÉE DANS UN CAMPEMENT DE FORTUNE à six cents mètres du quartier général. L'air bourdonnait d'appels radio et du grondement d'un générateur, lequel alimentait les projecteurs géants qui brillaient entre les arbres. Ces derniers étaient si brûlants qu'ils faisaient fondre la neige des sapins au-dessus de nous ; une pluie fine et luisante dégoulinait des ramures.

Assise sur ma caisse, enveloppée dans deux couvertures de survie, je me tenais suffisamment près des projecteurs pour bénéficier de leur chaleur. On avait bandé mes coupures, trop superficielles pour qu'on me conduise jusqu'à la tente médicale. Je tenais un mug de café dans les mains, cadeau d'un agent du FBI particulièrement attentionné. Mon pouvoir de passe-muraille m'avait permis de me débarrasser de mes menottes, mais personne ne semblait s'en préoccuper. Peut-être parce que je n'étais qu'une jeune fille à moitié gelée, à moitié nue, ou peut-être parce que la situation était sous contrôle, sans aucun coup de feu dans le dernier quart d'heure. En tout cas, on avait cessé de braquer des armes sur moi.

Je pensais m'éclipser bientôt, par le fleuve, pour regagner le confort de ma chambre. Mais pas avant d'être certaine que Yama s'en tirerait. Je ne savais pas exactement où on soignait les blessés. Je n'osais pas demander, au cas où quelqu'un s'apercevrait que j'étais libre et voudrait me remettre les menottes, ce qui voudrait dire renoncer à mon café. Alors je restais assise en silence, hébétée par tout ce que j'avais vu.

Le froid mordant me glaçait jusqu'aux os, venant accroître celui qui m'habitait depuis Dallas. Je me suis demandé si j'aurais de nouveau chaud un jour.

Puis j'ai senti que quelqu'un me regardait. J'ai levé les yeux de mon café.

— Oh, ai-je lâché, le cœur serré.

La faucheuse qui avait traversé ma vie ne s'était pas arrêtée en si bon chemin.

— Mademoiselle Scofield. C'est étrange de vous voir ici.

J'ai fait un signe de la tête.

— Tout doit vous sembler un peu étrange en cet instant.

L'agent spécial Elian Reyes m'a fixée d'un air hésitant, confus. Il s'est assis sur une caisse voisine et nous avons regardé entre les arbres tous les deux. Cela me semblait normal, d'être assise là en sa compagnie.

Bien sûr, réconforter les morts faisait partie de mon travail désormais.

— J'avais oublié que vous seriez peut-être ici, ai-je dit.

— J'ai failli ne pas y être. J'ai atterri à Denver il y a seulement quatre heures. (Il a examiné ses mains, comme s'il ne les reconnaissait pas.) Dernier arrivé, premier à passer la porte.

J'ai hoché la tête.

— Tout est une question de timing. Vous auriez raté votre vol, les choses auraient sans doute tourné différemment.

— Vous savez, ça aurait pu être le cas, mais pour une

fois ça roulait bien sur la route de l'aéroport de Los Angeles. Ou peut-être que si j'avais été un tout petit peu plus rapide…

— Vous n'avez pas à vous en vouloir, agent Reyes.

Il s'est tourné vers moi.

— Vous vous sentez bien, mademoiselle Scofield ?

— J'ai très froid, c'est tout.

— Froid ? Alors, vous n'êtes pas… comme moi, n'est-ce pas ? Pourtant, vous pouvez me voir.

J'ai secoué la tête.

— Je peux voir les fantômes depuis ce qui m'est arrivé à Dallas. Ça m'a transformée. C'est ma nouvelle vocation.

L'agent Reyes m'a écoutée d'un air pensif.

— Vous m'avez l'air bien jeune pour ce travail.

J'étais parfaitement d'accord avec lui et je regrettais mes onze ans, l'âge où j'ignorais tout du fonctionnement du monde. L'âge où je ne savais rien des méchants hommes, ou des secrets de la mort, ou même que mon père nous quitterait bientôt.

Mais on ne pouvait pas revenir en arrière.

— Je suis censée guider les gens, je crois. Je ne sais pas exactement comment faire, mais je vais essayer de vous aider. Quoique… vous pourriez peut-être m'aider d'abord ?

— Avec plaisir, mademoiselle Scofield. J'ai toujours voulu vous aider, plus que je ne pouvais.

— Je l'avais compris.

Il s'est écoulé un moment avant que je puisse continuer.

— Je suis venue avec un ami, un guide comme moi, il est gravement blessé. On a dû l'emmener auprès des médecins.

— Je sors tout juste de la tente médicale.

L'agent Reyes a indiqué des lumières à quelque distance dans la forêt.

— Votre ami doit encore y être, à moins qu'on ne l'ait évacué par hélicoptère. Je vais vous y conduire.

Il m'a tendu la main, et en la prenant j'ai basculé de l'autre côté. Il ne faisait pas aussi froid dans l'envers du décor, et j'avais un fantôme pour me montrer le chemin.

L'agent spécial Reyes et moi avons trouvé Yama sous la tente médicale, menotté aux montants métalliques de son brancard. Il était très pâle, et une poche de plasma était accrochée à un pied à perfusion à côté de lui. On avait enveloppé ses plaies de bandes de gaze dont dépassaient des sutures noires.

Il avait les yeux ouverts.

— Lizzie.

Je me suis avancée, j'ai pris sa main. Je n'arrivais pas à parler. Un instant, j'ai eu du mal à me maintenir dans l'envers du décor. La tente grouillait d'agents blessés et de membres de la secte menottés ; deux corps gisaient dans un coin, la tête recouverte d'un drap. L'agent Reyes a coulé un regard vers eux.

— Merci de m'avoir sauvé, a déclaré Yama.

Je n'ai pu retenir un petit rire étranglé.

— Je t'ai conduit dans un piège.

Il a secoué la tête.

— C'était ma faute. Nous sommes quittes maintenant.

Une femme médecin s'est penchée sur le brancard, se demandant probablement ce que marmonnait Yama. Il s'est tu pendant qu'elle lui braquait une lampe dans les yeux, vérifiait le goutte-à-goutte et lui prenait le pouls.

— Est-ce qu'on s'habitue à être invisible ? m'a demandé l'agent Reyes.

— Plus ou moins.

J'ai regardé Yama. Il m'avait sauvée à l'aéroport, et cette fois c'était moi qui l'avais sauvé, mais ma bêtise lui avait coûté trois de ses fantômes. Nous n'étions pas quittes du tout.

La femme s'est éloignée.

— Est-ce que les médecins t'ont dit quelque chose ? Tu vas t'en sortir ?

— Ils ne m'adressent pas la parole, a regretté Yama. Je n'ai pas l'impression qu'ils m'apprécient beaucoup.

— Au nom du Bureau, je vous présente toutes nos excuses, a dit l'agent Reyes, l'air sincèrement navré. Nous n'avons pas de protocole pour les guides spirituels, j'en ai peur.

— Je ne resterai pas longtemps, a dit Yama en tournant son regard vers moi. J'ai une ville à protéger.

— Bien sûr, ai-je murmuré. (Sans Yama pour le défendre, son peuple constituait une proie facile.) Je peux faire quelque chose pour t'aider ?

Il a acquiescé d'un mouvement imperceptible de la tête.

— Yami t'appellera.

Je me suis demandé brièvement ce que l'agent Reyes comprenait à notre discussion. Il fixait les corps recouverts d'un drap au fond de la tente médicale.

Je me suis adressée de nouveau à Yama.

— Je n'ai pas peur de M. Hamlyn.

— Tu n'as pas à avoir peur. Je crois qu'il t'aime bien.

J'ai retenu mon souffle. Yama avait compris que je disais la vérité quand j'avais prétendu vouloir apprendre auprès de M. Hamlyn. L'homme qui avait enlevé les siens.

— Je sais que c'est quelqu'un de mauvais.

— On peut apprendre d'un monstre, Lizzie. Après tout, je n'ai pas été un très bon professeur.

— Ne parle pas au passé, s'il te plaît. Tu ne vas pas mourir !

— Non, mais je vais devoir rester dans ma ville désormais. Le prédateur ne nous laissera plus de répit.

— Tu devras y rester… tout le temps ?

— Chaque fois que je m'en éloignerai, il viendra s'attaquer aux miens.

J'ai secoué la tête. Ces heures passées ensemble, au sommet d'un pic désertique ou sur son atoll balayé par le vent, devenaient soudain précieuses.

— Ma sœur avait raison, a-t-il ajouté. Je me suis montré négligeant.

J'ai avalé la boule que j'avais dans la gorge.

— Je pourrai quand même te rendre visite, au moins ?

— Lizzie, tu peux faire beaucoup plus que cela. Tu peux venir t'installer et vivre avec nous.

Un sourire magnifique s'est répandu sur son visage pendant qu'il parlait. J'étais incapable de lui répondre.

La ville de Yama était de toute beauté, mais grise et silencieuse, et j'avais déjà tellement froid au fond de moi. Je pouvais basculer à volonté dans l'au-delà, sentir cette odeur de rouille et de sang dans l'air. La mort m'accompagnait depuis le jour de ma naissance, et j'étais une meurtrière à présent.

Que m'arriverait-il si je vivais en permanence dans les enfers ? En oublierais-je la sensation du soleil sur la peau ? Ou bien commencerais-je à entendre les voix des morts dans chaque pierre ?

J'aurais voulu dire tant de choses à Yama ce soir, mais le temps nous faisait défaut. La tente médicale s'animait de plus en plus à mesure qu'on y amenait de nouveaux blessés.

J'ai tendu le bras pour lui caresser la joue. Lui étant dans le monde réel et moi dans l'envers du décor, son contact était moins électrique.

— Ma mère a besoin de moi pour l'instant.

— Nous avons tout le temps, toi et moi.

Bien sûr. Yama avait l'intention de vivre éternellement.

620

Il pouvait patienter une centaine d'années, le temps que ma mère ne soit plus qu'un souvenir lointain et que mes plus vieux amis soient tous morts et enterrés.

Sauf que moi, je ne voulais pas l'attendre. Sûrement pas cent ans, pas même cent jours. Depuis quand l'amour pouvait-il prendre son temps? Je me suis penchée sur lui pour l'embrasser, et j'ai ressenti ce picotement au contact de ses lèvres, à travers le voile de l'envers du décor.

Quand je me suis redressée, il a lâché une exclamation étouffée.

— Lizzie. Que s'est-il passé?

— Comment ça?

— Tu as fait quelque chose.

Sa voix était douce et grave à la fois; les cris et l'agitation de la tente médicale sont venus combler le silence.

Il savait. Il l'avait senti sur moi.

— Le méchant homme… je suis retournée chez lui.

Yama a secoué la tête. Son visage perdait ses couleurs, comme s'il s'était remis à saigner.

— Il y avait ces petites filles qu'il gardait là-bas. Et son souvenir, qui terrorisait Mindy en permanence. Alors je m'en suis occupée. Il est mort, taillé en pièces.

— Par le prédateur?

— Par M. Hamlyn, oui.

J'ai baissé les yeux. La terre battue luisait sous mes pieds. Les convecteurs de la tente médicale faisaient fondre le sol gelé.

— Mais c'est moi qui l'ai tué, ai-je avoué.

Yama a fermé les yeux, les traits déformés par la douleur. Un geignement sourd a paru s'échapper de tout son corps.

Yama avait senti le meurtre sur moi.

J'étais devenue pareille à ces pierres qui empestaient le sang et murmuraient avec les voix des morts. Souillée, comme le reste du monde à l'exception de son îlot en croissant de lune dans l'océan austral.

— Tu n'as jamais tué personne, toi, n'est-ce pas ? ai-je demandé.

— Bien sûr que non. (Il a rouvert des yeux brillants de larmes.) Tu ne comprends donc pas, Lizzie ? Quoi qu'il puisse y avoir après, la vie n'a pas de prix !

Je suis restée silencieuse. Le fait de passer à deux doigts de la mort m'avait appris ça, mais cela m'avait enseigné beaucoup d'autres choses. Tout se mélangeait dans ma tête maintenant, brassage confus de règles étranges et d'horreurs inattendues. En fin de compte, ma colère avait pris le pas sur tout le reste.

Yama avait su garder les mains propres pendant des milliers d'années, et il ne m'avait fallu qu'un mois pour tuer quelqu'un.

— Je suis désolée.

Yama m'a jeté un dernier regard, horrifié, puis s'est détourné de moi.

— Tu devrais aller aider Yami.

— J'y vais.

J'aurais fait n'importe quoi pour lui. Mais quand j'ai fermé les yeux et prêté l'oreille au silence de l'envers du décor, je n'ai rien entendu.

— C'est que... elle ne m'a pas encore appelée.

— Elle le fera bientôt.

Il a refermé les yeux. Nous n'avions plus rien à nous dire.

Je me suis reculée. Une autre femme est passée devant moi, se précipitant au-devant d'un agent blessé qu'on amenait sous la tente. J'ai pu sentir toute son intensité, sa détermination à sauver la vie de son patient.

J'ai tourné le dos à Yama et je suis sortie.

Commettre un meurtre était beaucoup plus grave

qu'avoir donné son nom, parce que cela m'avait transformée, moi. Yama n'aspirait qu'à prendre ses distances avec la mort. Pendant quelques heures au sommet d'une montagne ; ou le temps d'un baiser, quand nos lèvres se touchaient. Voilà que je ne pouvais plus lui offrir ce repos.

— Mademoiselle Scofield, m'a appelé l'agent Reyes, qui m'avait suivie hors de la tente. Ça va aller ?

J'ai fait oui de la tête, sans m'arrêter.

— À propos de votre ami, j'ai entendu les médecins. Il devrait s'en tirer une fois qu'il aura reçu sa transfusion.

— Merci, ai-je dit d'une voix rauque.

L'agent Reyes s'est placé devant moi, il me barrait la route.

— J'ai aussi entendu ce que vous lui avez dit, à propos d'un méchant. C'est pour ça que vous m'aviez appelé, n'est-ce pas ?

Il m'a fallu un moment pour comprendre qu'il ne parlait pas d'un appel dans le courant du Vaitarna, ni du fait que cette bataille rangée m'ait appelée là, dans le Colorado. Il parlait simplement d'un coup de téléphone.

— Exact. Quand je vous ai interrogé sur les serial killers.

Il a hoché la tête.

— Il ne s'agissait pas d'une interrogation en l'air.

Son regard était trop dur, ses yeux gris trop perçants. Je me suis détournée.

— J'imagine que vous n'êtes plus agent du FBI, pas vrai ?

— Non. Le Bureau n'emploie pas de fantômes.

— Eh bien, il y avait un serial killer. J'ai aidé à le découper en rondelles.

— Est-ce que ça fait partie de votre nouvelle vocation ? Venger les fantômes ?

J'ai secoué la tête. Je n'avais pas de vocation, pas de but.

Je n'étais pas une valkyrie ni un guide spirituel. Tout ce que je voulais, c'était retourner chez moi.

— J'ai commis une erreur, une épouvantable erreur. Mais ne vous en faites pas. Il y a mes empreintes sur l'arme du crime, et j'ai envoyé un texto depuis le trottoir devant sa maison. Vos collègues me trouveront.

Sur le moment, je voulais qu'on m'attrape. Qu'on me punisse, pour ce que j'avais fait non pas au méchant homme mais à Yama. À nous deux.

L'agent spécial Reyes m'a pris la main, avec une expression triste et résolue.

— On ne peut pas attraper tout le monde.

J'ai passé la nuit dans l'envers du décor, sans dormir, hébétée, à attendre l'appel de Yami.

Mindy débordait d'énergie. Elle m'a fait faire le tour du quartier en me régalant de toutes les indiscrétions qu'elle avait recueillies au fil de ses années d'espionnage. Elle n'a pas semblé remarquer mon manque d'enthousiasme.

Je trouvais troublant, presque surréaliste, le fait que sa personnalité ait changé à ce point après la mort du méchant homme. La part d'elle la plus profonde semblait avoir été complètement effacée.

À se demander si elle était encore quelqu'un.

Les heures ont passé, l'aube approchait et je commençais à m'inquiéter au sujet de Yami. Je savais qu'elle ne m'appréciait pas beaucoup, cependant j'étais son seul soutien pour défendre la ville de son frère. Pourquoi ne m'avait-elle pas encore appelée ?

Elle était morte jeune et lentement sur ce champ d'ossements, des milliers d'années auparavant. Peut-être que M. Hamlyn s'intéressait aux fils de sa vie, et l'avait déjà enlevée.

J'ai envisagé de retourner au Colorado pour prévenir

Yama que je n'avais toujours pas de nouvelles de sa sœur. Sauf que s'il la croyait en danger, il quitterait son lit sur-le-champ et ce serait la fin de sa guérison. Je ne voulais pas l'imaginer veillant sur son peuple : pâle, couturé, exsangue, sorte de roi zombie dans son palais gris.

Finalement, à l'instant où l'aube se profilait au-dessus du jardin des Anderson, les vents de l'envers du décor m'ont porté l'écho d'une voix lointaine.

— *Elizabeth Scofield... Viens ici.*

C'était Yami. Elle n'avait pas dit « J'ai besoin de toi », contrairement à la première fois où elle m'avait appelée. C'était un ordre.

Je n'ai pas hésité, pas dit au revoir à Mindy, je me suis laissée emporter par le fleuve. Le trajet a été bref et brutal, beaucoup plus rapide que mon premier voyage vers les enfers. Et quand j'ai émergé de l'huile noire du fleuve, il n'y avait pas de palais gris pour m'accueillir, pas de ciel rougeoyant.

Rien qu'une rue un peu trop familière de Palo Alto.

Yami m'attendait sur la pelouse du méchant homme. Autour d'elle, les arbustes rabougris marquaient les emplacements où les fillettes s'étaient tenues pendant si longtemps. Ça m'a fait drôle de ne plus les voir.

— Qu'y a-t-il ? ai-je demandé. Qu'est-ce que tu fabriques ici ?

— J'ai des nouvelles pour toi, m'a répondu Yami, s'asseyant en tailleur dans l'herbe. Viens t'asseoir avec moi.

Je me suis approchée un peu, sans m'asseoir.

— N'aie pas peur, Elizabeth. Ce n'est que de la terre.

— Tu sais ce qu'il y a dessous ?

— Il y a des morts enfouis partout, a déclaré Yami en caressant l'herbe grise. La terre est un cimetière.

Elle avait sans doute raison mais je suis quand même

restée debout. L'endroit où j'avais creusé à mains nues avec frénésie était lisse à présent.

— Yami, qu'est-ce que tu as fait ?

— Nous avons enterré le passé.

J'ai reculé d'un pas, jetant un coup d'œil en direction de la maison. Les fenêtres de la chambre me fixaient d'un air sinistre.

— Tu as enterré... le méchant homme ?

Yami a poussé un soupir.

— Ne sois pas ridicule, Elizabeth. Il est beaucoup trop lourd. Et si la police le retrouvait dans son jardin, ça déclencherait forcément une enquête.

— Trop lourd ? Mais tu es un fantôme. Tu ne peux rien soulever de toute façon.

— Bien sûr que non.

Yami a posé les mains sur ses genoux, paumes vers le ciel, comme en méditation.

— M. Hamlyn m'a été d'une aide précieuse.

J'ai senti mon cœur se serrer.

— M. Hamlyn ?

— Assieds-toi donc. Tu n'as pas l'air bien.

J'ai fini par lui obéir. C'était vrai que je ne me sentais pas au mieux.

— Quand tu as quitté Yamaraj, mon frère m'a appelée à son chevet. On dirait que tu as réussi à le sauver du prédateur.

— Hum. Pas de quoi.

Elle a haussé les sourcils, puis continué.

— Il m'a dit de rentrer, et de t'appeler pour m'aider à protéger notre ville. Je ne l'ai pas écouté. Il y avait du travail à faire là-bas, au Colorado. Des âmes à recueillir.

J'ai baissé les yeux, réalisant que je n'avais pas levé le petit doigt pour aider les fantômes sur le lieu de la fusillade. J'étais une psychopompe ratée, en plus de tous mes autres défauts.

— Il y avait un agent du FBI, ai-je dit. Elian Reyes. Tu t'es occupée de lui ?

Yami souriait à présent.

— Nous nous sommes aidés l'un l'autre. Il m'a raconté ce que tu avais fait, découpé quelqu'un en morceaux. J'ai tout de suite compris que le prédateur était intervenu. Alors à mon retour chez nous, j'ai attendu. Et il n'a pas tardé à se montrer, affamé, comme promis.

— Mais pourquoi n'a-t-il pas simplement… ? Pardon. Continue.

Yami a entrepris de lisser les plis de sa jupe.

— Heureusement, M. Hamlyn n'est pas quelqu'un qui aime précipiter les choses. J'ai pu lui expliquer ce que l'agent Reyes m'avait appris. À propos de tes empreintes digitales, de tes messages téléphoniques, bref, de ton incompétence.

Je l'ai regardée d'un œil noir.

— C'était mon premier meurtre, tu sais ?

— Et il m'a bien servi, Elizabeth. J'ai amené M. Hamlyn à comprendre que si ton crime était découvert tu serais contrainte de fuir le monde des vivants. Pour venir habiter avec mon frère. (Elle a secoué la tête avec lenteur.) Aucun de nous deux ne voulait ça.

J'ai froncé les sourcils.

— Qu'est-ce que ça pouvait bien lui faire ?

— Réfléchis un peu, Elizabeth. Si tu venais vivre en enfer, mon frère n'aurait plus aucune raison de laisser sa ville sans protection. Le prédateur perdrait sa proie.

— M. Hamlyn t'a aidée à couvrir mon crime dans l'espoir que je détourne Yama de son devoir ?

— Exactement. Mais moi, je sais que mon frère restera

là où on a besoin de lui. Parce qu'il aime son peuple plus que toi.

Je n'ai rien répliqué. Après ce que j'avais fait, elle avait sans doute raison.

Du coin de l'œil, j'ai remarqué le chat du quartier, qui nous guettait. Il se tenait à l'affût derrière l'un des arbustes – le poitrail et les pattes avant au ras du sol, l'arrière-train dressé, tous les muscles bandés, prêt à bondir. Mais comme les chats le font parfois, il est resté immobile, sans un mouvement dans notre direction.

J'ai contemplé la terre remuée.

— Alors c'est quoi, ce que M. Hamlyn a enterré ici ?

— Quelques flacons de médicaments cassés, les preuves de votre bagarre. Quand on retrouvera ta victime, ce sera juste un vieil homme qui a fait une crise cardiaque dans son sommeil, roulé hors de son lit et atterri brutalement. Rien qui mérite d'ouvrir une enquête, et quand bien même ils chercheraient des empreintes, M. Hamlyn a essuyé le manche de la pelle. Lui et moi avons fait un pari. Mon frère va-t-il choisir son peuple, ou toi ? M. Hamlyn semble persuadé que tu as toutes tes chances. Je me demande bien pourquoi.

Je l'ai dévisagée.

— Pourquoi s'est-il donné la peine de parier avec toi ? Au lieu de… te manger, tout simplement ?

— Je ne suis pas à son goût.

Elle a levé la main pour me montrer une cicatrice sur sa peau grise. Elle était en forme de croissant, et je me suis rappelé le fragment d'os qui l'avait entaillée.

— Je suis peut-être morte jeune, mais dans des souffrances terribles.

— C'est vrai. Désolée.

Elle a hoché la tête, acceptant cela comme des excuses qui lui seraient dues. Puis elle a tendu le bras pour effleurer ma propre cicatrice, celle en forme de larme que j'avais sur la joue. Des étincelles ont jailli de ses doigts, comme un crépitement d'électricité statique, plus dure et plus piquante que celle de son frère.

— C'est dommage, que tu aies emprunté ce chemin, Elizabeth.

— Je n'ai pas eu tellement le choix.

— Tu en as fait quelques-uns, a rétorqué Yami avec un soupir. Parfois, je me demande si mon frère a bien fait de me suivre. Nos parents ont perdu leurs deux enfants ce jour-là.

— Mais tu veux qu'il reste avec toi maintenant?

— Le seigneur Yama choisit son propre chemin. (Elle s'est levée.) Choisis le tien, Lizzie. La vie n'a pas de prix.

Elle a claqué des doigts, et des gouttelettes sont tombées dans l'herbe autour de nous, scintillantes comme des diamants noirs.

Avant qu'elle ne s'en aille, j'ai dit :

— Tu as sûrement raison. Il ne t'abandonnera jamais, ni son peuple. Pas pour moi en tout cas.

Yami m'a dévisagée, puis elle a haussé les épaules. Avant de s'éclipser, elle a conclu :

— Si j'en étais convaincue, ça n'aurait pas été un vrai pari.

41

C E FUT D'ABORD TRÈS LABORIEUX, DE LONGUES JOURNÉES passées à fixer en vain son écran vide. Mais Darcy s'astreignit à rester à son bureau, heure après heure, jusqu'à ce que les mots finissent par surgir. Pendant une semaine ils tombèrent un par un, comme l'eau d'un robinet qui fuit, et puis ils commencèrent à couler plus facilement, jusqu'à ce que des chapitres entiers jaillissent. Elle atteignit la rapidité prodigieuse qu'elle avait connue en ce mois de novembre fatidique un an et demi plus tôt, et la dépassa.

Untitled Patel finit par l'engloutir, noyer son chagrin dans le tumulte de l'histoire de Lizzie et d'un fantôme pris à tort pour un autre. Darcy se perdit dans la structure des scènes, la syntaxe et les points-virgules, dans l'intrigue, le conflit et les personnages, les différents éléments de l'histoire qui se disputaient la place à l'écran. Elle bondissait de son lit au milieu de la nuit pour écrire, non pas qu'elle ait peur d'oublier ses idées mais parce que sa tête menaçait d'exploser si elle ne les couchait pas sur la page. Elle écrivit le jour de son dix-neuvième anniversaire sans presque s'en apercevoir.

Le mois passa très vite en fin de compte, si vite qu'elle ressentit à peine l'absence au centre de ses jours, la chaise vide en face d'elle. Elle se nourrissait de rāmen industrielles et ne se souciait plus d'argent et autres détails sans importance de la vraie vie. Si bien que quand arriva la mi-mai, elle achevait le premier jet de son deuxième roman, la suite d'*Afterworlds*. Le texte était brouillon, carrément chaotique à la fin, et n'avait toujours pas de titre, mais elle aurait bien le temps de s'y pencher.

Pour autant que Darcy pût en juger, c'était un vrai livre, ou presque. On y entrevoyait même quelques lueurs de talent. Une semaine avant la BookExpo America, elle l'envoya par e-mail à Moxie Underbridge puis s'effondra sur son lit et dormit plusieurs jours d'affilée.

Les livres étaient gratuits ici. C'était magique. Énorme.

Darcy s'était levée de bonne heure, morte d'angoisse à l'idée de sa première apparition publique en son nom propre – une séance de dédicace des exemplaires de presse d'*Afterworlds* à la Book Expo America. La pression n'avait fait qu'augmenter quand une limousine avec chauffeur était passée la prendre pour la déposer devant le Javits Center.

La salle était immense et bourdonnante d'activité. Le plafond culminait à une trentaine de mètres au-dessus de sa tête, et l'air frémissait du brouhaha de trente mille libraires, bibliothécaires et professionnels de l'édition. Darcy se sentit toute petite, complètement dépassée.

Mais au moins les livres étaient-ils gratuits.

Certains se dressaient en piles modestes d'une vingtaine d'exemplaires, d'autres s'entassaient comme des briques pour constituer des châteaux forts si grands qu'on aurait pu se cacher dedans. Certains étaient offerts à quiconque manifestait un soupçon d'intérêt, d'autres disposés en spirales presque trop élégantes pour être défaites par une distribution. Presque.

Une demi-heure avant le début de sa séance de dédicace, le sac en toile que Darcy avait apporté était déjà plein à craquer. Elle maudit son inexpérience. Elle aurait mieux fait d'apporter un sac en toile plein de sacs en toile.

Cela dit, comment pourrait-elle porter autant de livres ? Où trouverait-elle le temps de les lire ?

Néanmoins, ils étaient gratuits. Pas seulement les romans Jeunes adultes qu'elle avait pu extorquer à ses collègues auteurs au cours de l'année écoulée, mais aussi les livres d'histoire, les manuels de cuisine, les romans d'amour, les thrillers, la science-fiction et même les bandes dessinées. Tous ces titres ne sortiraient pas officiellement avant plusieurs mois, et tous dégageaient le délicieux parfum d'une impression encore fraîche.

Quand Rhea l'appela pour lui dire qu'on l'attendait sur le stand de Paradox, elle en avait presque oublié sa nervosité.

La zone de dédicaces se trouvait à une extrémité de la salle, au bout d'un labyrinthe de barrières à corde guidant des centaines de lecteurs jusqu'à une longue rangée d'auteurs. Des nombres géants suspendus au-dessus de chaque file prêtaient un semblant d'ordre à cette foule de taille industrielle.

La jeune Darcy Patel, venue signer son premier roman *Afterworlds*, s'était vu attribuer la place numéro 17. Elle s'approcha de la zone dans le sillage de Rhea, laquelle lui avait gentiment caché son sac bourré de livres dans les tréfonds du stand de Paradox. Darcy se demanda combien de sacs Paradox elle pourrait rafler.

— Tu seras entre deux auteurs autopubliés, lui expliqua Rhea. Ils ont une bonne file devant eux, mais rien d'extraordinaire. Tu étais censée te retrouver à côté de cet ancien enfant star qui signe son bouquin d'accomplissement personnel, mais nous avons réussi à te changer de place.

— Parce que la file de ses admirateurs m'aurait fait de l'ombre ? crut deviner Darcy.

Rhea secoua la tête.

— Non, juste qu'on n'aime pas trop avoir des vedettes de cinéma à côté de nos auteurs. C'est une plaie. Ils ont toujours la grosse tête !

Elle entraîna Darcy derrière un vaste rideau noir, dans les coulisses de la table de dédicaces. Des cartons s'entassaient partout, et un chariot élévateur les croisa en vrombissant tandis qu'elles gagnaient la porte d'accès à l'emplacement 17. Darcy portait la petite robe noire que sa mère lui avait offerte le premier jour à Manhattan. Cette robe lui avait toujours porté chance, mais paraissait quelque peu déplacée dans ces coulisses encombrées de cartons.

— Bonne nouvelle : tes livres sont arrivés, se réjouit Rhea en indiquant une pile de cartons frappés du logo de Paradox et des mots « *Afterworlds* – Patel ». Quel genre de stylo vas-tu utiliser ?

— Euh… (Darcy s'efforça de se remémorer les sages conseils que lui avait prodigués Standerson l'année dernière.) Un stylo à bille ?

— Vision Elite ? Jetstream ? J'ai une petite préférence pour les Bic Triumph, dit Rhea en fouillant dans son sac. Tiens, prends-en trois de chaque, plus un marqueur Sharpie pour les photos, les sacs d'expo et les parties du corps.

— Merci.

Darcy accepta humblement le bouquet de stylos.

— Nous avons cinq cartons à écouler. Ça représente une centaine d'exemplaires, à peu près.

Rhea s'accroupit et fendit au cutter le ruban adhésif qui fermait un premier carton. Les pans s'ouvrirent, dévoilant la couverture familière avec les louanges de Kiralee et d'Oscar Lassiter.

Darcy s'accroupit à côté de Rhea. Elle avait reçu un exemplaire de presse à son appartement la semaine précédente, mais c'était formidable et un peu grisant de voir cette multitude. L'édition définitive ne sortirait pas avant le 23 novembre, dans quatre mois pleins, ce qui rendait ces exemplaires de presse d'autant plus précieux. Chacun portait en gros la mention : INTERDIT À LA VENTE.

— Une centaine ?

— Oui. Ça te laisse environ trente secondes par client.

Darcy se tourna vers Rhea.

— Je vais vraiment avoir tant de monde ? Je veux dire, personne ne me connaît !

— Des tas de gens ont téléchargé les épreuves non corrigées. Tu fais le buzz, répliqua Rhea avec un sourire. Et puis c'est gratuit, après tout.

Darcy avala sa salive. Et si elle distribuait ses livres pour rien, et que personne n'en veuille quand même ?

L'heure fatidique arriva, et Darcy se retrouva devant le rideau noir, perchée sur un tabouret derrière une table de dédicace. Rhea se tenait à côté, déballant les exemplaires d'*Afterworlds*, et devant Darcy s'alignait une file de gens qui attendaient sa signature.

Ce n'était pas une très longue file – vingt-cinq personnes tout au plus. Pas une centaine, en tout cas.

— Prête ? demanda Rhea, et Darcy acquiesça faiblement de la tête.

Le plus étrange, c'était qu'ils étaient nombreux à avoir déjà lu *Afterworlds*.

— J'ai téléchargé les épreuves dès qu'elles ont été mises

en ligne, lui déclara une bibliothécaire du Wisconsin. Mes enfants raffolent de tout ce qui touche au terrorisme ! Est-ce que vous pouvez mettre « Félicitations pour ta victoire » ?

— Super premier chapitre, la complimenta un libraire venu du Maine. En revanche j'aurais bien aimé plus de détails à propos de la secte. Ces adorateurs de la mort sont une vraie plaie, pas vrai ?

— J'adore les histoires d'amour avec des fantômes, lui confia une blogueuse de Brooklyn. Lizzie aurait dû se mettre avec cet agent du FBI, à la fin. Surtout que c'est un peu sa faute s'il est mort.

Il y eut d'autres commentaires et suggestions, et bon nombre de compliments polis. Mais les réactions étaient déjà très diverses, parfois même étranges.

— Il y aura une suite, j'espère ? lui demanda une libraire du Texas. Lizzie et Mindy devraient enquêter sur des affaires de meurtres. Ce serait tellement mignon !

Darcy souriait et hochait la tête à tout ce qu'on lui disait, en traçant la signature qu'elle avait travaillée pendant la semaine. Le *d* majuscule, énorme, s'étalait avec orgueil sur la page de titre.

Pourtant, cette séance au fond d'une salle d'exposition avait quelque chose de purement professionnel, sans le charme, l'intensité ou la passion qu'elle avait pu connaître lors de la tournée de Standerson. Non pas qu'elle estimât mériter déjà une telle adulation, mais elle était impatiente que son vrai public lise son roman. Ces gens n'étaient que les gardiens du temple. Elle voulait des fidèles.

Et ils n'étaient pas suffisamment nombreux. Après vingt minutes à peine, la file se réduisit à presque rien. Elle s'efforça de faire parler son dernier visiteur, mais il ne voulait même pas de dédicace, une simple signature, et il repartit bientôt. Pendant un moment gêné, Darcy et Rhea se regardèrent sans rien dire.

— Merde. Qu'est-ce que je fais, je me retire discrètement ?

— Bien sûr que non ! Essaie juste de signer un peu moins vite. D'autres gens vont venir. Ils vont glisser des files voisines. Tiens, en voilà deux.

Il s'agissait d'Annie et Ashley, deux sœurs deb' de Darcy. Elles portaient le même tee-shirt frappé d'un gros « 2014 ! »

— Hé, leur lança Darcy en les voyant approcher. Sœurs deb' !

Le sourire d'Ashley s'effaça aussitôt.

— Mon livre a été repoussé au printemps prochain. Je ne suis plus vraiment votre sœur deb'.

Annie passa un bras consolateur autour de ses épaules.

— Je te l'ai déjà dit, tu peux quand même porter le tee-shirt.

— Désolée de l'apprendre, dit Darcy. En tout cas, merci de m'avoir envoyé *Blood Red World*. J'ai adoré la complexité des intrigues politiques. Et toutes ces scènes sur Mars ! Est-ce qu'une gravité réduite fonctionne vraiment comme ça ?

— J'espère, répondit Ashley, lorgnant la pile de livres de Darcy. Comment ça se passe ? Je parie que tu es prise d'assaut !

— Pas exactement, dit Darcy. En tout cas tout le monde est très gentil.

— Ta couverture est géniale, apprécia Annie, attrapant un exemplaire d'*Afterworlds*. J'adore les volutes de fumée !

— Tu vas lancer la mode des larmes sur la joue, prédit Ashley.

— Merci.

Darcy se demanda si les couvertures de leurs livres

étaient déjà connues. Elle n'avait pas trop suivi les nouvelles du milieu ces deux derniers mois, pas plus qu'elle
n'avait donné suite à cette promesse d'interviews avec
Annie, ou posté quoi que ce soit sur son Tumblr. Elle faisait une sœur deb' exécrable, et ressentit soudain le besoin
de se faire pardonner. Alors elle déclara :

— J'ai dix-neuf ans, au fait.

— C'est ce que j'avais parié ! s'exclama Ashley, qui se
mit à danser. J'ai gagné !

Elle avait l'air si contente que Darcy n'eut pas le cœur
de signaler qu'elle en avait dix-huit le jour où ses sœurs
deb' avaient pris les paris. Elle préféra leur signer à chacune un exemplaire d'*Afterworlds*.

Alors qu'elles s'en allaient, Kiralee Taylor et Oscar Lassiter s'approchèrent dans le dédale désert des barrières à
corde.

— Il paraît qu'il y a un livre avec une espèce de dieu de
la mort hindou, lança Kiralee. Ça existe, ça ?

Darcy pouffa. Elle n'avait pas revu Kiralee depuis que
celle-ci lui avait promis un boniment promo.

— Tout à fait, et en plus il est gratuit pour les auteurs
célèbres !

— Alors, tu t'amuses ? lui demanda Oscar.

— Au début, oui. Mais on dirait qu'il n'y a plus personne.

— Ça va revenir, lui promit Kiralee. Pour l'instant, tu
as une sacrée concurrence un peu plus loin.

— Tu parles de M. Grosse Tête ? demanda Rhea, sourcils froncés. Ma sœur et moi avons toujours détesté sa
série.

— Non, pas lui, répondit Kiralee avec un sourire mystérieux. Et ne t'en fais pas, j'ai tweeté ton auguste présence. Prépare-toi à être submergée !

Rhea glissa un livre à Darcy, déjà ouvert à la page de

titre. Darcy demeura interdite, ne sachant plus que faire de l'Uni-Ball Vision Elite qu'elle tenait à la main.

— K-I-R..., commença Kiralee.

— Chut! lui reprocha Oscar. Elle réfléchit!

C'était partiellement vrai. Il y avait bien dans la tête de Darcy un embryon de réflexion qu'on aurait pu traduire par : «Oh merde, je suis en train de dédicacer un livre à Kiralee Taylor!» Mais en toute franchise, ce n'était guère plus qu'un bourdonnement à ses oreilles.

Le livre ouvert devant elle était réel. Kiralee plantée là dans l'attente de sa signature était réelle. Le brouhaha de la foule et l'odeur du papier fraîchement imprimé étaient réels. Darcy Patel était un auteur publié.

— Hum, c'est un peu embarrassant, dit Kiralee.

— Ignore-la, recommanda Oscar avec douceur. Prends ton temps.

Et soudain, Darcy sut quoi écrire.

Merci pour tous les cauchemars de boue rouge.

Elle signa avec panache, puis passa à la dédicace d'Oscar.

L'écriture est un processus solitaire, heureusement qu'il y a les soirées entre auteurs !

Les deux se montrèrent très gentils à propos de ce qu'elle leur avait écrit, et surtout, ils restèrent avec elle jusqu'à ce qu'une ligne se reforme, drainant plusieurs visiteurs des autres files ainsi qu'une poignée d'admirateurs de Kiralee. Darcy se remit bientôt à signer, se gardant bien de précipiter les choses, ayant soin d'échanger quelques mots avec chacun, au moins le temps que d'autres personnes prennent la suite. Les lecteurs se succédèrent jusqu'à ce que, tout à coup, l'heure soit écoulée et que Rhea se mette à ranger.

— Super boulot, commenta-t-elle. Il ne reste plus qu'un carton et demi !

Darcy était stupéfaite. Elle n'avait pas eu l'impression de voir défiler soixante-dix personnes, quoique sa main droite fût merveilleusement endolorie.

— Oups, encore deux. Tu signes, je remballe.

Rhea jeta deux livres sur la table et repoussa du pied les cartons restants derrière le rideau.

Darcy leva la tête. C'étaient Carla et Sagan.

— Oh, salut ! Vous arrivez d'où comme ça ?

— De notre campus, où on habite, rétorqua Sagan. On a décidé de venir ce matin.

— On a pris la route ! s'exclama Carla.

Elle serrait déjà une dizaine de livres contre sa poitrine.

— Comment êtes-vous entrés ?

— Imogen nous a glissé des badges visiteurs de Paradox, répondit Sagan. Tu sais, au cas où tu aurais besoin de voir des visages amicaux à ta signature.

— Désolée d'être en retard, ajouta Carla. Mais l'appel du livre gratuit est puissant par ici.

— Attendez. C'est Imogen qui vous a fait entrer ?

Darcy cligna des paupières. Elle n'avait pas vérifié le programme, mais bien sûr qu'Imogen devait être là, quelque part. Curieusement, quand elle écrivait, Darcy pouvait oublier pendant des heures les pièces manquantes de son cœur. Mais quand la mémoire lui revenait, les souvenirs affluaient d'un coup.

— Pourquoi tu fais cette tête ? s'inquiéta Carla.

— Elle n'est pas venue à ma signature.

— Sans déconner… (Carla sortit un livre de son butin. Sur la couverture siégeait un chat noir dont les yeux brillaient d'une flamme rouge familière.) Elle est occupée à la table 2. C'est pour ça qu'on arrive aussi tard.

— Sérieux ?

— On est d'abord passés la remercier, expliqua Sagan. Elle a une file d'attente énorme ! Ça nous a pris des heures pour arriver jusqu'à elle.

Darcy prit l'exemplaire de *Kleptomancer* que lui présentait Carla. Elle avait lu le premier jet presque un an plus tôt et c'était la première fois qu'elle voyait la couverture.

— Je n'y pensais plus du tout. Est-ce que je vous ai déjà raconté comment j'ai...

— Trouvé le titre de ce bouquin ? achevèrent Carla et Sagan à l'unisson.

— Je vous déteste.

— Ah oui ? fit Carla en lui arrachant des mains son exemplaire de *Kleptomancer*. C'est sûrement pour ça que tu ne donnes plus de nouvelles depuis des lustres.

— J'écrivais comme une folle ! J'ai terminé mon premier jet.

— En un mois ? s'extasia Sagan. On dirait que la Darcy d'autrefois est de retour.

— Alors, quels sont tes projets maintenant ? demanda Carla.

— Eh bien, on va faire la fête, tiens ! Après le cocktail de Paradox.

— Pas ce soir, corrigea Carla. Je voulais dire : à l'avenir. Est-ce que tu comptes aller à Oberlin ? Ou rester là définitivement ?

— Oui, renchérit Sagan. Tu ne nous as jamais raconté ce que tu as fait pour ton renouvellement de bail.

— Oh, fit Darcy d'une voix douce. J'avais oublié.

— Quoi ? Donc tu vas te faire expulser au premier juillet ?

— J'imagine que oui.

Au cours du dernier mois, Darcy avait complètement négligé sa situation de locataire, ou même son avenir en général. Le premier jet d'*Untitled Patel* l'avait absorbée corps et âme, au détriment de détails domestiques tels que la lessive, le nettoyage ou la paperasserie.

— Génial, dit Carla avec un petit rire. Ravie de voir à quel point vivre seule t'a fait mûrir.

Darcy soupira. Elle avait fait de son mieux pour grandir tout le temps qu'elle avait passé seule dans l'appartement 4E. Était-elle condamnée à rester immature toute sa vie ?

Elle ouvrit l'un des livres posés devant elle.

— Qu'est-ce que vous diriez de « À mes meilleurs amis du lycée. Merci pour vos précieux conseils en matière de maturité » ?

— C'est nul ! s'exclamèrent simultanément Carla et Sagan.

— Il faut que vous arrêtiez de faire ça, vous savez ? Ça fait flipper, on dirait des jumeaux.

— J'ai une idée, suggéra Carla. Si tu écrivais…

— Non ! C'est moi l'experte, maintenant. C'est mon travail !

Darcy réfléchit en silence un moment, puis elle prit son stylo.

Sans vous, les amis, toutes ces lectures n'auraient pas été à moitié aussi drôles.

Elle écrivit la même dédicace sur l'exemplaire de Sagan.

— Il est temps de libérer la place, annonça Rhea dans son dos. Il y a l'auteur suivant qui attend, et le cocktail commence dans moins d'une demi-heure.

— Désolée !

Darcy bondit de son siège. Il appartenait à quelqu'un d'autre désormais.

— Au fait, on peut dormir chez toi cette nuit ? demanda Carla.

— Bien sûr. À tout à l'heure, répondit Darcy en lui lançant ses clés.

Le cocktail de Paradox se tenait à moins d'une demi-heure de marche, mais c'était une chaude journée et les larges trottoirs de la Neuvième Avenue n'offraient aucune ombre. Au moment où elle parvint à atteindre le bar en compagnie de Rhea, Darcy était en nage dans sa petite robe noire.

— Une Guiness, c'est ça ? lança Rhea en s'éloignant vers le comptoir.

— Oui, merci ! répondit Darcy.

La pénombre et la fraîcheur du lieu étaient un vrai soulagement, mais elle avait sérieusement besoin d'un verre. La salle débordait d'auteurs, d'éditeurs, de personnes du service marketing, du service de presse et du service des ventes de Paradox. Toutes personnes susceptibles de jouer un rôle important dans sa carrière, et qu'elle n'avait encore jamais rencontrées pour la plupart. Heureusement, tous avaient gardé leur badge nominatif.

Darcy hésita néanmoins à se mêler à la foule, pas tout à fait disposée à faire la conversation après l'heure qu'elle venait de passer à sa table de dédicace. Elle jeta un coup d'œil en direction de l'entrée, se demandant si Imogen viendrait. Elle n'irait tout de même pas bouder son propre éditeur rien que pour éviter une ex…

— Darcy ! Comment s'est passée ta signature ? lui demanda Moxie Underbridge, qui s'avançait à sa rencontre à travers la salle.

Darcy fit la grimace. Elle avait envoyé le premier jet

d'*Untitled Patel*, qu'elle trouvait un peu trop brouillon, un peu trop confus. Moxie ne lui avait pas encore dit ce qu'elle en pensait, ce qui lui semblait un mauvais signe.

— Plutôt bien, je crois. On a dû avoir une soixantaine de personnes ?

— Soixante-treize ! corrigea Rhea qui les rejoignit et déposa une Guiness glacée dans la main de Darcy.

— Pas mal pour une première signature, approuva Moxie.

— Mieux que je ne l'escomptais. Bizarre, aussi. Les gens m'ont vraiment lue, maintenant, ça fait un peu peur. Ils ont chacun leur opinion.

Moxie s'esclaffa.

— Une opinion, ça veut dire qu'ils attendent une suite. Laquelle s'annonce du tonnerre, je dois dire. J'ai terminé ton premier jet hier soir.

— Vous avez aimé ? demanda Darcy, prenant une gorgée de bière pour se donner une contenance. J'avais peur que vous ne trouviez le texte un peu... faiblard.

— Faiblard ? C'est beaucoup mieux que le premier jet d'*Afterworlds*. Tu as beaucoup mûri.

— Vous plaisantez ? Ce n'est pas du tout l'impression que j'ai.

— Tu as sans doute oublié ta première version d'*Afterworlds*. Ces deux chapitres au début, dans ce palais infernal ridicule, et cette scène finale interminable avec Yamaraj sur son lit de mort ? Nan n'était pas sûre que tu arriverais à régler ce problème de la fin.

Darcy cligna des paupières.

— Vous ne m'en aviez jamais parlé.

— Parce que je ne voulais pas t'inquiéter, ma chérie. Avec un auteur débutant, on marche toujours sur des œufs.

— Mais puisque Nan n'était sûre de rien, pourquoi les gens de Paradox m'ont-ils offert autant d'argent ?

Moxie haussa les épaules.

— Parce qu'ils pensaient que ce livre pourrait faire un malheur. Et que le service des ventes a vraiment adoré ce premier chapitre.

— C'est la seule chose qu'ils ont aimée ?

— Bien sûr que non. Disons qu'ils ont discerné un potentiel, et décidé de miser sur toi. Et aujourd'hui, bingo ! Tu fais le buzz partout, et ça ne fait que commencer.

Moxie tapota l'épaule de Darcy et soupira, avant d'ajouter :

— Bien sûr, on n'obtiendrait sans doute pas le même montant aujourd'hui. C'était une autre époque.

— Euh, ça remonte à l'année dernière.

— Si loin que ça ? Mon Dieu.

Moxie s'éventa et savoura une longue gorgée de son Martini.

— J'ai l'impression que tu es chez nous depuis toujours, Darcy.

Darcy sourit. Les jours où l'écriture se déroulait bien, c'était aussi son impression – d'être née à New York, ou d'avoir émergé spontanément de son asphalte baigné de soleil, en romancière avertie. Mais la plupart du temps elle se sentait une gamine.

— Salut, toi.

La voix familière lui donna des frissons, et elle se retourna.

C'était Imogen. Elle avait soigné sa tenue pour la signature, avec un chemisier blanc impeccable et des bagues étincelantes à tous les doigts. Elle tenait coincé sous le bras son blouson noir, que le trajet en pleine chaleur lui avait fait retirer, et une bière embuée à la main.

Au fond d'elle-même Darcy espérait toujours tomber sur Imogen – dans les rues de Chinatown, dans le métro, dans un restaurant qu'elles adoraient toutes les deux. Alors au cours des deux derniers mois et demi, elle avait élaboré une centaine de versions de ce qu'elle dirait si l'occasion se présentait à elle.

Mais tout ce qui lui vint, ce fut :

— Salut.

Sa réaction parut plaire à Imogen.

— Ta signature a été bonne ?

— Super. Et la tienne ?

— Pas trop mal.

— Pas trop mal ? Carla et Sagan m'ont dit que tu avais une file d'attente énorme !

Darcy partit d'un grand rire, parce qu'on voyait bien à l'expression embarrassée d'Imogen que c'était vrai.

— Dingue, hein ? Une photo prise par hasard, et tout s'emballe.

— Ça n'aurait pas eu cet effet si ton livre n'avait pas été aussi bon, assura Darcy.

Elle grimaça intérieurement en entendant le trémolo dans sa voix. Puis elle but une gorgée et se redressa.

— Merci d'avoir fait entrer mes amis. Je ne savais même pas qu'on pouvait faire ça.

Imogen sourit de nouveau.

— Les super-pouvoirs littéraires. Discrets, mais puissants !

Ni l'une ni l'autre ne dit plus rien pendant un moment, mais le brouhaha de la foule ne vint pas combler le silence : une barrière invisible semblait les séparer du reste du monde, les protégeant contre toute interruption. Moxie avait purement et simplement disparu.

— J'ai adoré ta nouvelle fin, déclara subitement Imogen.

Darcy laissa échapper un soupir.

— Vraiment ?

— Oui. Tu as parfaitement fait ressortir le côté sombre.

— Je n'étais pas d'humeur joyeuse à ce moment-là. Plutôt farouche et déterminée.

Imogen pouffa.

— Et courageuse, en plus, avec Kiralee Taylor en personne qui t'avait conseillé d'écrire une fin heureuse. Je suis fière de toi.

Darcy ferma les yeux et les rouvrit, délibérément, pour s'assurer que tout cela était bien réel. De fait, cette bulle de conversation avec Imogen était la seule réalité qui soit. Les compliments de Moxie à propos du premier jet d'*Untitled Patel* n'avaient plus d'importance, pas plus que tous les mots gentils qu'elle avait entendus lors de sa signature. Rien ne comptait plus que ça.

— Je suis contente qu'elle t'ait plue.

— Je la trouve d'une froide brutalité.

Darcy rit. Kiralee avait bel et bien employé ces mots dans son éloge sur la couverture, et s'était opposée à toute correction du service marketing.

— En parlant de brutalité, je viens de boucler le premier jet d'*Untitled Patel*. En un mois !

— C'est super, Darcy. (Elles trinquèrent.) Je m'inquiétais pour toi en te voyant bloquée devant ton écran. Tu n'es pas faite pour ne pas écrire.

— Oui, je ne suis pas douée pour ça. On ne m'y reprendra plus.

Elles se regardèrent dans les yeux, et une fois de plus Darcy oublia qu'il y avait d'autres personnes dans la salle. Imogen finit par rompre le silence.

— Alors comme ça, *Untitled Patel* n'a toujours pas de titre ? Je t'en dois un, non ?

— Je t'avais volé ta scène. Je dirais qu'on est quittes.

Imogen continua à sourire, mais détourna le regard.

— Je m'excuse d'avoir pris mes distances comme ça.

— Tu en avais besoin.

Darcy aurait voulu continuer, expliquer qu'elle comprenait désormais, même si elle avait détesté chaque minute de leur séparation ; que malgré le besoin viscéral qu'elle avait d'Imogen, elle pouvait respecter ses secrets, ou son envie d'espace. Mais il était trop tôt pour cela, et depuis le début le problème de Darcy avait été d'en vouloir trop, trop vite.

Alors elle dit :

— Comment t'en sors-tu avec *Phobomancer* ?

Imogen poussa un soupir de soulagement.

— Plutôt bien. J'ai presque terminé.

— Dis-moi qu'il commence dans le coffre d'une voiture.

— Bien sûr. Mon agent adore cette scène, maintenant ! Il dit que j'ai enfin réussi à y instiller de la peur.

— Je savais que tu finirais par y arriver.

— Ç'a été facile, une fois que j'ai su ce qui me faisait vraiment peur.

— Tu n'as jamais peur de rien, Gen.

Imogen ne réagit pas tout de suite, et Darcy retrouva son sérieux. Elle avait l'impression d'avancer à tâtons, comme au début d'une toute première relation. Ce n'était pas le moment de se montrer jeune et naïve.

Mais Imogen se rapprocha d'elle, et lui glissa, d'une voix presque noyée dans le brouhaha de la fête :

— Je me suis aperçue que j'avais peur que tu ne m'attendes pas. Que tu tournes la page sur nous deux.

— Jamais, dit aussitôt Darcy. J'ai confiance en toi, Gen.

— Ce n'était pas pour te mettre à l'épreuve. Je voulais juste finir mon livre avant de m'occuper de nous. Mais c'était égoïste, de m'éloigner aussi longtemps.

Darcy ne retint qu'un mot de cette déclaration.

— Tu as dit « était ».

— Quoi ?

— Tu as parlé au passé, Imogen. « C'était égoïste, de m'éloigner aussi longtemps. » Ça veut dire que tu reviens ?

Imogen lui prit la main.

— Oh, fit Darcy, le cœur soudain recollé.

Il lui restait une foule de choses à régler – son problème d'appartement, son manuscrit à revoir, son budget catastrophique, sa carrière universitaire en suspens. Sans oublier, comme Nisha le lui avait rappelé par texto le matin même, la difficulté non négligeable de préserver sa santé mentale pendant les cent dix-sept jours qui la séparaient encore de la sortie d'*Afterworlds*. Et la possibilité que les gens aient mieux à faire de leur argent que d'acheter le premier roman d'une jeune inconnue.

Il était possible également qu'Imogen et elle n'aient pas changé tant que ça au cours de ces deux mois et demi. Dans la vraie vie les transformations s'effectuent souvent à contrecœur, pas à pas, et lentement.

Imogen avait toujours besoin d'avoir des secrets. Darcy voulait toujours tout.

— J'ai pratiquement épuisé mon budget, prévint-elle.

— Pas grave, je suis plutôt en fonds en ce moment, rétorqua Imogen.

— Je serai à la rue dans deux mois.

— Tant qu'on est ensemble, on pourra écrire n'importe où, dit Imogen.

— Je vais peut-être m'inscrire à l'université. Une fac pas trop chère.

— C'est peut-être une bonne idée. Je viendrais te rendre visite.

Darcy hocha la tête. Le truc, c'était peut-être simplement de ne pas céder à la panique. Dans la vie, comme dans cette profession vertigineuse qui consistait à écrire des histoires et à les proposer au monde, il fallait avant tout se focaliser sur la page qu'on avait devant soi.

— Désolée d'avoir lâché le ballon, dit-elle.

— Un ballon, ça rebondit.

— Toujours aussi peu convaincue par les fins heureuses ?

— Question sans importance, déclara Imogen. On n'en est pas à la fin.

42

UNE SEMAINE PLUS TARD, JE ME SUIS RETROUVÉE UNE FOIS encore à l'hôpital. Non pas sous une tente de campagne dans la neige, mais dans une salle de chimiothérapie blanche et pimpante à Los Angeles.

Ma mère n'avait pas entamé une chimio – pas encore, en tout cas. Elle était reliée à une poche de sang qui lui transfusait des globules rouges. Elle allait subir ça une fois par semaine jusqu'à ce que les résultats de ses analyses s'améliorent, première étape d'un long processus qui comprendrait beaucoup d'autres traitements, d'autres analyses et d'autres machines.

Après avoir tout installé, l'infirmier nous a laissées seules et nous sommes restées silencieuses un moment. Je m'efforçais de ne pas regarder l'endroit où le tuyau s'enfonçait dans le bras de ma mère. Les médecins lui avaient implanté un morceau de plastique qui leur permettrait de lui brancher les poches sans avoir à la piquer chaque fois. Je n'avais rien contre les aiguilles, mais l'idée que ma mère avait besoin d'une valve permanente sur la peau me faisait froid dans le dos.

Elle prétendait trouver ça plutôt chouette, parce que ça lui donnait l'impression d'être un cyborg.

— C'est douloureux ? ai-je demandé.

— Pas vraiment. Le plus embêtant, c'est que je ne vais plus pouvoir manger de viande rouge pendant un moment.

— Bizarre.

— Avec tous ces globules rouges qu'on m'injecte, je dois faire attention à la surcharge en fer. Plus de heavy metal pour moi !

— Ça va te manquer, ai-je prédit, procédant à une rapide recherche de recettes végétariennes sur mon téléphone. D'accord. Et si je nous préparais une frittata de chou-fleur pour ce soir ?

— On n'est pas obligées de devenir végétariennes. Je dois juste arrêter la viande rouge.

J'ai fait défiler le résultat de ma recherche.

— Un gratin de chou frisé ?

— Tu veux ma mort ? Ça contient encore plus de fer que le bœuf ! Le persil aussi, c'est mortel.

— Waouh. Le persil est mortel. Je parie que c'est la première fois que quelqu'un dit ça.

Pour vérifier mon hypothèse, j'ai entré la phrase dans mon téléphone. La première occurence m'a renvoyée au massacre du Persil, au cours duquel vingt mille Haïtiens avait été tués. La mort était partout quand on y regardait de près.

J'ai rangé mon téléphone.

Un autre patient est arrivé en salle de chimio. Beaucoup plus vieux que ma mère, il marchait à petits pas, soutenu par une jeune infirmière. Il avait les cheveux très fins, la peau tendue sur les os du visage.

Une petite fille marchait derrière lui. Elle portait une robe à fleurs démodée dont les plis ne marquaient aucune ombre. Elle n'a pas semblé me remarquer malgré mon halo de psychopompe. Elle avançait tête baissée, avec un petit sourire, comme une gamine qui essaie de garder son sérieux lors d'une cérémonie déprimante.

Ma mère et moi avons regardé en silence l'infirmière perfuser le vieil homme. Après, il a enfilé ses écouteurs et s'est allongé les yeux fermés. Ses mains tressaillaient au rythme de la musique qui s'échappait de ses écouteurs. La fillette fantôme l'observait en tapant du pied, comme si elle aussi pouvait entendre la musique.

J'ai respiré un grand coup avant de me jeter à l'eau.

— J'ai repoussé l'université d'un an.

Ma mère m'a regardée fixement. Les muscles de son bras s'étaient crispés. Pendant un instant, j'ai cru qu'elle allait éjecter sa perfusion.

— Tu ne peux pas faire ça, Lizzie.

— C'est fait, ai-je rétorqué d'une voix ferme. Je les ai appelés.

— Rappelle-les ! Dis-leur que tu as changé d'avis.

— Ce serait un mensonge. Il est trop tard de toute façon. Ils ont déjà donné ma place à quelqu'un d'autre.

Ma mère a gémi.

— Lizzie, tu n'es pas obligée de faire ça. Je n'ai pas besoin de toi pour rester couchée là avec un tuyau dans le bras.

— Tu ne veux pas de moi ici ?

— Je te veux à l'université !

— Pour l'instant.

J'ai revu mentalement la liste de mes arguments. Je me préparais à cette conversation depuis que j'avais reçu ma première lettre d'acceptation à l'université.

— Mais quand tu auras commencé la chimio, tu auras besoin de moi pour t'emmener à l'hôpital. Et t'aider à te souvenir quelles pilules il faut prendre.

Elle a levé les yeux au plafond.

— Je ne suis pas sénile. Juste malade.

— Sauf que certains de tes médicaments affectent la mémoire à court terme. Et puis, la plupart du temps, tu n'auras pas envie de te faire la cuisine. Sans compter qu'en différant l'université pour raison médicale, ma place est garantie à cent pour cent. En plus tes revenus vont baisser pendant un bout de temps, ce qui veut dire que j'aurai une bien meilleure bourse l'année prochaine. Tu vois : que des aspects positifs !

Elle m'a dévisagée un long moment. Au fond de la salle, l'autre patient fredonnait en sourdine. Le petit fantôme se tenait assis à son chevet, les mains croisées.

— On dirait que tu as beaucoup réfléchi à la situation, a maugréé maman.

— Autrement dit, tu reconnais que ma logique est irréfutable.

— Autrement dit, tu aurais pu m'associer à ta réflexion.

— Tu m'aurais conseillé de ne pas m'en faire pour tout ça.

Ma mère a soupiré, vaincue, et son regard s'est perdu dans le vague.

— D'accord, Lizzie. Mais pas plus d'un an. Il n'est pas question que tu fasses une croix sur ta vie pour moi.

Je lui ai pris la main.

— Maman… c'est ça, la vie. Là, dans cette chambre, avec toi. C'est la vie.

Ma mère a jeté un regard circulaire dans la pièce – les diodes lumineuses de la machine à transfusion, les néons dans le faux plafond, le tuyau qui lui rentrait dans le bras – avant de faire la grimace.

— Super. Eh bien, c'est gai.

Je n'ai pas cherché à discuter. La vie n'était pas gaie, certes. Pas gaie du tout, même – plutôt aléatoire, terrifiante et beaucoup trop fragile. Elle était pleine de sectes délirantes et de psychopathes, de moments mal choisis et de mauvaises personnes. Elle déraillait, parce qu'il suffisait de quatre salopards avec des armes à feu pour

massacrer un aéroport entier, ou d'une défaillance micros-
copique dans la moelle de votre mère pour vous l'enlever
beaucoup trop tôt. Parce qu'une seule erreur commise
sous le coup d'une colère légitime pouvait vous faire
perdre la personne que vous aimiez le plus.

Mais tout ce qui clochait dans la vie prouvait aussi
qu'elle n'avait pas de prix ; sinon, tout cela n'aurait pas fait
aussi mal.

— J'ai envie d'être là pour toi, ai-je dit.

Ma mère a souri.

— C'est gentil. Tu es sûre que ce n'est pas aussi pour
rester près de ton petit ami ?

Ma réaction a dû se lire sur mon visage.

— Oh. Ce n'est plus ton petit ami ?

— Je ne sais pas. Je ne l'ai pas revu depuis un moment.

Pour regagner le parking de l'hôpital, nous sommes
passées par la salle d'attente du service des urgences. Ma
mère a fait un crochet par les toilettes, me laissant seule
dans le couloir bondé. Je me suis adossée au mur et j'ai
fixé le sol pour ne plus voir aucun fantôme.

Mais quelque chose m'a fait lever les yeux.

Un infirmier s'approchait dans le couloir, poussant une
chaise roulante vide. Il était jeune et beau, avec un crâne
rasé constellé de taches de son et une petite moustache. Il
avait une radio suspendue à l'épaule et son uniforme était
froissé, comme s'il avait travaillé toute la nuit.

Il s'est tourné vers moi en passant, nos regards se sont
croisés brièvement et il a ralenti. Sa peau brillait, lumineuse, malgré la lueur crue des néons.

Un sourire a fendu ses traits fatigués. Il m'avait vue
briller moi aussi.

— Besoin d'un coup de main ? m'a-t-il demandé.

J'ai mis une seconde à réaliser ce qu'il voulait dire par là.

— Non, ça va. J'accompagne ma mère.

J'ai jeté un coup d'œil en direction de la porte des toilettes.

— Dacodac. C'est juste qu'on aurait dit que tu étais tombée sur un gros morceau. On rencontre parfois de sacrés revenants, dans le coin. Le genre de salopards à ne surtout pas ressusciter.

— Oui, j'imagine, ai-je dit en frissonnant. Mais tout va bien. J'ai eu quelques jours difficiles, c'est tout.

— Ils le sont tous, a soupiré l'infirmier, reposant les mains sur les poignées de sa chaise roulante. J'espère que ta mère va se remettre. Fais-moi signe au cas où tu aurais besoin d'un peu d'huile dans les rouages par ici. Je connais tout le monde.

— Sérieux ? ai-je répliqué avec un sourire. Merci.

Il m'a adressé un clin d'œil.

— Nous autres brillants, faut bien qu'on se serre les coudes.

Il s'est éloigné en poussant sa chaise roulante vers l'accueil des ambulances, et je me suis rendu compte que la plupart de ses journées étaient probablement plus dures que les miennes, que ses patients survivent ou non.

Et je me suis aperçue que je tenais enfin un meilleur mot que « psychopompe ».

Alors que nous roulions vers San Diego dans ma voiture, ma mère s'est mise à parler de tout ce qu'elle ferait une fois qu'elle aurait arrêté de travailler. Elle voulait repeindre le garage, rénover la cuisine, commencer un potager dans le jardin. Je ne lui ai pas demandé où elle trouverait l'argent et surtout l'énergie de faire tout ça. Je n'ai pas souligné qu'elle n'était pas un cyborg à proprement parler. Je n'avais pas envie de lui saper le moral.

Nous avons cuisiné ensemble ce soir-là, sous le regard de Mindy, comme une petite famille un peu étrange mais heureuse. L'avenir tel que je me l'étais imaginé était sérieusement compromis, mais d'une certaine façon cela rendait le présent plus précieux, plus réel.

Ça avait dû être épuisant pour ma mère, à moins que la transfusion ne l'ait particulièrement fatiguée, parce qu'elle s'est mise au lit de bonne heure. Depuis le seuil de ma chambre, elle m'a lancé :

— Tu as vraiment réfléchi à l'impact de ma maladie sur ta bourse l'année prochaine ? Bravo, ma chérie.

Après avoir nettoyé la cuisine, voyant que Mindy ne tenait pas en place, je l'ai emmenée faire un tour. J'ai décidé de repasser avec elle devant l'école fantôme, pour faire une expérience.

Elle s'était un peu atténuée depuis notre dernière visite. La ligne du toit en tuiles se brouillait sous le ciel gris. Peut-être qu'un de ses anciens élèves était mort la semaine dernière, faisant une personne en moins pour entretenir le souvenir.

— Tu te rappelles cet endroit ? ai-je demandé.

— Bien sûr, quelle question ! On y est allées ensemble, une fois. (Mindy m'a pris la main et l'a serrée.) Même que j'ai eu drôlement peur.

— Tu m'étonnes. Qu'est-ce que disait la voix, déjà ?

— *Je vous enteeeeends là-haut*, a-t-elle chantonné doucement, avant de glousser comme une folle.

C'était bizarre. Mindy se rappelait précisément ce qui s'était passé ici, sauf qu'elle le racontait comme si elle parlait d'un film d'horreur, et non de l'homme qui l'avait enlevée. J'avais toujours l'impression qu'une part d'elle-même avait disparu.

Moi-même, j'ai frémi un peu au souvenir du crissement des ongles du vieil homme sous le plancher de ma chambre.

M. Hamlyn ne m'avait plus ennuyée une seule fois depuis notre descente dans son enfer privé. Peut-être tiendrait-il sa promesse d'attendre que je l'appelle. Et peut-être qu'un jour j'aurais de nouveau besoin de ses lumières. Pour l'instant, en tout cas, les cicatrices que sa toile m'avait laissées aux bras et aux jambes étaient suffisamment fraîches pour me rappeler le genre de personne qu'il était.

— Dans quelle humeur était Anna aujourd'hui ? a demandé Mindy sur le chemin du retour. Elle n'a pas trop grogné pour la transfusion ?

J'ai baissé les yeux vers Mindy. Elle avait peut-être oublié son propre passé tragique, mais elle s'intéressait de près à l'état de santé de ma mère.

— Elle a grogné, mais pas pour le traitement. Je lui ai dit que j'avais repoussé l'université.

— *Toi, tu vas avoir des ennuis,* a chantonné Mindy avant de me serrer dans ses bras. Mais je suis bien contente que tu restes.

— Moi aussi. Tant que maman n'appelle pas le bureau des admissions pour vérifier si je n'ai pas menti. Parce qu'en fait j'ai encore deux mois pour changer d'avis.

— Tu as toujours aimé raconter des blagues. Comme la fois où tu as réussi à faire croire à Jamie qu'il y avait deux lunes, mais que l'une était invisible.

— Hum. Ça doit remonter à au moins… huit ans ?

— Oui, mais est-ce que tu savais que Jamie avait seulement fait semblant de te croire ? Je l'ai entendue en parler avec Anna le lendemain. Elles ont bien ri, toutes les deux !

Je me suis arrêtée, quelque peu mortifiée par cette humiliation *a posteriori*, mais plus surprise encore que

Mindy s'en souvienne. Elle ne m'avait jamais rien raconté de ce genre du temps où elle était encore terrorisée par le méchant homme.

Peut-être que la part d'elle-même qu'il avait effacée en mourant se remplissait à nouveau, de souvenirs plus réjouissants.

À notre retour à la maison, Mindy est partie de son côté. Officiellement lassée de notre voisinage immédiat, elle s'était mise à explorer les gens du pâté de maisons suivant. Devant son impatience à élargir ses horizons, je l'ai laissée s'éloigner.

Je suis restée dans ma chambre, à traîner dans l'envers du décor, dans l'espoir d'entendre une voix m'appeler depuis le fleuve. Yama devait avoir regagné les enfers maintenant. Il avait une ville à protéger.

J'ai contemplé mes mains, me demandant si je pourrais un jour sentir sur elles l'odeur du sang. À mesure que mes pouvoirs de brillante grandiraient, le meurtre que j'avais commis se manifesterait peut-être de manière visible, comme une tache d'encre de seiche sur les doigts.

Yama pensait-il encore à moi? Regrettait-il de ne pas pouvoir abandonner sa ville de grisaille pour m'emmener dans un endroit désert et silencieux, balayé par le vent?

Je ressentais son absence, c'était un froid supplémentaire en moi, un picotement sur ma peau, une fêlure dans mon cœur. Sans ses lèvres pour me calmer, je ne dormais plus beaucoup et le monde me semblait plus étroit que jamais. Les murs avaient rétréci la chambre autour de moi.

Alors, quand juste après minuit l'air métallique de l'envers du décor m'a porté l'écho d'une voix, je n'y ai pas cru tout de suite. Mais la voix a répété:

— *Lizzie, j'ai besoin de toi.*

C'était Yamaraj.

Je connaissais suffisamment les humeurs du fleuve à présent pour savoir qu'il ne m'emportait pas en enfer. Le voyage était trop bref, les courants trop calmes, trop réguliers. Donc Yama ne m'invitait pas dans son palais gris. Ça ne m'ennuyait pas. Je voulais bien le retrouver n'importe où.

Quand j'ai refait surface, ce n'était pas sur un sommet montagneux désertique. Mais dans un endroit où j'étais déjà venue, qui était lié à mon histoire personnelle.

L'aéroport de Dallas/Fort Worth.

Yama m'attendait sous un mur d'écrans de télévision éteints. Nous étions juste derrière la grille métallique qui avait empêché tout le monde de s'enfuir cette nuit-là. Il était deux heures plus tard qu'à San Diego, bien après minuit, de sorte que la grille était baissée, comme dans mon souvenir.

Mon cœur cognait dans ma poitrine, et des taches de couleur pulsaient dans mon champ de vision. J'ai réussi à me contrôler.

— Pourquoi ici ? ai-je demandé.

— Je regrette, Lizzie. Ça doit être difficile. Mais on a besoin de toi.

Sa voix était enrouée, comme s'il avait négocié toute la nuit avec quelqu'un.

J'ai regardé, de l'autre côté de la grille, l'endroit où tant de gens étaient morts. Il n'avait pratiquement pas changé depuis l'attentat. Quelques dizaines de personnes y attendaient, l'air de s'ennuyer, qu'on les appelle pour l'embarquement.

Il n'y avait qu'un changement. Au-delà des portiques de sécurité, un bloc de pierre grise se dressait dans un cube en verre d'environ trois mètres de côté. Il était entouré d'échafaudages, encore en chantier.

Un mémorial pour l'attentat, ça me revenait à présent.

Quand la maquette du projet était sortie dans la presse, un journaliste avait appelé maman pour lui demander si j'avais un commentaire à faire dessus, et elle lui avait répondu que non.

— Tu es sûr qu'on a besoin de moi ici ? J'ai l'impression que tout le monde est déjà passé à autre chose.

— Pas tout le monde, non, a rétorqué Yama.

Je l'ai regardé fixement. Il paraissait plus âgé, comme si le laps de temps qu'il avait dû passer dans le monde des vivants pour permettre à son corps de guérir avait été très long. Une cicatrice lui barrait la joue, fraîche et rose, et il avait le teint pâle.

Il restait beau néanmoins. J'en avais des picotements sur la peau, la tête me tournait en sa présence. Des tsunamis d'huile noire m'auraient laissée indifférente mais Yama me faisait toujours autant d'effet.

— Je voudrais te présenter quelqu'un, a-t-il dit. Mais seulement si tu te sens d'attaque. Cela peut attendre.

— Non, maintenant, c'est bien.

Me retrouver là avec lui, dans le décor de mes cauchemars, c'était mieux qu'être seule n'importe où ailleurs.

Il m'a tendu la main, et je l'ai prise. J'ai senti sa chaleur, ce feu qu'il avait sur la peau, affluer en moi. Le froid qui m'habitait s'est estompé un moment.

Il fallait que je dise quelque chose pour m'empêcher de sangloter.

— Tu n'as pas peur que M. Hamlyn profite de ton absence pour passer chez toi ?

Yama a secoué la tête.

— On ne l'a plus revu depuis un moment. Il joue avec moi, et il a tout son temps. Il pense que je vais recommencer à négliger les miens. Mais cela ne prendra que quelques minutes.

— Oh.

Seulement quelques minutes.

Je me suis focalisée sur la sensation de sa main contre la mienne, sa chemise ajustée sur son torse.

Pendant que je traversais l'obstacle devant lequel j'avais failli mourir, j'ai senti un frisson de panique me chatouiller l'échine. Mais la grille métallique n'avait pas plus de consistance que de la fumée dans un rayon de soleil. Je pouvais marcher à travers une montagne désormais, si j'en avais envie.

Nous avons gagné la zone d'embarquement, là où tout avait commencé. À cette heure tardive, les détecteurs de métaux et machines à rayons X étaient éteints pour la plupart. Quelques agents désœuvrés de la Sécurité dans les transports faisaient le pied de grue, et deux soldats de la Garde nationale en gilet pare-balles montaient la garde, dos au mur. Le bain de sang du Colorado était récent, et Jamie m'avait dit que la vigilance restait de mise partout. À plus forte raison ici, apparemment.

Je n'ai pas regardé le mémorial. Il concernait les quatre-vingt-sept autres victimes de cette nuit-là, pas moi.

— Je ne comprends toujours pas. Pourquoi avais-tu besoin de moi ?

Il m'a répondu avec ses yeux, qu'il a tournés vers un garçon de mon âge qui attendait sur l'un des sièges en plastique. Je l'avais à peine remarqué, assis dans son coin. Il marmonnait tout seul, la casquette rabattue sur les yeux, flottant presque dans son maillot de joueur de football américain.

Il avait la peau grise et ne projetait pas d'ombre. Mais il était distinct, plus net que les fantômes que j'avais connus. Et j'ai réalisé que des millions de personnes se rappelaient qui il était, ce qu'il avait fait.

Je m'étais efforcée d'oublier tous les détails de cette nuit-là, mais même moi, je me souvenais de son nom.

— Travis Brinckman.

Il a levé les yeux vers moi, partagé entre l'inquiétude et la méfiance, comme un gamin pris sur le fait.

— Je te connais ?

J'ai secoué la tête.

— On ne s'est jamais rencontrés. Mais j'étais là cette nuit-là.

— Ah bon ? (Il a fouillé dans sa mémoire, puis haussé les épaules.) Je ne me souviens pas de toi. J'imagine que c'était la mauvaise nuit pour se faire des amis.

— C'était la mauvaise nuit pour tout.

Je me suis tournée vers Yama, je me demandais comment continuer. Il m'a encouragée avec un sourire.

— Je ne sais pas ce que j'aurais pu faire d'autre, dit Travis. Personne ne tentait rien. Tout le monde laissait tirer ces gars.

— Oui. Ça ne semblait pas réel au début.

C'était une impression étrange, de m'adresser à quelqu'un qui s'était trouvé là. Je n'aurais jamais cru que ça m'arriverait un jour.

— Personne n'a esquissé un geste parce que ça n'avait aucun sens, ai-je continué. Et le fait que tout le monde soit pétrifié rendait les choses encore plus irréelles.

Il a serré les poings.

— Ne m'en parle pas. Sauf que quand ces gars sont arrivés à court de munitions, j'ai pensé que tout le monde en profiterait, tu vois ? Alors je leur ai sauté dessus.

Je me suis assise à côté de Travis. Je m'étais repassé la scène de nombreuses fois dans ma tête, en m'imaginant appeler les secours plus vite, ou mener la foule dans une autre direction plus sûre, ou même rater mon avion à New York et ne pas me trouver là.

Que devait ressentir Travis, lui qui avait effectivement tenté quelque chose ? Et qui était passé si près de réussir ?

— Dommage que tu aies été le seul.

— Personne ne m'a aidé, a-t-il maugréé, avec des petits tressaillements dans les mains. Si j'avais réussi à leur arracher un de ces flingues…

— Au moins, tu as essayé.

— Pour ce que ça a changé ! Ils m'ont eu. Ils ont eu tout le monde.

Je l'ai dévisagé. Les fantômes ne devaient sans doute pas lire les journaux. Il n'était peut-être pas au courant de cette histoire de symbole d'espoir.

— Non, Travis. Ils ne m'ont pas eue.

Il s'est tourné vers moi avec des yeux ronds, les mains immobiles cette fois.

— Tu rigoles ?

J'ai indiqué la grille métallique.

— J'étais là-bas quand ça a commencé, au téléphone avec ma mère. Et pendant que les autres se faisaient tirer dessus, j'ai pu appeler le 911.

Voyez-vous une cachette à proximité ? Les mots ont grésillé dans l'air comme de l'électricité statique autour de moi, me coupant le souffle. Quelques couleurs se sont esquissées en tremblant. Il fallait pourtant que je reste là. Je n'avais pas fini de raconter mon histoire à Travis.

— L'opératrice m'a conseillé de faire la morte, et pile à ce moment, j'ai senti une balle me siffler aux oreilles. Alors je me suis écroulée.

— Tu as fait la morte ? Mince. J'aurais dû y penser moi aussi.

— Ce n'était pas mon idée. C'est la femme à l'autre bout du fil qui me l'a soufflée.

Je l'ai regardé, me rappelant à quel point j'étais passée tout près de me faire descendre.

— J'avais le cerveau qui pédalait dans la semoule à ce

moment-là, et elle m'a dit quoi faire. Juste à temps. Un temps que je n'aurais jamais eu si tu n'avais pas été là.

Travis m'a dévisagée, incrédule, avant d'indiquer Yama avec son pouce.

— C'est ce type qui t'a demandé de me raconter ça ?

— Non. J'étais vraiment là ce soir-là, pour de bon.

Travis ne paraissait pas convaincu.

— Il est toujours dans le coin, à vouloir discuter avec moi. À me raconter que je suis un héros.

— C'est vrai.

Il a levé les yeux au plafond.

— Même lui a fini par se fatiguer. Ça faisait un moment que je ne l'avais plus revu.

— Appelle ça de l'héroïsme ou pas, on s'en fiche. En tout cas le type pointait son arme sur moi quand j'ai enfin compris ce que je devais faire. Ça s'est joué à quelques secondes...

Il m'a étudiée longuement, et j'ai pu voir à quel point le doute était ancré en lui. Ça faisait des mois qu'il était assis là, à ruminer son idée fixe comme souvent les fantômes, persuadé d'avoir échoué. Parce que les journaux l'avaient décrit tel un héros mort avec courage, mais qui avait échoué, et c'était ainsi que les vivants se le rappelaient.

Personne ne s'était jamais rendu compte que j'avais survécu grâce à Travis Brinkman.

Pas même moi.

— Merci. Pour tout ce que j'ai encore aujourd'hui.

— Tu es sûre que je t'ai aidée ? m'a-t-il demandé à voix basse.

Je l'ai vue dans ses yeux à cet instant – une mince lueur d'espoir. La même qui l'avait fait s'élancer à mains nues contre des hommes armés.

— J'en suis sûre. Peut-être ne les as-tu retardés que de quelques secondes, mais sans ça, je serais morte.

— Bah, il fallait bien que quelqu'un fasse quelque chose, a-t-il bougonné, avant de jeter un coup d'œil vers Yama. On peut lui faire confiance, à lui ?

J'ai hoché la tête.

— Et l'endroit où il veut m'emmener ?

— C'est un lieu étrange, mais magnifique. Beaucoup mieux que cet aéroport.

— Sûrement. Je déteste les aéroports.

— Je te comprends. Moi aussi.

— Bon, a-t-il fait en se tapant sur les genoux avant de se lever. Je crois qu'il va être temps d'y aller.

— D'accord, parfait. Mais, euh, Travis… ça t'ennuie si je parle un peu à mon ami d'abord ?

Pendant un long moment, Yama et moi sommes restés silencieux. Je ne savais pas par où commencer, et lui devait sans doute s'inquiéter au sujet de sa sœur, et de sa ville.

Mais pour finir, il a dit :

— Merci pour ce que tu viens de faire, Lizzie.

— Je le devais à Travis. Tu le sais très bien. Pourquoi ne pas m'avoir amenée ici plus tôt ?

— Tu n'étais pas prête.

— Peut-être pas, ai-je reconnu dans un soupir, avec un regard circulaire sur l'aéroport. Mais c'est valable pour tout ce qui m'est arrivé, non ?

— Je n'avais pas envie que tu souffres, Lizzie.

Je l'ai dévisagé, ne sachant pas quoi dire, ni si je devais m'excuser ou lui demander pardon. En tout cas je n'avais pas envie qu'il s'en aille.

— Que devient l'agent Reyes ?

Yama a eu un sourire triste.

— Il a pris en main la surveillance de notre ville. Il ne s'est pas estompé le moins du monde. On doit garder un bon souvenir de lui parmi les vivants.

Je me suis raclé la gorge.

— Dis-lui merci de ma part, merci pour tout. Et à ta sœur aussi, au passage.

Yama a hoché la tête, l'air grave, et j'ai compris qu'il avait deviné pourquoi je voulais remercier Yami – pour avoir effacé les traces de mon crime.

Des couleurs ont commencé à pulser dans mon champ de vision.

— Je suis désolée, mon amour.

— Moi aussi.

Il a touché la cicatrice en forme de larme que j'avais sous l'œil.

— Est-ce que c'est définitif, ton opinion sur moi ?

— Seule la mort est définitive, et même elle peut changer avec le temps.

Je l'ai fixé, me demandant ce qu'il entendait par là. Que l'odeur de mon crime finirait par s'atténuer ? Que je pouvais faire quelque chose pour effacer ce que j'avais commis ?

Mais Yama ne m'a pas facilité les choses. Il ne m'a pas donné de réponse franche, il s'est contenté de m'embrasser, une fois, allumant un brasier sur mes lèvres.

— Je te reverrai, m'a-t-il promis.

Pour le moment, cela me suffisait.

De retour chez moi, j'ai réalisé une chose : je n'avais pas envie de retourner dans ma chambre. Elle était trop vide, trop petite. Pendant une semaine je m'y étais enfermée en attendant l'appel de Yama, évitant tout le monde à l'exception de ma mère et de Mindy. Il était temps que ça change. Et pas seulement le décor – je voulais tout changer.

Alors je me suis abandonnée au fleuve, me laissant guider par mon subconscient. Pendant un instant j'ai tournoyé sur place, lentement, puis quelque chose s'est affirmé en moi et quelques minutes plus tard le fleuve me déposait à destination. Dans un endroit où il ne m'avait encore jamais amenée, mais auquel j'étais liée depuis très long-temps.

La chambre de Jamie était en fouillis comme d'habi-tude, avec ses devoirs de physique par terre, des vêtements en pagaille un peu partout et les brochures tape-à-l'œil d'une demi-douzaine d'universités étalées sur son lit.

Elle était assise devant son ordinateur, en pyjama et pei-gnoir, en train de découper une photo d'elle. J'ai aussitôt détourné le regard. Je m'étais promis de ne jamais me servir de mes pouvoirs pour espionner mes amies.

J'ai traversé sa chambre pour sortir dans le couloir, bas-culé dans le monde réel, et frappé à sa porte.

— Oui, p'pa ?

J'ai ouvert la porte.

— Salut.

— Tiens, salut. C'est mon père qui t'a fait entrer ?

Par réflexe, j'ai failli lui mentir. Mais je croyais savoir pourquoi le fleuve m'avait conduite ici, ce que je voulais au fond de moi, et c'était en rapport avec la franchise.

— Non, je suis entrée toute seule.

Jamie a ri.

— À cette heure ? Waouh. Qu'est-ce qui se passe ?

— Rien de… Plein de choses, en fait.

Elle a fait pivoter son fauteuil face à moi et m'a dégagé une place sur le lit d'un revers du bras. Les visages enthou-siastes des étudiants de première année sont tombés sur le sol comme des feuilles mortes.

Je me suis assise brusquement, les genoux en compote. Je n'avais peut-être pas le droit d'en parler, de partager mon fardeau avec quelqu'un d'autre. Mais je ne pouvais plus garder ça pour moi.

— J'aurais dû t'appeler, s'est excusée Jamie.

J'ai levé la tête.

— Quoi ?

— Tu avais l'air tellement déprimée cette semaine. En même temps, je ne voulais pas te rajouter de la pression. Je ne savais pas quoi faire. Désolée.

— Oh. Ne t'en fais pas. Tu as été super. Depuis le début, d'ailleurs. C'est juste que la situation a pas mal empiré cette semaine.

— C'est ta mère ? Ou ton agent secret ?

J'ai grimacé.

— Spécial, pas secret. Oui, c'est en partie à cause de lui. Mais pas uniquement.

— Quoi, vous avez rompu ?

— On n'a jamais été... C'est-à-dire que, j'ai effectivement rompu avec mon... petit ami, mais ce n'était pas l'agent spécial.

Elle a écarquillé les yeux.

— Sérieux. Tu sortais avec deux garçons à la fois ? Pas étonnant que tu aies eu l'air aussi stressée !

— Non !

J'ai levé les mains, regrettant de ne pas avoir préparé mon histoire avant de commencer à la raconter. Voilà l'inconvénient de s'en remettre aux décisions de son subconscient. Mais il était trop tard pour faire machine arrière maintenant.

— Prends ton temps, a dit Jamie. Ça va aller.

J'ai essayé de sourire. Tout était confus entre Jamie et moi, et je ne savais plus par où aborder les choses. Je savais seulement où je voulais en venir.

— Je peux te montrer un truc ? ai-je demandé d'une voix douce. Ça risque d'être un peu bizarre.

Elle a hoché la tête d'un air solennel.

J'ai fermé les yeux, murmurant les mots que je n'aurais

jamais cru prononcer un jour devant une personne ordinaire.

— La sécurité est en chemin.

Jamie, confuse, a lâché un hoquet de surprise. Je l'ai ignorée.

— Voyez-vous une cachette à proximité ?

— Lizzie ?

Elle commençait à avoir peur, maintenant.

— Attends, lui ai-je soufflé, avec de poursuivre : Dans ce cas, je crois que vous allez devoir...

Je l'ai senti se produire, ce lent basculement inexorable dans l'envers du décor. L'odeur de rouille et de sang, l'amortissement des sons. La sensation étrange d'y avoir désormais ma place, au même titre que dans le monde réel.

Et une exclamation sourde de Jamie :

— Nom de Dieu de merde !

J'ai pris une inspiration rapide, laissé mon pouls s'emballer avec toutes mes appréhensions, toutes mes incertitudes concernant ce que je me préparais à faire. J'ai rouvert les yeux, et les couleurs ont éclaté partout de nouveau. Le fouillis de la chambre de Jamie avait retrouvé sa clarté et sa chaleur.

Elle me dévisageait avec horreur.

— Pardon, ai-je dit. Mais je ne savais pas comment te le dire autrement.

— Mais qu'est-ce qui s'est passé ? Qu'est-ce que tu viens de... ?

Jamie a frissonné dans son fauteuil. Les lèvres résolument pressées, elle a produit un son guttural, comme si elle se raclait la gorge.

— D'accord, Lizzie. Tu t'es bien amusée. Maintenant, tu as intérêt à cracher le morceau.

Alors que j'ouvrais la bouche pour parler, quelque

chose dans son expression m'a fait incroyablement plaisir. Elle n'avait pas l'air effrayée, ni stupéfaite, ni même confuse que je me sois rendue invisible devant elle.

Je semblais plutôt l'agacer profondément.

C'était parfait.

— On appelle ça l'envers du décor, ai-je commencé. C'est là où vont les morts, et si tu veux je vais t'expliquer comment ça fonctionne, et te parler des enfers, des brillants et des fantômes. À partir de maintenant, Jamie, je vais te raconter absolument tout.